«AILLEURS ET DEMAIN»

Collection dirigée par Gérard Klein

D0785012

DU MÊME AUTEUR
chez le même éditeur :

PHILIP JOSÉ FARMER

LES DIEUX DU FLEUVE

Traduit de l'américain par Charles Canet

ÉDITIONS ROBERT LAFFONT
PARIS

Le présent volume est composé de la nouvelle Riverworld *– Ainsi meurt toute chaire – (cf. avant-propos de l'auteur pour ce texte) et du roman* Gods of Riverworld *– Les dieux du fleuve – (cf. avant-propos et postface de l'auteur pour ce roman), tous deux inédits en français.*

La nouvelle Ainsi meurt toute chair *a été traduite de l'américain par Charles Canet et Bernard Weigel.*

Titre original : GODS OF RIVERWORLD
© Philip José Farmer. 1983
Traduction française : Éditions Robert Laffont, S.A., Paris, 1984

ISBN 2-221-04247-6
(édition originale :
ISBN 0-399-12843-3 G.P. Putnam's Sons, New York

A ceux qui ne renoncent jamais

AINSI MEURT
TOUTE CHAIR

Avant-propos

C'est en 1952 que j'ai, en fait, rédigé le premier texte appartenant à la série du Monde du Fleuve*: un roman de 150 000 mots intitulé, à l'origine,* Owe for the flesh. *Je l'avais écrit en un mois pour le présenter à un concours international visant à récompenser un ouvrage fantastique et/ou de science-fiction. Il obtint le prix, mais, en raison de circonstances sur lesquelles je ne m'attarderai pas ici, il ne fut jamais publié et je ne touchai qu'une partie de l'argent auquel j'avais droit. Ce roman n'était pas destiné à faire partie d'une série; il constituait un livre complet à la fin duquel le mystère de la Planète du Fleuve se trouvait résolu. Les droits m'en sont revenus à l'issue des malheureuses chicanes liées au concours. Il n'existait pas à l'époque de marché pour un roman de science-fiction aussi long, signé par un auteur qui n'avait encore vendu que quelques nouvelles à des magazines. J'ai donc déposé le manuscrit dans la malle légendaire où il a dormi, oublié, pendant plusieurs années.*

Je l'en ai exhumé en 1964. Après l'avoir dépoussiéré et réintitulé Owe for a River, *je l'ai envoyé à quelques éditeurs dont un prétexta, pour le refuser, qu'il s'agissait d'un « simple roman d'aventures ». Chose curieuse, ce jugement totalement erroné émanait de l'éditeur qui avait publié mon* The Green Odyssey *auquel il aurait pu s'appliquer bien plus justement!*

Fred Pohl était alors rédacteur en chef de Galaxy *et des autres magazines de sf du groupe. Je lui fis parvenir le manuscrit, qu'il me renvoya accompagné de commentaires très pertinents. Il estimait le thème trop riche pour être exploité dans le cadre nécessairement restreint d'un roman, même aussi volumineux. Il me proposait de lui écrire une suite de longues nouvelles que je pourrais ensuite regrouper sous la forme d'un livre si je le souhaitais. A ce moment-là, j'avais suffisamment réfléchi au canevas directeur du Monde du Fleuve pour comprendre qu'il avait raison. Une planète sur laquelle avait été ressuscitée, le long d'un fleuve courant sur 20 000 ou peut-être 40 000 kilomètres, la majeure partie des humains ayant vécu depuis un million d'années avant J.-C. jusqu'au début du vingt et unième siècle, constituait un monde trop vaste pour tenir dans un seul volume. En outre, ce monde était peuplé d'une foule de personnages que je désirais dépeindre de manière détaillée, et un seul volume n'y suffirait pas.*

J'écrivis donc Day of the Great Shout, *une longue nouvelle que Pohl fit paraître dans le* Worlds of Tomorrow *de janvier 1965. Treize années s'étaient écoulées depuis la rédaction de l'ouvrage original. L'action du* Day *commençait vingt ans après le jour où 35 milliards d'hommes morts sur la Terre à des époques et en des lieux très divers avaient été ressuscités de manière mystérieuse, quoique scientifique. Elle commençait même avant cette résurrection générale, puisque le héros, Sir Richard Francis Burton, se réveillait accidentellement (mais* était-ce *accidentellement ?) encore que très brièvement, dans la salle de prérésurrection.*

Légèrement étoffés, Day of the Great Shout *et sa suite,* The Suicide Express, *parue en mars 1966 dans* Worlds of Tomorrow, *devaient fournir respectivement les chapitres 1 à 18 et 19 à 30 de* To Your Scattered Bodies Go, *publié en 1971*[1].

Bien qu'écrite peu après Suicide Express, *la nouvelle* Riverworld[2] *était sortie deux mois avant dans le même magazine. N'en étant pas satisfait, je l'avais allongée pour l'inclure dans un recueil de textes plus courts,* Down in the Black Gang, *mais j'avais toujours l'impression de n'être pas parvenu à lui donner sa véritable dimension. Cette fois-ci, je l'ai portée de 12 000 à 33 750 mots, et je crois avoir obtenu le résultat que j'ambitionnais.*

Lorsque paraîtra The Magic Labyrinth[3], *quatrième volume de la série du Monde du Fleuve, les mystères élaborés dans les trois premiers seront résolus, et la série arrivée à sa conclusion définitive. Cependant, comme je l'ai dit dans la préface du troisième tome,* The Dark Design[4], *j'ai bien l'intention d'en écrire*

---

1. Paru dans la présente collection sous le titre : *Le fleuve de l'éternité.*
2. Publié dans le présent volume sous le titre : *Ainsi meurt toute chair.*
3. Paru dans la présente collection sous le titre : *Le labyrinthe magique.*
4. Paru dans la présente collection sous le titre : *Le noir dessein.*

un cinquième, voire un sixième, afin de développer des thèmes que je n'aurai pu, faute de place, approfondir dans les quatre premiers. Ceux-ci représentent ce que j'appelle la « veine principale » de la série. Le cinquième et le sixième appartiendront à ses « chroniques parallèles ». On y retrouvera Tom Mix, mais la présente nouvelle, Riverworld, *en sera exclue : tous les textes y figurant seront des inédits, flambant neufs !*

NOTE DE L'EDITEUR : pour la bibliographie française de P.J. Farmer, on se reportera à l'excellent *Livre d'Or de Philip José Farmer* paru chez Presses-Pocket.

Ainsi meurt toute chair

1.

Sur la Terre, il était arrivé à Tom Mix de fuir des épouses vindicatives, des taureaux furieux, des créanciers exaspérés. Il avait pris la fuite à pied, à cheval, en voiture. Mais c'était la première fois, sur sa planète d'origine ou sur le Monde du Fleuve, qu'il s'enfuyait en bateau.

Il débouchait rapidement d'un méandre du Fleuve, plein vent arrière et porté par le courant, son poursuivant à une cinquantaine de mètres derrière lui. Les deux embarcations, la grande, celle du chasseur, et la petite, celle du gibier, étaient des catamarans de bambou solidement construits, bien que ne comportant ni l'un ni l'autre le moindre clou métallique : des doubles-coques à gréement aurique propulsés, outre leur grand-voile en fibre de bambou, par des spinnakers au ventre rebondi.

Il restait au soleil deux heures de course avant de se coucher. Des gens s'attroupaient près des grandes pierres en forme de champignon qui s'alignaient le long des rives. Il leur fallait attendre encore un peu avant qu'elles ne se mettent à gronder et crachent leur électricité bleue, énergie qui se transformerait en matière dans les graals déposés sur leur faîte, soit en repas du soir, mais aussi en alcool, tabac, marijuana et gomme à rêver. Pour le moment, on n'avait rien de mieux à faire que de flâner, bavarder, en espérant que quelque événement intéressant se produise.

Cet espoir allait être comblé.

Au sortir du méandre, Mix constata que le Fleuve, jusqu'ici large d'un mille, s'ouvrait sur un lac trois fois plus vaste. Il y avait là des centaines de bateaux, tous chargés de pêcheurs qui, après avoir disposé leurs graals sur les pierres, s'efforçaient d'améliorer l'ordinaire par l'adjonction d'un ou deux poissons. Les embarcations étaient si nombreuses qu'il restait encore moins d'espace pour naviguer, comme Mix s'en aperçut bientôt, que dans le passage plus étroit qu'il venait de franchir.

Tom Mix tenait la barre. Devant lui, sur le pont, il y avait deux autres fugitifs, Bithniah et Yeshua. Tous deux étaient hébreux ; le sang et la religion les liaient, mais douze siècles et soixante générations les séparaient, ce qui changeait beaucoup de choses. En un sens, Bithniah était moins une étrangère pour Mix que pour Yeshua, Yeshua plus proche de lui que de cette femme.

Présentement, ils avaient surtout en commun les blessures et les coups que leur avait infligés le même homme : Kramer. Il ne se trouvait pas lui-même sur le bateau qui leur donnait la chasse, mais ses hommes, eux, y étaient. S'ils les capturaient, ils les ramèneraient à « Cogne-dur », sobriquet dont on avait affublé Kramer sur la Terre et dont on continuait de l'affubler ici. S'ils ne parvenaient pas à les prendre vivants, ils les tueraient.

Mix jeta un coup d'œil par-dessus son épaule. Toutes voiles déployées, le bâtiment ennemi, plus grand et doté de deux mâts, gagnait lentement du terrain. Avec son équipage beaucoup plus léger, l'Américain l'aurait distancé si, au cours de l'évasion, trois lances n'avaient percé sa voile. Elles y avaient fait de petits trous qui s'étaient agrandis durant la poursuite. Dans une quinzaine de minutes, la proue de l'adversaire pourrait heurter sa poupe. Mais les hommes de Kramer n'allaient pas tenter de l'aborder par l'arrière : ils viendraient à couple, jetteraient des grappins en os, amèneraient les navires l'un contre l'autre, puis monteraient à l'abordage par le flanc.

Dix contre trois ! Et de ces trois, l'un était une femme, le deuxième un homme qui, certes, avait eu le cran de s'évader, mais refusait par principe de se battre. Pour accoutumé qu'il fût aux duels et aux batailles, Mix serait vite écrasé sous le nombre.

Des pêcheurs protestèrent véhémentement en le voyant s'approcher dangereusement près de leur barque. Mix sourit, ôta l'immense chapeau en paille tressée que la pénurie de pigments ne l'avait pas empêché de teindre en blanc, leur adressa un ample salut et se recoiffa. Il portait une longue cape blanche, faite de serviettes jointes par des attaches magnétiques, une serviette de la même couleur autour de la taille et des bottes à talons hauts, en cuir blanc de serpent du Fleuve. Ces bottes étaient en la circonstance aussi saugrenues que gênantes : maintenant que l'heure du combat approchait, il lui fallait se mettre pieds nus pour s'assurer une meilleure assise sur le pont glissant.

Il cria à Yeshua de venir prendre la barre. L'Hébreu obéit avec empressement, mais en lui offrant un visage tendu et sans lui retourner son sourire. Yeshua mesurait un mètre soixante-dix-huit ; cette taille, qui était exactement celle de Mix, passait pour inhabituelle chez les hommes de son temps et de son pays. Il avait les cheveux noirs, avec cependant un fond roussâtre que le soleil accusait, et coupés au ras de la nuque. Son corps, maigre mais musclé, n'était recouvert que d'un simple pagne noir ; des boucles de poils sombres s'emmêlaient sur sa poitrine. Le visage, long et fin, ascétique, était celui d'un jeune érudit juif imberbe. Il avait de grands yeux bruns pailletés de taches vertes, héritage, disait-il, d'ancêtres païens. Les habitants de sa patrie, la Galilée, étaient le produit de nombreux croisements, leur pays ayant constitué pendant plusieurs millénaires un lieu de passage pour le commerce et les invasions.

Yeshua aurait pu être le jumeau de Mix, un double qui aurait moins bien mangé et dormi que lui. Il existait cependant de légères différences entre eux. Le nez de Yeshua était un soupçon plus long, ses lèvres un soupçon plus minces ; Mix n'avait pas de mouchetures vertes aux yeux, ni de reflets roux dans les cheveux. Mais la ressemblance restait si forte qu'on mettait quelque temps à les distinguer l'un de l'autre – tant qu'ils se taisaient – et Mix, toujours modeste, en profitait pour surnommer l'Hébreu « Beau Gosse » !

L'Américain sourit de nouveau.

– Allons, Beau Gosse, gouverne pendant que je me débarrasse de mes pompes !

Il s'assit pour enlever ses bottes, se releva, alla les glisser avec sa cape dans un sac suspendu à un hauban. Reprenant la barre, il sourit encore.

– Ne fais pas cette gueule d'enterrement ! On va bien rigoler !

Yeshua s'enquit de sa riche voix de baryton dans un anglais que déformait un terrible accent :

– Pourquoi ne débarquons-nous pas ? Il y a longtemps que nous avons franchi les frontières du royaume de Kramer. Nous pouvons demander à bénéficier du droit d'asile.

– Demander est une chose, répliqua Mix de sa voix traînante, presque aussi grave que celle de son compagnon, obtenir en est une autre!

– Tu crois que ces gens ont trop peur de Kramer pour accepter que nous nous réfugions chez eux?

– Peut-être. Peut-être pas. J'aime autant ne pas avoir à le découvrir à mes dépens. De toute façon, si nous accostons, les autres en feront autant et ils nous embrocheront avant même que les indigènes n'aient le temps d'intervenir.

– Nous pourrions courir vers les collines.

– Non. On va leur en faire baver avant de tenter le coup. Retourne aider Bithnia à border les écoutes.

Yeshua et la femme s'occupèrent de la voile, tandis que Mix commençait à faire zigzaguer le bateau, en vérifiant de temps en temps que l'ennemi se maintenait dans son sillage. Les autres auraient pu le dépasser en poursuivant leur route au milieu du Fleuve, mais leur chef craignait sans doute que l'un des zigs ou des zags de son adversaire ne se transforme en ligne droite menant directement à la rive.

Mix ordonna de choquer la voile. Bithniah protesta:

– Ils vont nous rattraper plus vite!

– C'est ce qu'ils vont croire. Obéis! L'équipage ne discute jamais les ordres du capitaine, et le capitaine, c'est moi!

Puis il se dérida et lui expliqua son plan. Elle haussa les épaules, signifiant par là que, s'ils devaient être abordés, peu importait que cela fût un peu plus tôt ou un peu plus tard; et aussi qu'elle l'avait toujours considéré comme légèrement timbré, ce dont il lui donnait une nouvelle preuve.

Yeshua déclara fermement:

– Je refuse de verser le sang.

– Je sais que je ne dois pas compter sur toi dans la bagarre. Mais en participant à la manœuvre, tu contribues indirectement à l'effusion de sang. Mets ça dans ta pipe de philosophe et fume!

A la grande surprise de Mix, Yeshua eut l'air amusé. Non, à la réflexion, il n'y avait rien là de si étonnant: les américanismes de son compagnon l'enchantaient et il adorait les subtiles controverses morales. Mais le moment était mal choisi pour entamer un débat de ce genre.

Mix se retourna une nouvelle fois. Le renard – les autres – touchait presque la queue du lapin – lui. Sept mètres les séparaient et deux hommes se dressaient à l'avant du catamaran adverse, prêts à lancer leurs javelots. Le balancement rapide du pont sous leurs pieds nuirait cependant à la précision de leur tir.

Après en avoir averti son équipage – *quel* équipage ! – Mix repoussa brutalement la barre. La proue, jusque-là pointée vers la rive droite du Fleuve, s'en détourna soudain ; le voilier gîta fortement, la bôme fouetta l'air et Mix se baissa lorsqu'elle passa en sifflant près de sa tête. Bithniah et Yeshua s'agrippèrent aux drisses pour ne pas être projetés par-dessus bord. La coque tribord se souleva, quittant l'eau pendant quelques secondes.

Mix crut un instant qu'ils allaient chavirer, mais le bateau se redressa, Bithniah et Yeshua ayant laissé filer les écoutes. Il entendit une clameur s'élever derrière lui, mais ne tourna pas la tête. D'autres exclamations de colère et de peur retentirent sur l'avant, poussées cette fois-ci par les occupants de deux barques de pêche.

Mix s'engagea résolument dans le chenal, large d'à peine dix mètres, qui se refermait rapidement entre ces barques dont les barreurs s'efforçaient d'infléchir la route pour éviter de se heurter. Ils auraient normalement évité la collision si cet intrus n'avait pas surgi, menaçant de sa proue la barque bâbord.

L'Américain entr'aperçut les visages crispés des hommes et des femmes qui s'agitaient sur cette barque : ils redoutaient que son étrave ne vienne les éperonner sur leur tribord avant. Lentement, trop lentement, la proue de la barque abattit tandis que sa voile déventée se mettait à faseyer.

Une femme glapit d'une voix suraiguë quelques mots en un anglais presque inintelligible. Un homme darda sa lance, dans un réflexe absurde qui servirait, au moins, d'exutoire à sa colère. L'arme passa à vingt centimètres de la tête de Mix avant d'aller s'enfoncer dans l'eau.

Mix regarda en arrière. Son poursuivant était tombé dans le piège. Il s'agissait maintenant de ne pas s'y laisser prendre soi-même !

Il se faufila contre la barque bâbord, dont l'extrémité de la bôme faillit accrocher les haubans... et passa !

Dans son sillage, les vociférations redoublèrent. Un fracas de bois entrechoqué lui arracha un sourire. Il tourna vivement la tête : les proues du grand catamaran avaient heurté de plein fouet le flanc de la barque tribord, beaucoup plus petite que lui, la faisant pivoter d'un quart de tour. Le choc avait envoyé au sol les équipages et les barreurs des deux embarcations. Trois des hommes de Kramer se débattaient dans l'eau. Trois de moins ! Mais il en restait encore sept à se coltiner...

2.

Le lapin se métamorphosa en renard, l'attaqué en attaquant. Mix vira témérairement lof pour lof et entreprit de remonter en louvoyant vers les deux embarcations accidentées. Cela prit un peu de temps, mais le voilier de Kramer n'était pas en état d'effectuer une contre-manœuvre. Comme la barque des pêcheurs, il s'enfonçait lentement en piquant du nez : de l'eau entrait à flot dans ses coques. Son capitaine gesticulait, la bouche grande ouverte, mais sa voix était couverte par les cris qui s'élevaient du catamaran, des deux barques et du cercle fourni des spectateurs. Ses hommes durent cependant l'entendre, car ils se redressèrent, saisirent leurs armes et se ruèrent en direction de la barque qu'ils avaient heurtée. Mix ne comprit pas pourquoi ; ceci revenait à quitter un navire en perdition pour un autre, à sauter de la marmite en ébullition dans les flammes. Peut-être s'agissait-il d'un simple réflexe, d'une réaction irréfléchie : ils étaient fous de rage et voulaient se décharger de leur colère sur les premiers qui se présentaient.

Dans ce cas, leur espoir fut déçu : les pêcheurs, deux hommes et deux femmes, sautèrent par-dessus bord et s'enfuirent à la nage. Un autre bateau fit route vers eux pour les recueillir et, lorsqu'il fut arrivé à proximité, ses passagers amenèrent la voile pour leur tendre des mains secourables. Deux des hommes de Kramer qui étaient passés sur la barque lancèrent des javelots sur les fugitifs, encore dans l'eau.

« Ils ont perdu la tête, marmonna Mix ; ils vont se mettre le pays entier à dos ! »

Ce n'était pas pour lui déplaire. Il aurait pu laisser les autochtones se charger de ses poursuivants, mais telle n'était pas son intention : il avait une dette à régler, une dette dont, à la différence de la plupart des autres, s'acquitter serait un plaisir !

Confiant la barre à Yeshua, il s'empara d'un boomerang de guerre dans la caisse d'armes qui était arrimée sur le pont. L'engin, taillé au silex dans une grosse pièce de chêne blanc, mesurait soixante centimètres d'envergure et l'une de ses extrémités se recourbait selon un angle de 30°. C'était une arme redoutable dans la main d'un tireur exercé, capable de rompre le bras d'un homme à plus de cent cinquante mètres de distance.

La caisse contenait encore trois haches, quatre boomerangs, plusieurs lances à hampes de chêne et pointes de silex, deux frondes en cuir et deux sacs de pierres. Mix se carra solidement sur ses jambes, attendit que son catamaran eût rejoint celui de l'ennemi par bâbord. Le roulis rendait la visée difficile, mais le boomerang, dont la pâle surface tourbillonnante miroitait au soleil, vola vers sa cible et frappa un homme au cou. Malgré les clameurs, Mix entendit le bruit sec des vertèbres qui se brisaient. L'homme s'affaissa, tandis que le boomerang glissait contre le bastingage.

Les compagnons du mort se retournèrent en hurlant. Le capitaine rappela les quatre hommes passés sur la barque qui coulait. Une grêle de bâtons et de javelots s'abattit sur Mix et ses coéquipiers, les obligeant à se jeter à plat ventre pour s'y soustraire. Certains projectiles rebondirent sur les planches du pont ou s'y fichèrent en vibrant ; l'un d'eux, une lance à pointe de bois durcie au feu, ricocha tout près de l'oreille de Yeshua avant d'aller se perdre dans les flots.

Mix se releva d'un bond et, profitant de ce que le catamaran roulait sur tribord, lança un javelot. Celui-ci manqua la poitrine de l'adversaire qu'il visait, mais lui cloua le pied au plancher. Le blessé brailla, arracha la pointe du plancher, sans avoir le courage de se la retirer du pied ; il avança en clopinant sur le pont, s'égosillant de douleur, jusqu'à ce que deux de ses camarades l'étendent et sectionnent la hampe du javelot, dont la pointe resta à moitié enfoncée dans le cou-de-pied.

Pendant ce temps, la barque de pêche que Mix avait failli percuter était venue se ranger à couple de celle qui sombrait. Trois indigènes sautèrent sur cette dernière et s'employèrent à l'amarrer contre l'autre. Plusieurs embarcations à rames et trois canoës s'approchèrent à leur tour, dont les occupants grimpèrent aussi sur la barque. L'agression avait manifestement mis les autochtones hors d'eux, et ils entendaient y répliquer sur-le-champ. Mix songea qu'il aurait été plus habile de leur part d'attendre que le grand catamaran ait fini de couler pour en trucider les passagers quand ils surnageraient en ordre dispersé. Par ailleurs, ils se compromettaient gravement en attaquant les sbires de Kramer. Cela risquait de déclencher une guerre, auquel cas les réfugiés seraient accueillis à bras ouverts.

Oui, mais avec ses deux coques un catamaran ne sombrait pas si facilement. Les indigènes craignaient qu'il réussisse à leur échapper, sinon à regagner son port d'attache, et ils n'avaient pas l'intention de le laisser s'en tirer à si bon compte.

Voyant ce qui se préparait, le capitaine ennemi donna l'ordre de charger. Entraînant ses hommes à bord de la barque endommagée, il se précipita sur le pêcheur le plus proche de lui. Une femme fit tournoyer une fronde au-dessus de sa tête, lâcha une de ses lanières : la pierre vint s'écraser sur le plexus solaire du capitaine qui tomba à la renverse, mort ou sans connaissance.

Un autre guerrier s'effondra, le bras traversé par un javelot. L'un de ses camarades trébucha sur son corps, avant d'être lui-même transpercé par un épieu sur lequel son adversaire appuyait de tout son poids.

La femme à la fronde s'écroula dans l'eau, la poitrine trouée par une lance.

Les deux camps se rencontrèrent, et ce fut la mêlée.

Yeshua amena son catamaran contre celui de Kramer, tandis que Mix et Bithniah affalaient la voile, puis projetaient des grappins qui s'accrochèrent à la lisse du bâtiment ennemi. Laissant à ses amis le soin de lier plus étroitement les deux voiliers l'un à l'autre, Mix joua de la fronde. Les nombreuses heures qu'il avait passées à s'entraîner sur la terre comme sur l'eau lui permettaient de manier cette arme avec rapidité et précision. Il attendait, avant de tirer, qu'un ennemi se détache de la cohue, afin de ne pas blesser accidentellement un pêcheur. Il fit mouche trois fois : ses pierres atteignirent un homme au cou, un deuxième aux reins, le troisième à la rotule ; alors que celui-ci se tordait de douleur, il fut jeté à terre par les pêcheurs et eut la gorge tranchée par une lame de silex.

Après avoir planté un javelot dans la cuisse d'un quatrième, Mix empoigna une lourde hache, bondit sur le pont du grand catamaran et brisa deux crânes.

Les deux ennemis survivants tentèrent de plonger par-dessus le bastingage; un seul y réussit. Mix saisit son boomerang, visa la tête qui bouchonnait parmi les vagues, puis renonça: il était trop difficile de se procurer des boomerangs pour risquer d'en perdre un en s'en prenant à quelqu'un qui avait cessé d'être dangereux.

Seuls les gémissements des blessés et les sanglots d'une femme ponctuèrent le silence qui s'abattit alors sur le champ de bataille. Même les spectateurs, qui s'en approchaient maintenant à vive allure, demeuraient muets. Leur ardeur retombée, les combattants avaient la mine blême de gens épuisés.

Mix, toujours très pointilleux en la matière, tint à se vêtir d'une manière qui convînt à cette victoire. Regagnant son bord, il adressa un clin d'œil complice à ses compagnons, enfila ses bottes, se ceignit de sa cape. De retour sur la barque, il ôta d'un ample mouvement du poignet l'immense chapeau dont il ne s'était pas séparé durant le combat et déclara en souriant largement aux indigènes:

– Tom Mix, pour vous servir, mesdames et messieurs. Je vous remercie sincèrement de l'aide que vous nous avez apportée et vous présente mes excuses pour les ennuis que notre présence a pu vous occasionner.

– Par tous les diables, répliqua le capitaine de l'embarcation qui était venue à la rescousse, j'ai peine à entendre votre langage. Cela ressemble bien à de l'anglais, pourtant!

Mix leva les yeux au ciel tout en remettant son chapeau: «Encore au dix-septième siècle! Enfin... je pigerai bien la moitié de leur baragouin.»

Il se contraignit à parler lentement, en articulant soigneusement:

– Quel est ton blaze, amigo?

– Blaze? Amigo?

– Ton nom, ami. Qui est votre chef? J'aimerais lui offrir mes services, en qualité de mercenaire. J'ai besoin de lui et je crois qu'il va avoir besoin de moi.

– John Wickel Stafford est le lord-maire de la Nouvelle Albion, intervint une femme.

Constatant que le regard de cette femme, comme celui de ses compatriotes, passait avec étonnement de son visage à celui de Yeshua, Mix expliqua avec amusement :

– Non, nous ne sommes pas jumeaux, ni même frères ; notre seul lien de parenté est celui qui unit tous les hommes, et vous savez combien il est fragile. Yeshua est né mille huit cent quatre-vingts ans avant moi, en Palestine, ce qui est fichtrement loin de ma Pennsylvanie natale. Notre ressemblance n'est qu'un caprice du sort ; un caprice heureux pour lui, sans quoi il n'aurait sans doute pas échappé à la corde que Kramer se disposait à lui passer autour du cou.

Une partie de l'auditoire au moins semblait saisir le sens de ses paroles. Le problème ne résidait pas tant dans les différences, parfois importantes, de vocabulaire, que dans la prononciation et l'intonation. Les leurs lui rappelaient un peu celles de quelques Australiens qu'il avait rencontrés. Dieu seul savait ce que son propre accent pouvait évoquer pour eux !

– Y en a-t-il parmi vous qui parlent l'espéranto ?

– Nous avons ouï dire, répondit le capitaine, que cette langue est enseignée par les missionnaires d'une nouvelle secte dénommée, si je ne m'abuse, Église de la Seconde Chance, mais aucun d'eux n'est encore venu ici.

– Tant pis ! On se débrouillera comme on pourra. Nous venons d'avoir deux rudes journées, mes amis et moi. Nous sommes fourbus et nous avons l'estomac dans les talons. Nous accorderez-vous l'hospitalité durant quelques jours ? Nous repartirons ensuite vers l'aval, à moins que votre chef... heu... votre lord-maire, n'accepte que nous nous joignions à vous ; croyez-vous qu'il y verra une objection ?

– Certainement pas, reprit la femme, il réserve le meilleur accueil aux gens valeureux et les récompense largement, dans l'espoir de les retenir en Nouvelle Albion. Mais dites-nous donc pourquoi ces hommes, qui appartenaient à Kramer si je ne me trompe, brûlaient tant de s'emparer de vous ? Qu'est-ce qui les a incités à vous poursuivre jusqu'ici, alors qu'ils n'ignoraient pas encourir la peine de mort en pénétrant sur notre territoire ?

– C'est une longue histoire, madame !

Mix sourit de nouveau. Il savait avoir un sourire irrésistible. Son interlocutrice était une ravissante petite blonde aux formes plantureuses, qui peut-être n'avait pas de compagnon en ce moment ou envisageait d'en changer. Son comportement n'avait certes rien de farouche !

– Vous semblez bien connaître Kramer Cogne-dur, Kramer, le spécialiste du bûcher. Bithniah et Yeshua étaient ses prisonniers ; il les destinait à périr dans les flammes pour cause d'hérésie – d'hérésie à son propre dogme, qui prime tout dans son pays. Ils sont juifs par-dessus le marché, ce qui aggravait encore leur cas ! J'ai réussi à les faire évader, avec bien d'autres captifs : mais nous sommes les seuls à être parvenus jusqu'à un bateau. Vous connaissez la suite.

Le capitaine se décida enfin à se présenter :

– Je me nomme Robert Nickard et cette femme est Angela Doverton. Ne vous en laissez pas imposer par ses manières immodestes ; elle parle avec une audace qui ne sied ni à son sexe ni à sa condition. C'est mon épouse, bien que le mariage n'ait plus guère de signification...

Angela décocha une œillade à Mix, ce dont, heureusement, Nickard ne s'aperçut pas.

– Quant à ces affaires d'hérésie, chacun est libre – du moins officiellement – de pratiquer la religion de son choix en Nouvelle Albion, voire aucune, encore que je comprenne mal comment on peut être athée après avoir été ressuscité d'entre les morts. Nous accordons avec plaisir le statut de citoyen à quiconque se montre dur au travail, honnête, propre et relativement sobre ; nous acceptons même les Juifs.

– Ça doit drôlement vous changer de l'époque à laquelle vous avez vécu sur la Terre, commenta Mix, qui ajouta, sans laisser à Nickard le temps de réagir : A qui devons-nous nous présenter ?

Après avoir reçu les indications voulues, Mix ramena ses compagnons sur le catamaran. Ils larguèrent les amarres, récupérèrent les grappins, hissèrent la voile et partirent vers l'aval. Non sans qu'Angela n'eût lancé une nouvelle œillade à Mix, mais celui-ci avait déjà résolu de l'éviter, aussi désirable qu'elle fût : mieux valait s'abstenir de toucher à la femme d'un autre. D'un autre côté, si elle s'apprêtait à plaquer Nickard, comme tout semblait l'indiquer... Non, elle était du genre à provoquer des histoires ! Quoique...

Derrière eux, on s'affairait à remorquer vers la rive les deux embarcations endommagées avant qu'elles n'aillent par le fond. On avait retiré du lac l'unique survivant de la troupe de Kramer et on le ramenait à terre, pieds et poings liés. Mix se demanda quel sort l'attendait, mais à vrai dire, il s'en souciait comme d'une guigne.

Bithniah barrait, Yeshua s'occupait des écoutes. Mix se campa à la proue du catamaran, se retenant d'une main à l'un des étais, sa longue cape blanche flottant au vent. Il devait apparaître ainsi comme un personnage étrange et spectaculaire aux indigènes, ou du moins l'espérait-il. Où qu'il aille, il lui fallait conférer un caractère théâtral aux situations les plus ordinaires.

3.

Comme presque partout le long de l'interminable Vallée, des plaines s'étendaient sur deux à trois kilomètres des deux côtés du Fleuve. Aussi unies qu'un plancher de maison, couvertes d'une herbe rase dont aucun piétinement ne venait à bout et plantées çà et là de quelques arbres, elles grimpaient en pente douce jusqu'aux collines.

Celles-ci, qui étaient au début de simples monticules hauts d'une dizaine de mètres, s'élevaient et s'élargissaient progressivement en se rapprochant des montagnes, au pied desquelles elles se rejoignaient. Une épaisse forêt les recouvrait, constituée à quatre-vingts pour cent par les indestructibles « arbres à fer » ; l'écorce de ces colosses, dont les racines s'enfonçaient profondément dans le sol, résistait au feu et même aux cognées d'acier, objets quasi introuvables dans un monde où les métaux étaient si rares. Dans les sous-bois poussaient des herbes hautes et des bambous dont certains n'atteignaient pas le mètre, tandis que d'autres culminaient à plus de trente. A la différence des autres régions que Mix avait traversées, on ne trouvait ici ni frêne, ni if, de sorte que l'arc et la flèche ne s'y voyaient pas fréquemment. L'espèce locale de bambou ne se prêtait pas non plus à la confection de ces armes : la plupart des arcs que l'Américain aperçut étaient fabriqués avec les barbules d'un très gros poisson dont les indigènes n'avaient manifestement capturé que peu d'exemplaires.

Derrière les collines se dressaient les montagnes. D'abord

entrecoupées de petites corniches, cheminées et fissures, leurs parois se transformaient à partir de mille cinq cents mètres en à-pics lisses comme du verre, qui s'élançaient à la verticale ou se terminaient en surplomb près de la crête, quinze cents mètres plus haut. Les escalader était impossible ; si l'on voulait rejoindre la Vallée sur leur autre versant, il fallait suivre le cours du Fleuve, parfois durant des années. Tel un serpent aux dimensions du monde, le cours d'eau descendait en sinuant du pôle Nord où il prenait sa source, contournait le pôle Sud pour traverser l'autre hémisphère et revenait se jeter dans la mer boréale.

C'était du moins ce qu'on racontait : personne n'en avait encore apporté la preuve.

En cette région, contrairement à d'autres que Mix avait visitées, des lianes géantes enlaçaient les arbres et, occasionnellement, les bambous, les constellant de fleurs persistantes dont les corolles, aussi diverses dans leur forme que leur dimension, arboraient toutes les nuances du prisme.

Sur plus de quinze mille kilomètres, la Vallée était une explosion de couleurs, figée et silencieuse. Puis, aussi soudainement que cela avait commencé, les arbres redevenaient d'un vert ascétique.

Parvenu à un mille du champ de bataille, Mix donna l'ordre à Bithniah de mettre le cap sur la rive gauche. Yeshua amena la voile, et les étraves du catamaran s'échouèrent sur la plage. Ses trois occupants sautèrent à terre ; de nombreuses mains saisirent les coques et les halèrent entièrement au sec. Des hommes et des femmes entourèrent les arrivants et les accablèrent de questions. Mix s'apprêtait à répondre à celles d'une jolie femme quand survint une troupe de soldats. Revêtus de cuirasses et de casques en cuir de poisson renforcé d'os rappelant, par leur forme, ceux qui étaient en usage à l'époque de Charles Ier et d'Oliver Cromwell, ils portaient de petits boucliers ronds en chêne recouvert de cuir et étaient armés de lances à pointe de pierre ou de bois, de lourdes haches de guerre et de grosses massues. Des bottes en cuir de poisson épais leur protégeaient les jambes et les genoux.

Mix entreprit de faire rapport à leur enseigne, dénommé Alfred Regius Swinford, mais s'interrompit au milieu de ses explications :

— Nous avons faim ; ne pourrions-nous pas attendre d'avoir chargé nos gamelles pour continuer ?

Il désigna de la main le champignon de pierre le plus proche, qui mesurait un peu moins de deux mètres de haut sur vingt de diamètre ; les autochtones avaient déjà déposé leurs cylindres gris dans les cavités qui en parsemaient le chapeau.

– Vos « gamelles » ? répéta l'enseigne. Nous, nous disons les cornes d'abondance, ou cornes tout court, étranger. Confiez-moi les vôtres, nous vous les rechargerons et vous pourrez vous remplir la panse après vous être entretenus avec Lord Stafford. Je veillerai à ce qu'elles ne s'égarent pas.

Mix haussa les épaules ; il répugnait, comme tout le monde, à perdre sa « gamelle sacrée » de vue, mais protester n'aurait servi à rien. Escortés par les soldats, les trois compagnons traversèrent la plaine, où étaient édifiées de nombreuses huttes en bambou ne comportant qu'une seule pièce, pour gagner le sommet de la colline que couronnait un imposant rempart circulaire en rondins. Ils entrèrent par un porche dans une cour immense dont une vaste construction triangulaire en bois occupait le centre : la Maison du Conseil, où on les amenait. Plusieurs échauguettes flanquaient le rempart, composé de deux parois hérissées de pieux taillés en pointe entre lesquelles courait un large chemin de ronde. De nombreux créneaux et meurtrières permettaient aux défenseurs de lancer leurs javelots et de déverser de l'huile de poisson bouillante sur les assaillants ; il existait aussi des grues en bois qui pouvaient pivoter au-dessus de la muraille pour laisser s'ouvrir sur leurs têtes des filets bourrés de grosses pierres.

Mix remarqua dix grandes citernes de bois remplies d'eau et des baraques qui abritaient sans doute les réserves de poisson séché, de pain de gland et d'armes.

De l'une d'elles sortaient des hommes transportant des paniers pleins de terre. Ils devaient creuser un tunnel secret par lequel les assiégés pourraient s'enfuir ou prendre l'ennemi à revers. Secret, le tunnel ne le serait guère si on se souciait si peu d'en dissimuler les travaux à des étrangers. A moins que... (à cette idée un frisson glacé parcourut le dos de Mix)... ceux qui venaient à en connaître l'existence ne soient plus autorisés à repartir.

L'Américain hésita sur la conduite à tenir. Jouer les imbéciles et ne pas piper mot ? L'enseigne n'allait certainement pas le croire aussi peu observateur. Non, il fallait absolument tenter quelque chose, n'importe quoi, afin de donner le change.

– Je vois que vous creusez un puits. C'est une bonne idée ;

cela vous évitera d'avoir à vous préoccuper de votre approvisionnement en eau si vous êtes assiégés.

– Oui, acquiesça Swinford. Il y a longtemps que nous aurions dû le faire, mais nous avons manqué de bras pendant quelque temps.

Mix fut à peu près sûr de n'avoir pas réussi à tromper l'enseigne ; ce ne serait pas faute d'avoir essayé, du moins. Le soleil avait atteint la crête des montagnes à l'ouest. Il disparut bientôt et le grondement des pierres à graal qui bordaient les berges du Fleuve ébranla la Vallée. Le souper était servi.

Stafford et les membres de son conseil siégeaient autour d'une table ronde en pin, sur une estrade érigée au fond de la salle. Entre celle-ci et l'entrée s'étendait une longue table rectangulaire entourée de nombreuses chaises en bambou. Des trappes ouvertes dans le plafond laissaient pénétrer la lumière du jour, qui faiblissait rapidement. On avait déjà allumé des torches de pin imprégné d'huile de poisson, fichées sur des potences murales ou des pieds enfoncés dans le sol de terre. La fumée qui montait lécher les poutres et les chevrons noircis empuantissait l'air d'une forte odeur de poisson à laquelle se mêlaient, sous-jacents, des relents de corps mal lavés. Si, songea Mix, on pouvait trouver des excuses à cette absence d'hygiène dans l'Angleterre du dix-septième siècle, elles ne tenaient plus ici : le Fleuve n'était qu'à quelques minutes de marche. Heureusement, les vieilles coutumes se modifiaient lentement, aussi fortement ancrées qu'elles fussent. Le passage incessant de voyageurs venus de régions où l'on se baignait souvent contribuait à répandre le sens de la propreté et la notion de honte associée à la saleté. Dans dix ou quinze ans, ces Anglais iraient se savonner régulièrement dans le Fleuve ; la plupart d'entre eux, en tout cas, car il y aurait toujours des gens persuadés que l'eau n'est destinée qu'à étancher la soif !

En fait, indépendamment du caractère repoussant des odeurs corporelles et de l'aspect esthétique de la propreté, rien n'obligeait à se laver fréquemment : les maladies somatiques n'existaient pas sur le Monde du Fleuve ; les troubles mentaux, par contre, étaient très courants.

L'enseigne s'arrêta au pied de l'estrade pour présenter son rapport à Stafford. Les autres notables assis à la table, vingt en tout, examinèrent avec attention les nouveaux arrivants. Beaucoup fumaient des cigarettes ou des cigares fournis par les graals alors que de leur temps, sur la Terre, ils n'avaient connu que la pipe.

Stafford se leva pour saluer courtoisement ses hôtes. C'était un grand gaillard de presque deux mètres, large d'épaules, aux bras démesurés et à la taille svelte ; il avait le visage étroit et allongé, d'épais sourcils broussailleux, les yeux gris, le nez pointu, les lèvres minces, le menton saillant et très fendu. Des cheveux bruns, bouclés aux extrémités, lui tombaient jusqu'aux épaules.

Il les pria de prendre place à la table d'une voix agréable, en roulant les r à la manière des gens du Nord – il était né à Carlisle, non loin de la frontière écossaise –, leur proposa au choix du whisky, du vin et des liqueurs. Mix, qui savait l'alcool rare, estima que c'était bon signe ; si Stafford avait vu en eux des ennemis potentiels, il ne leur aurait pas offert aussi généreusement des produits de luxe. Il huma son verre, sourit d'aise au fumet de l'excellent bourbon qu'il contenait, y trempa les lèvres. Il aurait préféré l'avaler d'un trait, mais il aurait obligé ainsi ses amphitryons à lui en resservir immédiatement un autre.

Le lord-maire invita Mix à lui donner sa propre version des événements. Au cours du long récit qui s'ensuivit, on alluma deux grands feux dans les cheminées situées de part et d'autre du centre de la salle. Mix nota la présence, parmi ceux qui apportaient les bûches, d'hommes et de femmes de petite taille au teint très basané, de type mongoloïde. Il supposa qu'ils venaient de la rive opposée, dont il avait entendu dire qu'elle était occupée par des Huns nés à l'époque où Attila avait envahi l'Europe, soit au cinquième siècle après Jésus-Christ. S'agissait-il d'esclaves ou de réfugiés ?

Stafford et les siens écoutèrent Mix en buvant, sans presque l'interrompre. On amena bientôt les cornes d'abondance et tout le monde se mit à manger. Tom fut agréablement surpris par ce que sa gamelle renfermait ce soir-là. C'était de la cuisine mexicaine : des *tacos*, des *enchiladas*, des *burritos*, une salade de haricots et, pour arroser ces mets, de la tequila avec un quartier de citron et une pincée de sel. Il se sentit moins dépaysé, surtout lorsqu'il s'aperçut que le tabac se présentait sous la forme de minces cigares noirs torsadés.

Stafford, visiblement, n'appréciait pas l'alcool qu'il avait reçu. Après l'avoir reniflé, il regarda ses voisins d'un air interrogateur. Mix, interprétant correctement le sens de sa mimique, proposa :

— Voulez-vous échanger votre boisson contre la mienne ?

— Qu'est-ce que vous avez ?

Une longue explication fut nécessaire. Stafford avait vécu au moment où les Anglais commençaient à coloniser l'Amérique du Nord, mais il savait fort peu de chose sur celle-ci. En outre, le Mexique était alors une possession espagnole dont il ignorait à peu près tout. Cependant, après avoir entendu le copieux exposé de Mix, il lui tendit sa coupe. Tom l'approcha de ses narines et conclut :

— Ma foi, je ne vois pas ce que c'est, mais ça ne m'effraye pas. Tenez, goûtez donc la tequila !

Stafford suivit la procédure recommandée, consistant à lécher le sel et à mordre le citron aussitôt après avoir lampé cul sec la tequilla.

— Sacrebleu, je cuiderais cracher des flammes par les oreilles ! (Il soupira). Fort curieux, assurément, mais plaisant et ragaillardissant ! Et vous, que dites-vous de votre breuvage ?

Mix but une gorgée.

— Ah ! Je ne sais pas ce qu'est ce truc-là, mais c'est foutrement bon, quoique un peu raide. Quelle que soit son origine, ça ressemble à du vin. C'est peut-être ce que picolaient les Babyloniens, les Egyptiens de l'Antiquité ou les Malais, ou encore une première version du saké japonais, fait avec du riz. Les Aztèques connaissaient-ils le vin ? Je n'en sais rien, mais en tout cas, ce n'est pas de la bibine et ça se descend avec plaisir, même si ça râpe la gorge !

» On obtient la tequila en distillant le suc d'une plante qui s'appelle l'agave. Allons, buvons à la fraternité internationale, sans discrimination à l'encontre des alcools étrangers ! A votre bonne santé !

— Très bien, très bien !

Quand la ration de spiritueux fournie par les graals fut épuisée, Stafford fit apporter un tonnelet d'alcool local, fabriqué avec le lichen bleuâtre qui poussait au flanc des montagnes, coupé d'eau et parfumé par l'adjonction de feuilles de vigne vierge séchées et pulvérisées. Après en avoir ingurgité une demi-coupe, le lord-maire observa :

— Vous ne nous avez toujours pas révélé la raison pour laquelle les hommes de Kramer tenaient tant à vous trucider ;

il fallait qu'elle fût impérieuse pour leur donner l'audace de s'aventurer dans nos eaux !

Mix entreprit de conter son histoire, en prenant soin de parler lentement et en articulant distinctement de manière qu'on le comprenne plus facilement. De temps en temps, Stafford ordonnait d'un geste qu'on remplisse son verre. L'Américain se doutait bien qu'une telle prodigalité ne relevait pas de la simple hospitalité. En l'enivrant suffisamment, le lord-maire espérait l'amener, s'il s'agissait d'un espion, à se trahir par quelques paroles inconsidérées. Mais Tom se savait encore loin du point où il ne pouvait plus retenir sa langue. En outre, il n'avait rien à cacher ; enfin... presque rien.

— Jusqu'où voulez-vous que je remonte dans le fil de mon existence ?

Stafford éclata de rire et ses yeux, qui s'injectaient peu à peu de sang, luirent d'amusement.

— Négligez pour l'heure votre existence terrestre et relatez-nous avec concision ce qui a précédé votre rencontre avec Kramer.

— Bon. Depuis le jour de la Toussaint — ainsi que certains dénomment le jour où les Terriens ont été pour la première fois ressuscités d'entre les morts — j'ai descendu le Fleuve. Bien que né en 1880 et mort en 1940 après Jésus-Christ en Amérique, je ne suis pas revenu à la vie parmi les gens de mon pays et de mon temps, mais dans une région habitée par des Polonais du quinzième siècle. Sur la rive opposée du Fleuve vivaient des pygmées amérindiens dont j'avais ignoré l'existence jusqu'alors, quoique les Indiens cherokees aient eu à leur sujet des légendes que je connaissais pour être moi-même en partie d'ascendance cherokee.

Cette dernière assertion était une légende propagée par un producteur de cinéma à des fins publicitaires, mais Mix l'avait répétée si souvent qu'il y croyait à moitié lui-même. Et puis, en remettre un peu ne pouvait pas faire de mal !

Stafford rota.

— J'ai tout de suite pensé en vous voyant que vous aviez du sang peau-rouge dans les veines.

— Mon grand-père était un chef cherokee, renchérit Mix, en espérant que ses ancêtres anglais, hollandais de Pennsylvanie et irlandais lui pardonneraient. Quoi qu'il en soit, je ne suis pas resté longtemps chez les Polonais. Je voulais aller chez des gens dont je pigerais la langue. J'ai bouclé mon sac et me suis débiné comme un singe au cul bariolé.

Stafford s'esclaffa.

– L'image est cocasse!

– Ayant vite découvert qu'il n'y avait pas de chevaux sur ce monde, ni d'autres animaux que le ver de terre, le poisson et l'homme, j'ai construit un bateau et me suis embarqué à la recherche de mes contemporains, dans l'espoir de tomber sur d'anciennes relations ou des personnes auxquelles mon nom serait familier. J'avais joui d'une certaine célébrité de mon vivant, où des millions de gens me connaissaient. Mais je ne vais pas m'étendre là-dessus pour l'instant.

»Je calculai que si les hommes avaient été répartis le long du Fleuve en fonction de leurs dates de naissance, bien qu'il y eût bon nombre d'exceptions à commencer par moi, ceux du vingtième siècle devaient se trouver près de l'embouchure. Je m'aperçus plus tard qu'il n'en allait pas nécessairement ainsi. Passons.

»Avec la dizaine d'hommes et de femmes qui m'accompagnaient, nous avons navigué dans le sens du vent et du courant pendant, voyons, près de cinq ans, en faisant de temps en temps escale pour nous reposer ou travailler.

– Travailler?

– Comme mercenaires. En échange d'un rab de cigarettes, de gnôle ou de bonne bouffe, nous aidions ceux qui en avaient vraiment besoin, si leur cause nous paraissait bonne. La plupart de mes compagnons, y compris quelques-unes des femmes, étaient d'anciens combattants des guerres terrestres. Pour ma part, je suis diplômé de l'École militaire de Virginie...

(Autre légende construite de toutes pièces par ses imprésarios!)

– J'ai déjà entendu parler de la Virginie, dit Stafford, cependant...

Tom Mix dut interrompre son récit pour lui demander ce qu'il savait, au juste, des événements survenus dans le monde après son décès. L'Anglais répondit avoir appris un certain nombre de choses par un vagabond albanais mort en 1901 et un Persan mort en 1897. Dates sujettes à caution, car tous deux étant musulmans, il était difficile de faire concorder leur chronologie avec celle du calendrier chrétien. Et ni l'un ni l'autre n'était très au fait de l'histoire universelle. Le premier avait prétendu que les colonies d'Amérique avaient accédé à l'indépendance à l'issue d'une guerre ; Stafford n'avait su qu'en penser, tant cela paraissait invraisemblable.

— Le Canada est demeuré loyal, le rassura Mix. Je vois qu'il me reste beaucoup à vous apprendre. Eh bien, j'ai participé aux combats de la Guerre hispano-américaine, de la Rébellion des Boxers, de l'Insurrection des Philippines et de la Guerre des Boers. J'y reviendrai plus tard.

Il n'avait pris part à aucun de ces conflits, mais, que diable ! il l'aurait fait s'il en avait eu l'occasion. N'avait-il pas déserté, au cours de son second engagement dans la Cavalerie des États-Unis d'Amérique, parce qu'un connard de gradé refusait d'accéder à son désir de monter au front ?

— Nous avons été capturés à plusieurs reprises par des négriers alors que nous accostions dans des contrées apparemment accueillantes. Nous nous sommes chaque fois évadés, mais j'ai fini par être le seul rescapé de la troupe originale : les autres avaient péri ou en avaient eu assez de voyager. Ma mignonne petite Egyptienne, fille d'un pharaon... était morte elle aussi.

Myriam était en réalité la fille d'un boutiquier du Caire, née aux alentours du dix-huitième siècle. Mais Mix était un cow-boy, et les cow-boys avaient toujours eu tendance à enjoliver un peu la vérité ; voire plus qu'un peu. Au figuré, l'Egyptienne était bien une fille des pharaons et ce qui comptait, en ce monde comme dans le précédent, était moins les faits que l'idée qu'on s'en formait.

— Je la retrouverai peut-être un jour... ainsi que mes autres amis. Ils ont pu renaître aussi bien en aval qu'en amont.

Après un court silence, il reprit :

— N'est-il quand même pas surprenant que parmi les millions, sinon les milliards de visages entrevus durant mon périple, n'ait pas figuré un seul de ceux que j'ai connus sur la Terre ?

— Selon les estimations d'un philosophe que j'ai rencontré, il y aurait au moins trente-cinq milliards de Terriens le long du Fleuve.

Mix hocha la tête.

— Ouais, ça ne m'étonnerait pas. Mais de là à ne pas tomber sur une seule tronche connue en cinq ans... Enfin, ça arrivera bien un jour ! J'ai donc construit mon dernier bateau il y a un an, à environ dix mille kilomètres d'ici. Tout a baigné dans l'huile pour mon nouvel équipage et moi jusqu'au moment où nous avons relâché dans un îlot rocheux pour casser la croûte. Nous n'utilisions plus nos gamelles depuis un bout de temps, car on nous avait dit pis que pendre des autochtones. Mais nous en avions marre de bouffer du poisson, des pousses de bambou et du pain de gland. Nous étions à court de cigarettes et notre dernière goutte de raide s'était évaporée depuis belle lurette. Bref, crevant d'envie de profiter des bonnes choses de la vie, nous avons pris le risque de débarquer et ça nous est retombé sur le nez. On nous a traînés devant le grand ponte local, Sa Majesté Kramer, un affreux poussah originaire de l'Allemagne du quinzième siècle.

» Comme quantité d'imbéciles – je demande pardon à ceux d'entre vous qui réagiraient de la même façon – il a refusé d'admettre l'évidence, à savoir que ce monde-ci ne ressemble en rien à l'au-delà auquel il croyait. Sur la Terre, c'était quelqu'un d'important, un prêtre, un inquisiteur. Il y a envoyé au bûcher une foule d'hommes, de femmes et d'enfants, après les avoir torturés pour la plus grande gloire de Dieu.

Yeshua, qui était assis près de Mix, marmonna. L'Américain se demanda un instant s'il n'était pas allé trop loin. Bien qu'ils n'en aient jusqu'alors rien manifesté, il se pouvait que Stafford et les siens fussent aussi cinglés à leur manière que Kramer à la sienne. Pendant leur existence terrestre, la plupart des gens du dix-septième siècle avaient eu la foi du charbonnier. Se réveiller dans ce lieu étrange qui n'était ni le ciel ni l'enfer leur avait causé un grand choc, dont tous ne s'étaient pas encore remis.

Certains avaient été capables de s'adapter et de jeter aux orties leurs anciennes convictions religieuses pour se mettre en quête de la vérité. Mais trop nombreux étaient ceux qui avaient préféré le réconfort d'explications faussement rationnelles. Kramer, par exemple, soutenait que ce monde était un purgatoire. Constatant avec stupéfaction que les païens y côtoyaient les bons chrétiens, il s'en était tiré en proclamant que la doctrine de l'Église avait été mal comprise sur la Terre, ceci parce que des prêtres inspirés par Satan en avaient délibérément altéré la présentation. La Vérité lui apparaissait clairement désormais ; quant aux malheureux à qui elle échappait encore, il fallait les contraindre à la voir. Et il utilisait à cette fin les mêmes instruments de révélation que jadis : la roue et le feu !

Instruit de la chose, Mix s'était bien gardé de contredire

Kramer. Il lui avait au contraire offert ses services en affectant le plus grand enthousiasme. Il ne craignait pas la mort, sachant qu'il ressusciterait vingt-quatre heures plus tard en un autre point de la Vallée, mais il n'avait guère envie d'être roué, puis brûlé vif.

Il avait attendu une occasion propice pour s'évader.

Un soir, on avait surpris un groupe d'hommes qui descendaient d'un bateau. Mix les avait plaints d'avance, pour avoir été témoin des procédés que Kramer employait en vue de convaincre ceux qui pensaient autrement que lui. Il ne pouvait rien pour eux, malheureusement. S'ils étaient assez stupides pour ne pas feindre de partager les vues de Cogne-dur, il ne leur restait qu'à souffrir !

– Mais Yeshua, ici présent, me tarabustait. D'abord, il me ressemblait trop. Le voir sur le bûcher aurait été, en quelque sorte, m'y voir moi-même. Ensuite, Kramer ne lui a laissé aucune échappatoire. Il lui a demandé s'il était juif ; Yeshua a répondu qu'il l'avait été sur la Terre, mais que maintenant il n'adhérait à aucune religion. Kramer a alors prétendu que, dans le cas contraire, il lui aurait accordé une chance de se convertir, c'est-à-dire d'adopter ses propres croyances – il mentait, bien entendu, mais ce gros lard onctueux a toujours besoin de justifier les sales coups qu'il mijote – vu qu'il accordait à tous, chrétiens ou païens, une chance d'échapper au bûcher ; à tous, sauf aux Juifs, parce qu'ils devaient expier la crucifixion du Christ et, en outre, parce qu'on ne pouvait pas leur faire confiance : un Juif n'hésitait jamais à se parjurer pour sauver sa peau !

» Tous les autres passagers du bateau ont été condamnés, car ils étaient juifs eux aussi. Kramer s'étant enquis de leur destination, Yeshua a dit qu'ils cherchaient un endroit où personne n'aurait entendu parler des Juifs ; Cogne-dur a rétorqué qu'un tel lieu n'existait pas, car Dieu saurait les retrouver où qu'ils aillent. Perdant alors son sang-froid, mon ami l'a traité d'hypocrite et d'Antéchrist. Kramer est devenu fou de rage et a promis de lui réserver un trépas particulièrement lent.

» Là-dessus, j'ai failli être jeté en prison avec eux. Remarquant notre grande ressemblance, il m'a accusé de l'avoir trompé en affirmant n'être pas juif. Comment pouvait-on ressembler autant à un Juif sans l'être soi-même ? C'était la première fois qu'il me découvrait le type sémite, pour la bonne raison que je ne l'ai pas. Si ma peau était un peu plus cuivrée, on me prendrait pour l'un de mes ancêtres cherokees.

»Je me suis efforcé de sourire, bien que transpirant à si grosses gouttes que la sueur me dégoulinait le long des jambes, et je lui ai expliqué qu'il inversait les données du problème : si Yeshua me ressemblait, c'était parce qu'il avait les traits d'un Gentil ! J'ai étayé ma démonstration en lui rappelant ce qu'il avait dit lui-même un instant plus tôt : les femmes juives étaient notoirement adultères ; il se pouvait donc que Yeshua fût à moitié « goye » sans le savoir.

» Kramer est parti d'un de ces énormes rires répugnants dont il a le secret : quand il rigole comme ça, la bave lui coule sur le menton. Il a reconnu que j'avais raison. Mais je savais mes jours comptés. Il repenserait à cette ressemblance et se convaincrait que j'avais menti. Je me suis dit : finissons-en, Bon Dieu ! Je fous le camp ce soir !

» Yeshua continuait de m'obséder. J'ai décidé de ne pas filer la queue entre les pattes, comme un vulgaire cabot. J'allais laisser à Kramer un souvenir qui lui tordrait ses grosses tripes de porc chaque fois qu'il penserait à moi. Cette nuit-là, alors que la pluie commençait à tomber, j'ai tué à coups de hache les deux sentinelles qui gardaient l'enclos aux prisonniers et j'en ai ouvert les portes. Pas de pot : quelqu'un qui ne dormait pas a donné l'alerte. Nous avons dû batailler dur pour rejoindre mon bateau et seuls Yeshua, Bithniah et moi avons réussi à nous échapper. Kramer a lancé des hommes à nos trousses, en les avertissant probablement qu'il vaudrait mieux pour eux ne pas revenir sans nos têtes, d'où leur acharnement.

Stafford prit la parole :

– Dieu a eu la bonté de nous octroyer une jeunesse éternelle dans ce monde merveilleux. Nous n'avons plus à souffrir de la misère, de la faim, de la maladie, de l'obligation de gagner notre pain à la sueur de notre front, ou ne devrions plus en souffrir. Mais des énergumènes comme Kramer s'ingénient à métamorphoser ce Jardin d'Eden en enfer. Pourquoi ? La raison m'en échappe. Il ne tardera pas à marcher contre nous, comme il s'est attaqué à ceux qui habitaient au nord de son territoire primitif. Si vous voulez nous aider à le combattre, soyez les bienvenus !

– Je hais ce criminel ! s'exclama Tom Mix. Je ne vous ai pas dépeint tous ses forfaits... mais c'est inutile : je ne vous apprendrais certainement rien.

– Je suis taraudé de honte, confessa Stafford, en me remémorant les innombrables injustices et cruautés auxquelles j'ai assisté sur la Terre, non seulement sans protester, mais en les approuvant. Je jugeais indispensable de recourir, pour maintenir la loi, l'ordre et la religion, à des tortures et à des persécutions dont, pourtant, le spectacle m'emplissait souvent de dégoût. Quand je me suis éveillé sur ce monde neuf, j'ai résolu de prendre un nouveau départ. Ce qui avait été juste et nécessaire sur la Terre ne l'était plus forcément ici.

— Vous êtes un homme remarquable, commenta Mix. La majeure partie des humains continuent de penser exactement comme sur la Terre. Il me semble, néanmoins, que le Monde du Fleuve modifie lentement la mentalité de bon nombre d'entre eux.

4.

La nourriture fournie par les graals avait été servie dans des écuelles en bois. Mix s'aperçut que Yeshua n'avait pas touché à sa viande. Surprenant son regard, Bithniah pouffa.

— Son esprit s'est détaché de la foi de ses ancêtres, mais son estomac respecte toujours la loi de Moïse !

Stafford, qui n'avait pas compris ce que disait la jeune femme, dont l'anglais était déformé par un accent épouvantable, pria Mix de traduire.

— N'est-elle pas juive, elle aussi ? s'étonna-t-il quand celui-ci se fut exécuté.

— Si.

Ayant saisi le sens de leur aparté, Bithniah proclama, en parlant plus lentement :

— Je suis israélite, en effet, mais j'ai renoncé à la religion hébraïque. A franchement parler, je n'ai jamais été ce que vous appelez une pratiquante convaincue. Je me suis, bien entendu, gardée d'exprimer le moindre doute sur la Terre : on m'aurait mise à mort, ou pour le moins bannie. Mais lorsque nous errions dans le désert, je mangeais tout ce qui, pur ou impur, pouvait me remplir le ventre, en veillant simplement à ne pas être vue. Et je n'étais certainement pas la seule ! Toutefois, beaucoup de mes coreligionnaires auraient préféré crever de faim plutôt que d'avaler un mets impur et certains sont allés jusqu'à cette extrémité. Les imbéciles !

Prenant un morceau de jambon dans son assiette, elle le tendit en ricanant à Yeshua qui détourna la tête d'un air dégoûté.

— Pour l'amour de Dieu, Yeshua, protesta Mix, combien de fois ne t'ai-je pas répété que j'étais prêt à te refiler mon steak contre ton jambon ! Je n'aime pas te voir jeûner.

— Qu'est-ce qui me garantit que le bœuf a été abattu et préparé selon les règles ?

— Cette notion d'aliment kascher n'a plus de sens ici. Les pierres à graal produisent de l'énergie qu'un mécanisme inséré dans le double fond des gamelles transforme, je ne sais comment, en matière. Ce mécanisme est programmé, puisqu'il procure un repas différent chaque jour. Le scientifique qui m'a expliqué tout ça présumait — en reconnaissant qu'il s'agissait d'une simple hypothèse — qu'il y a dans les gamelles des matrices contenant les modèles de différentes formes de matière. Elles assemblent les atomes et les molécules engendrés par les décharges d'énergie de manière à fabriquer des biftecks, des cigares ou autre chose. Donc, pas d'abattage, kascher ou non !

— Oui, mais pour se procurer la viande à partir de laquelle on a constitué les modèles, il a bien fallu d'abord abattre un vrai bœuf, une bête qui a probablement vécu sur la Terre et dont rien ne prouve qu'elle ait été tuée comme il convient.

— Possible. Mais la viande que je viens de bouffer n'est pas celle de ce bœuf : ce n'en est que la reproduction, rien de plus que de l'énergie convertie en matière ; à proprement parler, un objet artificiel n'ayant aucune relation directe avec la chair de l'animal. Si ce que m'a dit ce scientifique est exact, on a effectué une sorte d'enregistrement de la structure atomique du morceau de bœuf. Je t'ai déjà parlé des atomes et expliqué ce qu'est un enregistrement. Quoi qu'il en soit, la viande que nous recevons n'a été touchée par aucune main humaine ; ou non humaine. Alors, comment pourrait-elle être impure ?

— C'est une question dont les rabbins débattraient pendant des siècles sans parvenir, vraisemblablement, à se mettre d'accord. Non, le plus sûr est encore de ne pas manger de viande.

— Alors, reste végétarien ! (Mix leva les bras au ciel.) Et serre-toi la ceinture !

— Pourtant, il y avait de mon temps un homme, considéré comme un grand sage et dont on disait qu'il parlait avec Dieu, qui permettait à ses disciples de s'attabler sans s'être lavé les mains lorsqu'ils n'avaient pas d'eau pour le faire ou en d'autres circonstances équivalentes. Les Pharisiens l'en blâmaient, mais il savait, lui, que les lois divines sont faites pour les hommes et non l'inverse.

» C'était le bon sens alors et ce l'est encore aujourd'hui. Je suis peut-être trop strict et, comme un pharisien, plus soucieux de la lettre que de l'esprit des textes sacrés. En pratique, je ne devrais plus me préoccuper de ce qui est pur ou impur, puisque j'ai cessé de croire en la loi qui le détermine. Cependant, quand bien même je déciderais de manger de la viande, je serais incapable d'ingurgiter sciemment du porc sans le vomir aussitôt. Mon estomac, s'il ne pense pas, sait ce qui lui convient. C'est un estomac hébreu, aboutissement d'une lignée d'innombrables estomacs hébreux. Les tables de Moïse y pèsent aussi lourd qu'une montagne.

— Ce qui n'empêche pas Bithniah de manger du porc.

— Bithniah ! Cette femme est la réincarnation d'une abominable païenne !

— Allons, tu ne crois même pas à la réincarnation ! rétorqua Bithniah en riant.

Stafford, qui avait tant bien que mal suivi leur conversation, s'enquit avec empressement :

— Ainsi, maître Yeshua, vous avez vécu au temps de Notre Seigneur ? L'avez-vous connu ?

— Ni plus ni moins que bien d'autres hommes.

Tous les convives le harcelèrent alors de questions et Stafford fit apporter un autre tonnelet d'alcool de lichen.

Pendant combien de temps avait-il connu Jésus ?

Depuis sa naissance.

Était-il vrai qu'Hérode avait organisé le Massacre des Innocents ?

Non, et cela aurait excédé son pouvoir ; les Romains l'auraient destitué, voire exécuté. De plus, un tel acte aurait provoqué une flambée de violence, une révolution. Cette histoire, Yeshua n'en avait entendu parler qu'ici, sur le Monde du Fleuve. Ce devait être l'une de ces légendes qui avaient fleuri après la mort du Christ et elle dérivait, probablement, d'une légende plus ancienne, se rapportant à Isaac.

Cela signifiait-il que Joseph, Marie et Jésus n'avaient pas fui en Egypte ?

En effet. Pourquoi auraient-ils fui ?

Et cet ange qui était apparu à Marie pour lui annoncer qu'elle allait enfanter, bien qu'elle fût vierge ?

Absurde, puisque Jésus avait des frères et des sœurs aînés, tous engendrés par Joseph et issus du ventre de Marie. D'ailleurs Marie, dont il avait été très proche, n'avait jamais fait la moindre allusion à un ange.

S'avisant que la rougeur dont s'imprégnaient certains visages n'était pas due au seul effet de l'alcool, Mix se pencha vers Yeshua.

– Vas-y mollo ! murmura-t-il. Ces gens ont beau avoir admis que leur religion était erronée, ils encaissent mal que tu démolisses ce qu'on leur a enseigné durant toute leur existence terrestre. Beaucoup sont comme Kramer : ils s'imaginent, sans oser le dire, que ce monde est une sorte de purgatoire, une étape sur le chemin du paradis.

Yeshua haussa les épaules.

– Qu'ils me tuent s'ils le veulent. Je renaîtrais ailleurs, dans un endroit qui ne sera ni pire, ni meilleur !

Nicolas Hyde, l'un des conseillers, martela violemment la table de sa chope de pierre en vociférant :

– Je ne crois pas un mot de ce que tu racontes, Juif ! Si tu es *réellement* juif ! Tu mens ! Que cherches-tu ? A semer la discorde entre nous avec tes mensonges diaboliques ? Je te soupçonne d'être *Lucifer* en personne !

Stafford lui posa la main sur le bras.

– Calmez-vous, mon ami. Vos accusations sont déraisonnables. Vous affirmiez encore l'autre jour que Dieu n'était nulle part le long du Fleuve. Si Dieu est absent, Satan l'est également. Seriez-vous plus enclin à croire au Malin qu'au Créateur ? Cet homme est notre hôte, et tant qu'il le sera nous le traiterons avec courtoisie !

Se tournant vers Yeshua, il l'invita aimablement à continuer.

Les interrogations fusèrent de nouveau, jusqu'à ce que le lord-maire annonce :

– Il est tard ; nos amis ont eu une rude journée et nous aurons énormément de travail demain. Je n'autorise qu'une dernière question. (Son regard se porta sur un jeune homme de grande taille, à l'allure distinguée, qu'on avait présenté comme étant William Grey.) Voulez-vous la poser, Messire Grey ?

Grey se leva, en vacillant légèrement.

– Volontiers, Milord. Eh bien, Maître Yeshua, avez-vous assisté à la crucifixion du Christ ? Et l'avez-vous vu après sa résurrection ? Ou vous êtes-vous entretenu avec quelque témoin digne de foi qui l'aurait rencontré, par exemple, sur le chemin d'Emmaüs ?

– Cela fait plusieurs questions, observa Stafford. Mais soit !

Yeshua demeura un moment silencieux. Quand il parla, ce fut avec plus de lenteur encore qu'auparavant.

– Oui, j'étais là quand on l'a crucifié et quand il est mort. Pour ce qui s'est passé ensuite, je n'attesterai qu'une chose : il n'est pas sorti du tombeau sur la Terre. Je suis en revanche absolument certain qu'il est revenu à la vie sur les berges du Fleuve.

Un grand tumulte éclata, dominé par la voix de Hyde exigeant qu'on expulse cet imposteur de Juif.

Stafford se dressa, frappa la table de son maillet : « Silence, Messieurs ! Il n'y aura pas d'autres questions ce soir ! »

Il donna l'ordre à un certain sergent Channing de conduire les étrangers à leurs logements, puis lança : « Maître Mix, je désire vous parler à tous trois dans la matinée. Que Dieu vous octroie un sommeil agréable ! »

Mix, Yeshua et Bithniah suivirent le sergent, qui brandissait une torche. Celle-ci s'avéra bien inutile : de gigantesques amas d'étoiles et des nuages de gaz incandescents illuminaient le ciel nocturne, d'où tombait une clarté plus vive encore que celle de la pleine lune sur la Terre. Le Fleuve étincelait. Mix demanda à leur guide de les laisser se baigner avant d'aller se coucher. Ils entrèrent dans l'eau sans se dépouiller de leurs serviettes-kilts. Lorsque Mix se trouvait en compagnie de gens qui se baignaient nus, il les imitait ; en présence de personnes plus pudiques, il respectait leurs usages.

Utilisant le savon fourni par les graals, ils se débarrassèrent de la poussière et de la sueur qui leur collaient à la peau. Mix contempla discrètement Bithniah. Menue, l'épiderme très foncé, elle avait une poitrine superbe, la taille fine, les jambes bien galbées. Les hanches étaient un peu trop larges à son goût, mais il aurait volontiers passé sur cette imperfection – surtout imbibé d'alcool comme il l'était en ce moment. Elle possédait de longs cheveux noirs épais aux reflets bleus et un joli visage, pour qui appréciait les grands nez. Ce nez rappelait à Mix celui de Vicky Forde, sa quatrième épouse, qu'il avait aimée plus qu'aucune autre femme. Rencontrant ses immenses yeux brun foncé, il se souvint des regards qu'elle lui avait décochés jusqu'au plus fort de la bataille. Une vraie chatte de gouttière en chaleur, cette petite ! Yeshua ferait bien de la surveiller de près.

L'attention de Tom se reporta du coup sur l'Hébreu. Quel drôle de bonhomme, songea-t-il. Il ne me ressemble que sur le plan physique. En dehors de sa brève altercation avec Kramer, je l'ai toujours vu calme, réservé, comme absorbé par de lointaines pensées. Malgré son silence, il en impose à ceux qui l'approchent ; ou, plutôt, on a l'impression qu'ayant jadis joui d'une grande autorité, il s'efforce délibérément aujourd'hui d'en atténuer le rayonnement...

Channing mit un terme à ces réflexions.

– Vous vous êtes suffisamment lavés. Venez, maintenant !

– Figure-toi, dit Mix à Yeshua, que peu avant mon entrée sur les terres de Kramer, il m'est arrivé un truc bizarre. Un petit homme brun s'est précipité sur moi en m'interpellant dans une langue étrangère. Il a tenté de m'embrasser ; il pleurait et gémissait en répétant sans cesse le même nom. J'ai eu toutes les peines du monde à le convaincre de son erreur ; je ne suis d'ailleurs pas sûr d'y avoir réussi. Il voulait absolument me suivre, mais je l'ai envoyé paître car son regard me mettait mal à l'aise. Le souvenir de cet incident vient de me revenir. A mieux y réfléchir, je parierais que ce type m'avait pris pour toi : il a prononcé ton nom à maintes reprises.

Yeshua émergea de sa méditation.

– A-t-il dit comment il s'appelait ?

– Je ne sais pas. Il a essayé de me parler en quatre ou cinq langues différentes, y compris en anglais, sans que je pige rien. J'ai cependant retenu un mot qu'il a répété plusieurs fois : Mattihaya. Ça te dit quelque chose ?

Yeshua ne répondit pas. Il frissonna, se drapa une serviette autour des épaules. Le froid qui le saisissait était manifestement d'origine psychique. La chaleur du jour, qui atteignait 27°C en plein midi (selon les estimations, car personne n'avait encore fabriqué de thermomètre), ne se dissipait que lentement : la forte humidité qui régnait dans la Vallée (en cette partie-ci de la Vallée, du moins) la préservait jusqu'aux alentours de minuit, heure à laquelle, invariablement, la pluie se mettait à tomber. La température descendait alors à 18°C environ et s'y maintenait jusqu'au lever du soleil.

Channing les conduisit à leurs demeures: deux huttes carrées en bambou, aux toit recouverts de gigantesques feuilles d'arbre à fer, meublées chacune d'une table, de plusieurs chaises, également en bambou, ainsi que d'un porte-serviettes en bois et d'un râtelier pour les lances et autres armes. Un vase de nuit en argile cuite occupait un coin du plancher, légèrement surélevé et fait de tiges de bambou, ce qui constituait un luxe rare: la plupart des huttes n'avaient qu'un sol en terre battue.

Yeshua et Bithniah pénétrèrent dans l'une des cases, Mix dans l'autre. Comme Channing s'apprêtait à lui souhaiter bonne nuit, il l'invita à bavarder un instant et, afin de l'appâter, lui offrit un cigare. Sur la Terre, Tom avait cessé de fumer pour parfaire son image de héros irréprochable auprès des nombreux jeunes qui se pressaient dans les salles où l'on projetait ses films. En ce monde-ci, il faisait alterner de longues périodes d'abstinence avec de non moins longues périodes de faiblesse. Depuis deux ans, il était dans l'une des premières, mais il jugea que fumer avec le sergent contribuerait à rompre la glace. Il alluma une cigarette, toussa, ressentit un léger vertige. Ce tabac avait tout de même sacrément bon goût!

Micah Shepstone Channing était un rouquin trapu, musculeux et solidement charpenté, né en 1621 à Havant, bourgade du Hampshire, où il avait embrassé le métier de parcheminier. Quand la guerre civile avait éclaté, il s'était engagé dans les troupes hostiles à Charles Ier. Grièvement blessé à la bataille de Naseby, il avait regagné son échoppe, s'était marié et avait eu huit enfants, dont quatre étaient parvenus à l'âge adulte. Il était mort d'une mauvaise fièvre en 1687.

Mix lui posa bon nombre de questions, non seulement pour établir un contact chaleureux, mais aussi parce qu'il s'intéressait réellement à cet homme. Il aimait bien les gens en général.

Il aborda ensuite d'autres sujets, se renseignant, notamment, sur la personnalité des principaux notables de la Nouvelle Albion, le mode de gouvernement en vigueur dans ce pays et les rapports qu'il entretenait avec les Etats voisins, en particulier avec le Deusvolens de Kramer (que les Albionnais prononçaient Doucevolents).

Pendant la guerre civile, Stafford avait servi sous les ordres du comte de Manchester, mais après avoir perdu une main à cause d'une blessure infectée, il s'était retiré dans le Sussex pour s'y adonner à l'apiculture. Ses affaires ayant prospéré, il avait abandonné le miel et s'était lancé dans le commerce de gros, puis spécialisé dans l'approvisionnement des navires. Il avait péri en 1679 lors d'une tempête au large de Douvres. Aux dires de Channing, c'était un chef né, bon et tolérant, qui avait joué un rôle clé dans la fondation de la Nouvelle Albion.

– C'est lui qui a proposé qu'on laisse tomber les titres de noblesse et qu'on élise nos dirigeants. Il en est présentement à son deuxième mandat de lord-maire.

– Les femmes ont-elles le droit de vote ?

– Au début, elles l'avaient pas, mais l'an dernier, elles ont fait du pétard pour obtenir l'égalité des droits et elles ont décroché la timbale. On peut plus les tenir ! Elles foutent le camp quand ça leur chante, vu qu'y reste rien de c'qui les attachait : presque plus de biens au soleil, pas d'enfants à élever, quasiment pas de ménage ou de cuisine à faire. Elles sont devenues drôlement indépendantes !

L'Anglia, à la frontière sud de la Nouvelle Albion, avait le même système de gouvernement, à ceci près que le chef d'Etat élu portait le titre de shérif. L'Ormondia, au nord, était peuplée de royalistes demeurés fidèles à Charles Ier et Charles II pendant les troubles ; ils avaient pour souverain James Butler, premier duc d'Ormonde, ex-lieutenant général de ces deux rois en Irlande et ex-chancelier de l'université d'Oxford.

– En Ormondia, on en est toujours à *Milord* et à *Votre Grâce.* On croirait que l'Angleterre a été transplantée d'un bloc de notre bonne vieille Terre sur le Monde du Fleuve. Notez que les titres sont surtout honorifiques, comme on dit, attendu qu'à part le duc, tous les membres du conseil sont élus et qu'on trouve parmi eux plus d'hommes d'origine modeste, mais honnêtes et méritants, que de nobles. Et quand leurs femmes ont su que les nôtres avaient reçu le droit de vote, elles ont gueulé si fort que Sa Grâce a été forcée d'avaler la pilule avec le sourire !

Bien que les deux minuscules États n'aient jamais eu de relations très cordiales, ils étaient alliés contre Kramer. Le plus gros problème venait de ce que les membres de leur état-major combiné ne s'entendaient pas très bien. Le duc supportait mal d'avoir à consulter le lord-maire ou s'en remettre en quoi que ce fût à sa décision.

— Ça m'emballe pas non plus. En cas de guerre, il faut un général en chef. C'est une des circonstances où deux têtes valent moins qu'une.

Les Huns qui vivaient de l'autre côté du Fleuve leur avaient causé beaucoup d'ennui durant les premières années, mais ils étaient plus amicaux depuis quelque temps. En fait, un quart d'entre eux seulement étaient véritablement des Huns. Ils s'étaient entrecombattus si longtemps qu'ils avaient presque réussi à s'exterminer, et les vides avaient été comblés par des gens originaires d'autres parties de la Vallée. Ils s'exprimaient dans un charabia hunnique dont le vocabulaire comportait vingt-cinq pour cent de termes empruntés à d'autres langues. L'État situé juste en face de la Nouvelle Albion était actuellement dirigé par Govind Singh, un chef militaire Sikh très puissant.

— Comme je vous l'ai dit, sur cinq cents kilomètres de ce côté-ci, c'est surtout des Britanniques des années seize cents qui ont ressuscité, sauf dans quelques enclaves d'une vingtaine de kilomètres. A cinquante kilomètres en aval, on trouve des Cipangais du treizième siècle, de féroces petits démons jaunes aux yeux bridés. Et puis il y a Doucevolents, peuplé de chrétiens du quatorzième siècle, pour moitié espagnols, pour moitié allemands.

Mix le remercia de ce tour d'horizon et lui avoua mourir de sommeil. Channing s'en alla en lui souhaitant de bien dormir.

5.

Tom s'assoupit immédiatement. Pendant la nuit, il rêva qu'il faisait l'amour avec Victoria Forde, sa quatrième épouse, la seule femme pour laquelle il éprouvait encore un tendre sentiment. Des roulements de tambour et le mugissement de nombreuses trompes en os le réveillèrent. Il entrouvrit les yeux ; l'obscurité régnait encore, mais sa pâleur annonçait que le soleil n'allait pas tarder à poindre au-dessus des montagnes. Il apercevait par la fenêtre ouverte les étoiles et les nuées de gaz incandescent dont l'éclat s'estompait rapidement dans le ciel grisaillant.

Il referma les paupières, ramena sur sa tête un pan de la grande serviette double qui tenait lieu de sac de couchage. Oh, dormir quelques minutes de plus ! Mais la discipline acquise au cours d'une vie de cow-boy, d'acteur de cinéma et d'étoile de cirque sur la Terre, de mercenaire en ce monde-ci le tira du lit. Frissonnant dans la fraîcheur de l'aube, il se ceignit les reins d'une serviette-kilt, s'aspergea le visage avec l'eau glacée qui emplissait une cuvette d'argile cuite évasée, puis ôta son kilt pour se laver le bas-ventre : la Vicky de son rêve avait été une amante aussi experte que la vraie.

Il se caressa machinalement le menton et les joues, habitude dont il n'avait jamais réussi à se défaire bien qu'il ne fût plus nécessaire désormais de se raser. Tous les hommes étaient revenus à la vie définitivement imberbes. Il se demandait bien pourquoi ? Peut-être ceux qui les avaient ressuscités détestaient-ils les pilosités faciales ; leur aversion, en ce cas, ne s'étendait pas à celles du pubis ou des aisselles ; ils avaient cependant veillé à limiter la croissance des poils du nez et éliminé ceux des oreilles.

Les créateurs du Monde du Fleuve avaient aussi retouché les visages et les corps qui demandaient à l'être. Les femmes affligées sur la Terre d'une poitrine trop volumineuse, ou au contraire trop menue, s'étaient retrouvées dotées d'un buste « normal » ; quant aux seins flasques, il n'en existait plus un seul.

Toutes les femmes n'appréciaient pas ce remodelage, loin de là ! Les unes, parce qu'elles étaient contentes des formes qu'elles possédaient auparavant ; les autres, parce qu'elles provenaient de sociétés où soit on admirait particulièrement les énormes mamelles ballantes, soit on n'attachait aucune signification esthétique ou sexuelle au modelé et à la taille des seins, en lesquels on ne voyait qu'un organe destiné à l'allaitement des nourrissons.

Les pénis trop courts avaient été portés à des dimensions qui épargnaient à leurs possesseurs la honte et les sarcasmes. Personne ne semblait s'en plaindre. Mix avait pourtant discuté avec un homme qui, ayant désiré secrètement sur Terre changer de sexe, lui avait exposé ses griefs un soir d'ivresse : pourquoi les êtres mystérieux qui avaient corrigé tant de défauts physiques ne lui avaient-ils pas donné un corps de femme ?

– Parce que tu ne le leur as pas demandé, pardi ! avait rétorqué Mix en riant.

Comment l'aurait-il pu, le malheureux, puisqu'il était mort entre le moment où il avait expiré et celui où on l'avait ressuscité ?

Furieux, l'autre lui avait poché un œil ; Tom avait dû l'assommer pour limiter les dégâts.

Les inconnus avaient aussi remédié aux déficiences et aux « aberrations ». Tom avait rencontré un noble anglais du dix-huitième siècle très beau – trop beau, peut-être – dont le torse, aux proportions parfaites, reposait jadis sur des jambes longues d'à peine quarante-cinq centimètres. S'il ne se plaignait pas d'avoir troqué ce physique grotesque contre un autre extrêmement séduisant, il en conservait apparemment des séquelles : il se montrait amer, cynique, agressif et il haïssait les femmes tout en les collectionnant.

Tom s'était également bagarré avec lui et lui avait cassé le nez ; après quoi, ils étaient devenus amis. Curieusement, depuis que cet appendice aplati et ressoudé de travers l'enlaidissait, l'Anglais s'était amendé : sa hargne s'était en grande partie dissipée.

Que le comportement humain était donc imprévisible !

Pendant qu'il se livrait à ces réflexions, Mix avait fini de se sécher. Il s'enveloppa d'une cape faite de serviettes jointes par des attaches magnétiques intégrées au tissu, puis se munit d'un rouleau de papier hygiénique ; les graals fournissaient régulièrement ce genre d'article, dont certaines communautés ne faisaient toutefois pas exactement l'usage prévu. Quittant la hutte, il se dirigea vers les latrines les plus proches : un fossé au-dessus duquel on avait construit une baraque en bambou allongée et munie de deux entrées. Sur le linteau de chaque entrée était gravée grossièrement la silhouette d'un homme vue de face. Des silhouettes féminines vues de profil, similairement gravées dans le bois, désignaient les lieux d'aisance réservés aux femmes et édifiés une vingtaine de mètres plus loin.

Si la pratique du bain quotidien ne s'était pas encore propagée dans la contrée, on n'en avait pas moins édicté des règles d'hygiène très strictes. Le sergent Channing avait averti Mix qu'il était interdit de chier (ce terme n'avait rien de vulgaire au dix-septième siècle) n'importe où. Sauf en cas de force majeure, quiconque surpris à déféquer en dehors des locaux prévus à cet effet était expulsé, après qu'on lui eut plongé le visage dans ses excréments.

Il était licite d'uriner en public dans certaines circonstances, à condition de veiller à ne pas être exposé au regard d'une personne du sexe opposé.

– Mais c'est là une de ces coutumes auxquelles on rend surtout hommage en y dérogeant, avait commenté Channing, paraphrasant Shakespeare sans le savoir (il n'avait jamais entendu parler du Barde de l'Avon). Pendant la période d'anarchie qui a suivi la résurrection générale, la décence s'est complètement perdue : les gens s'en souciaient comme de leur premier étron, si vous me permettez l'expression, ah ! ah ! ah !

On transportait à intervalles réguliers le contenu des fosses jusqu'au pied des montagnes afin de les déverser dans un ravin profond spécialement affecté à cet usage.

– Un de ces jours, le ravin sera plein à ras bord et le vent rabattra l'odeur dans la Vallée ; alors, qu'est-ce qu'on fera, à ce moment-là ? On balancera peut-être la merde dans le Fleuve pour que les poissons la bouffent, comme ces sagouins de Huns qui vivent sur l'autre rive !

– Ma foi, avait répliqué Mix de sa voix traînante, ça me paraît la meilleure solution. Les excréments disparaissent rapidement : les poissons les dévorent dès qu'ils touchent l'eau.

– Oui, mais on pêche ensuite les poissons pour les manger !

– Ça n'affecte en rien leur goût. Vous m'avez dit avoir vécu quelques années dans une ferme, non ? Alors vous avez vu les poules et les cochons se ruer sur toutes les bouses de vache et les crottins de cheval qu'ils rencontraient, et il n'en manquait pas ! Est-ce que vous le sentiez, quand ils étaient dans votre assiette ?

Channing avait fait la grimace.

– C'est pas pareil. Les poules et les cochons baffraient les bouses de vache, d'accord, mais y'a quand même une sacrée différence entre les crottes d'animaux et le bran humain !

– Il m'est difficile d'en juger : je n'ai goûté ni à l'une, ni aux autres. (Mix avait marqué une pause.) Tiens, j'ai une idée. Vous savez que les gros vers de terre sont friands de nos excréments. Pourquoi ne pas les déterrer pour les jeter dans le ravin à merde ? Ils vous le nettoieraient avec l'enthousiasme d'un Irlandais à qui on offre une bouteille de whisky gratis !

– C'est une fameuse idée ! s'était extasié Channing.

Comment se fait-il que personne d'entre nous n'y ait encore pensé ?

Il avait alors félicité Mix de son intelligence ; celui-ci s'était abstenu de lui révéler que son « invention » était un procédé exploité depuis belle lurette en bon nombre des régions qu'il avait traversées et où, comme en Nouvelle Albion, on ne trouvait pas de soufre. Là où on disposait de ce précieux métalloïde, on le mélangeait avec du charbon de bois et le nitrate extrait des excréments pour fabriquer de la poudre à canon. En plaçant l'explosif ainsi obtenu dans des boîtiers en bambou, on confectionnait des bombes ou des têtes de missiles.

Mix entra dans la baraque, s'assit sur l'un des douze sièges percés de trous. Pendant le court moment qu'il y passa, il recueillit quelques commérages, touchant principalement la liaison que l'un des membres du Conseil aurait eue avec l'épouse d'un commandant. Il apprit aussi une nouvelle histoire leste, lui qui se figurait n'ignorer aucune de celles qui avaient couru sur la Terre !

Après s'être lavé les mains à une fontaine alimentée par un ruisseau voisin, il retourna chercher en hâte son graal dans sa hutte, puis se rendit vers celle que Yeshua et Bithniah occupaient quarante mètres plus loin. Il avait l'intention de les inviter à l'accompagner jusqu'à un champignon de pierre, mais s'arrêta à quelques pas de la porte.

Yeshua et Bithniah se querellaient bruyamment, en anglais du dix-septième siècle. Pourquoi donc n'employaient-ils pas l'hébreu ? Mix devait découvrir plus tard que leur seule langue commune était en fait l'anglais, bien qu'ils fussent capables de soutenir une conversation très rudimentaire en andalou du quatorzième siècle et en haut-allemand du seizième. Douze siècles au moins séparaient l'hébreu qui constituait l'idiome maternel de Bithniah de celui que parlait Yeshua. Sa grammaire archaïque et son vocabulaire truffé de termes empruntés aux Égyptiens ou tombés en désuétude bien longtemps avant la naissance de celui-ci le lui rendaient pratiquement inintelligible. En outre, quoiqu'il fût né en Palestine de parents juifs très pieux, la langue maternelle de Yeshua était l'araméen. Il pouvait certes lire, non sans difficulté, les cinq premiers livres de l'Ancien Testament qui formaient la Torah, mais n'avait guère utilisé l'hébreu qu'à des fins liturgiques.

Mix ne saisissait le plus souvent que la moitié de ce qu'ils disaient, d'autant plus qu'à leurs accents hébreu et araméen s'ajoutait celui des Élisabethains du Yorkshire chez lesquels ils avaient appris l'anglais, ce qui n'arrangeait rien! Il parvenait cependant – en général – à reconstituer tant bien que mal l'autre moitié de leurs dialogues.

– Je n'irai pas vivre dans la montagne avec toi! criait Bithniah. Je ne veux pas être seule, je déteste la solitude! J'ai besoin d'avoir plein de gens autour de moi! Je ne veux pas rester plantée sur un rocher avec un tombeau ambulant pour toute compagnie! Je ne partirai pas! Je ne partirai pas!

– Tu exagères, comme toujours, répondit Yeshua d'une voix forte, mais beaucoup plus posée que celle de Bithniah. D'abord, tu devras descendre trois fois par jour jusqu'à une pierre à graal. Ensuite, rien ne t'empêchera d'aller bavarder sur la berge quand tu en auras envie. Enfin, je n'ai pas l'intention de demeurer en permanence là-haut: j'irai travailler de temps en temps dans la Vallée, comme charpentier, probablement, mais je ne...

La suite échappa à Tom, bien que Yeshua eût à peine changé de registre. Mais il comprit sans mal l'essentiel de la réplique:

– Je me demande vraiment pourquoi je reste avec toi! Tu n'es pas le seul à vouloir de moi: les propositions ne m'ont pas manqué, figure-toi! J'ai même été tentée, très tentée d'en accepter certaines!

»Je sais par contre très bien pourquoi tu ne me lâches pas d'une semelle. Ce n'est ni mon intelligence, ni mon corps qui t'attirent, sinon tu en profiterais mieux, tu me parlerais, tu me baiserais plus souvent!

»Non, tu te cramponnes à moi uniquement parce que j'ai connu Aaron et Mosheh, que j'étais avec les Tribus quand elles ont quitté l'Égypte et quand elles ont envahi le pays de Canaan. Tout ce qui t'intéresse, c'est de m'extorquer le maximum de renseignements sur Mosheh, ton grand homme, ton héros vénéré!

Les oreilles de Mix se dressèrent, au figuré, bien entendu. Ainsi donc, un homme qui avait connu le Christ, ou le prétendait, vivait en compagnie d'une femme qui avait connu Aaron et Moïse, ou le prétendait. Évidemment, l'un des deux, ou tous les deux mentaient peut-être. On rencontrait tant d'affabulateurs le long du Fleuve: il était bien placé pour le savoir, encore que ses mensonges à lui ne fussent le plus souvent que des hâbleries sans conséquences.

– Tu veux que je te dise, Yeshua ? Ton Mosheh n'était qu'une ordure ! Il tonitruait à longueur de journée contre les femmes adultères et ceux qui couchaient avec des païennes, mais il se trouve que je suis au courant de la manière dont il appliquait ses beaux préceptes. Il a été jusqu'à épouser une Madianite ! Et il a tenté de soustraire son fils à la circoncision !

– On m'a déjà raconté ça maintes fois.

– Mais tu me soupçonnes de ne pas dire la vérité, n'est-ce pas ? Tu refuses d'admettre que ce à quoi tu as cru religieusement toute ta vie n'était qu'un tissu de mensonges. Pourquoi est-ce que je te mentirais ? Qu'est-ce que j'aurais à y gagner ?

– Femme, tu prends plaisir à me tourmenter.

– Comme si j'avais besoin de mentir pour ça ! N'empêche que, non content d'avoir des tas d'épouses, Mosheh se tapait celles des autres chaque fois qu'il en avait l'occasion ! Je le sais d'expérience : j'y suis passée. Mais c'était un homme, un vrai, un véritable taureau ! Toi, tu n'es à la hauteur que quand tu te défonces à la gomme à rêver ; tu t'imagines que ça suffit ?

– Allons, femme, calme-toi !

– Je n'accepte pas que tu me traites de menteuse !

– Je ne t'ai jamais accusée de mentir.

– Peut-être, mais je lis dans tes yeux, je devine à ta voix que tu ne me crois pas.

– Tu te trompes. Je préférerais simplement parfois – la plupart du temps, en réalité – n'avoir jamais entendu ce que tu me révèles. (Il ajouta quelque chose en hébreu ou en araméen, sur un ton laissant à penser qu'il s'agissait d'une citation.)

– Parle anglais ! glapit Bithniah. J'en ai eu ma claque des ces soi-disant justes qui avaient sans cesse de belles maximes à la bouche quand l'odeur de leurs péchés empestait l'air comme un chameau malade ! Tu parles comme eux ! Tu affirmes même avoir été un saint homme ! C'est possible, mais j'ai comme l'impression que ça ne t'a guère réussi. J'ignore tout de toi. Tu ne me dis jamais rien de ton existence terrestre. J'en ai plus appris sur elle hier soir, par tes réponses aux conseillers, que depuis le jour où je t'ai rencontré !

La voix de Yeshua, qui n'avait cessé de baisser, devint soudain imperceptible. Mix jeta un coup d'œil vers l'est, en direction des montagnes. Dans quelques minutes, le soleil en franchirait la crête ; les pierres à graal libéreraient leur énergie, en tonnant et fulgurant. S'ils ne se pressaient pas, ils devraient se passer de petit déjeuner ; ou se contenter de poisson sec et de pain de gland, perspective à laquelle son estomac se révulsa.

Il frappa énergiquement à la porte de la hutte, dont les occupants se turent aussitôt. Bithniah ouvrit brutalement, mais parvint à sourire comme si de rien n'était.

– Voilà, voilà ! Nous arrivons tout de suite !

– Pas moi, dit Yeshua. Je n'ai pas faim.

– C'est ça ! Essaye de me culpabiliser, accuse-moi de t'avoir coupé l'appétit ! Eh bien moi, j'ai faim, et je vais bouffer ! Reste à bouder ici, si ça t'amuse !

– Tu peux dire ce que tu veux, je pars vivre dans la montagne.

– Vas-y donc ! Aurais-tu quelque chose à cacher ? Qui fuis-tu ? Qui es-tu pour avoir si peur des gens ? Mais je n'ai rien à cacher, moi !

Bithniah empoigna l'anse de son graal et sortit en trombe. Mix lui emboîta le pas, s'efforça de l'entraîner dans une conversation plaisante ; en vain : elle était trop furieuse pour lui donner la réplique. Ils venaient à peine d'arriver en vue du premier champignon de pierre, érigé entre deux collines, que des flammes bleues en jaillirent et qu'un rugissement semblable à celui d'un lion gigantesque monta jusqu'à eux. Bithniah s'immobilisa en proférant dans sa langue natale ce qui était certainement un chapelet de jurons. Mix se contenta de lâcher un mot de cinq lettres.

Recouvrant son sang-froid, la jeune femme demanda :

– Vous avez du tabac ?

– Dans ma hutte. Mais vous me rembourserez plus tard. J'échange en général mes cigarettes contre de l'alcool.

– Cigarettes ? C'est ainsi que vous appelez les petites pipes ?

– Oui.

Ils retournèrent (sans apercevoir Yeshua) jusqu'à la hutte de Tom, dont celui-ci laissa intentionnellement la porte grande ouverte, se méfiant autant de lui-même que de Bithniah. Cette dernière le remarqua.

– Vous me croyez cinglée ? A deux pas de la case de Yeshua !

Mix sourit.

– Vous n'avez jamais vécu à Hollywood !

Il lui offrit une cigarette qu'elle alluma avec l'un des briquets fournis par les graals : un petit étui métallique plat d'où sortait un filament incandescent quand on en pressait le côté.

— Vous avez dû surprendre notre dispute ; nous hurlions comme des forcenés. Ce Yeshua est un type impossible. J'ai beau ne pas avoir froid aux yeux, il m'effraye parfois. Il y a en lui quelque chose de très profond, de... différent, d'étranger à la nature humaine, presque. Non pas qu'il soit méchant ou incompréhensif, bien au contraire ! Mais il se montre les trois quarts du temps si secret, si distant ! Tantôt il rit aux éclats et me fait rire aussi, car il a un merveilleux sens de l'humour. Tantôt il prononce des jugements si tranchants que j'en suis blessée, parce que je sens bien qu'ils s'étendent à moi. Pour ma part, je ne nourris aucune illusion sur mes semblables. Je sais ce qu'ils valent et ce qu'on peut en attendre. Mais je les accepte tels qu'ils sont, même s'ils se parent souvent de vertus qu'ils n'ont pas. Je me dis qu'en prévoyant le pire, on ne risque que d'être surpris en bien.

— Je partage tout à fait ce point de vue. Les chevaux eux-mêmes sont imprévisibles, alors qu'ils sont beaucoup moins compliqués que les hommes. Comment pourrait-on donc prédire ce qu'un homme va faire, deviner ce qui le meut ? Je ne suis certain que d'une seule chose : chacun est pour lui-même ce qui compte le plus au monde ; si quelqu'un cherche à vous persuader du contraire, méfiance ! et si une femme prétend qu'elle se sacrifie pour vous, c'est qu'elle s'abuse elle-même !

— J'en déduis que vous avez eu des ennuis avec votre épouse ?

— Mes épouses. Entre parenthèses, c'est l'un des trucs qui me plaisent ici : on n'a pas besoin d'aller au tribunal ni de verser une pension alimentaire quand on se sépare. On ramasse sa gamelle, ses serviettes et ses armes, et tchao ! Pas de partage de biens à effectuer, pas de belle-famille à se farcir, pas de gosses à prendre en charge !

— J'ai eu douze enfants, dont six sont morts avant l'âge de deux ans. Grâce à Dieu, je n'aurais plus à subir ça !

— Celui qui nous a rendus stériles n'était pas un imbécile. Si nous pouvions nous reproduire, la Vallée serait vite aussi grouillante qu'une porcherie à l'heure où on remplit les auges ! (Il s'approcha de Bithniah, cligna de l'œil.) Mais les hommes ont conservé leurs pistolets, bien que chargés à blanc !

— Restez donc où vous êtes, ordonna-t-elle sans se départir de son sourire. A supposer que je plaque Yeshua, ce ne serait pas pour vous tomber dans les bras. Vous vous ressemblez trop !

— Je pourrais vous montrer en quoi nous différons !

Tom s'éloigna cependant pour aller prendre un morceau de poisson séché dans son sac de cuir. Entre deux bouchées, il questionna la jeune femme sur Mosheh.

— Vous ne vous mettrez pas en colère et vous ne me battrez pas si je vous dis la vérité ?

— Pourquoi donc, Grand Dieu ?

— Parce que j'ai appris à me taire au sujet de mon existence terrestre. La première fois que je l'ai évoquée en public, moins d'un an après le jour de la Grande Clameur, j'ai été rossée cruellement et jetée dans le Fleuve par des gens que mes propos avaient indignés. Je me demande encore pour quelle raison : ils savaient que leur religion était erronée ; ou plutôt, ils auraient dû s'en rendre compte dès l'instant où ils sont ressuscités d'entre les morts. J'ai eu de la chance qu'ils ne me brûlent pas vive après m'avoir torturée !

— J'aimerais connaître la véritable histoire de l'Exode. Ça ne me dérangera pas si elle ne correspond pas à ce que j'ai appris au catéchisme.

— Vous me promettez de ne le répéter à personne ?

— Croix de bois, croix de fer, celui qui ment va en enfer !

6.

Bithniah le dévisagea d'un air ébahi.

— C'est un serment, ça ?

— Qui en vaut bien un autre !

Elle était née au pays de Goshen, dans la Terre de Mizraim (l'Égypte) où sa tribu, celle de Lévi, s'était établie quatre cents ans auparavant avec les autres tribus formées par les descendants d'Héber, chassées par la famine qui sévissait dans leur patrie. Yoseph — Joseph, pour les occidentaux —, que le pharaon avait pris pour vizir, les avait invitées à s'installer sur les terres fertiles situées à l'est du grand delta du Nil.

— L'histoire de Joseph est donc véridique ? Il a *bien* été

vendu comme esclave par ses frères et il est *réellement* devenu le bras droit du pharaon ?

Bithniah sourit.

– N'oubliez pas que tout ceci se passait quatre cents ans avant ma naissance. Vrai ou faux, c'est ce qu'on m'a raconté.

– J'ai du mal à croire qu'un pharaon ait choisi comme premier ministre un nomade hébreu plutôt qu'un Égyptien civilisé, averti des problèmes, nombreux et complexes, que posait l'administration d'un grand royaume.

– Quand mes ancêtres ont émigré en basse Égypte, le pharaon était lui-même un étranger : l'un de ces envahisseurs venus du désert que vous appelez les rois-bergers et qui parlaient une langue assez proche de l'hébreu, m'a-t-on dit. Il aura vu en Joseph un cousin plus ou moins lointain, un homme appartenant en tout cas à un peuple apparenté au sien et, par là, plus digne de confiance qu'un Égyptien de souche. Je vous répète que je ne peux pas garantir que cela soit vrai, puisque, évidemment, je n'en ai pas été témoin personnellement.

» Mais pendant que les miens habitaient le pays de Goshen, les rois-bergers ont été vaincus par leurs voisins de haute Égypte qui ont imposé l'un des leurs comme pharaon unique aux deux royaumes. C'est alors que la condition des fils d'Héber a commencé de se dégrader. Entrés libres en Mizraim, où ils travaillaient sous contrat, ils ne furent bientôt plus que des esclaves, de fait sinon officiellement.

» Leur sort est malgré tout demeuré supportable jusqu'à ce que l'illustre Ramsès accède au trône. Ce puissant chef de guerre fut un grand bâtisseur de cités et de forteresses, et les Hébreux figurèrent parmi les nombreux peuples qui furent astreints à les construire.

– Quel Ramsès ? Le premier, ou le deuxième ?

– Je ne sais pas. Le pharaon précédent s'appelait Seti.

– Il devait par conséquent s'agir de Ramsès II. Ainsi, ce fut donc *lui*, le pharaon de l'Oppression. N'est-ce pas Merneptah qui lui a succédé ?

– Si, mais vous prononcez son nom d'une drôle de façon !

– Le pharaon de l'Exode !

– De la sortie d'Égypte, oui. Nous avons réussi à briser nos chaînes grâce aux désordres entraînés par l'invasion de ce que vous dénommez, comme nous à l'époque, les peuples de la mer. J'ai ouï dire qu'ils avaient été repoussés, mais nous avons profité de la période de flottement initiale pour nous enfuir.

— Moïse... Mosheh n'est pas allé sommer le pharaon de laisser partir son peuple ?

— Il n'aurait pas osé ! On l'aurait torturé et mis à mort. De plus, beaucoup d'entre nous auraient été massacrés pour l'exemple.

— Avez-vous eu connaissance des plaies dont Dieu a frappé l'Égypte afin d'appuyer les requêtes de Moïse – l'eau du Nil changée en sang, la pullulation des grenouilles, la mort de tous les premiers-nés à l'exception de ceux des Juifs qui avaient marqué leur porte de sang ?

Bithniah éclata de rire.

— Pas avant d'arriver ici ! Une épidémie a effectivement ravagé le pays, mais elle n'a pas épargné les Hébreux. Mes deux frères et l'une de mes sœurs en ont été victimes ; bien qu'atteinte moi aussi par ce mal, j'y ai survécu.

Mix s'enquit ensuite du culte en vigueur dans les Tribus. Chacun pratiquait le culte de son choix, voire plusieurs. La mère de Bithniah adorait, entre autres, le dieu El, le plus important de ceux que les Hébreux avaient amenés dans leurs bagages. Son père préférait les dieux égyptiens, Râ en particulier, mais il sacrifiait aussi à El ; rarement, car il était trop pauvre pour participer souvent à des cérémonies aussi dispendieuses.

Bithniah avait connu Mosheh toute jeune. C'était un « affreux Jojo », moitié hébreu, moitié mizraimite. Ces croisements n'avaient rien d'exceptionnel : les maîtres violaient fréquemment leurs esclaves, quand elles ne s'offraient pas spontanément à eux aux fins d'obtenir un supplément de nourriture et d'autres avantages matériels, ou tout bonnement parce qu'elles en avaient envie. On chuchotait même que l'une de ses propres sœurs devait le jour à un père égyptien...

Un doute identique planait sur la filiation de Moïse.

A dix ans, il a été adopté par un prêtre égyptien dont les deux fils avaient été emportés par une épidémie. Est-ce que ce prêtre n'aurait pas plutôt adopté un enfant de sa race si Mosheh, dont il avait employé quelque temps la mère, n'avait pas été son fils naturel ?

A quinze ans, Moïse avait réintégré les rangs des esclaves hébreux. Selon la version généralement admise, parce que son père adoptif avait été exécuté pour avoir pratiqué le culte interdit d'Aton, instauré par le pharaon maudit Akhenaton ; plus vraisemblablement, parce que ledit père adoptif soupçonnait l'adolescent de coucher avec l'une de ses concubines.

— Moïse n'a-t-il pas dû ensuite se réfugier chez les Madianites, après avoir tué un surveillant égyptien qui frappait l'un des esclaves hébreux placés sous sa garde ?

Bithniah pouffa de nouveau.

— Pour moi, l'Égyptien l'a surpris en train de lutiner sa femme et Mosheh a été obligé de l'assommer afin de sauver sa peau. Il est en revanche exact qu'il s'est enfui chez les Madianites ; c'est du moins ce qu'il a prétendu quand il est revenu sous un faux nom, quelques années plus tard.

— Il ne pensait donc qu'à baiser, ce Moïse !

— Sous la laine du chevreau pointent les cornes du bouc !

A son retour du pays de Madian, dont il ramenait une épouse, Mosheh avait proclamé qu'un dieu, dénommé Yahweh, avait pris les fils d'Héber sous sa protection. Yahweh l'avait interpellé du sein d'un buisson ardent et l'avait chargé de conduire son peuple vers la liberté. Cette annonce avait surpris les Hébreux, dont la plupart n'avaient encore jamais entendu parler du dieu en question, mais ils s'étaient laissé convaincre par les accents inspirés et l'autorité de Mosheh, aussi embrasé par le feu de Yahweh que le buisson ardent d'où celui-ci l'avait appelé.

— La mer Rouge s'est-elle ouverte devant les Hébreux pour se refermer sur le pharaon et son armée, comme l'affirme la Bible ?

— Ce livre, que je connais seulement par ouï-dire, a été écrit par des Hébreux qui ont vécu longtemps après nous. Ils ont attaché crédulement foi à des légendes forgées au cours des siècles ; ou alors, c'étaient de fieffés menteurs !

— Et le veau d'or ?

— La statue qu'Aharon a élevée pendant que son frère Mosheh s'entretenait avec Yahweh sur la montagne ? Il s'agissait d'un veau, en effet, symbole du dieu mizraimite Hapi ; mais il était en argile, et non en or : où aurions-nous trouvé de l'or, en plein désert ?

— Toujours selon la Bible, vous avez dépouillé vos maîtres égyptiens avant de partir.

— Nous nous sommes estimés bienheureux de pouvoir emporter nos vêtements et nos armes ! Nous avons décampé précipitamment, et il ne fallait pas que nous soyons trop chargés pour échapper aux soldats qui chercheraient, peut-être, à nous rattraper. Les garnisons intérieures étaient heureusement dégarnies à ce moment-là, beaucoup d'hommes ayant été envoyés sur la côte combattre les peuples de la mer.

– Moïse est-il redescendu de la montagne avec les tables de la loi ?

– Oui, mais le texte qui y figurait ne comprenait pas dix commandements. Il était écrit en caractères égyptiens que, comme les trois quarts d'entre nous, je ne savais pas déchiffrer ; cependant, je me suis bien rendu compte qu'il n'y avait pas assez de place sur les tablettes pour y inscrire dix commandements en hiéroglyphes ! Les inscriptions se sont effacées rapidement : elles avaient été tracées avec un colorant de mauvaise qualité que les vents chauds et le sable ont vite écaillé.

7.

Mix aurait souhaité poursuivre cet interrogatoire. Il en fut empêché par l'arrivée d'un soldat qui frappa au montant de la porte ; Stafford désirait les voir tous les trois sur-le-champ. Tom appela Yeshua, qui sortit de sa hutte, et ils suivirent le soldat jusqu'à la salle du conseil. Personne ne souffla mot durant le trajet.

Après leur avoir dit aimablement bonjour, Stafford leur demanda s'ils avaient l'intention de rester en Nouvelle Albion.

Tous trois exprimèrent le désir de recevoir la citoyenneté néo-albionnaise.

– Fort bien. Mais vous devez comprendre qu'un citoyen a des obligations envers l'État qui lui accorde sa protection. Je vous en exposerai le détail plus tard. En attendant, quel poste vous estimez-vous le plus apte à occuper dans l'armée ou la flotte ?

Mix, qui lui avait déjà énuméré ses talents, en dressa de nouveau l'inventaire. Le lord-maire déclara qu'il lui faudrait commencer par être simple soldat, bien que son expérience le qualifiât pour un grade d'officier.

– Ne vous en offusquez pas. Nous plaçons systématiquement les nouveaux venus au bas de l'échelle pour ne pas susciter le mécontentement et la jalousie de ceux qui servent notre pays depuis longtemps. Étant donné que vous possédez des armes de pierre, très rares en cette région, je vous affecte à la compagnie des hachiers. C'est un corps d'élite, dont les membres jouissent d'une considération particulière. Dans quelques mois, quand vous aurez démontré votre valeur, ce dont je ne doute pas, vous serez promu sergent.

– Ça me convient parfaitement, dit Mix. Mais je sais aussi fabriquer les boomerangs et je pourrais apprendre à vos hommes l'art de s'en servir.

– Hum ! (Stafford battit un instant le rappel sur la table avec ses doigts). Cela fait de vous un spécialiste et vous êtes donc en droit d'accéder dès maintenant au grade de sergent. Pourtant, quand vous rejoindrez la compagnie des hachiers, vous serez tenu d'obéir aux ordres des caporaux et des sous-officiers de votre unité. Voyons, voyons ! Le cas est épineux... Voilà : vous serez sergent honoraire au sein de la compagnie des hachiers et sergent d'active quand vous agirez en qualité d'instructeur pour les boomerangs.

Mix émit un sifflement admiratif :

– Très astucieux ! C'est okay pour moi !

– Quoi ? s'étonna Stafford.

– Okay signifie : d'accord, avec plaisir.

– Ah bon ! Très bien. Et vous, Yeshua, que souhaitez-vous faire ?

– J'étais charpentier sur la Terre et j'ai eu amplement l'occasion d'exercer mon métier en ce monde-ci. J'ai aussi appris à tailler les éclats de pierre et je détiens une petite réserve de silex ; de plus, j'ai remarqué que le bateau à bord duquel nous nous sommes enfuis contenait un sac de cuir rempli de pierres brutes provenant d'une contrée lointaine.

– Parfait. Dans l'immédiat, vous aiderez le sergent Mix à confectionner ses boomerangs.

– Désolé, mais je suis contraint de refuser.

Stafford ouvrit de grands yeux.

– Et pourquoi donc ?

– J'ai fait vœu de ne jamais verser le sang humain et de ne participer à aucune activité qui y contribuerait.

– N'avez-vous pas combattu durant votre fuite ?

– Non.

– Est-ce à dire que si vos ennemis vous avaient rejoints, vous vous seriez laissé massacrer sans broncher ?

— Oui.

Stafford pianota de nouveau sur la table tandis que son visage s'empourprait progressivement.

— Je sais peu de chose sur cette Église de la Seconde Chance, mais on m'a rapporté que ses adeptes refusaient de se battre. En feriez-vous partie ?

Yeshua hocha négativement la tête.

— Non. Mon vœu est d'ordre privé.

— Cela ne se peut. Dès l'instant où vous le révélez à d'autres, votre vœu devient public. Vous voulez donc dire que vous vous êtes engagé par-devant votre dieu ?

— Je ne crois ni aux dieux, ni en Dieu, répliqua Yeshua d'une voix posée, mais ferme. J'ai été croyant, autrefois ; si croyant que ma foi s'apparentait à une connaissance. Je *savais* ! Mais je me trompais.

» Maintenant, je ne crois plus qu'en moi. Non pas que je me connaisse : personne ne connaît véritablement rien, lui-même y compris ; ou plutôt, nous n'avons tous que des connaissances très limitées. Il y a cependant une chose que je sais de manière certaine : c'est que je peux me lier envers moi-même par un vœu que je ne romprai jamais.

Stafford agrippa le rebord de la table comme s'il cherchait à en éprouver la réalité.

— Si vous ne croyez pas en Dieu, à quoi un tel vœu répond-il ? Que vous chaut de verser le sang en vous défendant ? Cela n'est que naturel. Où Dieu n'est pas, il n'y a plus de péché. Chacun a le droit d'agir comme bon lui semble, sans se soucier du mal qui peut en résulter pour son prochain, parce que tout est juste ou tout est injuste quand il n'y a pas de Loi suprême. Les lois humaines ne comptent pas.

— Un vœu est la seule chose vraie qu'il y ait au monde.

— Il est fou, s'esclaffa Bithniah. Vous n'en tirerez rien de sensé. A mon avis, s'il refuse de tuer pour ne pas être tué, c'est parce qu'il veut qu'on le tue. Il souhaite mourir, mais il n'a pas le cran de se suicider ! A quoi cela lui servirait-il, d'ailleurs, puisqu'il renaîtrait à un autre endroit ?

— Ce qui rend son vœu absurde, renchérit Stafford. On ne tue pas réellement en ce monde. Celui dont on interrompt le souffle se transforme en cadavre, mais, vingt-quatre heures plus tard, il se réveille avec un corps neuf, intact même si on l'avait découpé en mille morceaux.

Yeshua haussa les épaules.

— Peu importe ; peu m'importe, en tout cas. J'ai prononcé un vœu et je le respecterai.

— Complètement cinglé ! s'écria Bithniah.

— Tu n'as pas l'intention de fonder une nouvelle religion ? s'inquiéta Mix.

— Je viens de dire que je ne crois pas en Dieu.

Stafford soupira.

— Je n'ai pas le temps de discuter théologie ou philosophie avec vous, Yeshua. Le point va être aisément tranché, néanmoins. Vous avez le choix entre quitter notre État sans tarder, et j'entends par là dans la minute qui suit, ou bien rester, mais en tant que citoyen de seconde zone. La Nouvelle Albion en compte dix actuellement. Comme vous, ils refusent de se battre, quoique pour des motifs différents. Ils ont, eux aussi, des devoirs à accomplir, un travail à exécuter ; ils ne perçoivent pas, cependant, les primes que l'État verse tous les trois mois aux citoyens à part entière sous la forme de cigarettes, d'alcool et de nourriture. On exige qu'ils cèdent au trésor national une partie des produits de leurs cornes et qu'ils nettoient les latrines plus souvent qu'à leur tour normal. En cas de guerre, on les enferme dans un enclos jusqu'à la fin des hostilités ; d'abord afin qu'ils ne gênent pas les militaires, ensuite parce qu'on n'est pas assuré de leur loyauté.

— J'accepte ces conditions. Je construirai vos barques de pêche et vos maisons, tout ce dont vous aurez besoin pourvu que l'objet de mon travail ne soit pas lié directement à des fins guerrières.

— La distinction n'est pas toujours aisée à établir, mais ne vous inquiétez pas : nous trouverons à vous employer !

Quand Stafford les eut congédiés, Bithniah se planta en face de Yeshua et lui lança, en le défiant du regard :

— Adieu, Yeshua ! Je te quitte. J'en ai ras-le-bol de tes extravagances.

Le visage, déjà triste, de Yeshua s'assombrit encore.

— Il vaut mieux, en effet, que nous nous séparions ; je te rends malheureuse et il n'est pas bien de projeter sa détresse sur les autres.

— Non, ce n'est pas ça (des larmes lui mouillèrent les joues). J'accepte volontiers de partager la détresse de quelqu'un si je peux l'adoucir, si je peux y changer quelque chose. Mais toi, je suis incapable de t'aider. Je m'y suis efforcée sans y parvenir et je ne pense pas que la faute m'en incombe.

Yeshua s'éloigna. Bithniah se tourna vers Mix.

– Tom, l'homme que nous regardons partir est le plus malheureux du monde. Si seulement je pouvais découvrir la cause de sa tristesse et de cette solitude !

Mix jeta un coup d'œil en direction de son presque sosie qui marchait d'un pas décidé, comme s'il avait un but précis, et laissa tomber : « Qu'est-ce qui guidera mes pas, si ce n'est la grâce de Dieu ? »

Il se demanda une fois de plus quelle curieuse combinaison de gènes avait abouti à ce que deux hommes nés à plus de mille ans d'intervalle, en des lieux distants de dix mille kilomètres, d'ancêtres totalement différents, se ressemblent comme des frères jumeaux. Combien de coïncidences semblables s'étaient-elles produites durant la période où l'humanité avait vécu sur la Terre ?

Bithniah alla se présenter à la responsable d'une équipe de travail féminine, Mix à un certain capitaine Hawkins auquel il transmit les instructions de Stafford. Il passa une heure à effectuer des exercices en ordre serré avec sa compagnie, le reste de la matinée à manier la hache et le bouclier, puis à lancer le javelot. L'après-midi, il montra à des artisans comment fabriquer un boomerang ; il pourrait commencer dans deux ou trois jours à enseigner l'art d'utiliser cette arme.

On le libéra quelques heures avant le crépuscule. Après s'être baigné dans le Fleuve, il regagna sa hutte. Bithniah était déjà dans la sienne ; seule.

– Yeshua est parti dans la montagne, lui dit-elle. Il m'a vaguement parlé de purification et de méditation.

– Il est libre d'employer ses loisirs comme ça lui chante. Dis-moi, Bithniah, et si tu venais vivre avec moi ? Tu me plais bien et j'ai l'impression que c'est réciproque.

– Je serais tentée si tu ne ressemblais pas tant à Yeshua, répondit-elle en souriant.

– J'ai beau être son portrait tout craché, je ne suis pas un rabat-joie, moi ; et je n'ai pas besoin de me doper à la gomme à rêver pour faire l'amour !

– Tu me le rappellerais de toute façon.

Elle fondit brusquement en larmes, se réfugia précipitamment dans sa case.

Mix haussa les épaules et s'en fut placer son graal sur la pierre la plus proche.

8.

Tout en dégustant les mets savoureux que lui avait livrés sa corne d'abondance, sa gamelle sacrée, son récipient miraculeux, bref, son graal, il engagea la conversation avec une jolie blonde à l'air esseulé. Née en 1945 à Cincinnati, dans l'Ohio, Dolorès Rambaut avait habité jusqu'à cet après-midi de l'autre côté du Fleuve. L'homme dont elle partageait la case était d'une jalousie maladive ; après l'avoir endurée très longtemps, elle avait craqué et s'était enfuie. Elle aurait pu, évidemment, se contenter de déménager, mais elle avait eu peur qu'il n'essaie de la tuer.

– Vous vous sentiez à l'aise, parmi tous ces Huns ?

– Des Huns ? Ces gens sont ce que nous appelons des Scythes ! C'est ce qu'ils croient, du moins. Ils ont pour la plupart la haute stature et la peau blanche des Caucasiens. Sur la Terre, c'étaient de magnifiques cavaliers et ils avaient conquis un vaste territoire au sud de la Russie ; au septième siècle avant Jésus-Christ, si je me souviens bien de ce que j'ai lu sur eux.

– Les autochtones disent toujours « les Huns » en parlant d'eux. Peut-être n'est-ce qu'un terme péjoratif, n'ayant rien à voir avec leur race ou leur nationalité... Quoi qu'il en soit, je suis heureux que vous soyez ici. Je n'ai pas de compagne et la solitude me pèse.

Dolorès éclata de rire.

– Vous ne pensez pas que vous allez un peu vite ? Quel est votre nom ?

– Tom Mix.

– Hein ? Seriez-vous...

– Le seul et l'unique, malheureusement aussi dépourvu de cheval que vos Scythes !

– Je suis impardonnable de ne vous avoir pas reconnu, avec toutes les photos de vous que j'ai vues quand j'étais petite. Mon père était l'un de vos grands admirateurs. Il conservait plein de coupures de journaux à votre sujet, une photographie dédicacée et même une affiche de film. *Tom Mix en Arabie*. Il disait que c'était votre meilleur film et l'un des plus beaux qu'il ait jamais vus.

– Ma foi, je l'ai bien aimé, moi aussi.

– Oui. C'est décidément trop triste. Pas ce film, mais ce qui est arrivé à l'ensemble d'entre eux. Vous en avez tourné combien ?

– Deux cent soixante, à peu près.

– Ouah ! Tant que ça ? Eh bien, mon père affirmait – bien des années plus tard, alors qu'il était déjà très âgé – qu'ils avaient tous disparu. Les studios n'en avaient gardé aucun et les rares copies qui subsistaient dans des collections privées se détérioraient rapidement.

Tom tiqua.

– *Sic transit gloria mundi* ! Enfin, j'ai quand même ramassé un paquet de blé et l'ai claqué joyeusement. Alors, au diable le reste !

Dolorès était venue au monde cinq ans après le jour où Tom Mix, au volant de sa voiture, avait percuté une barrière près de Florence, sur la grand-route reliant Tucson à Phoenix. Il appartenait à l'élément précurseur d'un cirque et transportait une valise métallique bourrée d'argent destiné à payer des factures. Il roulait vite, comme d'habitude : cent quarante-cinq kilomètres à l'heure au moment de l'accident. Il avait bien aperçu le panneau annonçant que des travaux étaient en cours un peu plus loin, mais, comme d'habitude encore, n'en avait pas tenu compte. La chaussée était dégagée... une minute plus tard, il s'écrasait contre la barrière sans rien pouvoir faire pour l'éviter.

– Mon père racontait que vous étiez mort sur le coup. La valise qui était derrière vous vous avait rompu la nuque.

Tom tiqua de nouveau.

– J'ai toujours eu de la chance !

– La valise s'est ouverte et les billets de mille dollars voltigeaient de tous côtés, comme s'ils tombaient du ciel. Les cantonniers ne se sont pas occupés tout de suite de vous : ils couraient dans tous les sens, comme des volailles dont un renard a forcé le poulailler, pour attraper les coupures qu'ils se fourraient dans les poches ou sous la chemise. C'est plus tard seulement qu'ils ont su qui vous étiez. On vous a fait des funérailles superbes et enseveli au cimetière de Forest Lawn.

– J'avais de la classe, bien que je sois mort presque fauché. Est-ce que Victoria Forde, ma quatrième épouse, est venue à mon enterrement ?

– Je l'ignore. Hé ben, si on m'avait dit que je dînerais et bavarderais ce soir avec une célèbre vedette de cinéma !

Tom avait été choqué d'apprendre que les cantonniers

s'étaient rués sur les billets qui tourbillonnaient comme des flocons de neige verts avant même de vérifier s'il respirait encore. Mais il ne tarda pas à sourire de son indignation. A leur place, il en aurait sans doute fait autant. La vision d'un billet de mille dollars emporté par le vent était très tentante, surtout pour de pauvres types qui mettaient plus de dix ans à gagner ce qu'il percevait en une semaine. Il ne pouvait pas vraiment leur en vouloir.

»On a érigé un monument sur les lieux de l'accident, ajouta Dolorès. Mon père s'est arrêté pour le voir l'année où il nous a emmenés en voyage dans le Sud-Ouest pendant les vacances. J'espère que le savoir vous réconfortera.

— J'aimerais que les indigènes réalisent qui j'étais sur la Terre ; cela les inciterait peut-être à me conférer un grade supérieur à celui de sergent ! Mais ils n'avaient jamais entendu parler de cinéma avant d'arriver ici et ils ne peuvent même pas imaginer de quoi il s'agissait.

Après deux heures de tête à tête, Dolorès jugea qu'ils en étaient parvenus au stade où Tom avait le droit de l'inviter à le suivre dans sa case sans être accusé « d'aller un peu vite » ! Ils avaient à peine atteint l'entrée de la hutte que Channing apparut : le lord-maire désirait voir Mix immédiatement.

Stafford, qui l'attendait dans la salle du conseil, lui annonça sans préambule :

— Vous connaissez si bien Kramer et vous possédez une si grande expérience militaire, messire Mix, que je vous attache à mon état-major. Le temps presse : n'en perdez donc pas à me remercier !

»Les espions que j'ai au Doucevolents m'informent que Kramer prépare une attaque d'envergure. Il a mobilisé toutes ses forces navales et terrestres en vue d'une offensive, en ne gardant qu'une faible partie d'entre elles pour la défense. Mais mes agents ignorent quel est le pays qu'il s'apprête à envahir. Jusqu'à présent, il ne l'a révélé à personne, pas même à son état-major : il sait que nous y avons des intelligences, comme il en a dans le nôtre.

— J'espère que vous ne me soupçonnez pas d'en faire partie ?

Stafford réprima un sourire.

— Non, mes agents ont confirmé votre récit. Vous n'êtes pas un espion, à moins que l'ennemi n'ait organisé pour vous blanchir une mise en scène diabolique impliquant le sacrifice d'un bon bateau et d'un certain nombre de soldats. Mais j'en doute : Kramer n'est pas homme à laisser filer des prisonniers juifs pour quelque raison que ce soit !

Mix apprit alors que le lord-maire avait été très impressionné par la façon dont il avait conduit son mini-combat naval, les rapports élogieux reçus de ses supérieurs hiérarchiques et, plus encore, par la liste des nombreuses campagnes auxquelles il avait participé sur la Terre (à l'audition de ces derniers mots, Tom éprouva une bouffée de honte vite surmontée). En outre, il avait eu l'occasion d'étudier de près la topographie et le système défensif du Deusvolens ; et il avait dit la nuit précédente que le seul moyen de vaincre Kramer était de le cueillir à froid (l'expression me paraît curieuse, mais le sens en est limpide, avait commenté Stafford). Pouvait-il développer son idée ?

— D'après ce qu'on m'a dit, la stratégie de Kramer consiste à négliger un État pour conquérir d'abord celui qui en borde la frontière opposée, après quoi il prend le premier dans l'étau que forment ses deux armées. La méthode est astucieuse, mais elle serait inapplicable si les pays menacés s'unissaient. Or, tout en sachant que leur tour viendra un jour, ils se méfient tellement les uns des autres, à juste titre peut-être, qu'ils pratiquent la politique du chacun pour soi. J'ai cru comprendre également qu'aucun d'eux n'acceptait de se soumettre à l'autorité d'un général étranger, ce que vous êtes certainement en mesure de confirmer.

» Je crois que si nous parvenions à porter au Deusvolens un coup qui l'affaiblirait, en nous arrangeant pour capturer ou éliminer Kramer et son âme damnée, don Esteban de Falla, les autres pays rappliqueraient au grand galop, comme des Comanches à la curée.

» Mon idée consiste à organiser un raid de nuit, par voie maritime, cela va de soi ; un raid massif, qui prendrait Cognedur au dépourvu. Nous incendierions sa flotte et les liquiderions à la faveur de la surprise, de Falla et lui. Un État décapité se désagrège ; les armées du Deusvolens se débanderaient.

— J'ai déjà tenté de faire tuer Kramer et mes sbires ont à chaque fois échoué. Je pourrais recommencer ; l'opération réussirait peut-être si nous la facilitions en créant une diversion suffisamment puissante. Mais je ne vois pas, hélas, comment nous pourrions accomplir votre raid. On ne progresse pas vite quand on navigue contre le courant et, en supposant que nous partions au crépuscule, nous n'atteindrions pas l'objectif avant l'aube. Les guetteurs de Kramer nous repéreraient longtemps à l'avance, probablement dès que notre flotte se rassemblerait. Prêt à nous recevoir, l'ennemi nous taillerait en pièces. Nous n'avons pas la moindre chance de nous en sortir si nous ne le surprenons pas.

— Ouais, mais vous oubliez les Huns d'en face. A propos, ce ne sont pas des Huns, mais des Scythes de l'Antiquité.

— Je sais, je sais. C'est en raison de leur sauvagerie et de notre ignorance que nous les avons dénommés ainsi. Négligez ces détails et tenez-vous-en à l'essentiel.

— Excusez-moi. Bon, jusqu'à présent, Kramer n'a sévi que sur cette rive-ci. Il n'a pas inquiété les Huns. Mais ceux-ci ne sont pas idiots, à ce que je viens d'apprendre.

— Par Dolorès Rambaut, je présume.

Mix s'efforça de masquer sa surprise.

— Vous faites donc épier vos propres concitoyens ?

— Pas officiellement. Je n'ai pas besoin de missionner des espions pour savoir tout ce qui se passe ici : il existe assez de gens qui s'empressent de venir me le raconter spontanément. Ces mouchards m'importunent avec leurs commérages, mais il leur arrive aussi de m'apporter un renseignement important.

— Eh bien, ce que je voulais dire en affirmant que les Huns ne sont pas idiots, c'est qu'ils savent que Kramer les attaquera quand il aura conquis suffisamment d'États sur notre rive. Ils se rendent forcément compte qu'il se tournera alors contre eux pour consolider son empire ; que cela se produira inéluctablement, même s'il leur reste quelques années de répit. J'en ai conclu qu'ils réserveraient sans doute un accueil favorable à certains projets dont j'ai esquissé les grandes lignes. Voici ce que je propose.

L'entretien se prolongea encore une heure. Stafford promit à Mix de faire tout ce qui était en son pouvoir pour exécuter son plan. Ce plan, il le considérait comme une entreprise désespérée, en raison surtout du délai extrêmement réduit dont on disposait pour le mettre en œuvre. Ils allaient devoir veiller toute la nuit et travailler dur. A partir de cet instant, le danger s'accroîtrait à chaque minute que les espions de Kramer découvrent leurs intentions. Mais il fallait agir. Lui, Stafford, n'avait pas l'intention de rester les bras croisés en attendant que Kramer déclenche les hostilités. Mieux valait prendre un risque que de le *laisser annoncer la couleur* ! (le langage du lord-maire commençait à subir l'influence des américanismes de Tom Mix).

9.

Les services secrets indiquèrent que Kramer n'engagerait pas la totalité de ses forces. S'il possédait théoriquement assez de soldats et de marins pour submerger à la fois la Nouvelle Albion et l'Ormondia, il n'osait pas trop puiser dans les garnisons des territoires occupés. Celles-ci se composaient essentiellement de miliciens locaux passés au service de l'ennemi, encadrés par des hommes du Deusvolens. Elles faisaient régner la terreur parmi les populations asservies, qui avaient été astreintes à édifier le long des frontières des remparts en terre et en bois, ainsi que des forts où stationnaient des troupes. On conservait les cornes d'abondance de la plupart des citoyens dans des entrepôts sévèrement gardés et on ne les leur rendait qu'aux heures de recharge. Ceux qui voulaient s'évader n'avaient qu'une alternative : dérober leur corne d'abondance ou se suicider pour renaître ailleurs en possession d'un nouveau graal. De ces deux solutions, la première était pratiquement irréalisable, la seconde accessible seulement aux plus braves ou aux plus désespérés.

Malgré toutes ces précautions, Kramer se retrouverait avec de nombreux soulèvements sur les bras s'il affaiblissait trop ses garnisons extérieures. Il s'était donc contenté de transférer discrètement au Deusvolens et en Felipia (État situé à la bordure nord du Deusvolens) le cinquième des fantassins et marins qui servaient habituellement dans les troupes d'occupation. Sa flotte s'alignait sur les berges du Fleuve, le long desquelles elle formait une file immense. Mais les soldats pouvaient embarquer et les navires appareiller à n'importe quelle heure de la nuit. De quelle nuit ? Nul n'était, bien sûr, en mesure de répondre à cette question.

– Kramer sait par ses espions que vous êtes ici, Bithniah, Yeshua et vous, dit Stafford à Mix. Vous estimez qu'il va entrer en guerre avec la Nouvelle Albion dans le seul dessein de vous reprendre. Cela me surprendrait. Pourquoi attacherait-il un tel prix à votre capture ?

– D'autres que nous lui ont déjà échappé, mais jamais de manière aussi spectaculaire. Il devine que la nouvelle s'est ébruitée et cela l'humilie ; il craint aussi la contagion de l'exemple. Cependant, je suis persuadé qu'il envisageait depuis longtemps d'étendre ses conquêtes : nous n'avons fait que l'inciter à mettre plus tôt ses projets à exécution.

» A mon avis, il va nous attaquer en contournant la Liberté et l'Ormondia. S'il s'empare de la Nouvelle Albion, il pourra leur appliquer sa technique de prise en tenaille.

On avait envoyé des messagers en Ormondia ; le duc et le lord-maire s'étaient rencontrés à la frontière des deux pays, accompagnés de leurs conseils respectifs. On avait consacré la moitié de la nuit à convaincre le duc de se joindre à une offensive-surprise ; l'autre moitié de la nuit et toute la matinée à se disputer l'attribution du commandement en chef. Stafford avait finalement accepté qu'il revienne au duc ; de mauvaise grâce, car il se jugeait plus apte à l'exercer qu'Ormonde, sous les ordres duquel les Néo-Albionnais seraient, de surcroît, mécontents de servir. Mais le lord-maire avait absolument besoin des Ormondiens.

Sans même prendre le temps de somnoler une minute, Stafford traversa ensuite le Fleuve afin de parlementer avec les souverains des deux États « huns ». Ils avaient appris eux aussi par leurs espions que Kramer préparait une nouvelle invasion, mais ils ne s'en étaient pas alarmés outre mesure puisqu'il n'avait encore jamais fait d'incursion sur leur rive. Stafford parvint cependant à les persuader que Cogne-dur s'en prendrait tôt ou tard à eux. Ils n'en marchandèrent pas moins âprement, exigeant de recevoir la plus grosse part du futur butin ; Stafford et Robert Abercrombie, qui représentait le duc, s'inclinèrent à contre-cœur.

L'épineux problème que posait l'ordre dans lesquel les flottes des deux chefs huns, Hartashershès et Dherwishawyash, iraient à la bataille occupa le reste de la journée. Tous deux revendiquaient l'honneur de débarquer le premier. Mix conseilla à Stafford de leur suggérer que les vaisseaux sur lesquels ils prendraient place naviguent de front ; ils pourraient ainsi débarquer simultanément, après quoi, ce serait chacun pour soi.

– L'affaire reste hasardeuse, lui confia un peu plus tard le lord-maire. Qui sait ce que les espions de Kramer ont découvert ? Il en a probablement infiltré parmi les Huns, voire dans mon propre état-major ; même si tel n'est pas le cas, les guetteurs qu'il a postés sur les hauteurs auront certainement observé nos mouvements.

Les soldats de la Nouvelle Albion et de l'Ormondia ratissaient les collines pour débusquer ces guetteurs qui, contraints de se cacher, ne pouvaient pas transmettre de messages en allumant des feux ou en battant du tam-tam ; quelques-uns s'étaient probablement glissés entre les mailles du filet afin d'aller rendre compte directement de leurs observations, mais, comme ils cheminaient à pied ou en barque, ils mettraient longtemps à rejoindre leurs lignes.

Dans l'intervalle, des émissaires de la Nouvelle Albion s'étaient rendus dans trois des États qui la jouxtaient au sud en vue de solliciter leur aide, sous la forme d'hommes et d'embarcations.

A la fin de la nuit, Mix avait reçu le grade de capitaine. Il aurait dû, en principe, revêtir le casque et la cuirasse en cuir armé d'os du soldat albionnais, mais il avait refusé obstinément d'abandonner son chapeau de cow-boy et Stafford, trop las pour s'opposer à lui, avait fermé les yeux sur cette entorse au règlement.

Deux jours et deux nuits s'écoulèrent pendant lesquels Mix dormit assez peu, en raison de l'agitation et du bruit qui régnaient autour de lui. L'après-midi du troisième jour, il décida de monter chercher dans les collines un endroit plus propice au sommeil, si toutefois les battues qui s'y poursuivaient lui permettaient d'en trouver un.

Il s'arrêta d'abord chez Bithniah, pour voir ce qu'elle devenait. Elle vivait maintenant avec un homme dont la compagne avait péri durant le mini-combat naval et avec lequel elle semblait assez heureuse. Non, elle n'avait pas revu Yeshua, le « moine fou ». Mix, lui, l'avait aperçu deux ou trois fois de loin : il abattait des pins à l'aide d'une hache en silex, Dieu seul savait à quelles fins.

Un peu plus loin, il rencontra Dolorès. Elle faisait partie d'une équipe qui halait jusqu'au rivage des bambous géants, destinés à renforcer les palissades défendant la frontière fluviale de la Nouvelle Albion. Sale, les traits tirés par la fatigue, elle n'avait vraiment pas l'air de bon poil. Le regard noir dont elle transperça Tom ne s'expliquait pas uniquement par le caractère pénible de la tâche qu'elle effectuait : ils n'avaient pas encore eu le temps, ni la force, de baiser une seule fois !

Mix lui décocha son plus beau sourire.

– Te bile pas, ma belle, on se retrouvera quand toute cette histoire sera finie ! Et je te rendrai plus heureuse qu'aucune femme ne l'a jamais été !

Dolorès lui indiqua où il pouvait se fourrer son chapeau.

Il éclata de rire : « Allons, ça te passera ! »

Elle ne répondit pas. Ployant le dos, elle tira de toutes ses forces avec ses compagnes sur la corde attachée au tronc qui franchit la crête de la butte.

– Ça va être du gâteau, maintenant !

– Pas pour toi, toujours !

Tom rit de nouveau, mais se rembrunit dès qu'il eut tourné le dos. Ce n'était pas de sa faute si on avait affecté Dolorès à cette corvée et il regrettait autant qu'elle, sinon plus, qu'ils aient été privés de leur lune de miel.

On s'affairait aussi sur la hauteur voisine, d'où lui parvenait le choc des cognées frappant le fût des énormes bambous, les ahanements des bûcherons et les cris des chefs d'équipe masculins et féminins. Gravissant une colline plus élevée, il constata immédiatement qu'elle était loin, elle aussi, de constituer le havre de paix qu'il cherchait. La certitude de ne plus rencontrer aucun représentant de l'espèce humaine quand il aborderait la montagne proprement dite lui donna le courage de poursuivre son escalade, malgré la fatigue et l'impatience croissantes qui s'emparaient de lui.

Arrivé près du sommet de la dernière colline, il s'assit pour reprendre son souffle dans les herbes hautes qui poussaient à l'ombre des arbres à fer, plus nombreux à cette altitude. L'endroit était enfin désert, bien que l'écho des haches et des voix y parvienne encore faiblement. Pourquoi ne s'allongerait-il pas ici ? L'herbe n'était certes pas tendre, et même assez rêche, mais dans l'état d'épuisement où il se trouvait cela ne le dérangerait guère. Il s'étendrait sur sa cape, le chapeau rabattu sur les yeux, et sombrerait aussitôt dans un sommeil bien mérité. Aucun insecte, mouche, moustique ou fourmi ne l'importunerait de ses piqûres, nul oiseau ne lui percerait les oreilles de ses cris discordants.

Se relevant, il ôta sa cape blanche, la déploya sur l'herbe qui l'entourait comme un rempart; le soleil dardait ses rayons entre deux arbres à fer. Quel pied!

Stafford le cherchait peut-être partout en ce moment; qu'il aille au diable!

Il s'étira, décida de se débarrasser de ses bottes de soldat; il avait les pieds moites et brûlants. Il avait déjà enlevé la droite et s'apprêtait à retirer sa chaussette en fibre végétale quand un bruissement d'herbes froissées, autre que celui provoqué par le vent, l'arrêta net.

Ses armes, un tomahawk, un couteau de silex et un boomerang, gisaient près de lui, attachées au ceinturon qu'il venait de dégrafer. Il les détacha, posa le boomerang sur la cape, empoigna le tomahawk de la main droite, le couteau de l'autre.

Le bruissement, qui avait cessé, reprit au bout d'une minute.

Tom se dressa précautionneusement afin de regarder pardessus les herbes. A sept mètres de lui, les tiges se ployaient, puis reprenaient leur place. Quelqu'un progressait dans le couvert! Il ne put d'abord apercevoir l'intrus, soit qu'il fût de petite taille, soit qu'il avançât courbé en deux.

Puis une tête émergea du flot de verdure: celle d'un homme au teint mat et aux cheveux noirs, de type hispanique. Cela ne voulait rien dire en soi, car la Nouvelle Albion comptait beaucoup d'excellents citoyens d'origine espagnole, dont certains évadés du Deusvolens ou de la Felipia; mais la démarche furtive de celui-ci le rendait suspect. Peut-être s'agissait-il d'un espion qui avait échappé aux battues?

L'homme, qui observait les montagnes, se présentait de profil. Mix s'accroupit avant qu'il ne tourne la tête dans sa direction et demeura immobile, l'oreille aux aguets. Le bruissement recommença. L'autre avait-il décelé sa présence et s'efforçait-il de le repérer?

Tom s'agenouilla pour coller l'oreille au sol. Comme la plupart des habitants de la Vallée, le suspect allait certainement pieds-nus ou chaussé de sandales. Mais il pouvait marcher sur une branche morte, quoiqu'il y eût peu de buissons dans les parages, ou trébucher.

Après une minute d'écoute attentive, Mix se releva; il ne percevait plus le moindre bruit anormal et seul le souffle de la brise agitait les herbes. Ah si! L'inconnu s'était remis en route: Tom distinguait sa nuque, qui s'éloignait.

Il se ceignit rapidement de son ceinturon, s'agrafa la cape autour du cou, renfila sa botte et, le chapeau entre les dents, le couteau dans une main, le tomahawk dans l'autre, entreprit de pister le fugitif aussi discrètement que possible. Il était cependant obligé de jeter de temps en temps un bref coup d'œil au-dessus des herbes; comme cela devait inévitablement se produire, le poursuivant et le poursuivi finirent par accomplir ce geste au même instant et leurs regards se croisèrent.

L'autre se tapit aussitôt. Mix n'avait plus désormais aucune raison de se cacher. Il guetta les ondulations qui trahiraient les mouvements de son adversaire au sein de la houle verte, comme l'eau, en se ridant, trahit ceux d'un nageur sous-marin progressant près de la surface, puis, tout en demeurant prêt à se dissimuler si celui-ci s'immobilisait, marcha à grands pas dans leur direction.

La tête de l'homme brun réapparut soudain, et Mix s'arrêta, stupéfait: après l'avoir invité à se taire en se plaçant un doigt sur les lèvres, l'Espagnol lui faisait signe de regarder derrière lui! Tom hésita une seconde: cela ressemblait par trop à une ruse. Oui, mais qu'avait-il à craindre? L'Espagnol était trop loin pour pouvoir se précipiter sur lui s'il se retournait.

Ruse ou pas, la curiosité l'emporta. Tom se retourna, parcourut le paysage des yeux et vit l'herbe onduler, là-bas, dans son dos, comme si quelque serpent invisible y rampait.

Il réfléchit rapidement. Cet autre personnage était-il un complice de l'Espagnol, animé de mauvaises intentions à son égard? Évidemment pas, sinon le premier n'aurait pas révélé la présence du second. Non, l'homme brun était vraisemblablement un Albionnais qui avait repéré un espion; il le filait lorsque Tom l'avait pris lui-même pour un espion.

Sans s'attarder à la pensée qu'il avait été à deux doigts d'occire un ami, Tom se courba et se dirigea vers l'endroit où se tenait le troisième homme; où il s'était tenu, plutôt, car, à en juger par le mouvement des herbes (que Mix surveillait en se redressant tous les cinq mètres), il se sauvait vers la montagne en s'éloignant de ses deux poursuivants: Tom et l'Espagnol qui, toujours d'après le mouvement des herbes, rejoignaient en ligne droite le point où Mix s'était arrêté un instant plus tôt.

Las de cette partie de cache-cache silencieuse et trop lente, convaincu qu'une action brutale contraindrait le gibier à se débusquer, Mix se mit à courir aussi vite que la végétation le permettait en hurlant à pleins poumons.

Il était écrit que l'après-midi serait fertile en surprises: deux têtes surgirent là où il n'en attendait qu'une, l'une blonde, l'autre rousse, appartenant respectivement à une femme et à un homme. C'était donc elle qui avait frayé la route, tandis qu'ils fuyaient à quatre pattes, s'accroupissaient quelques secondes, haussaient le cou comme un périscope pour scruter les environs (cela, Tom le supposait, car il ne les avait pas surpris à la faire).

Mix s'immobilisa ; n'allait-il pas commettre avec ces deux personnes la même erreur qu'avec la première ?

Il cria qui il était et ce qu'il faisait dans le coin. L'homme brun cria en retour qu'il était Raimondo de la Reina, citoyen de la Nouvelle Albion. Le rouquin et la blonde déclinèrent également leur identité : Eric Simons et Guindilla Tashent, eux aussi citoyens néo-albionnais.

Mix aurait ri de cette série de méprises s'il n'avait encore nourri un doute : rien ne prouvait que Simons et Tashent n'eussent pas menti dans le dessein de les amener, Raimondo et lui, à baisser leur garde.

Il s'enquit sans avancer d'un pas :

— Qu'est-ce que vous fichiez ici tous les deux ?

— L'amour, pardi ! répondit l'homme. Mais, de grâce, soyez discret ! Ma femme est extrêmement jalouse et le mari de Guindilla ne serait pas très content non plus s'il venait à l'apprendre.

— Soyez tranquille, je serai muet comme une carpe. (Il se tourna vers de la Reina qui approchait). Et toi, mon pote, qu'est-ce que tu en dis ? Inutile de souffler mot de tout ça, tu ne trouves pas ? D'autant plus qu'on aurait tous l'air un peu cons !

Un problème subsistait, cependant. Les deux amants avaient probablement abandonné leurs postes de travail pour venir ici ; ceci constituait une faute grave qui les mènerait en cour martiale si les autorités en étaient informées. Tom n'avait pas l'intention de les dénoncer, mais si de la Reina estimait que tel était son devoir, il pourrait difficilement tenter de l'en dissuader ; pas trop ouvertement, du moins.

Mix n'avait pas bougé, le couple non plus. De la Reina arrivait en pataugeant laborieusement à travers les herbes, dans l'intention sans doute d'étudier la situation avec lui. Jugeait-il qu'il fallait se méfier des soi-disant amoureux ? Si oui, il n'avait pas tort : il pouvait s'agir d'espions qui avaient inventé cette fable en se voyant pincés ou, plus vraisemblablement encore, la tenait toute prête pour cette éventualité. Mais Tom était plutôt enclin à les croire.

De la Reina fut bientôt assez près pour qu'il le distingue clairement. A peu près de sa taille, il avait un visage long et étroit d'aristocrate espagnol ; entre les tiges qu'il écartait, on entr'apercevait une serviette-kilt verte, retenue par un ceinturon de cuir auquel pendaient deux couteaux de silex et un tomahawk. L'une de ses mains était vide ; il tenait l'autre derrière le dos.

Mix n'avait pas l'habitude de se laisser accoster par quelqu'un dont il ne voyait pas les deux mains.

— Arrête-toi où tu es, amigo !

L'Espagnol obéit, sourit, mais en affichant une mine interloquée.

— Plaît-il, mon ami ?

Il parlait l'anglais du dix-septième siècle avec un fort accent étranger et il n'était pas impossible qu'il eût du mal à comprendre l'américain moderne. Tom décida qu'il convenait de lui accorder le bénéfice du doute, sans toutefois se départir de la plus grande prudence, et il expliqua en détachant soigneusement les mots :

— Ta main ! Celle que tu caches. Montre-la-moi, doucement.

Il jeta un rapide coup d'œil en direction des amants ; ils se rapprochaient lentement et paraissaient terrorisés.

— Bien sûr, mon ami !

De la Reina n'avait pas fini de prononcer ces paroles qu'il bondit en hurlant, découvrant la main dans laquelle il dissimulait une lame de silex. Celle-ci n'en dépassait que de quelques centimètres, mais c'était largement assez pour trancher une veine jugulaire ou une gorge. S'il avait été plus malin, il aurait empaumé complètement l'arme et laissé son bras pendre naturellement, mais il n'avait pas osé s'y risquer.

Tom abattit le tranchant de son tomahawk sur la tempe de l'Espagnol, qui s'écroula en lâchant l'éclat de silex.

— Restez où vous êtes ! hurla-t-il aux deux autres, qui s'entreregardèrent avec inquiétude, mais s'arrêtèrent. Les mains en l'air, bien au-dessus de vos têtes !

Ils levèrent les bras aussi haut qu'ils le pouvaient. Simons, le rouquin, s'enquit :

— Que s'est-il passé ?

— Allez là-bas, sous cet arbre à fer !

Le couple obtempéra. Il y avait sous l'arbre une hutte, abandonnée certes, mais autour de laquelle l'herbe récemment fauchée n'avait repoussé que d'une trentaine de centimètres, grâce à quoi Tom pourrait vérifier s'ils portaient ou non des armes.

Il se pencha sur l'Espagnol. Celui-ci respirait encore, quoiqu'avec difficulté. Même s'il en réchappait, ce qui était très aléatoire, il ne recouvrerait probablement pas toutes ses facultés. Il valait beaucoup mieux qu'il meure car, s'il survivait, ce serait pour affronter la torture ; tel était en effet le sort réservé dans la région aux espions qui ne réussissaient pas à se suicider à temps. De la Reina serait étiré sur une roue de bois jusqu'à ce que les cordes attachées à ses poignets et à ses chevilles lui rompent les jointures. S'il ne donnait aucune information valable, ou si on le soupçonnait de mentir, on le suspendrait nu au-dessus d'un feu juste assez vif pour le griller lentement.

Pendant qu'il tournerait sur la broche, on lui crèverait un œil, puis l'autre, ou on lui sectionnerait une oreille. Refuserait-il encore de parler qu'on le rafraîchirait en le trempant dans de l'eau glacée. Ensuite, on lui arracherait les ongles des doigts et des orteils, lui tailladerait les organes génitaux, ou lui enfoncerait un éclat de silex brûlant dans l'anus, à moins qu'on ne lui coupe les doigts un par un, en cautérisant au fur et à mesure les plaies avec une pierre chauffée à blanc. La liste des tortures était infinie dont une personne sensible, dotée d'un minimum d'imagination, ne pouvait supporter l'évocation.

Mix n'avait encore jamais vu les Albionnais mettre un espion à la question mais, durant son séjour forcé chez Kramer, il avait assisté à des séances d'inquisition et ne connaissait que trop bien le sort horrible qui attendait l'Espagnol.

Or, qu'avait-il d'intéressant à raconter, le pauvre diable ? Rien, certainement !

Tom jeta un coup d'œil sur Simons et Tashent – ils se tenaient debout près de la hutte abandonnée – se pencha sur le blessé et lui trancha la jugulaire. Après s'être assuré qu'il était bien mort et l'avoir dépouillé de ses précieuses armes, il se dirigea vers l'arbre à fer. De la Reina ressusciterait avec un corps intact quelque part, loin d'ici, dans la Vallée ; il le reverrait peut-être un jour et en profiterait pour lui révéler son geste de pitié.

Le son aigu d'un syrinx descendant de la montagne l'arrêta à mi-chemin. Qui pouvait bien s'amuser là-haut quand tous les citoyens de la Nouvelle Albion étaient censés travailler d'arrache-pied ? Un autre couple d'amoureux, dont l'un charmait l'autre d'un brin de musique entre deux étreintes ? A moins que le joueur de flûte ne fût un espion utilisant ce moyen pour transmettre ses messages ? Cette dernière hypothèse était peu vraisemblable, mais il n'avait le droit d'en négliger aucune !

La blonde et le rouquin avaient toujours les mains en l'air. Tous deux étaient nus ; la femme possédait un corps superbe, avec une toison pubienne de la teinte mordorée qui excitait particulièrement Tom. Elle lui rappelait une starlette dans les bras de laquelle il avait cherché à se consoler de son divorce d'avec Vicky.

– Tournez-vous !

– Pourquoi ? s'étonna Simons, en s'exécutant.

– Parfait ! Vous pouvez baisser les mains, maintenant. (Mix ne leur expliqua pas qu'il avait été jadis poignardé par un prisonnier dévêtu qui avait conservé un couteau coincé entre les fesses en attendant d'être à bonne portée pour le frapper.) Alors, que vous est-il arrivé ?

Les événements s'étaient déroulés à peu près comme il l'imaginait. Eric et Guindilla avaient quitté subrepticement leur équipe de travail pour aller batifoler dans la verdure. Ils s'apprêtaient à fumer une cigarette avant de se livrer à une nouvelle joute amoureuse quand ils avaient entendu l'espion marcher à proximité de leur retraite. Persuadés que l'inconnu ne tramait rien de bon, ils avaient saisi leurs armes et entrepris de le filer. S'étant rendu compte que Mix le suivait, lui aussi, ils allaient se joindre à lui lorsque l'Espagnol les avait aperçus, et, avec une promptitude d'esprit extraordinaire, avait renversé la situation en les faisant passer, eux, pour des espions !

– La manœuvre aurait pu réussir s'il n'avait pas tenté de me supprimer tout de suite, au lieu d'attendre un moment plus favorable. Bon, retournez à votre travail, maintenant.

– Vous n'allez le dire à personne, n'est-ce pas ? s'inquiéta Guindilla.

Tom sourit malicieusement.

– P't'être ben que oui, p't'être ben que non. Pourquoi devrais-je me taire ?

– Parce que je serai très gentille avec vous si vous tenez votre langue.

– Ah non ! protesta Simons. Tu ne vas pas faire ça, Guin ?

Elle haussa les épaules, ce qui produisit des effets intéressants.

– Bah, quel mal y aurait-il, juste une fois ? Tu sais ce qui nous pend au nez s'il nous dénonce : le pain de gland et l'eau pendant une semaine, l'humiliation publique ! Et puis, tu connais Robert : il me battra et voudra te tuer.

– On peut se sauver, répliqua Simons qui, devenant soudain hargneux, ajouta : Avoue plutôt que tu as envie de t'envoyer ce type, salope !

Tom rit.

– Si on vous surprend en train de déserter, vous serez exécutés. Tranquillisez-vous : je ne suis pas un maître chanteur, comme ce vieux bouc sans cœur de Rudolf Rassendale !

Les deux amoureux le dévisagèrent d'un œil rond.

– Rudolf Rassendale ? répéta Simons.

– Passons : vous ne pouvez pas comprendre. Allez en paix. Je travestirai un peu la vérité et affirmerai que j'étais seul quand j'ai épinglé l'Espagnol. Mais dites-moi donc, qui est-ce qui joue du syrinx là-haut ?

Ils n'en avaient pas la moindre idée. En les voyant se quereller bruyamment alors qu'ils s'éloignaient à travers les herbes afin de récupérer leurs vêtements et leurs armes, Mix songea que leur passion ne survivrait pas à cet incident.

Lorsque les accents de leur dispute se furent éteints dans le lointain, Mix se tourna vers la montagne. Allait-il redescendre dans la plaine signaler qu'il avait abattu un espion ? Monter voir qui était ce mystérieux joueur de syrinx ? Ou faire ce pourquoi il était venu ici : dormir ?

Comme toujours chez lui, la curiosité l'emporta. Il commença à grimper, non sans regretter de ne pas être un chat, un chat qui aurait déjà profité de l'une de ses neuf vies. Des sentiers escarpés escaladaient le flanc de la montagne, entrecoupé de fissures, de vires et de petits plateaux. Il fallait être un bouquetin ou un homme très décidé – voire cinglé ! – pour les emprunter. Un individu raisonnable aurait contemplé, admiré peut-être cette falaise abrupte, mais se serait contenté de fainéanter, de roupiller ou de culbuter une jolie fille à son pied ; mieux encore, de combiner les trois plaisirs en s'humectant le gosier, par-dessus le marché, d'un excellent bourbon ou de tout autre alcool fourni par les cornes d'abondance.

C'est trempé de sueur, en dépit de l'ombre, qu'il franchit le rebord de l'un des plateaux. Le centre en était occupé par une construction qui ressemblait plus à un abri de berger qu'à une hutte, derrière laquelle coulait une cascade ; l'une des nombreuses chutes d'eau provenant probablement de névés invisibles depuis de la Vallée et constituaient l'une des énigmes de cette planète. Celle-ci se caractérisait par une absence de saisons : son axe de rotation devait donc être constamment perpendiculaire au plan de l'écliptique ; si la neige ne fondait pas périodiquement, d'où l'eau sortait-elle ?

Yeshua était près de la cascade. Nu, une flûte de pan aux lèvres, il dansait aussi frénétiquement que les adorateurs aux sabots fourchus du Grand Dieu. Il tournoyait, bondissait, gambadait, s'inclinait en avant et en arrière, levait la jambe, s'accroupissait, pirouettait, se balançait, s'approchant parfois dangereusement du vide, les yeux clos.

David dansant pour fêter le retour de l'arche d'alliance, pensa Mix ; à cette différence près qu'il exécute son ballet devant un public fantôme et qu'il n'a certainement rien à célébrer !

Tom éprouva l'impression gênante de se comporter en voyeur. Il fut à deux doigts de battre en retraite et d'abandonner Yeshua au démon qui le possédait ; le souvenir de son escalade, lente et difficile, le retint.

Il appela Yeshua qui, interrompant sa danse, tituba comme si une flèche l'avait percé. En s'avançant vers lui, Tom vit qu'il pleurait.

L'Hébreu alla s'agenouiller au-dessus d'une flaque proche de la cascade, s'aspergea le visage d'eau glacée, puis fit face à son ami, lui offrant la vision de grands yeux hagards dont les larmes avaient cependant cessé de ruisseler.

— Je ne dansais pas de bonheur, ni parce que j'étais empli de la gloire de Dieu, dit-il. Sur la Terre, j'ai souvent dansé, seul avec le Père, dans le désert qui borde la mer Morte. J'étais une harpe, et Ses doigts pinçaient les cordes de l'extase ; j'étais une flûte, et Son souffle tirait de mon corps les chants du Paradis.

» Cela est fini, maintenant. Si je danse encore, c'est pour ne pas crier mon angoisse jusqu'à ce que ma gorge prenne feu, ne pas me précipiter du haut de cette falaise à la rencontre d'une mort ardemment désirée. Mais, hélas ! il est impossible de se suicider définitivement sur le Monde du Fleuve. Quelques heures après avoir péri, on se retrouve de nouveau confronté à soi-même et à l'univers ; sans avoir heureusement à comparaître devant son dieu, puisqu'il n'en reste aucun devant qui comparaître !

La gêne de Mix s'accrut.

– Tu noircis le tableau, plaida-t-il gauchement. Ce monde n'est pas celui que tu attendais, et alors ? Ce n'est pas de ta faute si tu t'es trompé : qui aurait pu prévoir l'imprévisible ? Quoi qu'il en soit, on bénéficie aujourd'hui d'un tas de bonnes choses qui n'existaient pas sur la Terre. Profites-en donc ! Tout n'est pas rose, d'accord, mais est-ce que ça l'était avant ? Ici, au moins, on ne redoute pas de vieillir, on rencontre des belles filles à la pelle, on ne passe pas ses nuits à se demander comment on va gagner son bifteck du lendemain ou payer ses impôts et la pension alimentaire de son ex ! On ne peut pas tout avoir à la fois et même sans autos, sans ciné et sans chevaux, je vote des deux mains pour ce monde-ci !

– Tu ne peux pas comprendre, ami. Il ne t'a pas été donné, comme à moi, de contempler la réalité ultime que voile la matière de cet univers physique, de sentir monter en toi le flot de l'Illumination...

Il s'interrompit, leva les yeux au ciel, serra les poings et poussa une longue plainte hululante. Mix n'avait entendu quelqu'un crier ainsi qu'une seule fois : en Afrique, un soldat boer qui dégringolait d'une falaise. Allons ! Il n'avait jamais mis les pieds en Afrique ! Il confondait à nouveau (« mixait », son nom lui allait bien !) le mythe et la réalité.

– Il vaut mieux que je m'en aille : je ne peux manifestement rien pour toi. Je regrette de...

– Je ne veux pas rester seul ! Je suis un être humain : j'ai besoin de parler avec des gens, besoin de leurs sourires et de leurs rires, besoin d'aimer et d'être aimé ! Mais je ne peux pas me pardonner d'être... ce que j'ai été !

Mix se dirigea vers le sentier par où il était venu, en s'interrogeant sur le sens de ces dernières paroles. Yeshua le rattrapa.

– Si seulement j'étais resté là-bas avec les fils de Zadok, les fils de la Lumière ! Mais non : je me suis cru investi d'une mission envers l'humanité! Les rochers du désert s'étaient déployés sous mes yeux comme un rouleau de parchemin et j'y avais lu ce qui devait advenir, advenir bientôt, car Dieu me montrait ce qui serait. J'ai laissé les miens dans leurs grottes et leurs cellules et m'en suis allé vers les villes enseigner à mes frères, à mes sœurs et aux petits enfants ce qu'ils devaient savoir pour être sauvés.

– Il faut absolument que je parte. Je suis désolé de te voir dans cet état, mais je ne peux pas t'aider tant que j'ignore ce qui te tarabuste; et même si je le savais, je ne te serais sans doute pas d'un grand secours.

– Tu as été envoyé pour m'aider! Ce n'est pas par hasard que nous nous ressemblons tant et que nos chemins se sont croisés!

– Je ne suis pas psychiatre, mon vieux; ce n'est pas moi qui peux te guérir!

Yeshua rabaissa brusquement la main qu'il tendait vers Mix et murmura:

– Mais qu'est-ce que je raconte? Je n'apprendrai donc jamais? Bien sûr que tu n'as été envoyé par personne, puisqu'il n'existe Personne qui puisse t'envoyer! Notre rencontre n'est que l'effet d'une simple coïncidence.

– À bientôt, Yeshua!

Tom se lança dans la pente. Au bout de quelques pas, il se retourna et vit le visage de Yeshua, son propre visage, qui le regardait s'éloigner. Il se reprocha de ne pas être resté auprès de son ami pour lui apporter, du moins, le réconfort de sa présence. A défaut de mieux, il l'aurait écouté jusqu'à ce qu'il s'apaise à force de parler.

En arrivant aux collines, il avait déjà changé d'avis. Il aurait certainement perdu son temps à tenter de consoler ce pauvre bougre.

Yeshua était à moitié timbré. Il lui manquait visiblement une case, ce qui était tout à fait insolite depuis la résurrection. Tous les autres humains étaient revenus à la vie non seulement avec un corps de vingt-cinq ans – sauf ceux qui étaient morts avant cet âge, naturellement – mais aussi guéris des maladies mentales dont ils souffraient sur la Terre.

Certes, les problèmes auxquels on se heurtait également sur ce nouveau monde provoquaient au fil du temps de nombreuses rechutes. Mais les cas de schizophrénie demeuraient rares; s'il avait bien compris ce que lui avait expliqué un homme du vingtième siècle, il avait été scientifiquement établi que les trois quarts d'entre eux découlaient d'un déséquilibre physique, d'origine essentiellement génétique.

Au terme d'un séjour de cinq années dans la Vallée, on avait vu réapparaître un certain nombre d'aliénations, nombre toutefois inférieur, proportionnellement, à ce qu'il était sur la Terre. Et la résurrection n'avait pas suffi à modifier la mentalité des sujets dits sains d'esprit, à leur faire adopter une attitude qui cadre avec la réalité.

Quelle que pût être cette réalité !

Comme sur la Terre, la majeure partie des humains agissaient le plus souvent de manière irrationnelle, quoique en échafaudant des systèmes apparemment cohérents, et se montraient imperméables à toute logique qui les dérangeait. Durant son existence terrestre, Tom avait toujours tenu les autres pour à moitié fous et s'était comporté en conséquence, généralement à son avantage.

Or, depuis qu'il était ici, il avait eu le loisir de réfléchir quelquefois à son passé terrestre et de conclure que lui aussi avait été à moitié fou. Il espérait en avoir tiré la leçon, en dépit des innombrables occasions où il lui arrivait d'en douter. Mais il était parvenu à s'absoudre de presque tous ses péchés.

Yeshua, lui, n'avait pas cette chance : il était incapable de se pardonner ce qu'il avait été ou ce qu'il avait fait sur la Terre.

10.

Après avoir rendu compte à Stafford de l'affaire la Reina, Tom regagna sa hutte et siffla son dernier décilitre de whisky.

Qui aurait imaginé que Tom Mix avait un sosie, et que ce sosie était un Juif de l'Antiquité ? Si Yeshua avait eu la bonne fortune de naître à la même époque que lui, il l'aurait engagé comme doublure et lui aurait fait gagner une petite fortune !

Il réussit à bien dormir, malgré le bruit incessant qui régnait encore autour de la hutte. Mais son repos fut de courte durée : Channing le réveilla deux heures plus tard. Bien que Tom l'eût invité énergiquement à décamper, le sergent lui secoua avec obstination l'épaule, puis, en désespoir de cause, lui renversa un seau d'eau sur la figure. Mix se leva d'un bond en pestant, crachotant et décochant des coups de poing au hasard ; Channing s'éclipsa en riant aux éclats.

A l'issue de la séance du conseil, qui dura une heure, Tom revint dormir chez lui. Le grondement des pierres à graal troubla momentanément son sommeil ; il se souvint à temps qu'il avait confié, en échange de quelques cigarettes, le soin à quelqu'un de recharger sa corne d'abondance et qu'il ne serait donc pas privé de dîner.

Dolorès entra un peu plus tard, munie de leurs deux graals, et le réveilla en vue de leurs premiers et, peut-être, derniers ébats. Il commença par la prier de s'en aller, puis céda à ses sollicitations, étayées par une pratique à laquelle très peu d'hommes seraient restés indifférents. Après quoi, ils mangèrent et grillèrent une cigarette. Attendu qu'il n'était pas assuré de revenir vivant de l'expédition contre Kramer, il pouvait bien se permettre ce petit excès. Et puis, Dolorès n'aimait pas fumer seule après la bagatelle.

Pris, à la première bouffée, d'une quinte de toux et d'un léger vertige, il jura de ne plus toucher au tabac, qui avait pourtant si bon goût. Un instant plus tard, oubliant ses excellentes résolutions, il allumait une autre cigarette !

Un caporal vint le chercher. Tom embrassa Dolorès, qui fondit en larmes en se déclarant certaine de ne plus jamais le revoir. Adieux aussi touchants que peu encourageants !

Les flottes de l'Anglia et de la Nouvelle Cornouaille, un Etat voisin qui avait décidé au dernier moment de se joindre à l'expédition, approchaient des côtes de la Nouvelle Albion. Vêtu de son immense chapeau, de sa cape, d'un gilet, d'un kilt et de ses bottes à la Souvorov, Tom embarqua sur le navire amiral, un trois-mâts armé de dix catapultes qui était le plus gros bâtiment de guerre de la Nouvelle Albion. Suivaient dans l'ordre quatre vaisseaux de ligne presque aussi importants, vingt frégates (comme on appelait les deux-mâts, bien qu'ils eussent peu de points communs avec les frégates terrestres), quarante croiseurs (de grands catamarans gréés en sloop) et, enfin, soixante pirogues de guerre creusées dans des cannes de bambou géantes et munies d'un mât.

Les reflets du ciel nocturne embrasaient le Fleuve, saturé par cette multitude de coques qui s'entrecroisaient en louvoyant. Inévitablement, quelques abordages se produisirent, qui ne causèrent pas de grands dommages mais déchaînèrent un concert de cris et de jurons. Le danger s'accrut encore avec l'appareillage des flottes hunniques ou scythes. Des lanternes sourdes alimentées à l'huile de poisson clignotaient de tous côtés ; un observateur posté sur les collines aurait cru assister à un ballet de lucioles, comme jadis sur la Terre. Mais si une poignée d'espions hantaient encore les hauteurs, ils se gardaient bien d'allumer des feux ou de jouer du tam-tam pour transmettre leurs observations aux lointains correspondants qui les relaieraient ; ils se terraient dans l'espoir d'échapper aux battues que poursuivaient maintenant des femmes armées, tous les soldats du sexe mâle laissés sur place étant affectés à la défense des forts et autres points stratégiques.

Les milles défilèrent lentement. La flotte ormondienne rallia l'armada, conduite par le vaisseau qui arborait la flamme ducale. De nouveaux signaux lumineux trouèrent l'obscurité.

Au nord immédiat de l'Ormondia s'étendait un État farouchement neutre, la Jacobée. Après mûre délibération, Stafford et Ormonde avaient décidé de ne pas l'inviter à se joindre à eux. Il y avait peu de chances que ses dirigeants acceptent leur offre et, l'eussent-ils acceptée, on n'aurait pas pu se fier à de tels alliés. Dès que l'escadre s'engagea dans les eaux jacobéennes, les marins entendirent s'élever des appels de sentinelles, puis les notes graves des tambours (faits de troncs évidés, sur lesquels on tendait des peaux de poisson). Des milliers de torches ponctuèrent bientôt la berge : craignant une invasion, les indigènes se précipitaient en foule hors de leurs huttes, les armes à la main, et se disposaient en formation de combat.

Des feux s'épanouirent progressivement au faîte des collines, allumés par les guetteurs de Kramer que les Jacobéens laissaient opérer en toute tranquillité.

Les nuages, heureusement, s'amoncelaient dans le ciel ; un quart d'heure plus tard, ils crevèrent, noyant les feux sous leur averse quotidienne. Si Stafford ne s'était pas trompé dans ses calculs, les signaux d'alerte ne parviendraient pas jusqu'à Kramer.

Le signaleur du navire ducal adressa aux Jacobéens un message optique les informant de la nationalité des flottes combinées et les assurant qu'elles ne les menaçaient en rien :

leur objectif était le Deusvolens et si la Jacobée souhaitait participer à la campagne, elle serait la bienvenue.

— Ils n'en feront rien, croyez-moi ! dit Stafford en riant. Mais nous leur posons un terrible dilemme. Ils ne sauront quel parti prendre, et ils finiront par n'en prendre aucun. S'ils combattent à nos côtés et que, à Dieu ne plaise, nous sommes vaincus, ils subiront l'ire de Kramer ; s'ils refusent de nous suivre et que Dieu nous accorde la victoire, c'est notre colère qu'ils auront à redouter : elle pourrait nous pousser à les envahir comme, en bonne justice, ils le mériteraient, ces chiens galeux ! Nous ne désirons nullement apporter plus d'affliction et répandre plus de sang en cette contrée, mais cela, ils l'ignorent !

— Autrement dit, résuma Mix, ils vont chier dans leurs frocs faute de savoir où poser leur merde.

— Quoi ? Ah oui, je vois. Vous employez des images fortes, mais très déplaisantes, comme l'excrément que vous évoquez.

Stafford s'éloigna d'un air offusqué.

La tolérance envers les propos obscènes ne figurait pas au nombre des changements que le Monde du Fleuve avait provoqués dans son univers mental. Il ne croyait plus au Dieu de l'ancien et du nouveau Testament, bien qu'il fît encore usage de Son nom, mais il continuait de réagir aux « gros mots » aussi vivement que sur la Terre. Le calviniste puritain survivait quelque part en lui et il devait en souffrir journellement, car les ex-royalistes et les ex-paysans de la région ne partageaient pas son aversion pour les termes crus.

La flotte longea les côtes du dernier État avant le Deusvolens alors que le brouillard commençait à monter du Fleuve et descendre des sommets, comme tous les jours à cette heure. Dès lors, ce fut aux vigies postées dans les nids-de-pie, d'où elles dominaient la purée de pois, qu'il incomba de guider les navires ; par l'intermédiaire de filins les reliant à des matelots placés sur le pont qui retransmettaient leurs directives, elles indiquaient aux timoniers le cap qu'ils devaient suivre et, à tout l'équipage, le moment où il fallait s'écarter de la trajectoire des lourdes bômes. C'était une navigation périlleuse : Mix entendit à deux reprises des bruits de collision.

Après ce qui parut une éternité, les vigies annoncèrent que le Deusvolens était en vue ; ou, du moins, ce qu'elles espéraient être le Deusvolens : avec cette brume épaisse qui recouvrait le Fleuve et les plaines environnantes, on ne pouvait jurer de rien.

Peu avant que l'éclat du soleil levant ne ternisse celui des étoiles, une vigie descendit rendre compte qu'on apercevait Fides, la capitale de Kramer. « Le port est brillamment illuminé ; on y décèle une grande agitation, Milord. »

Une minute plus tard, un cri d'alarme tomba de la mâture :

– Navires par-devant ! Des tas de navires, qui viennent droit sur nous !

Stafford démontra qu'il était capable, en certaines circonstances, de sacrer comme un charretier.

– Tonnerre de Dieu, c'est la flotte de Kramer ! L'infect porc met à la voile pour nous envahir juste au moment où nous arrivons ! Que le diable l'encule !

La clameur de la guerre retentit devant eux : vociférations des combattants, son strident des fifres, roulement des tambours, puis, en plus assourdi, fracas des bâtiments de tête s'éperonnant, hurlements des hommes qui basculaient dans l'eau, que transperçaient les lances et les dagues, qu'abattaient les massues et les haches.

Stafford ordonna d'éviter autant que possible les navires ennemis et de faire route directement sur Fides. Il ordonna aussi au signaleur de transmettre la consigne aux autres vaisseaux albionnais.

– Laissons le duc, les Cornouaillais et les Huns se charger de la flotte adverse, dit-il. Nous allons débarquer comme nous en avions l'intention !

Le soleil franchit la crête des montagnes à leur gauche, dévoilant un haut rempart de terre et de pierre, surmonté d'une palissade en rondins verticaux qui s'étendait à perte de vue. La brume en masquait encore la base de ses volutes laineuses, mais le soleil ne tarderait pas à la dissiper complètement. Derrière la palissade se profilaient des milliers de têtes casquées, dominées par autant de pointes de lances. Les gros tambours d'alarme résonnaient toujours et l'écho de leurs notes funèbres se répercutait contre les montagnes qui bordaient la Vallée.

Au milieu de ce vacarme assourdissant, *l'Invincible*, ainsi que se dénommait le vaisseau amiral, vint mettre en panne au ras de l'estacade desservant la porte principale de l'enceinte, et ses catapultes projetèrent, une par une, d'énormes pierres qui en défoncèrent les vantaux. D'autres navires s'avancèrent en file indienne et tirèrent à leur tour ; certains de leurs projectiles frappèrent trop haut, d'autres trop bas, mais cinq vastes brèches s'ouvrirent dans la muraille dont quelques défenseurs périrent écrasés.

Au lieu de virer pour utiliser les catapultes du bord opposé, manœuvre qui aurait exigé trop de temps, les navires poursuivirent leur route le long du rivage, en louvoyant un peu pour éviter de s'échouer et d'être heurtés par ceux qui les suivaient. Lorsque le vaisseau amiral fut assez loin pour que tous puissent mouiller, il affala ses voiles et s'immobilisa, la proue pointée vers la grève ; ses ancres, de grosses pierres frappées sur des câblots, plongèrent dans les flots peu profonds. On déborda immédiatement les chaloupes, mais faute de pouvoir y embarquer tous de nombreux soldats sautèrent à l'eau.

Une grêle de javelots, de gourdins, de pierres et de haches accueillit les assaillants quand ils prirent pied sur la bande de terre qui séparait le rivage de la base du rempart. Les Néo-Albionnais se ruèrent vers la porte défoncée, y compris ceux qui transportaient de longues échelles.

Mix, qui faisait partie de l'avant-garde, vit des hommes tomber devant et autour de lui, mais ne fut pas touché. Il ralentit bientôt l'allure : la porte était encore à huit cents mètres et il y arriverait trop épuisé pour se battre s'il courait aussi vite. La tactique arrêtée par Stafford et son conseil s'avérait moins bonne que prévu ; à vouloir se regrouper en face des brèches en vue d'un assaut massif, on perdait trop d'hommes. Il en serait allé autrement si l'opération s'était déroulée conformément aux plans. Les autres flottes devaient longer le rempart et le bombarder en différents endroits, de part et d'autre de l'emplacement occupé par les navires néo-albionnais. On aurait ainsi pu monter à l'assaut par cinquante brèches et les défenseurs du Deusvolens auraient été obligés de se disperser pour les interdire toutes.

Si seulement la flotte de Kramer n'avait pas appareillé juste avant l'attaque ! Si seulement... c'était la rengaine des généraux, sinon de ces pauvres diables de soldats qui payaient ces « si seulement » de leur vie.

Tout en courant, Tom regardait de temps en temps vers le Fleuve. Le brouillard avait presque disparu, maintenant, et...

Le tonnerre des pierres d'abondance crachant leur énergie le surprit tellement qu'il en eut la respiration coupée. Il les avait oubliées, celles-là ! Elles étaient à l'intérieur de l'enceinte, emprisonnées dans des cages en rondins. Baste, l'ennemi serait trop occupé, ce matin, pour songer à prendre son petit déjeuner !

Il jeta un nouveau coup d'œil sur sa droite, en direction du Fleuve. Cinquante navires au moins y étaient accouplés par des grappins, leurs équipages luttant au corps à corps. Beaucoup d'autres manœuvraient encore de manière à défiler de flanc contre un adversaire et pouvoir ainsi l'accabler de projectiles divers : bombes incendiaires à l'huile de poisson, gros cailloux, épieux propulsés par des lance-harpons primitifs, gourdins, pierres fixées à des manches de bois. Tom regretta de n'avoir pas eu le temps de faire fabriquer des boomerangs et d'en enseigner le maniement aux équipages : ces armes auraient été très efficaces en la circonstance.

Il ne parvint pas à déterminer qui avait l'avantage dans cette bataille navale. Deux navires étaient en flammes ; amis ou ennemis ? Mystère ! Une grande pirogue coulait, la coque perforée par un quartier de roc ; une frégate chevauchait la poupe d'un catamaran. Il était trop tôt pour dire à qui la Victoire souriait ; de toute façon, il n'y avait pas plus traître que cette catin-là ! Juste quand on se figurait ne plus pouvoir perdre, elle changeait imperceptiblement les données du problèmes et on se retrouvait en train de détaler devant les vaincus-soudain-vainqueurs.

Les attaquants s'étaient maintenant rassemblés devant la porte principale et les cinq brèches. Comme la plupart de ses compagnons, Tom dut s'arrêter pour reprendre son souffle. Mais les hommes débarqués près des points de ralliement s'élançaient déjà à l'assaut du rempart et s'infiltraient dans les brèches. Tentaient de s'y infiltrer, plutôt : de nombreux morts et blessés gisaient sur le glacis et sous les porches. Les Kraméricns les criblaient de javelots et de cailloux, ou les arrosaient d'huile de poisson bouillante qu'ils déversaient, avec des seaux en cuir, dans des rigoles de pierre inclinées vers le bas.

Mix lança son javelot et eut la satisfaction de le voir se planter dans l'une des têtes qui couronnaient la palissade. Il empoigna la lourde hache suspendue à son ceinturon, se remit à courir.

Les passerelles édifiées sur la face interne de la palissade ne pouvaient contenir qu'un nombre limité de défenseurs, dont beaucoup avaient été atteints par des javelots ou des pierres brutes assujetties à des manches en bois.

Le gros des forces ennemies devait être massé au sol,

derrière le rempart. Ces soldats, dont l'effectif était très supérieur à celui des assaillants, s'étaient d'abord pressés sous la voûte de la porte, mais ils commençaient à reculer alors même que la première vague d'assaut albionnaise se désagrégeait. Ils laisseraient entrer la prochaine, se déploieraient autour d'elle et la cerneraient complètement.

Un commandant ordonna à la deuxième vague de charger. Mix se félicita de ne pas en être – du moins, si elle ne progressait pas trop loin en aspirant toutes les autres dans son sillage.

Stafford, qui se tenait près de Tom, cria au commandant de surseoir à l'attaque. Deux frégates arrivaient ; elles pourraient tirer par-dessus les navires à l'ancre et les fortifications pour atteindre les ennemis massés derrière le rempart. Le vacarme couvrit sa voix, mais même si le commandant l'avait entendu, il aurait été incapable de retenir ses hommes : ceux-ci le bousculèrent et l'entraînèrent avec eux sous le porche. Il reçut une flèche en pleine poitrine, chancela, disparut charrié par la marée humaine.

Tom fut à son tour emporté par le flot des hachiers qui s'ébranlaient derrière lui. Il trébucha sur un cadavre, tomba, encaissa force coups de pied, se releva tant bien que mal, gravit la pente raide du remblai ; dès qu'il eut passé la porte, non sans avoir de nouveau failli perdre l'équilibre en enjambant les monceaux de corps qui la jonchaient, il se trouva au cœur de la mêlée.

Se battre efficacement n'était pas facile dans cette cohue : il venait à peine de croiser le fer avec un piquier qu'un remou le transporta en face d'un autre adversaire, un petit homme basané armé d'une lance et d'un bouclier de cuir. La hache de Mix écarta le bouclier, rabattit la lance vers le sol et, en remontant, frappa l'homme sous le menton. Alors que le lancier reculait en titubant, un violent choc au poignet contraignit Tom à lâcher sa hache.

Sans perdre une seconde, il saisit son tomahawk de la main gauche, bondit sur le lancier, le plaqua au sol et lui ouvrit le crâne d'un coup de tranchant entre les deux yeux. Alors qu'il se redressait, haletant, un Albionnais s'écrasa sur lui. Il se dégagea en rampant, se releva, essuya d'un revers de main le sang qui lui engluait les paupières ; ce devait être celui du soldat qui était tombé sur lui car il n'avait eu à aucun moment l'impression d'être blessé à la tête.

Le souffle court, il promena autour de lui un regard étincelant de fureur. La bataille tournait au désavantage des assaillants. Un quart d'entre eux étaient déjà hors de combat, un autre quart ne tarderait pas à l'être. Une retraite stratégique s'imposait, mais cent ennemis au moins s'étaient postés devant la porte à laquelle ils tournaient le dos, piques à l'horizontale. Les envahisseurs étaient pris au piège.

Là-bas, près des brèches, le combat faisait toujours rage ; trop de Kramériens lui dissimulaient malheureusement ce qui s'y passait pour qu'il pût en avoir une idée claire.

Stafford, hagard, couvert de sang, le casque arraché, lui agrippa le bras.

– Il faut rameuter nos gens et tenter une sortie !

– D'accord, mais comment ?

Soudain, par l'effet de cette inexplicable mais incontestable télépathie qui s'établit entre les soldats sur le champ de bataille, tous les Albionnais parvinrent à la même conclusion. Accomplissant une volte-face, ils se ruèrent vers les piquiers qui bloquaient la porte. Des pointes de lance s'enfoncèrent dans leur dos, des gourdins et des haches les frappèrent par-derrière et par les côtés, leur causant de lourdes pertes. Stafford s'efforça de les rallier en vue d'organiser une charge moins désordonnée ; il se rendait certainement compte qu'il était déjà trop tard pour rétablir la situation, mais ne s'y employa pas moins courageusement. Deux hommes le renversèrent ; il se remit sur pied, s'écroula de nouveau et demeura allongé sur le dos, la bouche ouverte, fixant le ciel d'un seul œil, un javelot fiché dans l'autre.

Sa tête bascula lentement de côté, entraînée par le poids de la hampe du javelot ; l'œil intact se darda sur Mix.

Celui-ci reçut un coup sur l'occiput. Ses genoux se dérobèrent ; il eut vaguement l'impression de tomber, sans plus savoir qui ni où il était, et sombra dans l'inconscience.

11.

Tom Mix revint à lui et le regretta aussitôt.

Il était étendu sur le dos ; une douleur lancinante lui vrillait la nuque, des spasmes lui tordaient l'estomac. Un visage se penchait sur lui, flou, dédoublé, s'évanouissant par intermittence. Un visage olivâtre en lame de couteau ; des yeux de jais ; un sourire sinistre découvrant deux rangées de dents blanches, avec un trou à la place des incisives inférieures.

Tom gémit. Ce visage appartenait à de Falla, l'âme damnée de Kramer. Les dents manquantes, c'était lui-même qui les avait cassées lorsqu'il s'était échappé de Fides où il se trouvait de nouveau – exploit qu'on ne lui permettrait sûrement pas de renouveler !

– Bienvenue au Deusvolens, lui souhaita ironiquement l'Espagnol dans un anglais excellent, tout juste teinté d'un très léger accent.

Tom s'arracha un sourire.

– Où je ne suis arrivé qu'avec un aller simple, je suppose ?

– Pardon ?

– Ne cherchez pas à comprendre ! Alors, quelles cartes allez-vous me donner, cette fois-ci ?

– Vous verrez bien. Il vous faudra de toute façon jouer le coup avec celles que vous recevrez.

– C'est vous qui avez la main !

Mix s'assit en s'accoudant sur un bras. Sa vision ne s'améliora pas et il fut à deux doigts de rendre. Il avait, hélas ! digéré depuis longtemps son dernier repas. Les haut-le-cœur accentuèrent sa douleur à la nuque.

De Falla eut l'air amusé. Et il l'était certainement !

– Maintenant, cher ami, le soulier est à l'autre pied, comme disent les Anglais. Métaphoriquement, bien sûr, attendu que vous ne portez pas de chaussures.

Tom s'aperçut alors qu'on l'avait entièrement déshabillé. Regardant autour de lui, il vit son chapeau sur la tête d'un homme, ses bottes aux pieds d'un autre ; vit deux hommes coiffés de son chapeau et deux autres chaussés de ses bottes, plus exactement : il devait souffrir d'une sacrée commotion cérébrale ! Bah ! Il avait survécu à de plus graves blessures sans en être autrement affecté. Encore qu'en l'occurrence ses chances de survie parussent assez limitées...

Des corps inanimés gisaient partout sur le sol ; les Kraméриens avaient probablement achevé tous les blessés, à l'exception des plus légèrement atteints. Pas par charité, mais par souci d'économie : cela ferait autant de bouches inutiles en moins à nourrir.

On avait retiré le javelot planté dans l'œil de Stafford.

« On se bat encore sur le Fleuve, annonça de Falla, mais il ne plane plus le moindre doute sur l'issue des affrontements. »

Tom s'abstint de demander qui avait l'avantage : il ne lui accorderait pas cette satisfaction !

Sur un signe de l'hidalgo, deux soldats l'attrapèrent chacun par un bras et l'emmenèrent à travers la plaine, en slalomant entre les cadavres. Quand ses jambes refusaient de le porter, ils le traînaient derrière eux, mais de Falla les rejoignit en courant pour leur enjoindre de se munir d'un brancard. Tom devina sans peine ce qui lui valait d'être, relativement parlant, aussi bien traité : on le considérait comme un captif de marque, qu'il fallait conserver en vie à des fins particulières. Lesquelles ? Il était bien trop mal en point pour s'en préoccuper.

Parvenus aux premières huttes, les brancardiers suivirent une rue qui les conduisit à une enceinte édifiée au-delà de la zone d'habitation. Les portes en bois de l'enceinte, très vaste, bien que peuplée seulement d'un petit nombre de prisonniers, s'ouvrirent devant eux et ils portèrent Tom dans un enclos fait de pieux érigés à la verticale, dont une hutte occupait le centre. Cet enclos constituait une sorte de prison isolée à l'intérieur de la grande enceinte.

Les deux soldats le déposèrent dans la hutte. Le premier vérifia le niveau de la cruche qui contenait la provision d'eau du détenu ; le second souleva le couvercle du seau hygiénique et brailla un nom. Un petit homme fluet accourut au galop, la mine inquiète, et se fit vertement reprocher de ne l'avoir pas vidé. Tom se dit qu'il jouissait vraiment d'un statut exceptionnel pour que ses geôliers se soucient de tels détails.

Son prédécesseur n'avait manifestement pas eu droit à autant d'égards ; en dépit du couvercle, le seau hygiénique dégageait une odeur épouvantable qui empuantissait toute la cabane.

Sept jours s'écoulèrent, au cours desquels Tom se rétablit progressivement, sans toutefois recouvrer la totalité de ses forces. Il lui arrivait encore de voir double. Son seul exercice consistait à arpenter, interminablement, le pourtour de la hutte. Il mangeait trois fois par jour, médiocrement. Il avait identifié sa corne d'abondance, récupérée sur le vaisseau amiral, mais on lui confisquait la moitié des aliments qu'elle fournissait, tandis que les gardes s'appropriaient l'alcool et les cigarettes. Bien qu'il n'eût grillé que deux cigarettes durant les deux dernières années, il avait maintenant terriblement envie de fumer.

Les journées n'étaient pas trop pénibles, mais il souffrait la nuit du froid et de l'humidité. Il souffrait surtout de ne pouvoir parler à personne. Contrairement à la plupart de ceux qu'il avait connus à l'occasion de ses nombreuses incarcérations, ses geôliers refusaient d'échanger le moindre mot avec lui. Ils semblaient même avares de leurs grognements !

Le matin du huitième jour, Kramer revint à la tête de ses troupes victorieuses. D'après ce que Tom put surprendre des propos de ses gardiens, il avait conquis la Nouvelle Albion, l'Ormondia et l'Anglia. Il en rapportait un énorme butin et il y aurait des femmes pour tout le monde, y compris pour ceux qui n'avaient pas participé à la campagne.

Kramer triomphe un peu trop vite, songea Tom. Il lui faut encore compter avec la Nouvelle Cornouaille et les Huns. Mais il est vrai que la perte de leurs flottes va les inciter à rentrer dans leur carapace durant quelque temps.

On ramena sans ménagement dans le camp les autres prisonniers, au nombre d'environ cinquante, qui travaillaient habituellement à réparer les remparts. Des clameurs de joie, auxquelles se mêlaient le roulement des tambours et les notes aigrelettes des fifres, s'élevèrent du côté de la porte principale de la ville. Kramer la franchit le premier, juché sur un palanquin porté par quatre hommes ; Mix le reconnut, malgré la distance, à sa vaste bedaine et à ses traits porcins. La foule l'ovationna, tenta de l'approcher, mais fut repoussée par sa garde personnelle. Son état-major entra ensuite, suivi par les premiers soldats rapatriés qui arboraient tous de larges sourires.

Kramer descendit du palanquin devant son « palais », une immense construction en rondins édifiée au sommet d'un tertre. De Falla vint s'incliner devant lui et tous deux prononcèrent un discours.

Des prisonniers nus, ensanglantés, fourbus et sales, pénétrèrent au pas de course dans l'enceinte, poussés à la pointe des lances. Yeshua était parmi eux. Il s'assit aussitôt contre le mur, la tête inclinée sur la poitrine, en une attitude de prostration absolue. Tom l'appela jusqu'à ce que l'un de ses co-détenus lui demande à qui il voulait parler et aille prévenir Yeshua. Tom crut d'abord que celui-ci refusait de venir le voir car, après avoir regardé dans sa direction, il baissa de nouveau la tête. Mais un instant plus tard, l'Hébreu s'approcha du petit enclos et guigna à travers l'un des interstices de la palissade. Il avait l'œil terne ; des traces de coups lui marbraient la figure et le corps.

– Où est Bithniah ? s'enquit Mix.

– La dernière fois que je l'ai vue, plusieurs hommes étaient en train de la violer. Ils ont dû l'étrangler, car elle a cessé de crier pendant qu'on m'emmenait au bateau.

Tom lui désigna du doigt les rares femmes prisonnières.

– Et elles ?

– Kramer a exigé qu'on en épargne quelques-unes... pour les brûler vives.

Mix poussa un juron.

– J'ai bien peur que ce soit pour la même raison qu'on ne m'a pas achevé. Kramer m'en veut mortellement et il me réserve un traitement spécial.

Il jugea inutile d'ajouter que Yeshua ferait partie des « privilégiés » ; il devait s'en douter, le malheureux.

– En déclenchant une bagarre, reprit-il, on pourrait les obliger à massacrer une partie des prisonniers et, avec un peu de pot, figurer au nombre des heureuses victimes.

Yeshua redressa la tête, fixa l'horizon d'une prunelle hallucinée.

– Si seulement nous n'étions pas condamnés à ressusciter ! S'il nous était accordé de rester poussière à jamais ! Si notre tristesse et notre douleur pouvaient comme notre chair se dissoudre dans la terre, être mangées par les vers ! Mais non, il n'y a pas d'issue. Nous sommes contraints de vivre et de revivre sans cesse ! Dieu nous refuse la délivrance de la mort.

– Dieu ?

– Ce n'est qu'une façon de parler. On ne se défait pas aisément des vieilles habitudes.

– Nous sommes dans une sale passe, mais le reste du temps la vie n'est pas si moche que ça ! Toutes ces tueries prendront bien fin un jour – ou du moins se raréfieront. L'époque est difficile parce que les humains ne sont pas encore complètement adaptés à leur nouvelle existence et que trop d'entre eux se comportent toujours comme ils le faisaient sur la Terre. Il existe pourtant une différence de taille : il est impossible ici d'opprimer durablement qui refuse de l'être ! On ne peut plus l'enchaîner à son travail ou à sa maison, puisqu'il transporte son garde-manger avec lui et qu'une hutte est bien vite construite. On peut le réduire momentanément en esclavage, mais il n'a qu'à s'évader, se suicider ou forcer ses oppresseurs à le tuer pour se retrouver libre, au seuil d'une autre vie plus riante.

» Écoute ! Nous avons une chance d'échapper aux souffrances que Kramer a l'intention de nous infliger en obligeant ces salauds à nous abattre. Mes gardes ne sont pas là. Ôte la barre qui bloque la porte de mon enclos ; tu vois que je ne peux pas l'atteindre moi-même. Une fois dehors, j'organiserai une mutinerie et nous sortirons d'ici en combattant ! »

Yeshua hésita, puis saisissant la poignée de la grosse pièce de bois, la retira, non sans peine, de son logement. Mix poussa le portail massif de sa prison et pénétra dans la grande enceinte.

Il n'y avait aucun garde à l'intérieur de celle-ci. De nombreuses sentinelles montaient en revanche la faction sur le chemin de ronde extérieur et dans les miradors. Elles virent Mix sortir de son enclos, mais n'intervinrent pas ; probablement parce qu'elles savaient qu'on devait l'en extraire bientôt et, qu'en somme, il leur épargnait simplement la peine de descendre lui en ouvrir la porte. On pouvait en déduire que le troupeau des prisonniers ne tarderait pas à quitter le camp.

Tom appela autour de lui les détenus, qui étaient une soixantaine.

— Écoutez-moi, mes pauvres amis. Kramer ne nous a épargnés que pour nous torturer. Il veut offrir à ses concitoyens un grand spectacle, quelque chose comme les jeux du cirque dans la Rome antique. Nous allons d'ici peu tous regretter d'être nés : je ne vous apprends certainement rien. Alors moi je vous dis : baisons-les ! Épargnons-nous toutes ces souffrances ! Et voici ce que je vous propose.

Son plan leur parut complètement dément ; en raison surtout du mode d'évasion inédit sur lequel il reposait et dont personne n'aurait considéré naguère qu'il pût être utilisé à cette fin. Mais recourir à ce moyen désespéré valait quand même mieux que d'attendre passivement, comme des moutons terrorisés, qu'on les conduise à l'abattoir. Leurs yeux las s'animèrent ; leurs poitrines se gonflèrent d'espoir et leurs corps martyrisés se redressèrent.

La seule objection vint de Yeshua.

– Je n'ôterai pas la vie à mon prochain !

– Ce n'est pas ce qu'on te demande ! répliqua Tom, exaspéré.

Ces mots n'ont plus le même sens que sur la Terre. Tu lui donneras au contraire la vie, à ton prochain, et tu le sauveras de la torture !

– S'il ne veut pas tuer, la solution est simple, observa un homme : qu'il se porte volontaire pour faire partie de ceux qui mourront !

– Très juste ! Qu'est-ce que tu en dis, Yeshua ?

– Non ! Même si j'en suis la victime, cela ferait de moi le complice d'un crime, et donc un criminel. De plus, ce serait un suicide ; or se suicider constitue aussi un péché contre...

Il se mordit les lèvres.

– Écoute, on n'a pas le temps d'ergoter. Les gardiens commencent à s'inquiéter. Ils vont nous tomber sur le râble d'une minute à l'autre.

– N'est-ce pas ce que tu désires ?

Mix ne contint plus sa colère.

– Je ne sais pas ce que tu as fait, ni où, ni qui tu étais sur la Terre, mais tu n'as pas évolué d'un poil ! Tu m'as affirmé avoir renoncé à ta religion, mais tu continues de l'appliquer à la lettre ! Tu ne crois pas en Dieu, mais tu as failli nous sortir que tu n'irais pas contre sa volonté ! Tu es fou, ou quoi ?

– Fou, je l'ai sûrement été durant toute mon existence. Il reste cependant un certain nombre de choses que je ne consentirai jamais à faire parce qu'elles sont contraires à mes principes, même si je ne crois plus au Principe suprême !

Le capitaine des gardes interpellait maintenant les prisonners, exigeant des explications sur l'objet de ce conciliabule.

– Foutons-nous de ce Juif cinglé ! lança une femme. Finissons-en avant que les soldats rappliquent !

– Mettez-vous en rang ! ordonna Mix.

Tous les captifs s'alignèrent sur deux files, face à face ; à l'exception de Yeshua, ce qui dans le fond était aussi bien dans la mesure où, avec lui, ils auraient été en nombre impair. Mix eut comme vis-à-vis une petite femme brune, qu'il se rappelait vaguement avoir vue en Nouvelle Albion. Elle était pâle et frémissante, mais résolue.

Tom souleva par son anse le seau hygiénique dont il s'était muni. « On tire à pile ou face. Quel côté choisissez-vous ? »

Il balança le récipient d'argile, le lâcha, le regarda tournoyer dans l'air. Soixante-deux paires d'yeux se rivèrent sur l'ustensile.

– Le côté ouvert ! cria la femme d'une voix forte, quoique tremblante.

Le seau atterrit sur le fond et se brisa en deux.

– Allez-y carrément ! hurla Mix. On n'a pas beaucoup de temps et vous risquez de vous affoler.

La femme ferma les yeux lorsqu'il s'approcha d'elle et lui saisit la gorge. Pendant quelques secondes, elle tint les bras en croix, s'efforçant de n'opposer aucune résistance – tant pour lui faciliter la tâche que pour bénéficier d'une agonie plus rapide. Mais la volonté de vivre fut la plus forte. Elle agrippa les poignets de Tom, tenta désespérément de desserrer sa prise en ouvrant de grands yeux suppliants. Il serra plus fort. Elle se contorsionna, rua, glissa un genou entre ses jambes ; il se courba, mais pas assez prestement pour éviter de le recevoir dans le ventre.

– Merde, ça va foirer ! s'exclama-t-il.

Il la relâcha. Elle avait le visage violacé et suffoquait. Il l'envoya au sol d'un coup de poing au menton, puis l'étouffa avant qu'elle ne reprenne connaissance. Quelques secondes y suffirent, mais il insista encore un peu, pour plus de sûreté. « De nous deux, c'est toi qui as eu le plus de chance, petite sœur », dit-il en se relevant.

Les captifs de sa rangée, soit ceux qui avaient gagné lors du tirage au sort (ou perdu, selon le point de vue auquel on se plaçait) se heurtaient aux mêmes difficultés que lui. Bien qu'ayant convenu de ne pas se défendre, la plupart de leurs partenaires n'avaient pas été capables de respecter leur promesse. Certains s'étaient dégagés et se battaient furieusement avec leur assassin bénévole, ou fuyaient devant lui. Quelques-uns étaient morts, d'autres essayaient d'étrangler leur étrangleur.

Le portail s'ouvrit, découvrant une horde de gardes, tous armés de lances.

– Arrêtez ! rugit Tom. Il est trop tard maintenant ! Attaquons les gardiens !

Sans prendre le temps de vérifier combien de détenus l'avaient entendu, il se précipita à la rencontre des lanciers en hurlant – pour se donner du courage et dans l'espoir d'inciter ses adversaires à le tuer en provoquant chez eux un réflexe de panique. Mais qu'avaient-ils à redouter d'un homme désarmé, nu et affaibli ?

Les plus proches de lui baissèrent tout de même leur lance. Parfait ! Il allait se jeter sur elles, les bras ouverts, de manière à s'enfoncer plusieurs pointes dans la poitrine et dans le ventre.

Ses espoirs furent déçus. Le capitaine brailla un ordre, les lanciers retournèrent leur arme de façon à en utiliser la hampe comme une gourdin.

Il bondit malgré tout sur les soldats et entrevit à peine le talon de lance qui allait lui faire perdre connaissance.

12.

Quand il revint à lui, ce fut en proie à deux traumatismes crâniens, dont le dernier en date était beaucoup plus douloureux que le premier, et, de surcroît, à un nouvel accès de diplopie. Il s'assit, parcourut les alentours de son regard trouble. Des cadavres de prisonniers gisaient çà et là. Certains s'étaient entretués, d'autres avaient été battus à mort par les gardes. Trois de ceux-ci étaient également étendus dans la poussière, l'un mort, les autres saignant abondamment. Apparemment, quelques détenus avaient réussi à s'emparer de lances et pris une petite revanche sur les soldats avant d'être massacrés.

Yeshua se tenait debout, les yeux clos, à l'écart du reste des captifs ; ses lèvres remuaient silencieusement, comme s'il priait – ce que Tom jugea peu vraisemblable.

Se retournant, il vit une vingtaine de lanciers pénétrer dans l'enceinte sur les talons d'un homme au physique d'adolescent obèse, aux cheveux brun foncé et aux yeux bleu très pâle, dont le visage porcin luisait de satisfaction : Kramer ! Que ni Yeshua ni moi n'ayons été tués doit le combler d'aise, songea-t-il.

Kramer s'arrêta à quelques pas de lui. Comme il était ridicule dans cet accoutrement qu'il devait imaginer majestueux !

Il portait une couronne en bois de chêne dont les sept pointes s'ornaient d'un cabochon taillé dans une coquille de moule, et s'était enduit les paupières de fard bleu – pratique que les hommes du Deusvolens considéraient comme extrêmement raffinée et Tom comme abominablement efféminée. Une énorme broche en cuivre, métal aussi rare que coûteux, fermait le col de l'ample cape noire d'où émergeaient les replis de son cou grassouillet. Autre luxe extraordinaire, une émeraude brute étincelait sur l'anneau de chêne qui enserrait l'un de ses doigts boudinés. Un pagne noir lui ceignait la panse, des bottes en cuir de poisson, noires également, lui montaient jusqu'au genou. Il tenait dans la main droite une longue houlette de berger, symbole de la protection qu'il accordait à ses ouailles, ainsi qu'il dénommait ses sujets ; elle signifiait aussi que Dieu en personne l'avait chargé de paître Son troupeau.

Le tyran traînait dans son sillage deux captifs nus, couverts de sang et d'ecchymoses, que Mix n'avait encore jamais vus ; deux petits hommes très bruns, de type levantin.

Tom cligna les yeux pour mieux les distinguer. Si, il avait déjà vu l'un d'eux. C'était Mattihayah, le type qui l'avait pris pour Yeshua lors de son premier séjour forcé à Fides.

Kramer désigna Yeshua du doigt et demanda en anglais :

– Est-ze que z'est lui ?

Mattihayah lâcha un flot de paroles inintelligibles, en ce qui ressemblait pourtant à de l'anglais. Pivotant prestement sur lui-même, Kramer le fit taire d'un coup de poing au visage, puis posa une question au second prisonnier. Celui-ci lui répondit dans un anglais aussi guttural que le sien, bien que leur langue maternelle ne fût manifestement pas la même ; après quoi il s'écria :

– Yeshua ! Rabbi ! Nous t'avons cherché pendant tant d'années et maintenant, *tu* es *ici*, toi aussi !

Fondant en larmes, il s'avança vers Yeshua, les bras tendus. Un garde lui frappa vicieusement le dos, un peu au-dessus des reins, du talon de sa lance. Le petit homme geignit et s'affala, le visage crispé de douleur.

Yeshua fixait obstinément le sol ; il n'avait levé les yeux qu'une seule fois en direction des deux captifs, pour les détourner aussitôt en réprimant un gémissement.

Kramer fonça sur lui en marmonnant des menaces, empoigna sa longue chevelure et la tira brutalement en arrière, l'obligeant à redresser la tête.

— Fou ! Andégrist ! Du fas bayer des plasphèmes ! Et des deux amis auzzi bayeront leur volie !

Yeshua ferma les yeux ; ses lèvres frémirent, mais aucun son ne s'en échappa. Kramer lui gifla la bouche du revers de la main ; la tête de l'Hébreu oscilla sous le choc, un filet de sang lui ruissela sur le menton.

— Barle, orture ! Brédends-du fraiment êdre le Grist ?

Yeshua ouvrit les yeux et dit calmement :

— Je m'appelle Yeshua et ne prétends rien d'autre qu'être un homme parmi les hommes. Si votre Christ a existé et s'il était ici, il serait horrifié, fou de désespoir en constatant ce qu'il est advenu de son enseignement après sa mort.

Écumant de rage, Kramer lui abattit sa houlette sur la tempe. Yeshua tomba à genoux, puis bascula en avant et son crâne heurta le sol avec un bruit sourd. Le despote lui laboura alors les côtes de la pointe de sa botte.

— Renonze à des plasphèmes ! Rédracde zes tifagations zataniques ! Du d'épargneras ainzi peaucoup de zouvranzes tans ze monte et du zauvera beut-êdre ton âme dans le brochain !

Yeshua releva la tête mais attendit d'avoir repris son souffle pour répliquer :

— Fais de moi ce que tu veux, vil goye !

— Verme da zale kueule, monsdre !

La botte de Kramer martela de nouveau les côtes de l'Hébreu, qui poussa un grognement étranglé puis geignit doucement pendant quelques secondes.

Le potentat revint en trombe près de Mattihayah et de son compagnon, sa cape noire voltigeant derrière lui.

— Fous maindenez que ze tément est le Vils péni de Tieu ?

Ni l'un ni l'autre ne pipa mot. Blêmes, en dépit de leur pigmentation naturelle, leurs visages se décomposèrent comme ceux de figurines en cire se ramollissant au soleil.

— Répontez quand je fous barle, zales borcs !

Kramer se mit à les rosser avec sa houlette. Ils reculèrent en tentant de parer les coups du bras, mais les gardes les ceinturèrent pour les empêcher de se dérober à la correction.

Yeshua se releva péniblement et leur cria :

— C'est parce qu'il a peur que vous ne disiez la vérité qu'il vous bat si cruellement !

— Quelle vérité ? s'enquit Mix.

Sa diplopie s'aggravait et il se sentait nauséeux. Il se désintéressait peu à peu de tout ce qui ne le concernait pas directement. Bon sang ! Si seulement il pouvait mourir avant qu'on l'attache au poteau et qu'on allume le bûcher !

— On m'a déjà posé cette question.

Tom ne saisit pas immédiatement ce que Yeshua entendait par là ; puis la lumière se fit dans son esprit : l'Hébreu avait cru qu'il lui demandait *qu'est-ce que* la vérité ?

Mattihayah et son compagnon, que Kramer avait bâtonnés jusqu'à ce qu'ils perdent connaissance, furent traînés par les pieds hors de l'enceinte, les bras allongés derrière la tête, le crâne rebondissant sur les cailloux.

Kramer marcha sur Yeshua, la houlette haute, comme s'il s'apprêtait à lui infliger le même traitement. Mix en forma le vœu : dans sa fureur, cet énergumène risquait de le tuer sur place ; et de se frustrer ainsi du plaisir de le voir périr dans le brasier.

Mais un homme trempé de sueur franchit en courant la porte du camp en bramant le nom de son souverain. Il lui fallut près de trente secondes pour reprendre son souffle et pouvoir délivrer les mauvaises nouvelles dont il était porteur.

Deux flottes immenses approchaient de Fides, venant l'une de l'amont, l'autre de l'aval. Les États situés au nord du Deusvolens et au sud des pays nouvellement conquis, galvanisés par l'exemple de la Nouvelle Albion et de l'Ormondia, s'étaient alliés contre Kramer ; les Huns de la rive opposée s'étaient joints à eux. Tous avaient enfin compris qu'ils devaient s'unir pour passer à l'offensive avant de succomber à leur tour.

La situation de Kramer était désespérée, et il le savait. Sa dernière victoire lui avait coûté la moitié de sa flotte et une bonne partie de ses soldats. Il ne serait pas en mesure de lancer une autre attaque avant longtemps, ni de résister à celle d'une force aussi considérable. Il pâlit, frappa le messager de sa houlette ; touché à la tête, celui-ci s'écroula sans un cri.

Mix sourit, oubliant un instant ses souffrances et le bûcher auquel il était promis. Si Kramer était capturé, il serait certainement, par un juste retour des choses, torturé et brûlé vif ; et s'il connaissait lui-même la terrible caresse du feu, il serait peut-être moins prompt à y exposer les autres après sa résurrection. Peut-être... rien n'était moins sûr !

Le dictateur donna, en vociférant, les instructions que ses généraux et ses amiraux étaient venus solliciter à l'annonce de l'invasion. Quand ils furent repartis, il se tourna de nouveau, essoufflé, vers Yeshua. Mix l'interpella :

– Kramer ! Si Yeshua est le Christ, comme ces deux hommes l'ont affirmé, et ils n'avaient aucune raison de mentir, je ne voudrais pas être dans ta peau ! Tu as torturé et massacré pour rien ! Aucune âme n'est plus en péril que la tienne !

Kramer réagit comme Tom l'espérait. Il se rua sur lui en l'injuriant. Sa houlette décrivit un moulinet, les ténèbres se refermèrent sur Mix.

Le salopard avait dû veiller à ne pas taper trop fort : Tom reprit – à demi – connaissance un peu plus tard. Il était ligoté à un gros poteau de bambou, sur une pile de petits rondins et de branches de pins.

Il vit, à travers la brume qui l'environnait, Kramer approcher une torche du bûcher. Pourvu que le vent ne chasse pas la fumée ! Si elle montait à la verticale, elle l'asphyxierait avant même qu'il sente les flammes lui lécher les pieds.

Le bois crépita. La chance n'était pas avec lui : le vent écartait la fumée. Une quinte de toux le saisit brusquement. Regardant sur sa droite, il aperçut vaguement Yeshua attaché tout près de lui à un poteau identique au sien. A son vent. Excellent ! songea-t-il ; ce pauvre vieux va griller vif, mais la fumée de son bûcher m'étouffera avant que je crame. Une nouvelle quinte de toux le secoua, plus violente que la précédente, réveillant ses douleurs à la tête. Sa vue s'obscurcit ; il sombra dans le néant.

La dernière chose qu'il entendit fut la voix de Yeshua, déformée, grondant comme le tonnerre sur des cimes lointaines :

– Père, ils *savent* ce qu'ils font !

LES DIEUX DU FLEUVE

Les enfants de la Terre et leur destin t'appartiennent,
Qu'ils soient puissants ou misérables,
Leurs innombrables langues et leurs multiples couleurs t'appartiennent,
Comme nous t'appartenons, O Maître du Choix, Toi qui nous as fait différents de tous les autres.

Hymne de l'Antiquité égyptienne

Et l'Enfer est plus que la moitié du Paradis.

Edwin Arlington Robinson
Luke Havergal

Quand Moïse frappa le rocher de sa verge, il oublia de s'écarter du chemin que suivrait l'eau, de sorte qu'il faillit périr noyé.

Le Livre de Jashar

Avant-propos

Je conseille aux personnes qui n'ont pas lu les précédents ouvrages de la série du Monde du Fleuve, Le fleuve de l'éternité, Le noir dessein *et* Le labyrinthe magique, *de se reporter au résumé que j'en donne à la fin du présent volume ; elles pourront ainsi se familiariser avec certains faits qu'il m'arrivera d'évoquer au passage. Les initiés souhaiteront peut-être aussi en prendre connaissance afin de rafraîchir leurs souvenirs.*

J'ai déclaré, en présentant Le labyrinthe magique, *que ce livre serait le dernier de la série. Je le croyais, en effet, mais je m'étais cependant réservé une petite échappatoire avec le dernier paragraphe de son dernier chapitre. C'était mon inconscient qui m'en avait soufflé l'idée car il savait, lui (le bougre !), que je n'allais pas m'en tirer à si bon compte. Quelque temps après la parution du troisième volume, j'ai été frappé par l'immensité des pouvoirs dont disposaient les humains qui s'étaient introduits dans la tour et les tentations auxquelles cela les exposait.*

Certains lecteurs m'ont aussi fait remarquer que, comme j'en étais à vrai dire bien conscient, les vérités révélées dans ce troisième volume ne constituaient peut-être pas la *vérité.*

*Les opinions et les convictions que je prête à mes personnages en ce qui concerne l'économie, l'idéologie, la politique, la sexualité et plus généralement tout ce qui se rapporte à l'*Homo sapiens, *sont fonction de leurs connaissances et de leurs préjugés ; je ne les partage pas forcément. Je suis convaincu que toutes les races possèdent le même potentiel mental et qu'on trouve, en chacune d'elles, la même proportion d'abrutis, de sujets moyennement intelligents et de génies ; que toutes présentent une aptitude égale au mal et au bien, à l'amour et à la haine, à la sainteté et au péché. Soixante années* *de lectures très diverses et d'observation attentive m'ont persuadé que l'homme a toujours mené une existence à la fois sauvage et comiquement absurde, mais que l'espèce humaine n'en est pas pour autant à condamner irrémédiablement.*

Dramatis personae

Trente-cinq milliards d'êtres humains originaires de tous les pays de la planète Terre et de toutes les époques de son histoire ont été ressuscités le long du grand cours d'eau qui serpente à travers le Monde du Fleuve. Le lecteur sera soulagé d'apprendre que quelques-uns d'entre eux seulement jouent un rôle dans ce récit.

Loga: petit-fils du roi Priam, né à Troie au douzième siècle avant Jésus-Christ, tué à l'âge de quatre ans par un guerrier grec lors de la prise de la ville. Ressuscité et élevé sur le Monde-Jardin par des extra-terrestres n'appartenant pas à la race humaine, puis nommé membre du Conseil des douze Éthiques chargé de créer le Monde du Fleuve et d'y rappeler à la vie tous les hommes décédés entre 99 000 avant et 1983 après le début de l'ère chrétienne. Se dressant contre les siens, il entreprend de neutraliser les autres Éthiques et leurs agents afin de bouleverser le plan intéressant le destin des lazares (les humains ressuscités sur le Monde du Fleuve), en impliquant plusieurs de ceux-ci dans ses machinations.

Richard Francis Burton: sujet britannique, né en 1821, mort en 1890, cumula durant son existence terrestre les hauts faits et les inimitiés; grand explorateur, linguiste, anthropologue, traducteur, poète, écrivain et bretteur, il découvrit le lac Tanganyika, pénétra déguisé dans La Mecque, la ville sainte des musulmans (et, à la lumière de ce qu'il avait ainsi appris, écrivit le meilleur ouvrage qui ait jamais été consacré à ce lieu de pèlerinage), effectua la plus célèbre traduction des *Contes des Mille et Une Nuits* (assortie d'une foule de notes et de commentaires reflétant sa profonde connaissance de l'ésotérisme oriental et africain), passa pour l'une des plus fines lames de son temps, fut enfin le premier Européen à s'introduire dans la cité interdite d'Harar, en Éthiopie, et à en ressortir vivant.

Alice Pleasance Liddell Hargreaves: née en Angleterre en 1852, morte en ce même pays en 1934. Fille d'Henry George Liddell, chapelain du Prince consort, vice-chancelier de l'Université d'Oxford et doyen de son collège de Christ-Church, coàuteur du fameux *Dictionnaire gréco-anglais* Liddell and Scott qui est encore de nos jours l'ouvrage de référence en la matière. A l'âge de 10 ans, elle inspira à Lewis Carroll l'envie d'écrire son *Alice au pays des merveilles* dont l'héroïne lui ressemble comme une sœur.

Peter Jairus Frigate: auteur de science-fiction américain, né en 1918, décédé en 1983.

Aphra Behn: anglaise, née en 1640, morte en 1689. Après avoir rempli des missions d'espionnage aux Pays-Bas pour le compte de Charles II, accéda à la renommée (une renommée quelque peu sulfureuse) en qualité de romancière, poète et auteur dramatique. Fut la première femme anglaise à vivre uniquement de sa plume.

Nur ed-Din el-Musafir: né dans les provinces maures d'Espagne en 1164, mort à Bagdad en 1258. Musulman (non orthodoxe) et soufi, c'est-à-dire adepte de cette doctrine mystique et néanmoins réaliste qu'illustra Omar Khayyam.

Jean Baptiste Antoine Marcelin, baron de Marbot: né en France en 1782, mort en 1854. Comme Nur, dissimule sous sa petite stature énormément de force et d'agilité. Servit avec une extrême bravoure sous Napoléon et reçut de multiples blessures. Les *Mémoires* où il a retracé sa vie et ses campagnes passionnèrent à ce point A. Conan Doyle que celui-ci, pour écrire les aventures du Brigadier Gérard, l'intrépide soldat français, prêta à ce personnage les traits et les exploits du baron.

Tom Million Turpin: Noir américain né en 1871 à Savannah, en Georgie, mort en 1922 à Saint Louis. Pianiste et compositeur de très grand talent; son *Harlem Rag*, publié en 1897, fut le premier morceau du genre composé par un Noir à bénéficier d'un tel honneur. Turpin fut également le « caïd » de Tenderloin, le quartier chaud de Saint Louis.

Li Po : rejeton d'une lignée turco-chinoise, né en 701 dans une région excentrique de la Chine impériale, mort en ce pays en 762. Tenu par beaucoup pour le plus grand poète de l'Empire du Milieu, il se distingua aussi par son habileté au maniement de l'épée, ses capacités de buveur, ses prouesses galantes et son démon du vagabondage. Dans *Le Labyrinthe magique*, il se présentait sous le pseudonyme de Tai-Peng.

Cuillère d'Étoile : contemporaine de Li Po, souffrit terriblement et dans son pays natal, et sur le Monde du Fleuve.

Les dieux du fleuve

1.

Loga s'était fissuré et brisé comme un œuf.

A 10 heures 2, son image était apparue sur l'écran mural des appartements qu'occupaient ses huit compagnons. Comme il s'agissait d'une vue légèrement plongeante, ceux-ci n'apercevaient que la partie supérieure de son corps ; leur champ de vision partait de son nombril dénudé pour s'arrêter à quelques centimètres au-dessus de la tête, butait latéralement sur les bords du bureau et ne révélait, en profondeur, qu'une partie du mur et du plancher derrière lui.

Loga ressemblait à un Bouddha roux aux yeux verts qui aurait passé des années dans une confiserie sans pouvoir s'abstenir d'en déguster les produits. Bien qu'il eût perdu vingt livres pendant les trois dernières semaines, il était encore très gras.

Le Bouddha, cependant, jubilait visiblement. Souriant, son visage de citrouille épanoui, il annonça en espéranto :

– J'ai fait une sacrée découverte ! Elle va nous permettre de résoudre le problème que...

Il jeta un rapide coup d'œil vers la droite.

– Excusez-moi. J'ai cru entendre quelque chose.

– Vous devenez paranoïaques, Frigate et toi, dit Burton. Nous avons fouillé les trente-cinq mille sept cent quatre-vingt-treize pièces de la tour sans...

Les écrans vacillèrent. La tête et le corps de Loga miroitèrent, s'étirèrent puis se ratatinèrent. L'incident dura environ cinq secondes. Burton fut surpris. C'était la première fois que l'un des écrans accusait un effet d'interférence ou se déréglait.

L'image se stabilisa et se clarifia.

– Alors, lança l'Anglais de sa voix traînante, qu'est-ce qui t'excite pareillement ?

La suite lui posa une nouvelle énigme.

Il sursauta, étreignant les accoudoirs de son fauteuil comme pour se raccrocher à une réalité qui lui échappait : des lézardes zigzagantes sillonnaient le visage de Loga, partant de la commissure des lèvres pour suivre la courbe des joues et se perdre dans les cheveux. Elles étaient profondes, semblaient traverser la peau et la chair, plonger jusqu'à la cavité buccale et aux os.

Burton se dressa d'un bond.

– Loga, qu'est-ce qui se passe ?

Des fissures gagnaient le torse, le ventre bedonnant, les bras et les mains de l'Éthique.

Du sang en jaillit, éclaboussant le bureau.

Toujours souriant, Loga se disloqua comme une coquille d'œuf malmenée et, basculant sur la droite, tomba de la chaise dépourvue d'accoudoirs. Burton entendit un bruit de verre brisé. Tout ce qu'il apercevait de l'Éthique maintenant était le haut d'un bras, dont les fragments barbouillés de rouge évoquaient ceux d'une bouteille de vin fracassée.

La chair se liquéfia, se mêla au sang, et il ne demeura plus que des flaques luisantes sur le sol.

Burton s'était tétanisé, mais il réagit en entendant Loga crier : *I tsab u ?*

Le cri fut suivi d'un choc sourd, semblable à celui qu'aurait produit un homme corpulent en s'écrasant sur le plancher.

Burton activa vocalement les autres caméras installées dans la pièce où se tenait Loga. Celle-ci était déserte, à moins que les mares éclatantes qui en maculaient le plancher ne fussent les restes de l'Éthique.

Il s'efforça de reprendre son souffle. Sept écrans s'allumèrent sur le mur de la chambre, encadrant chacun le visage de l'un des autres habitants de la tour. Celui d'Alice était blême, et ses yeux noirs paraissaient plus immenses encore que d'habitude.

– Dick ? Ce ne pouvait pas être Loga, et pourtant c'était bien sa voix !

– Tu l'as vu comme moi. Comment aurait-il pu crier ? Il était mort !

Les autres se mirent à parler tous à la fois, en revenant à leur langue natale sous le coup de l'émotion. Nur lui-même, l'inébranlable Nur, s'exprimait en arabe.

– Silence ! clama Burton en levant la main. (Il se rendit aussitôt compte qu'il avait donné cet ordre en anglais. Peu importait : on l'avait compris.) Je ne comprends pas plus que vous ce qui vient de se passer. Une partie de ce dont nous avons été témoins était impossible, et par conséquent n'a pas pu se produire. Retrouvons-nous dans l'appartement de Loga. Sur-le-champ. Prenez vos armes !

Il retira d'un placard deux armes dont il avait pensé n'avoir plus jamais besoin. Elles comportaient une crosse, semblable à celle d'un pistolet et un canon large d'un pouce, long de trente centimètres, qui se terminait par une sphère de la taille d'une grosse pomme.

Alice s'exclama sur son écran :

– L'horreur ne prendra-t-elle donc jamais fin ?

– Elle ne dure jamais longtemps. Pas plus dans cette existence que dans l'autre.

Le visage triangulaire d'Alice avait cette expression fermée que Burton détestait tant. Il lui intima rudement :

– Secoue-toi, Alice !

– Je vais me ressaisir et aller parfaitement bien, tu le sais.

– Personne ne va jamais *parfaitement* bien.

Il s'approcha rapidement de la porte. Son capteur allait l'identifier, mais elle ne s'ouvrirait pas avant qu'il n'ait prononcé la formule-code, « Sésame, ouvre-toi ! » en arabe. Alice, de son côté, allait dire en anglais : « Qui êtes-*vous* ? demanda la chenille ».

La porte se referma derrière lui. Un grand fauteuil de métal gris recouvert d'un moelleux tissu pourpre était rangé dans le couloir ; Burton s'y assit. Le siège et le dossier du fauteuil s'ajustèrent automatiquement à la forme de son corps. Il pressa du doigt le centre d'un disque blanc placé sur le massif accoudoir gauche ; une baguette métallique, fine et longue, saillit du disque blanc serti dans l'accoudoir droit. Il la tira en arrière ; une lueur blanche sortit de dessous le fauteuil qui s'éleva dans l'air et se stabilisa à soixante centimètres du sol quand son passager laissa la baguette revenir au point mort, puis accomplit un demi-tour complet quand il la fit pivoter. Se servant de la baguette comme d'un manche à balai et en appuyant sur le centre noir du disque blanc bâbord pour régler sa vitesse, Burton lança son véhicule dans le couloir.

Après avoir longé à vive allure des murs égayés par des tableaux animés, il rejoignit les autres qui laissèrent leurs fauteuils planer sur place jusqu'à ce qu'il ait pris la tête du convoi, puis le suivirent. Burton ralentit légèrement avant de s'engager dans un immense puits vertical qui s'ouvrait à l'extrémité du couloir. Avec l'aisance découlant d'une longue pratique, il ne décrivit qu'une seule courbe pour atteindre le couloir de l'étage supérieur. A trente mètres de l'orée du puits, il arrêta le fauteuil devant la porte de l'appartement de Loga. Le siège se posa doucement sur le sol et Burton en descendit. Les autres n'arrivèrent que quelques secondes après lui et abandonnèrent à leur tour leurs fauteuils volants en tenant des propos incohérents ; il en fallait pourtant beaucoup pour leur faire perdre leur sang-froid !

Le mur s'étendait d'un seul tenant du puits à l'intersection suivante, soit sur une distance d'environ cent mètres. Sa surface tout entière n'était qu'un vaste tableau animé, tridimensionnel semblait-il. Une chaîne de montagnes noires barrait au loin un ciel immaculé. Au premier plan, un village de huttes en boue séchée occupait une clairière cernée par la jungle. Des Caucasiens à la peau sombre, vêtus comme des Hindous du cinquième siècle avant Jésus-Christ, circulaient entre les huttes. Un jeune homme brun qui ne portait qu'un pagne sur son corps élancé se tenait assis sous un banian. Accroupis autour de lui, une douzaine d'hommes et de femmes l'écoutaient attentivement. Le prédicateur était le véritable Bouddha, et il ne s'agissait pas d'une simple reconstitution. La scène avait été filmée par un agent des Éthiques déguisé en indigène, qui cachait sa caméra et son micro dans une bague passée à l'un de ses doigts. Pour l'instant, la conversation se réduisait à un murmure, mais il suffisait au spectateur de prononcer un mot code pour la rendre audible ; si le spectateur ne comprenait pas l'hindoustani, un autre mot code lui permettait de l'entendre dans la langue des Éthiques. Un autre mot code encore lui restituait les odeurs qui assaillaient les narines du « reporter », mais on préférait généralement s'en passer.

Juste en face de Burton se dressait une souche sur laquelle on avait peint un symbole : un œil vert entouré d'une pyramide jaune clair. Ce symbole n'existait pas dans le film original : il marquait l'entrée de l'appartement de Loga.

– S'il a réglé sa porte de manière qu'elle ne s'ouvre qu'à l'énoncé de sa formule-code personnelle, on est baisés, dit Frigate. Nous ne pourrons jamais entrer.

– Quelqu'un est entré, répondit Burton.

– Peut-être, rétorqua Nur.

« Loga ! » Burton articula ce nom d'une voix forte, trop forte, comme s'il espérait déclencher le mécanisme d'ouverture par la seule puissance de son timbre.

Une fente circulaire d'environ trois mètres de diamètre se dessina dans le mur. La portion de mur ainsi circonscrite se décala imperceptiblement vers l'arrière, puis s'enfonça dans un logement latéral en roulant sur elle-même. La scène qui s'y projetait suivit le même mouvement, sans s'évanouir.

– Loga ne s'y serait pas pris autrement s'il avait voulu que n'importe qui puisse l'ouvrir ! observa Alice.

– Ce qui était bien imprudent de sa part, dit Burton.

Nur, le petit Maure basané au grand nez, suggéra :

– L'intrus a pu annihiler la formule-code, puis la remplacer par une autre.

– Mais comment ? Et pourquoi ? demanda Burton.

– Comment et pourquoi ce que nous avons vu s'est-il produit ?

Ils franchirent précautionneusement l'ouverture sur les talons de Burton. La pièce avait l'aspect d'un cube de douze mètres de côté. Le mur situé derrière le bureau était vert pâle, tandis que les autres disparaissaient sous des tableaux animés dont l'un représentait la planète appelée le Monde-Jardin, le deuxième une île tropicale vue de loin et le troisième, que Loga devait avoir en face de lui, une tempête filmée de jour à haute altitude : des nuages tourmentés et menaçants crachaient des éclairs éblouissants, que ne suivait cependant pas le moindre coup de tonnerre.

Détail incongru : les Terriens apercevaient en surimpression l'image de leurs appartements respectifs, que transmettaient toujours les écrans allumés par Loga.

Des flaques rougeâtres luisaient sur le bureau et le plancher en bois dur.

– Frigate, prélève un échantillon de ce liquide, ordonna Burton, et fais-le analyser par l'ordinateur que tu vois là-bas.

Frigate alla en grommelant ouvrir une armoire, dans l'espoir d'y trouver un récipient approprié. Burton fit le tour de la pièce, sans rien remarquer qui pût servir d'indice. Quel dommage que les autres caméras n'aient pas été branchées quand... mais l'auteur du forfait, quel qu'il fût, devait évidemment s'être assuré qu'elles ne l'étaient pas.

Nur, Behn et Turpin partirent explorer les pièces voisines. Burton alluma les écrans qui lui permettraient d'en voir l'intérieur. Il ne s'attendait certes pas à y découvrir quelqu'un d'autre que ses trois amis, mais il préférait ne pas perdre ceux-ci de vue. Si Loga avait été liquéfié, d'autres risquaient de subir le même sort.

Il se courba pour effleurer du doigt l'une des taches humides qui subsistaient sur le sol, puis, se redressant, examina de près l'extrémité de ce doigt.

– Tu ne vas pas goûter ça ? s'inquiéta Alice.

– Je devrais m'en abstenir. Loga était, à certains égards, un véritable poison. Ce serait une étrange forme de cannibalisme – ou de communion chrétienne !

Il se lécha le doigt, grimaça et commenta : « La masse de la messe est inversement proportionnelle à la foi du carré de cloches qui y assistent. »

Après tout ce qu'elle avait enduré sur ce monde, Alice n'aurait pas dû être choquée. Elle n'en manifesta pas moins de la répulsion, sans qu'il pût juger ce qui, de son acte ou de ses paroles, la provoquait.

– Au goût, on dirait bien du sang, cuvée humaine, conclut-il.

Nur et Behn revinrent, accompagnés de Li Po.

– Il n'y a personne dans le coin, déclara le Chinois. Pas même son fantôme !

– Dick, qu'est-ce que Loga a crié ? s'enquit Aphra Behn.

– Je ne crois pas qu'il ait crié quoi que ce soit. Tu l'as vu se lézarder et se liquéfier. Comment aurait-il pu parler, après ça.

– C'était sa voix, insista Behn. Mais que ce soit lui ou non qui l'ait crié, qu'est-ce que ça signifiait ?

– *I tsab u ?* Qui êtes-vous ? en langue éthique.

– C'est la question que pose la chenille dans *Alice au Pays des Merveilles*, murmura Alice.

– Et à laquelle ladite Alice est incapable de répondre. approuva Burton. Quelle histoire de fous !

Frigate les appela auprès de la console de l'ordinateur.

– J'ai introduit l'échantillon dans le réceptacle de la console et j'ai demandé à l'ordinateur de l'identifier. En 1983, il n'était pas possible d'identifier quelqu'un à partir de son sang, mais aujourd'hui...

Sur l'écran s'inscrivit en anglais, comme Frigate l'avait ordonné : INDIVIDU IDENTIFIÉ : LOGA.

L'analyse du liquide suivit. Il contenait les mêmes éléments que l'organisme humain, répartis dans les mêmes proportions. La chair de Loga s'était donc bel et bien liquéfiée !

– A moins que l'ordinateur ne mente, dit Nur.

Burton se retourna vers lui.

– Qu'entends-tu par là ?

– Qu'on a pu lui donner une directive prioritaire, lui dicter d'avance les résultats de l'analyse.

– Qui, on ? Seul Loga aurait pu le faire !

Nur haussa les épaules, des épaules maigres, brunes et osseuses.

– Ou un inconnu qui se cacherait quelque part dans la tour. Qu'est-ce que Pete a cru entendre alors que nous célébrions notre victoire ?

– Un bruit de pas dans le couloir ! Mais il a ensuite déclaré que c'était probablement un tour de son imagination.

– Ah oui ? Et si ça ne l'était pas ?

Il ne fut pas nécessaire d'utiliser la console. Burton posa à l'Ordinateur – ainsi désigné pour le distinguer des calculateurs auxiliaires – deux ou trois questions. Un cercle lumineux apparut sur le mur, dans lequel des mots s'inscrivirent. Non, aucun intrus n'avait pénétré dans l'appartement de Loga ; personne n'avait donné de directive primant les instructions de celui-ci.

– Rien ne prouve, évidemment, que ces réponses ne lui ont pas été, elles aussi, dictées par le mystérieux inconnu, reconnut Burton. Auquel cas... nous *sommes* dans un drôle de pétrin !

Il demanda à l'Ordinateur de leur repasser la scène à laquelle ils avaient assisté par l'intermédiaire de leurs écrans. En vain : Loga n'avait pas ordonné qu'elle fût enregistrée.

– Et moi qui me figurais que tout serait clair comme de l'eau de roche dorénavant ! gémit Frigate. J'aurais dû savoir que rien n'est jamais simple !

Après une pause, il murmura :

– Il s'est brisé en mille morceaux comme Humpty Dumpty, à ceci près qu'Humpty Dumpty s'est cassé après être tombé, et non avant. Et puis il s'est liquéfié, comme la Méchante Sorcière de l'Ouest.

Burton, qui était mort en 1890, ignorait tout de cette dernière. Il faudrait qu'il pense à se renseigner auprès de l'Américain quand il en aurait le loisir.

Devait-il demander à l'Ordinateur d'envoyer un robot éponger le liquide ? Après réflexion, il estima qu'il valait mieux laisser la pièce dans l'état où ils l'avaient trouvée. Il verrouillerait la porte de l'appartement à l'aide d'un code qu'il serait le seul à connaître. Et alors, si quelqu'un l'ouvrait...

Que pourrait-il faire ?

Rien. Mais il saurait du moins qu'il *existait* un intrus.

Nur dit :

– Nous avons présumé que ce que nous avions cru voir se passer ici s'était réellement passé.

– Tu penses qu'il s'agissait en fait d'une simulation organisée à l'aide de l'Ordinateur ? demanda Frigate.

– Ce n'est pas impossible.

– Et le liquide, alors ? intervint Burton. Il est bien réel, lui.

– On a pu le fabriquer pour les besoins de la cause. Comme on a pu reproduire la voix de Loga afin de nous abuser et nous désorienter.

– Se contenter d'enlever Loga n'aurait-il pas été plus logique ? observa Alice. Nous aurions sans doute conclu qu'il s'était simplement absenté pour une raison quelconque.

– Tiens donc ! Et, laquelle, grands dieux ? railla Burton.

– Nous devions regagner la Vallée après-demain, dit Li Po. Si Loga avait souhaité se débarrasser de nous, il lui suffisait d'attendre deux jours pour être exaucé. Non, ce liquide... et tout le reste... il y a quelqu'un d'autre dans la tour.

– Qui compterait alors dix occupants, dit Nur.

– Dix ? s'étonna Burton.

– Oui. Nous huit, plus l'inconnu qui a éliminé Loga – à supposer que ce soit l'œuvre d'une seule personne –, plus la peur. Cela fait bien dix, au minimum.

2.

– En un sens, nous sommes des dieux, dit Frigate.

– Des dieux en cage ! répliqua Burton.

S'ils avaient l'impression de détenir des pouvoirs divins, leurs visages ne reflétaient ni la superbe assurance ni l'indicible félicité qui, en principe, auraient dû les distinguer de ceux des mortels ordinaires. Le premier endroit où ils s'étaient rendus en quittant l'appartement de Loga avait été l'immense salle située au sommet de la tour qui servait de hangar aux Éthiques. Elle abritait deux cents aéronefs et engins spatiaux de diverses sortes, dont n'importe lequel aurait pu les transporter en n'importe quel point de la Vallée. Mais il aurait fallu d'abord ouvrir les panneaux d'accès au hangar, et cela l'Ordinateur s'y refusait obstinément. Ils n'avaient pas réussi non plus à en actionner manuellement le mécanisme.

L'inconnu qui avait liquéfié Loga avait donné à l'Ordinateur une consigne prioritaire en vertu de laquelle il – ou elle – avait seul le droit de manœuvrer ces panneaux.

Les Terriens se tenaient serrés les uns contre les autres dans l'un des angles du gigantesque local. Le plancher, les murs et le plafond de celui-ci étaient uniformément gris : d'un gris monotone, accablant, comme celui dont on revêt la paroi des cachots. Les engins en forme de saucisse, de soucoupe ou d'insecte à bord desquels ils auraient pu s'échapper semblaient broyer du noir dans le silence ; ils attendaient qu'on vienne les utiliser. Oui, mais qui ?

Près du mur opposé, à quelque trois cents mètres de là, stationnait un gros vaisseau en forme de cigare ; long d'environ cent cinquante mètres, large de soixante au maître bau, c'était le plus grand des engins présents. Il devait servir aux liaisons avec cette planète appelée le Monde-Jardin dont les humains ignoraient la position. Loga leur avait dit que le voyage exigeait cent années terrestres ; il leur avait dit aussi que ce vaisseau était si largement automatisé qu'un individu d'intelligence moyenne, même s'il ne possédait qu'un maigre bagage scientifique, saurait le piloter.

La voix de Burton brisa le silence.

– Nous avons un certain nombre de problèmes urgents à résoudre. Nous devons découvrir qui a fait subir cet horrible sort à Loga ; et trouver le moyen d'annuler les interdits assignés à l'Ordinateur.

– D'accord, dit Nur. Mais pour cela, il nous faut d'abord déterminer les services que nous sommes en droit d'espérer de lui ; quelles sont au juste les limites de notre pouvoir. Quand on se bat, il faut avoir de ses forces et de ses faiblesses une connaissance aussi intime que celle qu'on acquiert de son visage en le contemplant dans un miroir. C'est à ce prix seulement que nous saurons comment nous y prendre pour exploiter au mieux les forces et les faiblesses de notre ennemi.

– S'il est notre ennemi, objecta Frigate.

Les autres le dévisagèrent d'un air interloqué.

– Très juste ! approuva Nur. S'affranchir des vieux modes de pensée. Tu retiens bien ce que je t'enseigne.

— Comment pourrait-il ne pas être notre ennemi ? s'étonna Aphra Behn.

— Je ne sais pas, répondit Frigate. Loga nous a tellement manipulés que j'en viens à me demander s'il est vraiment notre allié et s'il a eu raison d'agir comme il l'a fait. Cet inconnu... est peut-être animé d'excellentes intentions. Pourtant...

— Si Loga était le seul obstacle placé sur sa route, pourquoi ne vient-il pas franchement vers nous maintenant qu'il l'a éliminé ? Qu'a-t-il à craindre de nous ? Nous sommes aussi désarmés que des enfants. Nous ne savons pas nous servir de tous les pouvoirs dont nous disposons. Nous ne savons même pas ce qu'ils sont, ces pouvoirs !

— Pas encore, rectifia Nur. Bon, Pete nous a proposé une autre perspective, mais dans l'immédiat, cela ne sert à rien. La sagesse commande de considérer l'inconnu comme notre ennemi jusqu'à preuve du contraire. Tout le monde est d'accord ?

Il apparut que tout le monde l'était.

Tom Turpin prit la parole :

— Ce que tu viens de dire est OK. Mais pour moi, le plus urgent est d'assurer notre propre protection. On devrait organiser un système de défense pour éviter que ce qui est arrivé à Loga nous arrive aussi.

— D'accord, dit Burton. Mais si cet inconnu peut révoquer toutes les instructions que nous donnons à l'Ordinateur...

— Nous devrions faire bloc, suggéra Alice. Rester toujours ensemble, ne laisser personne s'éloigner hors de la vue des autres !

— Tu n'as sans doute pas tort et ton idée mérite qu'on l'étudie, répondit Burton. Mais auparavant, je propose que nous quittions cet endroit sinistre. Rejoignons mon appartement.

La porte intérieure du hangar s'ouvrit et, juchés sur leurs fauteuils, ils suivirent le couloir jusqu'au premier puits. Burton calcula qu'on parcourait près de cent cinquante mètres à la verticale pour passer du dernier étage, où se trouvait le hangar, à l'avant-dernier ; il demanderait à l'Ordinateur ce qu'il y avait entre les deux.

Parvenu dans son appartement, qu'il prit soin de verrouiller à l'aide de sa formule-code personnelle, il joua les maîtres de maison. Une portion du mur se déroba, dévoilant une très grande table dressée sur l'une de ses extrémités. La table sortit de son logement, bascula sur elle-même pour se mettre en position horizontale, gagna en planant le centre de la pièce, déploya ses jambes jusque-là repliées contre le dessous du plateau et se posa sur sol. Les huits Terriens disposèrent des sièges autour d'elle et s'assirent. Ils s'étaient déjà fait servir des boissons par des convertisseurs énergie-matière enfermés dans des placards muraux. La table était ronde et Burton prit place sur ce qui aurait été le trône du Roi Arthur si la scène s'était déroulée à Camelot.

Il but une gorgée de café noir et dit :

– Alice a eu une bonne idée. Elle implique, cependant, que nous habitions tous dans le même appartement. Le mien est bien trop petit. Je propose de nous installer dans celui qui se trouve au bout du couloir, près du puits-ascenseur. Il comprend dix chambres à coucher, un laboratoire, une salle de commandes et un grand salon-salle à manger. Nous pourrons y travailler ensemble en veillant les uns sur les autres.

– Et en nous exaspérant mutuellement, ajouta Frigate.

– J'ai besoin d'une femme ! claironna Li Po.

– Comme nous tous, en dehors de Marcelin et pt'être bien de Nur, releva Turpin. Après tout ce temps, et tout ce qu'on en a bavé !

– Et Alice alors ? Il lui faut un homme ! affirma Aphra Behn.

– Quand j'ai quelque chose à dire, je le dis moi-même ! protesta aigrement Alice.

Burton frappa violemment la table du poing en braillant :

– Les choses sérieuses d'abord ! (Puis, d'une voix plus douce :) Nous devons présenter un front uni, nous serrer les coudes, quels qu'en soient les inconvénients. Il sera toujours temps ensuite de régler les autres questions, les futilités si je puis m'exprimer ainsi. Nous avons surmonté beaucoup d'épreuves ensemble et prouvé que nous étions capables de coopérer. Nous formons une bonne équipe, en dépit des différences qui ont provoqué quelques frictions ces derniers temps. Il nous faut vivre et travailler de concert si nous ne voulons pas être tués les uns après les autres. Y a-t-il quelqu'un qui refuse de collaborer ?

– Quiconque exige de vivre tout seul sera tenu pour suspect ! proclama Nur.

Ces paroles provoquèrent un tollé, auquel Burton mit fin en martelant de nouveau la table du poing.

— Cette promiscuité va être pénible, cela ne fait pas l'ombre d'un doute. Mais nous avons déjà connu pire et plus nous serons solidaires, plus vite nous recouvrerons la liberté de nous occuper chacun de nos propres affaires.

Alice s'était renfrognée et il savait à quoi elle pensait. Depuis leur dernière rupture, elle l'évitait systématiquement, et maintenant...

— Si nous sommes prisonniers, notre geôle est la plus agréable qui existe sur l'un et l'autre monde, dit Frigate.

— Une prison reste une prison, ronchonna Turpin. Tu n'as jamais été en taule, Pete ?

— Uniquement dans celle où je me suis enfermé moi-même durant toute mon existence. Mais elle était transportable.

Ce n'était pas exact, songea Burton. Frigate avait été emprisonné à plusieurs reprises sur le Monde du Fleuve, et même réduit à l'état d'esclave par Hermann Goering. Mais il parlait métaphoriquement. La métaphore, c'était sa grande spécialité à ce roublard, cet habile manieur de mots, cette anguille, à qui l'aphorisme d'Emily Dickinson : *le détour est la clé de la réussite* aurait pu servir de devise. Ou encore, comme Burton l'avait lui-même écrit : *trop de véracité déflore la vérité.*

— Alors, Capitaine, qu'est-ce qu'on fait maintenant ? s'enquit Frigate.

Leur première tâche consista à se rendre dans leurs logis respectifs pour y prendre leurs quelques affaires personnelles et les transporter dans le grand appartement situé au bout du couloir. Ils se déplacèrent en groupe, puisque circuler seul avait été jugé dangereux, puis choisirent leurs chambres. Alice s'installa le plus loin possible de Burton, Frigate dans la pièce voisine, ce qui lui valut un sourire féroce de Burton. Que l'Américain fût amoureux d'Alice Pleasance Liddell Hargreaves était un secret de polichinelle. Il n'avait cessé de l'aimer depuis le jour où, en 1964, il l'avait vue photographiée à l'âge de dix et dix-huit ans dans une biographie de Lewis Carroll. Il avait écrit une nouvelle policière, *Le valet de cœur*, dans laquelle Alice, âgée de trente ans, jouait le rôle du détective amateur. En 1983, il avait organisé une souscription publique afin d'élever un monument sur la tombe anonyme qui abritait ses restes dans la partie du cimetière de Lyndhurst réservée à la famille Hargreaves. Les dons n'avaient pas afflué, car l'époque était difficile. Frigate était mort avant que le projet n'aboutisse, et il ignorait toujours s'il avait abouti. Si oui, un monument de marbre se dressait désormais sur la dépouille d'Alice, la représentant assise à la table où elle prenait le thé avec le Lièvre de Mars, le Loir et le Chapelier Fou, tandis que la tête du Chat de Chester souriait, au-dessus et derrière elle.

Contrairement à ce que les cyniques auraient escompté, loin d'amoindrir l'amour que Frigate lui portait, leur rencontre en avait accru l'ardeur. L'attraction physique s'était surajoutée à l'attirance littéraire. Pourtant, l'Américain n'avait jamais rien exprimé de sa passion, ni à son objet, ni à Burton. Il vouait, ou avait voué, une trop vive amitié à l'Anglais pour tenter ce que celui-ci aurait qualifié de démarche inconvenante auprès d'Alice. Quant à elle, elle avait toujours manifesté à son égard une réserve sans faille. On ne pouvait absolument rien en déduire : la jeune femme était passée maîtresse dans l'art de dissimuler ses sentiments en certaines circonstances. Il existait deux Alice, l'une publique, l'autre privée, et peut-être une troisième que l'intéressée elle-même ne connaissait pas ; que pour rien au monde elle n'aurait voulu connaître.

Bien qu'encore sous le coup des événements de la matinée, les Terriens se retrouvèrent installés dans leur nouveau gîte deux heures avant qu'il fût temps de prendre le repas de midi. Au lieu de faire sortir la console de commande du logement qu'elle occupait à l'intérieur du mur, Burton avait enjoint à l'Ordinateur d'en reproduire l'écran et le clavier sur la paroi. Le plafond ou le plancher auraient pu tout aussi bien servir de support à cette reproduction lumineuse, encore que ce dernier disparût sous ce qu'un profane aurait pris pour un tapis persan de grand prix. Il avait été, en fait, tissé sur le Monde-Jardin où on en avait effectué l'enregistrement, à partir duquel l'Ordinateur de la tour avait ensuite recréé l'original par une conversion énergie-matière.

Burton se planta devant le mur, la console simulée à hauteur du visage ; s'il préférait aller et venir, celle-ci le suivrait dans ses déplacements.

Après avoir donné à l'Ordinateur le nom et le matricule de Loga, Burton demanda, en anglais, où se trouvait le corps vivant de l'Éthique.

La réponse fut : RECHERCHES INFRUCTUEUSES.

– Il est donc mort ! murmura Alice.

– Où se trouve l'enregistrement du corps de Loga ? poursuivit Burton.

— RECHERCHES INFRUCTUEUSES.

— Seigneur, il est effacé ! s'exclama Frigate.

— Pas obligatoirement, dit Nur. L'Ordinateur a peut-être reçu l'ordre prioritaire de fournir cette réponse.

Burton savait qu'il ne servirait à rien de demander à l'Ordinateur si tel était le cas. Et pourtant, il fallait absolument qu'il la pose, cette question ! Il jeta précipitamment :

— Quelqu'un t'a-t-il ordonné de ne *pas* obéir à un ordre prioritaire ?

Nur pouffa. Frigate émit un « chapeau ! » admiratif.

— NON.

— Je t'ordonne de considérer comme prioritaires tous les ordres que je te donnerai à partir de maintenant. Ils prévaudront sur tous ceux que tu as reçus antérieurement.

— REFUSÉ. NON FONCTIONNEL.

— Qui a le pouvoir d'établir les priorités ?

— LOGA. KHR-12w-373-N.

— Loga est-il mort ?

Pas de réaction.

« Loga est-il mort ? »

— INFORMATION NON DISPONIBLE.

— Si Loga est mort, à qui obéis-tu ?

Le nom des huit Terriens s'inscrivit sur l'écran, suivi de leur matricule. Puis, au-dessous : POUVOIRS LIMITÉS.

— Comment ça, limités ?

Pas de réponse.

Burton réitéra sa question sous une autre forme :

— Quelles sont les limites assignées aux pouvoirs des huit opérateurs que tu viens de citer ?

L'écran resta blanc pendant six secondes environ, puis se couvrit de mots, représentant la liste des ordres que l'Ordinateur accepterait. Une minute plus tard, une nouvelle série de lettres scintillantes remplaça la première, puis d'autres encore leur succédèrent à la même cadence. Lorsque le chiffre 89 apparut au bas de l'écran, Burton comprit ce qui se passait.

— Ça peut durer des heures, commenta-t-il. Il nous fournit l'inventaire détaillé de ce qu'il nous est permis de faire.

Il dit à l'Ordinateur d'interrompre cette présentation visuelle et d'imprimer pour chacun d'eux la liste complète de leurs prérogatives. « Je n'ose pas lui réclamer la liste des interdits : elle n'en finirait pas ! »

Il demanda ensuite à voir l'intérieur des trente-cinq mille

sept cent quatre-vingt-treize salles de la tour et le résultat fut conforme à son attente : toutes étaient désertes ; nul être vivant – ou mort – ne s'y dissimulait.

– Mais nous savons que Loga s'était aménagé un certain nombre de chambres secrètes dont l'Ordinateur lui-même ignore l'existence. Ou du moins, dont il refusera de nous indiquer l'emplacement. Nous en connaissons une. Où sont les autres ?

– Tu penses que l'inconnu pourrait se cacher dans l'une d'elles ? s'enquit Nur.

– Je n'en sais rien. Possible. Il faut essayer de les découvrir.

– Nous pourrions comparer les dimensions intérieures et extérieures de la tour, suggéra Frigate. Mais outre que ça prendrait des mois, les chambres sont sans doute si habilement camouflées que nous ferions chou blanc.

– Dans le genre marrant, il y a mieux, ronchonna Turpin en allant s'asseoir devant un piano à queue, sur lequel il entreprit d'interpréter *Ragtime Nightmare*.

Burton vint se poster à côté de lui.

– Nous serions tous ravis de t'entendre jouer, dit-il (en réalité, il n'aimait guère la musique, quelle qu'elle fût), mais nous tenons un conseil de guerre. L'enjeu est très important, vital même, au plein sens du terme, et ce n'est pas le moment de nous divertir ou de nous distraire. Il est indispensable que chacun d'entre nous apporte aux autres le renfort de son intelligence. La défaillance d'un seul risque d'entraîner la mort de tous.

Turpin, dont les doigts couraient comme des araignées sur les touches, leva un visage souriant vers son interlocuteur. Il avait beaucoup maigri au cours du long, du dangereux, de l'épuisant voyage qui les avait conduits jusqu'à la tour, au point de ne plus peser, à l'arrivée, que soixante-dix-neuf kilos. Mais il s'était depuis gavé de nourriture et d'alcool, si bien que l'aspect de sa face évoquait de plus en plus celui de la pleine lune. La couleur sombre de sa peau – moins basanée pourtant que celle de Burton – accentuait la blancheur de ses grandes dents. Avec ses cheveux brun foncé ondulants, et non crépus, il aurait pu passer pour un Blanc, s'il n'avait choisi de demeurer, sur la Terre, au sein de la communauté noire.

« Être nègre, c'est avoir été élevé et penser comme un nègre, disait-il parfois. Ainsi qu'il est écrit dans le Saint Livre, il ne sert à rien de se colleter avec les cons. » Il pouffait alors de rire, sans se soucier de savoir si ceux à qui il s'adressait avaient compris que les «cons», pour lui, c'étaient les Blancs.

– J'ai pensé qu'un fond de musique vous aiderait à réfléchir, vous autres les grosses têtes. Moi, j'vaux rien pour ce genre de truc.

– Tu es intelligent et nous avons besoin de ta matière grise. De plus, nous devons former une équipe soudée, nous comporter comme les soldats d'une petite armée. Si chacun agit à sa guise, sans se préoccuper de ce qui nous menace, nous ne sommes plus qu'un troupeau bêlant.

– Et c'est toi notre capitaine!

Le Noir plaqua violemment les deux mains sur le clavier du piano dont les cordes vibrèrent à se rompre et se leva.

– Après toi, grand chef!

Prenant bien soin de ne rien laisser paraître de sa colère, Burton revint d'un pas décidé vers la table, suivi de près par Turpin, et s'immobilisa derrière sa chaise tandis que le Noir, toujours souriant, réoccupait la sienne.

– Je propose d'étudier soigneusement le contenu de ces trucs avant de rien décider (il désigna du doigt les bandes de papier qu'une machine triait, collationnait et empilait à mesure qu'elles jaillissaient d'une fente aménagée dans le mur); quand nous saurons exactement ce que nous pouvons et ne pouvons pas faire, nous serons en mesure d'arrêter un plan pertinent.

– Ça va être long, objecta de Marbot. C'est comme si on avait à lire toute une bibliothèque, et non un seul ouvrage.

– C'est indispensable.

– Tu parles de limites, dit Nur; les connaître est en effet utile et nécessaire. Mais dans le cadre de ce que nous dénommons ainsi, nous disposons de pouvoirs dont l'étendue aurait excité l'envie des plus grands souverains de la Terre. Ils seront notre force, mais aussi notre faiblesse. Ou plutôt, nous allons être tentés d'en mésuser. Je prie le Ciel de nous accorder la force de surmonter nos faiblesses – si nous en éprouvons.

– Nous sommes en quelque sorte des dieux, renchérit Burton. Enfin... des humains dotés de pouvoirs divins. Des demi-dieux, quoi.

– Des dieux unijambistes, plaisanta Frigate.

Burton sourit.

– Les épreuves que nous avons subies en remontant le Fleuve devraient avoir trempé nos caractères, en avoir éliminé les scories. Du moins je l'espère; nous verrons bien!

– Notre pire ennemi n'est pas l'inconnu, conclut Nur.
Il n'eut pas besoin d'expliquer ce qu'il entendait par là.

3.

Héraclite, philosophe grec de l'Antiquité, avait affirmé un jour : « C'est le caractère qui détermine le destin. »

Burton méditait ces paroles en arpentant sa chambre de long en large. Elles n'étaient qu'en partie vraies. Tout être possédait son propre caractère, un caractère unique. Mais celui-ci subissait l'influence du milieu, et tout milieu était lui-même unique. Aucun endroit ne ressemblait en tous points à un autre. En outre, le caractère de chacun faisait partie du milieu dans lequel il vivait. La manière dont quelqu'un se comportait dépendait non seulement de son caractère, mais aussi des possibilités et des contraintes particulières associées au milieu, qui englobait le moi. Le moi transportait avec lui, en lui, tous les milieux dans lesquels son possesseur avait vécu, tels des fantômes, des ectoplasmes plus denses que les autres, des revenants très puissants qui hantaient leur demeure itinérante : la personne.

Un autre sage de l'Antiquité, hébreu celui-là, avait prétendu qu'il n'y avait « rien de nouveau sous le soleil ».

Le vieux prophète n'avait jamais entendu parler de l'évolution et il ignorait, par conséquent, que le soleil voyait de temps en temps apparaître de nouvelles espèces. De plus, il oubliait que tout enfant arrivant au monde était unique, et donc nouveau sous le soleil ou sous la lune. Comme tous les sages, le prophète ne proférait que des demi-vérités.

Quand il déclarait qu'il y avait un temps pour agir et un temps pour ne pas agir, c'était une vérité intégrale. Sauf si, philosophe grec, vous lui objectiez que ne pas agir est en soi un acte. Ce qui séparait le Grec de l'Hébreu sur le plan philosophique était leur attitude envers le monde. Héraclite s'intéressait à la morale abstraite ; le prophète, à la morale pratique. Le premier mettait l'accent sur le pourquoi, le second sur le comment.

Il était possible, songea Burton, de vivre sur ce monde en s'interrogeant seulement sur le comment. Mais un humain achevé, un humain soucieux de réaliser toutes ses potentialités, s'efforçait aussi de comprendre le pourquoi. La situation actuelle exigeait qu'il fît l'un et l'autre ; il ne pouvait pas appréhender correctement le comment sans élucider le pourquoi.

Il se trouvait donc, en compagnie de sept autres Terriens, dans une tour érigée au centre de la mer boréale. La mer, qui avait un diamètre de cinquante kilomètres, était cernée par une chaîne ininterrompue de montagnes culminant à plus de trois mille mètres. Le Fleuve la traversait en y perdant presque toute sa chaleur avant de se précipiter dans le vide et d'accomplir le nouveau périple au cours duquel il se réchaufferait progressivement. Des nuées de brume aussi masquaient la tour, qui s'élevait à près de seize mille mètres au-dessus des flots et s'enfonçait dans la terre jusqu'à huit mille mètres au moins de leur surface.

Un puits, qui en ce moment contenait plusieurs milliards de *wathans*, parcourait le centre de la tour. *Wathan* était le nom que donnaient les Ethiques aux âmes artificielles créées par des êtres dont l'espèce s'était éteinte depuis des millions d'années. Quelque part à proximité de la tour, profondément enfouies dans le sol, d'immenses salles abritaient l'enregistrement des corps de tous les humains qui avaient vécu sur la Terre entre l'an 100 000 avant Jésus-Christ et l'année 1983 de l'ère chrétienne.

Quand quelqu'un mourait sur le Monde du Fleuve, le résurrecteur reproduisait son corps sur la berge du Fleuve, à partir de son enregistrement et à l'aide d'un convertisseur énergie-matière. Le *wathan*, l'âme synthétique, l'entité invisible qui contenait tout ce dont l'individu avait besoin pour devenir conscient, se rattachait immédiatement au corps, par lequel il était attiré comme le fer par l'aimant. Et vingt-quatre heures après son décès, le défunt ou la défunte vivait à nouveau.

Des trente-cinq milliards (au bas mot) de Terriens ressuscités sur le Monde du Fleuve, aucun n'était mort aussi souvent que Burton : sept cent soixante-dix-sept fois exactement, ce qui constituait à coup sûr un record. Bien rares, en revanche, étaient ceux qui avaient vécu aussi intensément, tant sur la Terre que sur le Monde du Fleuve. Sa part de triomphes et d'heures de bonheur avait été chiche, abondant son lot de défaites et de frustrations. Il avait un jour écrit que, dans la vie, les bonnes et les mauvaises choses tendent à s'équilibrer : sur les pages de son propre livre de comptes, l'encre rouge tenait beaucoup plus de place que la noire. En dépit de ce grave déséquilibre, de ce lourd déficit, il avait obstinément refusé de déposer son bilan. Pourquoi s'acharnait-il à lutter, pourquoi voulait-il si désespérément continuer à vivre ? Il n'en savait rien. Peut-être parce qu'il nourrissait l'espoir de parvenir, un jour, à éponger le passif.

Et alors ?

La suite, il ne la connaissait pas, mais c'était ce « et alors ? » qui alimentait sa flamme.

Pour l'instant, il traquait une horde de fantômes, tandis que des forces dont la nature lui échappait encore l'avaient conduit dans cet immense édifice qui dominait le monde. En le construisant, ses bâtisseurs ne poursuivaient qu'un seul dessein : offrir aux Terriens une chance d'accéder à l'immortalité ; non pas sous la forme d'une existence physique éternelle, mais sous celle d'un retour au Créateur, et peut-être d'une absorption en son sein.

Le Créateur, s'il existait, n'avait pas donné d'âmes aux Terriens, pas plus d'ailleurs qu'à nul autre être. Cette entité qui occupait une si large place dans différentes religions n'était qu'un produit de l'imagination, que le reflet d'un désir. Mais dès lors que des créatures intelligentes sont capables d'imaginer quelque chose, elles le sont aussi de lui conférer une réalité, et de *ce qui pouvait être* elles avaient fait *ce qui est* ; en tenant pour implicitement acquis que *ce devait être*. Or c'était ce dernier point que contestaient Burton et ses compagnons. Les Ethiques n'avaient pas sollicité l'avis des futurs « lazares ». Les Terriens n'avaient pas eu le choix : ils avaient été ressuscités, que ceci leur plût ou non. Et on ne leur avait expliqué ni comment, ni pourquoi ils l'avaient été.

A ce reproche, Loga avait répondu que procéder à une telle consultation aurait été bien trop long. Même si les Ethiques avaient chargé mille agents de demander à mille personnes par heure si elles souhaitaient ou non être dotées d'une âme artificielle, l'opération aurait exigé trente-cinq millions d'heures. En portant le nombre des agents à cinquante mille, elle aurait duré cinq cent mille heures. En supposant qu'il eût été possible de poursuivre les consultations vingt-quatre heures sur vingt-quatre, et ce ne l'était pas, interroger tout le monde aurait pris un peu plus de cinquante-sept ans.

— Et à quoi ces cinquante-sept années d'efforts auraient-elles abouti ? A pas grand-chose ! Dix ou douze millions d'humains peut-être auraient renoncé à vivre. Même quelqu'un comme Sam Clémens, qui affirmait si hautement aspirer au repos éternel et à la paix du tombeau, aurait opté pour la vie si on lui en avait laissé le loisir. Il aurait voulu au moins se rendre compte si la nouvelle existence qu'on lui proposait ne valait pas mieux que la précédente, et trouvé cent bonnes raisons de changer d'avis. Il en serait allé de même pour tous ceux qui, pour différents motifs, estimaient avoir mené sur la Terre une existence misérable, pénible et, somme toute, ne méritant pas d'être vécue. Non, avait conclu Loga, nous étions obligés de traiter les ressuscités de manière globale ; c'était la seule solution. Mais nous avons cependant fait un petit nombre d'exceptions. A commencer par toi, dont j'ai provoqué intentionnellement le réveil dans la chambre de résurrection il y a déjà tant d'années. Tu es devenu du coup un cas à part. L'un de nous a rendu visite au Canadien La Viro afin de l'inciter, en lui insufflant certaines idées, à fonder l'Église de la Seconde Chance. La doctrine qu'ont ensuite prêchée ses missionnaires contenait un certain nombre de vérités, notamment quant à la finalité de votre séjour sur ce monde. Ils insistaient sur le fait que les lazares étaient ici pour des raisons morales ; que chacun d'eux devait s'efforcer de devenir meilleur.

— Qu'est-ce qui vous empêchait de dire dès le début la vérité à tout le monde ? avait demandé Burton. Et, prenant Loga de vitesse, il avait répondu lui-même :

Ah oui ! bien sûr : ce qui vous empêchait aussi de demander à chacun de nous s'il souhaitait être rappelé à la vie et se voir offrir une nouvelle existence.

— En effet. Et même si nous, les Ethiques, nous étions descendus dans la Vallée dire la vérité à tout le monde, une partie seulement des Terriens nous auraient crus. Notre enseignement aurait été déformé, perverti, et de nombreuses personnes se seraient attachées à le réfuter.

» Crois-moi, en dépit de ses inconvénients et de ses imperfections, notre façon de procéder est la meilleure. Nous tirons cette conviction de ce que nos prédécesseurs nous ont appris sur le déroulement de leurs propres programmes de résurrection — qui intéressaient d'autres êtres intelligents. En outre, le jour où les Terriens sont tous revenus à la vie en même temps, ils parlaient cent mille langues différentes. Bien peu d'entre eux nous auraient compris. Le message n'est devenu accessible à tous que du jour où, grâce à l'Église de la Seconde Chance, l'usage de l'espéranto s'est généralisé sur le Monde du Fleuve.

Burton s'était alors enquis :

— Au cours des opérations antérieures, heu... j'ose à peine poser la question... combien, quel pourcentage de ressuscités sont-ils passés de l'autre côté ?

— Dans le cas des enfants qui avaient grandi sur le Monde-Jardin, les trois quarts. Quant aux vingt-cinq pour cent restants... on a détruit leurs enregistrements quand ils sont morts, à l'expiration du délai de grâce qui leur avait été accordé.

— Morts de leur mort naturelle, ou exécutés ?

— La plupart se sont entretués ou suicidés.

— La plupart ?

Loga avait fait mine de ne pas entendre.

— Pour ce qui est des adultes ou des adolescents ressuscités ailleurs dans le cadre des projets précédents, la proportion de ceux qui ont subi victorieusement l'épreuve, qui sont passés de l'autre côté, a été de un sur seize. Chacun de ces projets comportait au minimum deux phases. Il en va de même pour le projet en cours : quand on en aura terminé avec les humains morts avant 1983, on recommencera l'opération avec ceux qui sont décédés après cette date, et le projet prendra fin au terme de cette deuxième phase.

— Mais la première va durer plus longtemps que prévu, à cause de toi.

— Oui. Je suis persuadé... je sais... que le pourcentage de ceux qui sont passés de l'autre côté aurait pu être plus élevé, beaucoup plus élevé, si on avait octroyé plus de temps aux lazares. L'idée que tant d'entre eux fussent voués à la damnation m'était insupportable, et c'est ce qui m'a poussé à me dresser contre les miens, à trahir les autres Ethiques. Je... je me suis peut-être condamné ainsi... à ne pas passer moi-même de l'autre côté. Mais j'espère que non, dans la mesure où c'est l'amour de l'humanité qui a guidé mes actes.

Sur la Terre, les chrétiens et les musulmans avaient cru en une résurrection des corps. Celle-ci avait bien eu lieu, mais le but ultime des Ethiques était celui que visait les bouddhistes : la fusion de l'âme dans le Grand-Tout.

Comme s'il lisait dans l'esprit de Burton, Loga lui avait demandé :

— Dis-moi, Dick, crois-tu vraiment, crois-tu au tréfonds de

toi-même, car c'est la seule chose qui compte, que tu passeras de l'autre côté ?

Burton avait fixé longuement Loga avant de répondre lentement :

— Non. Pas dans le sens où tu l'entends. Il m'est absolument impossible de le croire. Nous n'avons pas la moindre preuve qu'un tel passage se produise.

— Mais si ! Nos instruments ne retrouvent plus trace du *wathan*, que vous appelez l'âme, quand son possesseur meurt après avoir atteint un certain niveau de... disons de vertu, au lieu d'élévation morale.

— Ce qui prouve tout au plus que les instruments sont incapables de le repérer. Vous ignorez ce qu'il advient réellement du *wathan* à partir du moment où vous le perdez de vue.

Loga avait souri.

— Au bout du compte, nous nous trouvons obligés d'en revenir à la foi, n'est-ce pas ?

— Après les manifestations que j'en ai vues sur la Terre, je n'ai guère foi en elle. Et si le *wathan*, comme tu le dénommes, atteignait tout bonnement le terme de son existence ? C'est un objet artificiel, et ceux-ci finissent un jour par périr naturellement, comme les autres. Le *wathan* n'est pas, à notre connaissance une entité matérielle ; mais à notre connaissance seulement : rien ne nous permet d'affirmer qu'il ne s'agit pas d'un état encore jamais observé de la matière ; ou d'énergie à l'état pur. Dans quel cas, nous pourrions avoir affaire à une forme d'énergie que nous ne connaissons pas ; qui te dit qu'elle ne peut pas subir une autre métamorphose encore, la rendant indécelable pour vos instruments ?

— Mais c'est exactement ce que je soutiens : elle se métamorphose en ce qui est l'Indécelable ! Comment expliquer autrement que le *wathan* ne sorte du champ d'action des instruments qu'au moment où son possesseur atteint un certain niveau de perfection morale ? Ceux qui n'ont pas atteint ce niveau ont beau mourir maintes fois, le wathan revient toujours, toujours se rattacher à leur corps ressuscité.

— Il existe peut-être une explication à laquelle tu n'as pas songé.

— Des milliers et des milliers de gens plus intelligents que toi ont cherché une autre explication sans parvenir à la trouver.

— Il viendra peut-être un jour quelqu'un qui la trouvera.

– Tu fais appel à la foi, maintenant.

– Non. Je fais appel à l'Histoire, à la logique et au calcul des probabilités.

Loga s'était montré profondément troublé, non parce que le doute s'emparait de lui, mais parce qu'il craignait que Burton ne réussît pas à passer de l'autre côté.

Or c'était à *lui* que le cours pris par les événements allait l'interdire. L'enregistrement de son corps ayant été détruit, il perdait toute chance d'atteindre cet objectif ultime. Cependant... il était directement responsable de ce qui lui arrivait. S'il n'avait pas bouleversé le déroulement du projet, il serait toujours vivant et l'enregistrement, intact, lui garantirait qu'il pourrait continuer à lutter pour mériter ce mystérieux sort : passer de l'autre côté.

L'inconnu qui l'avait ainsi voué à l'anéantissement était-il un Ethique miraculeusement échappé au massacre auquel Loga s'était livré de ses semblables ? Si oui, pourquoi ne se montrait-il pas ? Avait-il peur des huit lazares ? N'attendait-il qu'une occasion favorable pour les tuer et les ressusciter dans la Vallée, où ils ne seraient plus en mesure de perturber l'exécution du plan original ?

Il était peu vraisemblable qu'un être capable de donner des instructions prioritaires à l'Ordinateur eût peur des huit humains. Peut-être savait-il quelque chose que ceux-ci ignoraient encore mais risquaient de découvrir ? Dans ce cas, il tenterait de se débarrasser d'eux le plus rapidement possible.

Il n'était pas exclu non plus que la disparition de Loga fût l'œuvre de l'un, ou de plusieurs, des huit.

Burton réfléchissait à cette éventualité quand la tête de Nur apparut sur un écran mural.

– Dick, je voudrais te parler.

Burton prononça la formule-code qui permettrait à Nur de le voir.

– Qu'y a-t-il ?

Nur portait le turban vert indiquant que son possesseur avait accompli le pèlerinage de La Mecque. Le choix de la couleur était probablement accidentel, le petit Maure n'étant pas homme à attacher du prix à de telles vétilles. Jaillissant du turban, ses longs cheveux noirs tombaient en mèches raides jusque sur ses épaules brunes et anguleuses. Son visage étroit reflétait une vive émotion.

– Le blocage interdisant à l'Ordinateur de ressusciter

Monat, les Ethiques et leurs agents est toujours en place. Je m'y attendais. Mais j'ai mis le doigt sur quelque chose de bien plus grave !

Il s'interrompit.

— Je t'écoute.

— Tu te souviens que Loga nous a dit, il y a trois semaines, avoir commandé à l'Ordinateur de ressusciter les dix-huit milliards de Terriens dont les *wathans* se trouvaient dans le récupérateur ? Nous avons tous cru qu'il l'avait fait. Eh bien non ! Loga est apparemment revenu sur sa décision. Peut-être a-t-il décidé d'attendre que nous ayons quitté la tour. Toujours est-il que pas une seule personne n'a été ressuscitée depuis lors.

Le choc priva un instant Burton de l'usage de la parole. Quand il l'eut recouvré, il demanda :

— Combien y a-t-il de *wathans* dans le puits, en ce moment ?

— Dix-huit milliards un million trois cent trente-sept mille cent quatre-vingt-dix-neuf. Non. Deux cent sept, maintenant.

— Je suppose que tu...

Devançant la pensée de son interlocuteur, comme il en avait l'agaçante habitude, Nur l'interrompit.

— Oui. J'ai vérifié si l'inconnu avait confirmé les consignes prioritaires données à l'Ordinateur. Elles sont toujours en vigueur.

— Et dire qu'il y a trois semaines nous nous figurions être parvenus au terme de notre longue et pénible lutte ! Que nous pensions avoir résolu les grands problèmes et n'avoir plus à régler, désormais, que nos petites affaires personnelles !

Nur ne répondit pas.

— Très bien. La première chose que nous devons faire est de nous soumettre tous à une épreuve de vérité. Nous ne pouvons pas continuer à raisonner comme si l'inconnu existait avant d'avoir la certitude que l'ennemi n'est pas l'un d'entre nous.

— Ça ne va pas plaire à nos compagnons !

— Il est logique de commencer par là.

— Les hommes n'apprécient pas la logique quand elle les gêne ou les menace. Mais ils accepteront de subir l'épreuve ; c'est le seul moyen qu'ils aient d'écarter les soupçons.

4.

Dans la mesure où ne pas mentir équivalait à dire la vérité, les résultats de l'épreuve furent positifs. Dans celle où un mensonge pouvait constituer un indice de sincérité, les résultats furent négatifs.

Dans les deux cas, chacun des huit apparut innocent.

Ils s'assirent l'un après l'autre dans une cage de verre pour être interrogés par Burton ou par Nur. Le champ engendré à l'intérieur de la cage rendait visible le *wathan* qui flottait juste au-dessus de la tête de la personne interrogée, à laquelle le reliait un cordon de lumière écarlate. Le *wathan* se présentait sous l'aspect d'une sphère qui se dilatait et se rétractait, tourbillonnait ou en donnait l'impression en s'auréolant de couleurs incandescentes. C'était l'objet invisible qui accompagnait chaque individu depuis sa conception et ne le quittait qu'à sa mort. Il renfermait le double de tout ce qui constituait la personnalité d'un être, y compris le contenu du cerveau et du système nerveux, et il était aussi la source de la conscience individuelle.

Burton se soumit le premier à l'épreuve; Nur lui posa un certain nombre de questions auxquelles il devait répondre ce qu'il pensait être la vérité.

– Es-tu né à Torquay, en Angleterre, le 19 mars 1821?

– Oui.

L'Ordinateur photographia le *wathan* de Burton à l'instant même où il prononçait ce oui.

– Quand et où es-tu mort pour la première fois?

– Le dimanche 19 octobre 1890, dans ma maison de Trieste, ville italienne qui appartenait alors à l'Empire austro-hongrois.

L'Ordinateur prit une deuxième photographie qu'il compara à la première; puis il compara ces deux photos à celles qu'il avait prises de nombreuses années plus tôt, lorsque Burton avait comparu devant le Conseil des Douze.

Après avoir consulté ce qui s'inscrivait sur son écran, Nur commenta:

– Tu dis la vérité; telle que tu la connais.

Et c'était là un des points faibles du système. Si quelqu'un croyait que ce qu'il disait était vrai, son *wathan* réagissait comme si c'était le cas.

— La vérité tout court, corrigea Burton. J'ai lu ces dates bien souvent durant mon existence terrestre.

— T'est-il arrivé de mentir ?

— Non ! affirma Burton avec un large sourire.

Une mince ligne noire parcourut en zigzag la surface du *wathan.*

— Le sujet ment, dit Nur à l'Ordinateur.

— FAIT DÉJÀ VÉRIFIÉ.

— T'est-il arrivé de mentir ? redemanda le petit Maure à Burton.

— Oui.

La ligne noire s'effaça.

— Est-ce toi qui as provoqué la disparition de Loga ?

— Non.

— As-tu contribué, directement ou indirectement, à la disparition de Loga ?

— Pas que je sache.

— C'est la vérité, du moins à tes yeux. Sais-tu quoi que ce soit de la ou des personnes qui auraient pu éliminer Loga ?

— Non.

— Es-tu content que Loga ait disparu ?

— Hé ! Qu'est-ce que...

Burton, qui pouvait observer l'image de son *wathan* sur un écran, vit une lueur orange éclipser ses autres teintes chatoyantes.

— Nur, tu n'aurais pas dû lui demander ça ! protesta Aphra Behn.

— Oui, espèce de salaud, tu n'en avais pas le droit ! renchérit Burton. Tu n'es qu'un vicelard, comme tous les soufis !

— Tu t'en es réjoui, répliqua calmement Nur. Je m'en doutais. Et je parie que la plupart d'entre nous ont partagé ta satisfaction. Pas moi, mais j'accepterai qu'on me pose la même question. Rien ne prouve que je ne m'en suis pas félicité moi aussi, au plus profond de mon esprit animal.

— Le subconscient, murmura Frigate.

— Quel que soit le nom qu'on lui donne, c'est toujours la même chose : l'esprit animal.

— Et pourquoi devrait-on se féliciter de ce qui est arrivé à Loga ? s'enquit Alice.

— Tu te fiches de nous ? vociféra Burton.

La violence de son ton abasourdit la jeune femme.

Ayant été ainsi lavé de tous soupçons, provisoirement du

moins, Burton sortit de la cage de verre et entreprit, à son tour, d'interroger Nur. Quand l'innocence du Maure fut établie, Alice lui succéda. Burton s'abstint de lui demander si la mort de Loga ne lui avait vraiment pas procuré le moindre plaisir. Il était probable que non. Mais quand elle aurait eu le temps de réfléchir à tout ce qu'elle pourrait faire grâce aux pouvoirs dont elle disposait désormais, elle comprendrait sans doute pourquoi certains de ses compagnons s'étaient, à leur grande honte, sentis soulagés.

Les autres se soumirent, un par un, à l'épreuve, et en sortirent blanchis.

— Mais Loga s'en serait tiré victorieusement, tout en mentant comme un diplomate, observa Nur. L'un de nous a pu mettre la main sur son distorseur de *wathan*.

— Ça m'étonnerait, dit Turpin. Pas un de nous n'est assez mariole pour se servir d'un truc pareil. Ni pour annuler les ordres de Loga. Non seulement on perd notre temps, mais en plus je trouve ce qu'on est en train de faire insultant pour tous.

— Si je comprends bien, objecta Nur, tu estimes que nous ne sommes pas suffisamment intelligents. Tu te trompes. Ce n'est pas l'intelligence qui nous manque, mais les connaissances nécessaires pour l'appliquer utilement.

— C'est ce que je voulais dire. On n'en sait pas assez long.

— En s'y mettant sérieusement, trois semaines doivent nous suffire pour apprendre de l'Ordinateur tout ce que nous avons besoin de savoir, soutint Burton.

— Non. L'Ordinateur voudra dire à personne comment s'y prendre pour aller contre les ordres de Loga. On n'arrivera pas à lui tirer les vers du nez.

— Nous pourrions lui faire projeter nos souvenirs des trois dernières semaines, proposa Frigate. Ça exigerait beaucoup de temps, mais ça payerait peut-être.

— Non ! cria véhémentement Alice. Non ! J'aurais l'impression d'être violée ! Ce serait pire qu'un viol ! Je refuse !

— Je te comprends, dit Nur. Mais...

L'Ordinateur pouvait remonter le fil de leurs souvenirs jusqu'à l'instant de la conception et les projeter sur un écran. Le processus avait cependant ses limites : le contenu non visuel et non auditif de la mémoire n'apparaissait que sous la forme de graphes électroniques dont l'interprétation restait incertaine. Les impressions tactiles et olfactives étaient en revanche restituées. Mais la mémoire était sélective et elle gommait, apparemment, de nombreux faits que le sujet considérait comme dénués d'importance. Elle révélait néanmoins clairement ce qu'il avait vu, entendu et dit. Si on le lui demandait, l'Ordinateur fournissait des images du champ émotion-douleur.

— Je ne veux pas que vous me voyiez me rendre aux toilettes, s'obstina Alice.

— Personne ne le souhaite, ni en ce qui te concerne, ni en ce qui le regarde lui-même, s'esclaffa Burton (quand il riait, on croyait entendre une pierre ricocher sur l'eau) ; nous pétons et nous rotons tous ; nous nous sommes probablement presque tous masturbés et fourré les doigts dans le nez ; je suis persuadé que Marcelin et Aphra ne tiennent pas à ce qu'on les contemple occupés à baiser. Mais il n'est pas indispensable de tout montrer. On peut enjoindre à l'Ordinateur de projeter uniquement les événements qui nous intéressent, en laissant les autres de côté.

— Je retire ma proposition, lança Frigate. Ça ne donnera rien. Quiconque est assez habile pour avoir fait ce que l'inconnu a fait n'aura pas manqué de prévoir cette éventualité.

— Je suis d'accord avec toi, pour une fois, convint Burton. Mais cela entre au nombre des mesures de routine que nous n'avons pas le droit de négliger. Et si le coupable – dans la mesure où coupable il y a – avait prévu que nous jugerions inutile de procéder à une fouille des mémoires ?

— Il n'aurait pas pris un risque pareil, objecta Li Po.

— J'insiste quand même pour qu'on le fasse. Sinon, nous allons tous rester suspects aux yeux des autres.

— On se retrouvera au même point quand on aura fini, maugréa Frigate. Enfin, s'il faut en passer par là...

Ils auraient pu se soumettre tous ensemble à l'épreuve en s'enfermant chacun dans une cage de verre séparée, mais qui alors aurait veillé à ce que l'un – ou l'une – d'entre eux ne commande pas à l'Ordinateur d'omettre certains faits gênants ? Burton entra le premier dans la cage, dont il ressortit au bout de trois heures : le temps qu'il avait fallu à l'Ordinateur pour analyser trois semaines de souvenirs. L'écran était resté blanc d'un bout à l'autre de l'examen.

Comme il fallait s'y attendre, il en alla de même pour les sept autres.

Vingt-cinq heures s'écoulèrent avant que le dernier d'entre

eux, Li Po, sortît de la cage. Il y avait alors longtemps que la plupart de ses compagnons étaient allés discrètement se coucher les uns après les autres ; Burton et Nur furent les seuls à surveiller l'opération du début jusqu'à la fin, et les premiers dormeurs se levaient déjà quand ils décidèrent de prendre un peu de repos. Auparavant, Burton voulut néanmoins se prémunir contre tout risque d'intrusion.

– L'inconnu pourrait annuler l'effet du mot-code qui verrouille la porte de l'appartement.

– Comment suggères-tu de la condamner ? interrogea Frigate en bâillant. On pousse un lit contre le battant et on empile des meubles par-dessus ?

– La porte s'ouvre vers l'intérieur, ce ne serait donc pas une mauvaise idée. Mais je vais plutôt demander à l'Ordinateur de me fabriquer un système d'alarme.

Cinq minutes plus tard, Burton retirait d'un convertisseur énergie-matière une douzaine d'objets. Il accrocha deux boîtiers de part et d'autre du chambranle, auxquels il en ajusta d'autres ; puis il fixa un cadran sur l'un des plus grands boîtiers.

– Et voilà ! dit-il en se reculant pour admirer l'ensemble. Personne ne peut plus entrer sans déclencher un sacré vacarme. Mais mieux vaut faire un essai. Pete, veux-tu sortir, fermer la porte et revenir ?

– Volontiers ; j'espère ne pas disparaître pendant que je me trouverais dans le couloir !

Burton bascula un bouton placé sur le cadran. Frigate prononça la formule code ; la porte s'ouvrit et il sortit. Se retournant, il prononça de nouveau la formule code, qui referma la porte. Burton bascula le bouton dans l'autre sens. Quelques secondes plus tard, la porte s'entrouvrit. Une vive lueur orange jaillit aussitôt du boîtier, tandis qu'une sirène emplissait la pièce de son mugissement assourdissant. Aphra Behn et de Marbot accoururent précipitamment. Turpin, qui prenait son petit déjeuner sans accorder grande attention aux agissements de Burton, quitta la table d'un bond, la bouche pleine. « Vain diiieu ! »

Burton coupa le contact.

– L'Ordinateur risquait de révéler à l'inconnu la combinaison du système d'alarme. Je lui ai donc fait fabriquer un système que je pourrais régler moi-même. Je me suis placé de façon à obstruer le champ de son écran pendant que je formais la combinaison, si bien qu'il n'a aucun moyen de savoir laquelle j'ai choisie.

– Formidable! persifla Frigate. Mais nos chambres sont totalement insonorisées. Comment allons-nous entendre la sirène quand nous y serons enfermés?

Les cloisons, le plancher et le plafond, épais de plusieurs centimètres, étaient truffés de câbles et de lignes électriques, pour la plupart inutilisés. Rien ne s'opposait donc à ce qu'on prie l'Ordinateur d'organiser un circuit qui actionnerait des signaux dans toutes les chambres quand celui de la porte d'entrée se déclencherait. Mais l'inconnu pourrait neutraliser ce circuit.

Burton cherchait une parade quand Frigate suggéra:

– Nous pourrions demander à l'Ordinateur de nous confectionner des détecteurs de masse, qu'on installerait derrière la porte des chambres; ainsi, même si on n'entendait pas ton signal d'alarme, on serait avertis dès que quelqu'un tenterait de pénétrer chez nous. On les activerait et on les désactiverait d'un geste de la main, vu que l'inconnu *peut* nous écouter par l'intermédiaire de l'Ordinateur, ce qu'il fait probablement en ce moment, tandis qu'à ma connaissance il ne *peut pas* nous voir sans brancher un écran.

– A notre connaissance, comme tu le dis justement. Ne crois-tu pas qu'il pourrait brancher un écran en s'arrangeant pour que celui-ci nous reste invisible?

– Je suppose que oui. Je ne suis pas assez familiarisé avec la technologie des Ethiques pour savoir avec certitude ce qu'elle permet d'accomplir.

– Donc l'inconnu est peut-être ausi en train de nous observer.

– Oui. On devrait dresser une espèce de tente dans cette pièce et s'y enfermer pour communiquer par écrit. Ou encore demander à l'Ordinateur de fabriquer une cabine complètement insonorisée, plancher y compris. L'ennui, c'est que ses cloisons pourraient contenir des capteurs, placés là sur l'ordre de l'inconnu. Nous n'aurions aucun moyen de le vérifier. D'ailleurs, ce serait pareil avec le tissu de la tente...

Burton s'énerva:

– Alors, il n'y a rien qu'on puisse faire?

– Si. Faire de notre mieux et espérer que ça suffira.

– Nous allons conserver le système d'alarme que j'ai installé à l'entrée. J'écrirai la combinaison sur des bouts de papier que je détruirai moi-même quand vous l'aurez apprise par cœur.

– Détruis-les à l'aide d'un lance-rayons. Si tu te contentes de les brûler et d'en écraser les cendres avant de les jeter dans un vide-ordure, l'Ordinateur serait fichu de reconstituer la combinaison.

– Il faudra s'abriter sous des capuchons quand on reformera la combinaison ; des capuchons qu'on confectionnera avec nos draps de lit afin d'être sûrs qu'ils ne contiendront pas de capteurs. On ne peut pas se fier aux détecteurs de masse. L'Ordinateur acceptera de nous les fournir, mais l'inconnu peut y dissimuler un mécanisme qui les neutraliserait.

– Exact. Et s'il en avait placé un dans ton système d'alarme ?

– En somme, tout ce qui provient de l'Ordinateur est suspect ?

– Tout. Jusqu'à la nourriture. L'inconnu pourrait lui ordonner de l'empoisonner.

– Bon Dieu ! Il doit quand même bien exister un moyen de lutter contre ce salopard !

Nur, qui les écoutait depuis un instant en souriant, prit la parole :

– Si l'inconnu avait décidé de nous tuer, nous serions déjà morts. Pour que les ordres de Loga lui-même ne prévalent pas sur les siens, il ne peut s'agir que d'un, ou d'une Ethique, ne croyez-vous pas ? Dans ce cas, pourquoi n'a-t-il pas ressuscité Monat et les autres ? C'est son devoir et ç'aurait dû être sa première pensée, une fois qu'il nous aurait neutralisés, bien entendu. Ce qu'il a réussi à faire, est-il utile de le souligner ? Le hic...

Il hésita si longtemps que Burton s'impatienta :

– Le hic ?

– Un Ethique aurait-il effacé l'enregistrement du corps de Loga ? Je ne le pense pas. Alors... l'inconnu ne peut pas être un Ethique. A moins que...

– A moins que ?

– Un peu de patience, mon ami. Il n'y a pas le feu ! A moins que... ce ne soit Loga lui-même qui ait manigancé toute cette histoire.

Burton explosa :

– On a déjà étudié cette éventualité de fond en comble. Pourquoi agirait-il ainsi ?

Nur haussa les épaules et leva ses longues mains au ciel.

— Je n'en sais rien. Et je ne suis nullement convaincu que l'hypothèse Loga soit la bonne. Aurait-il détruit son propre enregistrement corporel ? Certainement pas !

— A moins qu'il ait une chambre de résurrection secrète quelque part dans la tour, avança Frigate.

— C'est précisément ce que j'allais dire. Toujours est-il que pour l'instant, nous n'avons rien qui permette d'expliquer un comportement aussi irrationnel. Mais je ne cesse de penser aux bruits de pas que Frigate a entendus, ou cru entendre, à l'extérieur de la pièce où nous fêtions le succès de la lutte entreprise pour remédier à la panne de l'Ordinateur. Loga s'est montré troublé quand Pete l'a mis au courant. Il s'est précipité dans le couloir et il a couru jusqu'au puits le plus proche, qu'il a scruté de haut en bas. Il a ensuite posé un certain nombre de questions à l'Ordinateur, dans sa langue natale et en parlant si vite que nous ne les avons pas comprises.

— Je lui ai demandé ce qui l'inquiétait tellement, dit Burton. Il a prétendu ne plus éprouver la moindre inquiétude. D'après lui, les épreuves que Pete avait subies l'avaient rendu si paranoïaque qu'il entendait des bruits imaginaires et, par contagion, nous communiquait ses angoisses.

— C'était l'hôpital qui se foutait de la charité ! se récria Frigate. Personne n'était plus paranoïaque que Loga !

— Dans ce cas, nous étions dans le mauvais camp, jugea sentencieusement Nur. Qui se range sous la bannière d'un déséquilibré est aussi fou que lui. Mais épiloguer là-dessus ne nous avance à rien. Qu'est-ce qu'on fait *maintenant* ?

Entasser des meubles contre la porte, comme Frigate l'avait ironiquement proposé, s'avérait, en pratique, la moins mauvaise des solutions applicables en l'occurrence. Ç'aurait été évidemment gênant s'ils avaient eu à sortir et rentrer fréquemment, mais, dans l'immédiat, ils prévoyaient de se retrancher dans l'appartement.

En outre, il semblait désormais à peu près exclu que l'inconnu réussisse à empoisonner leur nourriture. Frigate et Nur avaient étudié attentivement les schémas simplifiés des convertisseurs énergie-matière qu'ils s'étaient fait délivrer. L'inconnu pouvait certes les affamer en débranchant ces appareils, mais ceux-ci utilisaient, pour fabriquer les aliments, des circuits programmés inviolables, dans lesquels il était absolument impossible d'introduire du poison. L'eau qu'ils buvaient et celle dont ils se servaient pour se laver leur arrivait, au contraire, par des tuyaux où il était facile de glisser des substances toxiques. Frigate et Nur avaient imaginé un système grâce auquel l'eau, elle aussi, serait désormais fabriquée par les convertisseurs de l'appartement. L'Ordinateur leur fournit sans rechigner ce dont ils avaient besoin pour relier les robinets aux convertisseurs. Les huit Terriens durent s'improviser plombiers, mais les manuels et l'outillage également fournis par l'Ordinateur les aidèrent à surmonter leur inexpérience. En attendant la fin des travaux, ils recueilleraient dans des bols et des seaux l'eau produite par les convertisseurs.

– A mon avis, c'est comme si on crachait en l'air, déclara Li Po. Il existe pour l'inconnu tant d'autres façons de forcer nos défenses...

– Nous n'en devons pas moins faire tout ce qui est en notre pouvoir pour déjouer ses ruses, rétorqua Nur. Dans la mesure où il trame quelque chose contre nous ; et s'il existe, évidemment !

5.

– Je vais me coucher, dit Burton.

– Moi aussi, répondit Nur. Mais je mange d'abord quelque chose.

Le petit Maure paraissait aussi dispos que s'il venait de dormir à poings fermés durant huit heures d'affilée. Tout le monde, sauf Behn et Marbot, était alors déjà revenu dans la salle commune. Laissant à Nur le soin d'expliquer la solution adoptée pour condamner la porte d'entrée, Burton franchit les quelques mètres de corridor le séparant de l'appartement qu'il occupait au sein de l'appartement. Il y disposait de trois pièces : un séjour de huit mètres carrés qui, en dépit de son ameublement luxueux, pouvait aussi servir de bureau, une chambre à coucher et une salle de bains. Il déboucla la ceinture à laquelle était suspendu l'étui renfermant le lance-rayons et se dépouilla de son seul vêtement, un kilt écarlate orné de lions stylisés d'un jaune éclatant. Le sol disparaissait sous un tapis semblable à celui de la grande salle d'entrée commune, en dehors des motifs dont chacun représentait, ici, trois cercles entrelacés. Les murs étaient crème, mais le maître des lieux n'avait qu'un mot à prononcer pour que l'Ordinateur leur confère la couleur de son choix avec, éventuellement, n'importe quelle surimpression. Des toiles peintes à l'huile s'y accrochaient çà et là ; c'étaient des reproductions fabriquées par l'Ordinateur et pourtant aucun expert n'aurait pu les distinguer de l'original, car elles lui ressemblaient en tous points jusqu'au niveau de la molécule.

A peine fut-il dans son lit que Burton s'endormit profondément. Il se réveilla avec l'impression d'être sous l'effet d'une drogue et le vague souvenir d'un cauchemar. Une hyène deux fois plus grande que lui l'avait menacé de ses crocs, qui se recourbaient comme des cimeterres d'acier. Il se souvenait en avoir paré les coups avec un fleuret, tandis que la hyène riait bruyamment, d'un rire qui ressemblait étrangement au sien.

Ne m'a-t-on pas qualifié, bien injustement, de hyène humaine ? murmura-t-il en se levant. Il lui faudrait faire son lit lui-même, au lieu d'en laisser le soin aux androïdes – des robots en protéine – qui s'acquittaient habituellement de cette tâche. L'entrée de l'appartement leur était interdite, en raison du danger virtuel qu'ils constituaient : l'inconnu pouvait leur avoir ordonné d'attaquer les huit Terriens.

Après s'être adonné durant une heure à de vigoureux exercices, Burton commanda son petit déjeuner à l'Ordinateur. Que ce fût le café, les œufs brouillés, les toasts de pain bis grillés juste à point ou le beurre qui les recouvrait, toutes ces denrées étaient les meilleures que la Terre eût jamais produites. Il y avait aussi une confiture exquise et un fruit dont le goût rappelait un peu celui du melon.

Il se brossa les dents et prit une douche tiède, bien que l'eau pût être empoisonnée. Comme l'avait dit fort justement Nur, si l'inconnu avait eu l'intention de les tuer, ils seraient déjà morts.

Il se ceignit la taille d'un kilt vert foncé, enfila une longue robe flottante verte parsemée d'oiseaux jaunes appartenant à une espèce inconnue, puis brancha un écran mural afin de voir ce qui se passait dans la salle commune. Li Po, Nur, Behn et Turpin y étaient assis, occupés à lire la liste des ordres qu'il leur était permis de donner à l'Ordinateur. Les meubles s'entassaient toujours contre la porte d'entrée.

Burton les rejoignit et, après les avoir salués, demanda si les autres s'étaient manifestés. Nur lui ayant répondu que oui, il s'approcha d'un ordinateur auxiliaire et activa les écrans correspondant aux chambres des absents. Il ne put les voir mais les entendit déclarer qu'ils venaient immédiatement. Quelques minutes plus tard, Alice, Frigate et de Marbot arrivèrent. Alice portait une robe ample de facture chinoise, cramoisie avec des dragons verts, et des pantoufles de brocart à bouts retroussés. Sa chevelure noire, courte et lisse, brillait comme si elle venait d'être longuement brossée. Son maquillage se limitait à une touche de rouge discret sur les lèvres ; elle aurait bien dû le compléter par un soupçon de poudre, afin de camoufler les cernes bistres qui lui bordaient les yeux.

– Je n'ai pratiquement pas dormi, soupira-t-elle en s'emparant d'un siège. Je ne parvenais pas à me débarrasser de l'idée qu'on m'observait peut-être.

– Si nous pouvions nous fier aux androïdes, nous leur ferions tapisser complètement les chambres, dit Frigate. Cela aveuglerait les écrans.

– Si... si, grommela Burton. Je commence à en avoir plein le dos de ces si dont tout dépend ! Je ne peux plus supporter de vivre en cage. Dès que nous saurons ce qu'il nous est possible ou non de faire, nous entreprendrons une chasse à l'homme. Ça sera dangereux, mais quant à moi, je ne vais pas continuer à me terrer comme un lapin dans son trou. Nous ne sommes pas des lapins, mais des humains ; et les humains ne vivent pas claquemurés comme des pigeons.

– Lapins... pigeons... murmura Frigate.

Burton pivota brusquement sur lui-même afin de le dévisager.

– Que diable veux-tu dire par là ?

– Les lapins et les pigeons ne se rendent absolument pas compte qu'ils sont en cage. Ils ignorent qu'on les engraisse afin de les manger. Tandis que nous, nous savons pourquoi Loga a été tué, nous connaissons le sort qu'on nous réserve. Nous sommes bien plus mal lotis que les lapins ou les pigeons. Eux au moins, ils sont stupides, mais heureux. Tandis que nous, nous sommes stupides et malheureux !

– Parle pour toi ! rétorqua Nur. J'aimerais signaler à ceux auxquels la chose aurait échappé que cette liste n'est pas forcément complète. L'inconnu peut s'être arrangé pour que certains des pouvoirs dont nous disposons n'y figurent pas. Et même s'il ne l'a pas fait, il peut à tout moment nous retirer la quasi-totalité de ceux qu'il ne souhaite pas nous voir exercer.

Un long silence s'ensuivit. Li Po se leva, s'approcha d'un convertisseur et commanda un gigantesque verre de whisky. Burton tiqua mais garda le silence. Protester n'aurait servi à rien, et s'opposer en vain au Chinois aurait affaibli son autorité.

Li Po but, rota pour exprimer sa satisfaction et, revenant vers sa chaise, proclama :

– Il me faut une femme !

Burton croyait qu'Alice avait perdu l'habitude de rougir : il constata que sa pudeur victorienne avait la vie dure.

– Continue donc à te branler ! répliqua-t-il. Nous n'allons pas ressusciter une femme dans le seul dessein d'assouvir ta fringale sexuelle : nous avons déjà bien assez de problèmes comme ça !

Le visage d'Alice s'empourpra encore plus. Aphra Behn pouffa.

– Ce n'est pas naturel, protesta Li Po. Mon yang a besoin de son yin.

Ce fut cette fois Burton qui s'esclaffa, parce que « yang » signifiait « excrément humain » dans l'un des idiomes d'Afrique occidentale qu'il connaissait. Po lui demanda la raison de son hilarité. Quand Burton se fut expliqué, le Chinois rugit de rire.

– Bon, si je ne peux pas avoir de femme, je me défoulerai en prenant de l'exercice. Tu pratiques l'escrime ; que dirais-tu d'un petit assaut d'une heure, à l'épée ou au sabre ?

– Ça me ferait du bien à moi aussi. Mais tu es ivre. Tu ne serais pas à la hauteur.

Li Po affirma d'une voix suraiguë que même s'il avait bu deux fois plus, il battrait encore Burton à n'importe quelle arme que celui-ci choisirait. L'Anglais se désintéressant de lui, il retourna en titubant jusqu'à sa chaise, s'y effondra et se mit à ronfler. Frigate et Turpin le transportèrent jusqu'à la porte de sa chambre ; comme celle-ci était verrouillée à l'aide de la formule-code de Li Po qu'ils ignoraient, ils déposèrent leur fardeau sur le sol du couloir et regagnèrent la salle commune.

– On va tous se conduire comme Li Po si on est obligés de rester ici, dit Turpin en se rendant près d'un convertisseur pour commander un grand verre de gin avec un zeste de citron.

Aphra, qui s'était fait servir un verre du même breuvage, le leva et lança :

— Buvons à la folie! Prison pour prison, on est quand même mieux ici qu'à Newgate!

Elle savait de quoi elle parlait: n'avait-elle pas été emprisonnée deux fois pour dette?

La désinvolture qu'elle affichait s'expliquait aisément, bien que cette attitude ne fût guère réaliste. Elle avait un amant, de Marbot, et jouissait ici d'un luxe bien supérieur encore à celui qu'elle avait jadis connu sur la Terre. Il ne lui manquait que la liberté et, pour l'instant, cette jeune femme enjouée et éminemment adaptable n'en souffrait guère.

Si certains des huit Terriens ne se préoccupaient pas suffisamment du péril auquel ils étaient exposés, cela provenait de ce que l'étude de la liste leur ouvrait des perspectives dont l'immensité les éblouissait. Alors qu'ils auraient dû rechercher les restrictions qu'elle leur imposait, ils n'en retenaient que les aspects alléchants. Burton comprenait certes leur excitation, mais il s'inquiétait de l'insouciance dont ils faisaient preuve à l'égard des dangers qui les attendaient, littéralement, au tournant du couloir.

A en juger par l'expression des visages, Nur était le seul à ne pas oublier l'ennemi inconnu. Burton éprouva l'envie de tomber à bras raccourcis sur les autres. Il se contenta de les arracher brutalement à leurs rêves en frappant énergiquement dans ses mains.

— Assez rigolé! La situation est sérieuse. Mortellement sérieuse. Nous n'avons pas le temps de penser à autre chose qu'à la manière de combattre l'ennemi. Vous pourrez vous amuser autant que vous voudrez quand nous l'aurons vaincu. En attendant... L'inconnu possède un grand avantage sur nous: il sait beaucoup mieux se servir de l'Ordinateur. Mais si nous apprenons à l'utiliser contre lui, l'Ordinateur deviendra notre allié. Permettez-moi de vous rappeler que celui-ci n'est pas uniquement cette énorme masse électroneurale de protéine qu'on aperçoit au fond du puits central; il a aussi un corps: le gigantesque édifice qui se dresse autour de nous. L'organe de protéine est le *cerveau*, le centre moteur de l'Ordinateur, tandis que la majeure partie de ses circuits courent dans les planchers, les murs et les plafonds de la tour. Nous sommes à l'intérieur du cœur et du système nerveux de l'ennemi; il ne nous reste qu'à trouver le moyen de les endommager; ou plutôt, de nous en rendre maîtres afin d'en faire une arme de guerre.

— Si tu songes à attacher un grelot au cou du chat, nous ne savons même pas où se cache le chat ! dit Alice.

— Il s'agit peut-être d'une souris qui se fait passer pour un chat, enchaîna Nur.

— Si... peut-être... toujours des suppositions. A partir de maintenant on ne suppose plus : on agit !

— Bravo, mais comment ? répliqua le Maure. L'inconnu écoute et écoutera peut-être — non, probablement — ce que nous racontons et raconterons ; s'il ne nous regarde pas le raconter !

— J'ai dit : plus de si ni de peut-être ! tonna Burton.

Frigate s'esclaffa :

— Nous ne pouvons faire autrement, nous sommes tous fous ici. Je suis fou ; tu es fou. Nous devons l'être, sinon nous ne serions pas ici.

— Qu'est-ce que tu barjaques ? s'étonna Burton.

— Il parodie le dialogue d'Alice et du Chat de Chester dans *Alice au Pays des Merveilles*, expliqua Alice.

— Oui, l'allusion au chat m'a rappelé le Chat de Chester, convint Frigate. L'inconnu, c'est en quelque sorte le sourire sans chat.

Burton leva les bras au ciel :

— Comme je regrette de ne vous avoir pas eus tous sous mes ordres quand j'étais dans l'armée !

Un silence s'établit, mais il ne durerait certainement pas longtemps, avec une bande d'ostrogoths pareils.

— Voilà ! s'exclama Frigate. C'est exactement ce qu'il nous faut !

— Quoi donc ?

— Une armée. Nous n'avons qu'à demander à l'Ordinateur de nous fabriquer une armée de robots et d'androïdes ; en nous arrangeant pour que l'inconnu, que je propose de baptiser le Snark, ne puisse pas les soustraire à notre autorité. On leur commanderait de se livrer à la chasse au Snark et de nous protéger ; on leur ordonnerait aussi de capturer ou de tuer quiconque n'est pas nous : tout autre que nous serait l'ennemi. Les robots et les androïdes accompliraient en très peu de temps ce qui nous demanderait des années.

Burton le fixa d'un œil rond, puis laissa tomber :

— Tu as passé une trop grande part de ta vie à écrire — comment appelles-tu ça ? — de la science-fiction. Ça t'a délabré les méninges.

– Ce que je propose est bien loin d'excéder les possibilités de la tour. Si nous voulons gagner, il faut bien voir grand. Je sais que ça paraît dingue, mais nous avons besoin d'une armée, disons heu... d'environ cent mille hommes, et nous pouvons la réunir.

L'énoncé de ce chiffre suscita des éclats de rires. Frigate ne se laissa pas démonter. « Je suis tout ce qu'il y a de plus sérieux ! » S'approchant d'une console, il frappa quelques touches et effectua une opération, une simple multiplication : le chiffre 107.379 s'incrivit sur l'écran. « En comptant trois automates pour chaque pièce de la tour, nous arrivons à un total de cent sept mille trois cent soixante-dix-neuf. Nous pourrions les avoir en quelques jours. Ils surveilleraient l'intérieur et les abords de toutes les pièces dont nous connaissons l'existence, et ils s'emploieraient à déceler les salles secrètes. »

Nur sourit :

– J'admire ton esprit fertile ; mais pas ta démesure ni ton superbe mépris des réalités.

– Je ne comprends pas. La mesure est fonction des circonstances ; en l'occurrence, elle serait déplacée. Quant au mépris des réalités, constituer cette armée est parfaitement à notre portée.

Nur concéda que constituer une armée deux fois plus nombreuse encore ne serait pas difficile. Mais les androïdes étaient dépourvus de conscience individuelle et d'intelligence ; ils n'exécutaient que les tâches en vue desquelles on les programmait. On serait obligé de scinder l'armée en petites unités autonomes, ce qui impliquait l'existence d'une structure de commandement composée d'officiers et de sous-officiers, soit d'androïdes capables de prendre des initiatives quand ils se trouveraient confrontés à des situations non prévues dans leur programmation. Or ces chefs n'auraient pas la moindre idée de ce qu'ils devraient faire ; bien plus : ils ne sauraient même pas qu'ils avaient quelque chose à faire !

– En outre, ajouta Burton, nous nous heurtons toujours au même problème : l'inconnu ne dissimulerait-il pas dans les robots et les androïdes une espèce de télécommande lui permettant de les manipuler à sa guise ?

– Ce qu'il envisage probablement en cet instant même, intervint Alice. S'il nous espionne, il a toujours une longueur d'avance sur nous.

Elle frissonna.

Frigate s'obstina.

– Pour répondre à ton objection, Dick, rien ne nous empêche d'apporter certaines modifications au système neural des androïdes. Nous pourrions les rendre en partie mécaniques ; j'entends par là les doter, disons d'une sorte de dispositif de sûreté ou de combinaison qui enregistrerait nos ordres mécaniquement et les retransmettrait électriquement. Nous ne réglerons la combinaison qu'après avoir reçu les pièces fabriquées par l'Ordinateur, de sorte que ni lui, ni le Snark, ne pourraient les violer. Et... oh merde ! Le Snark pourrait toujours introduire dans l'androïde un complexe neuronal à l'aide duquel il lui ordonnerait, par radio ou autrement, de ne pas tenir compte des instructions transmises par notre dispositif !

– La dure vérité, c'est que nous sommes à la merci de ce Snark, dit Nur. Il n'a pas besoin de nous attaquer : il lui suffit de couper le courant électrique pour nous réduire à mourir de faim. Si telle était son intention, il aurait déjà pu le faire, et qu'il s'en soit abstenu nous permet de présumer qu'il ne le fera pas. Il nous a imposé quelques restrictions dans l'emploi de l'Ordinateur, mais en nous accordant des pouvoirs considérables. Il existe un certain nombre de choses qu'il souhaite nous interdire. En dehors de ça, il nous ignore complètement. La question, l'une des questions qui se posent, est : pourquoi agit-il ainsi ?

– Et si quelqu'un doit y répondre un jour, ce sera lui, et pas nous, conclut Frigate.

– En effet. Bon, pendant que vous dormiez tous, j'ai demandé à l'Ordinateur de repérer l'emplacement de l'entrée secrète que Loga s'était aménagée il y a bien longtemps déjà. Celle par laquelle nous avons pénétré dans la tour après avoir franchi les montagnes et nous être approchés de sa base en bateau. J'ai tenté de la faire ouvrir par l'Ordinateur, en me disant que l'inconnu désirait peut-être que nous retournions dans la Vallée, mais sans vouloir, pour des raisons évidentes, que nous empruntions l'un des aéronefs.

– La porte secrète est restée fermée.

– L'inconnu ne souhaite donc pas que nous quittions la tour.

– S'il vient un jour à changer d'avis, il le manifestera en déverrouillant une issue. En attendant, nous sommes prisonniers. Toutefois, notre prison est vaste et elle recèle, en un sens, plus de trésors que la Terre et la Vallée où nous avons vécu. Des trésors de nature physique, mentale, morale et spirituelle.

Je suggère que nous tentions de les découvrir et d'en tirer parti. Cela vaudra toujours mieux que de rester enfermés dans cet appartement.

« Ce qui signifie pas, bien entendu, que nous allons cesser de réfléchir à la façon de forcer les interdits de l'inconnu. Ce que quelqu'un édifie, quelqu'un d'autre peut toujours le démolir ; l'inconnu n'est pas un dieu.

– Tu nous proposes en somme de réintégrer nos appartements respectifs et de vivre comme si l'inconnu n'existait pas ? s'enquit Burton.

– Je dis que nous devrions quitter cet endroit précis, qui constitue une petite prison, pour revenir dans la grande prison. Après tout, la Terre aussi était une prison ; de même que la Vallée. Mais dès lors qu'on se trouve dans un espace assez vaste pour donner l'illusion de la liberté, on ne se considère plus comme un prisonnier. L'homme demi-libre est celui qui s'imagine libre. L'homme véritablement libre est celui qui sait tout ce qu'il peut faire dans sa prison et qui le fait.

– Sagesse de soufi ! plaisanta Burton, avec, cependant, une nuance de sarcasme. On a vraiment l'air fin : on commence par se précipiter dans un trou, on se demande ensuite pourquoi on s'y est précipité, et on décide que ce n'était pas nécessaire !

– Nous avons suivi notre instinct, commenta Nur. Il nous a induit en erreur. Nous avons cru devoir chercher un endroit où nous serions en sécurité – du moins, qui nous en donnerait le sentiment. Puis après avoir recouvré une paix d'esprit relative, nous avons évalué notre situation.

– Qui ne s'est pas révélée particulièrement apaisante pour l'esprit ! Ouf ! Je me sens mieux. Je vais avoir un peu moins l'impression d'être emprisonné. Et je ne peux plus voir cette barricade de meubles ; démolissons-la !

– Attendez, s'écria Frigate. J'ai quelque chose à dire auparavant.

Burton, qui se dirigeait déjà vers la porte, se retourna.

– Nur n'est pas le seul à avoir effectué sa petite enquête privée, poursuivit Frigate. Comme vous le savez, il est impossible de ressusciter Monat à cause de l'ordre que Loga a donné et que le Snark a confirmé. L'enregistrement de son corps figure toujours dans les archives ; mais quand j'ai demandé à l'Ordinateur de me montrer son *wathan* dans le puits, il m'a répondu qu'il n'y était plus. Vous comprenez ce que cela signifie : Monat est passé de l'autre côté !

Des larmes jaillirent des yeux de Burton, que ce chagrin ne laissa pas de surprendre : il ne s'était encore jamais douté combien il aimait Monat. L'une des premières personnes qu'il avait connues au cours de sa première résurrection était cet être bizarre, si manifestement d'origine extra-terrestre, qui l'avait accompagné longtemps dans la Vallée, en l'impressionnant par sa bonté et sa sagesse. Il se dégageait de lui une impression de *chaleur*. En dépit de son aspect extérieur, Monat était profondément humain, ou plutôt l'humain idéal.

Burton en était venu à le considérer comme une sorte de père, quelqu'un de plus fort et de plus avisé que lui, un maître, un guide. Et maintenant, il s'en était allé à tout jamais.

Mais pourquoi versait-il des larmes et avait-il le cœur serré ? Il aurait dû se réjouir, être transporté de bonheur : Monat était parvenu au stade où il serait délivré de son encombrante enveloppe charnelle.

Cela venait-il de ce qu'il éprouvait un sentiment de perte ? Avait-il imaginé, dans les profondeurs de son inconscient, que Monat le libérerait de l'emprise de Loga, le sauverait en somme ? Espérait-il que l'extra-terrestre sortirait des archives comme le Christ du tombeau, Arthur du lac ou Charlemagne de sa crypte pour secourir les vaincus et les assiégés ?

Le caractère étrange de ces pensées le frappa. Il fallait qu'elles aient circulé quelque part en lui, en attendant le moment propice pour remonter à la surface.

Son père naturel n'avait pas été un véritable père, conforme à ce qu'un fils souhaite généralement. C'était pourquoi, peut-être parce qu'il n'aurait jamais pu accepter qu'un autre Terrien remplisse ce rôle, Burton lui avait en quelque sorte substitué Monat. Celui-ci provenait d'un monde différent et par conséquent... quel était le terme consacré ?... non *souillé*. Qu'il était donc curieux qu'un tel mot lui vienne à l'esprit !

Quoi qu'il en fût, personne ne reverrait jamais Monat en ce monde. Il était passé de l'autre côté ; pour aller où ?

Afin de cacher ses larmes, Burton s'approcha d'un pas décidé des meubles entassés contre la porte et entreprit de les en éloigner. Quand les autres le rejoignirent, il avait les yeux secs.

Il ouvrit la porte et absorba une grande goulée d'air. Celui-ci n'était pas plus pur que dans l'appartement, mais il fleurait la liberté.

6.

Une salle proche de leurs appartements privés abritait un piscine qui mesurait soixante mètres de long sur trente de large. Quand personne ne s'y trouvait, elle restait plongée dans l'obscurité, mais des détecteurs de chaleur l'illuminaient dès que quelqu'un y pénétrait. La lumière provenait d'un faux soleil qui resplendissait au centre d'un faux ciel d'azur perpétuellement immaculé. Projetée en trompe-l'œil sur les murs de la salle, une forêt dominée dans le lointain par des montagnes couronnées de neige semblait entourer la piscine. Même si l'on se tenait à quelques centimètres des murs, les arbres paraissaient réels, comme les oiseaux qui voletaient de branche en branche en chantant mélodieusement. De temps en temps, les baigneurs voyaient un lapin ou un renard trottiner et, plus rarement, un ours ou une panthère se déplacer silencieusement dans la pénombre du sous-bois. L'eau, dont la profondeur atteignait douze mètres à l'extrémité du bassin, était limpide et fraîche : sa température avoisinait les vingt degrés centigrades. Les huit Terriens avaient pris l'habitude de se réunir en ces lieux au milieu de la matinée pour une séance de natation qui durait une heure environ.

Burton avait étudié jusqu'à onze heures la liste des restrictions apportées à leur liberté d'action. Il entra dans la grande salle, qui résonnait de cris et de bruits d'éclaboussures, et resta un moment immobile au bord de l'eau. Tous ses compagnons étaient là, à l'exception de Nur, les hommes en slip de bain, les femmes en bikini. Ils se comportaient avec une insouciance apparente et n'avaient pas posté de sentinelle ; des lance-rayons s'alignaient cependant sur le rebord du bassin, tandis que les contours de plusieurs autres se détachaient sur les motifs rouges, noirs et verts qui en ornaient le fond.

Burton plongea, traversa sept fois la piscine dans toute sa longueur, puis en ressortit pour attendre que de Marbot passât près de lui et l'interpellât. Le Français se retourna, s'approcha, leva la tête ; Burton contempla ses yeux bleus pétillant de gaieté, sa chevelure noire luisante, son visage arrondi et son nez retroussé. S'accroupissant, il lui dit :

— J'ai l'intention d'effectuer une petite balade en fauteuil volant à travers la tour, une reconnaissance. Veux-tu venir avec moi ?

— Avec plaisir ! répondit joyeusement de Marbot. (Ses yeux

s'étrécirent et il demanda avec un sourire entendu :) Tu espères surprendre le Snark ?

– Je n'y compte guère ; mais... ça pourrait l'inciter à bouger. Nous allons jouer les appâts humains.

– Je suis ton homme !

Le Français s'extirpa de l'eau ; il ne mesurait qu'un mètre soixante-deux et partageait avec Nur la particularité d'être le plus petit du groupe. Burton l'avait néanmoins choisi pour l'accompagner en raison de son extrême bravoure et de son expérience du combat, qui surpassait celle de n'importe lequel des sept autres Terriens. Il avait servi sous Napoléon, participé à la plupart des grandes batailles livrées par celui-ci, reçu dix-sept blessures, pris part à des centaines d'engagements mineurs et mené une vie si aventureuse que A. Conan Doyle avait écrit une série de nouvelles inspirées de ses exploits. Aussi fine lame que redoutable tireur, il conservait au feu un sang-froid exceptionnel.

Ils s'essuyèrent dans une antichambre, enfilèrent des vêtements secs – chemises sans manches et shorts – rangèrent leur lance-rayons dans des étuis. En repassant au bord de la piscine, Burton s'arrêta une minute pour avertir Turpin qu'ils partaient en expédition.

– A quelle heure vous rentrez ? s'enquit Turpin, sans cesser de mâchouiller le morceau de coq de bruyère nourri aux airelles qui lui emplissait la bouche.

– Vers dix-huit heures, répondit Burton, en consultant sa montre-bracelet.

– Vous devriez p't-être nous appeler toutes les heures.

– Non. (Burton avait baissé la voix et regardait le mur comme si celui-ci avait des oreilles ; ce qui était le cas !) Je ne veux rien faire qui puisse aider l'inconnu à nous repérer.

Turpin sourit.

– Ouais. T'as raison. J'espère qu'on vous reverra. Il éclata de rire, en recrachant des parcelles de viande et de pain.

La conduite du Noir inquiétait Burton. Il avait beaucoup maigri au cours de la pénible et dangereuse escalade des montagnes qui bordaient la mer polaire. Il paraissait s'appliquer maintenant à redevenir aussi gras que sur la Terre, où il pesait plus de cent trente-cinq kilos. Il mangeait sans arrêt et buvait presque autant que Li Po.

– Nous volerons au hasard ; je n'ai pas la moindre idée de l'endroit où nous irons.

— Bonne chance !

Burton fit deux pas avant de s'apercevoir que le Français ne le suivait pas. Regardant autour de lui, il le vit s'entretenir avec Aphra. Il lui expliquait certainement pour quelle raison il allait s'absenter un moment. De Marbot suscitait l'envie parce qu'il ne dormait pas seul, mais cela ne présentait pas que des avantages. Il était obligé de rendre compte à sa compagne de son emploi du temps et, à en juger par leurs mimiques, elle acceptait mal de ne pas être de l'expédition. Burton songea qu'il l'emmènerait volontiers avec lui une autre fois ; elle était endurante, calme et compétente. Mais aujourd'hui, il ne voulait avoir qu'un seul coéquipier.

C'est le visage légèrement courroucé que de Marbot revint vers lui.

— Je n'avais encore jamais entendu cette expression anglaise : « baiser une oie au vol », fulmina-t-il. Puis, avec la versatilité d'humeur qui le caractérisait, il s'esclaffa : Que c'est drôle ! Ça ne doit vraiment pas être facile !

— C'est une question de synchronisation, rétorqua gravement Burton.

Ils quittèrent la piscine dont la porte se referma sur leurs talons en les isolant instantanément du vacarme qui y régnait. Le couloir s'étendait devant eux, vaste et silencieux. Quelqu'un — ou quelque chose — les guettait-il, tapi dans un recoin, prêt à fondre sur eux ? Il n'était que trop facile de l'imaginer.

Burton indiqua du doigt à de Marbot les recharges pour lance-rayons dont il avait rempli les sacoches latérales des deux fauteuils. Ils s'installèrent sur ceux-ci et décollèrent. Burton en tête, de Marbot à trois ou quatre mètres derrière lui, les deux hommes filèrent vers le puits vertical situé au bout du corridor. Avec l'habileté acquise au cours des trois dernières semaines, Burton incurva sa trajectoire de manière à pénétrer dans le puits presque sans ralentir et se dirigea vers le haut.

Il ressortit à l'étage suivant animé d'une telle vitesse que sa tête faillit heurter le plafond. Piquant alors pour ramener les pieds du fauteuil à quelques centimètres du plancher, il longea comme une flèche les parois recouvertes de fresques animées jusqu'à l'extrémité du couloir, où il s'arrêta, fit pivoter son siège et ordonna : « Passe devant un instant. »

Ils explorèrent jusqu'à la dernière coursive de l'étage. Les portes de toutes les chambres étaient fermées. Leur ennemi se cachait-t-il derrière l'une d'elles ? Burton n'en savait rien, mais il ne le pensait pas.

Le Snark avait certainement été avisé par l'Ordinateur que ses capteurs décelaient la chaleur dégagée par les deux hommes ; il lui aurait enjoint de le prévenir si ceux-ci empruntaient une route les rapprochant de lui. Peut-être avait-il aussi activé les écrans muraux et était-il en train de les observer.

Quand ils eurent parcouru tout l'étage, de Marbot immobilisa son fauteuil près d'un puits et s'exclama : « Quel plaisir que de sentir le vent vous fouetter le visage, vous ébouriffer les cheveux, de voir le paysage défiler rapidement autour de soi. C'est presque aussi bon que de chevaucher un pur-sang – et aucun cheval n'accepterait de bondir dans ces puits ! »

Burton, repassant en position d'éclaireur, escalada le puits jusqu'au dernier étage, dont le couloir les conduisit à l'entrée du grand hangar qu'ils avaient visité quelques jours plus tôt. Ils en franchirent le porche et se retrouvèrent dans l'immense salle où les aéronefs broyaient du noir. Burton les compta : leur nombre n'avait pas changé. L'inconnu était donc toujours dans la tour. A moins qu'il n'ait dissimulé un autre véhicule quelque part ailleurs. Il y avait toujours un « à moins que ».

– Nous pourrions évidemment subtiliser les bandes magnétiques du système de navigation du vaisseau spatial, afin d'empêcher le Snark de l'utiliser. Mais je suis sûr que l'Ordinateur en détient des copies. L'inconnu n'aurait qu'à lui demander de les reproduire.

– Pourquoi voudrait-il se servir d'un vaisseau spatial ?

– Je l'ignore. Mais j'aimerais bien déranger un peu ses plans, l'asticoter.

– La piqûre du moustique !

– Eh oui, je crains, hélas ! que nous n'en soyons réduits à ça. Mais n'oublie pas qu'un moustique peut tuer un homme s'il lui transmet le paludisme.

Burton ne s'exprimait pas ainsi par pure bravade. Il était convaincu qu'il existait dans les défenses du Snark un point faible, une faille quelconque, aussi minime qu'elle fût.

Renfourchant leurs fauteuils, ils gagnèrent rapidement l'étage immédiatement inférieur par le puits central, et débouchèrent dans un hall circulaire large de quarante-cinq mètres et haut de cent cinquante. Douze portes métalliques carrées, situées à égale distance les unes des autres, en perçaient les murs. Chacune d'elles, d'après les plans fournis par l'Ordinateur, donnait sur une salle triangulaire comme une part de gâteau, dont le plafond, haut de cent vingt-deux mètres, s'arrondissait sur les bords pour se fondre dans la paroi de la rotonde centrale.

Quand Burton avait examiné ces plans, il avait eu l'intention de demander à l'Ordinateur ce que ces immenses salles contenaient. Une affaire urgente avait sollicité son attention avant qu'il n'ait eu le temps de poser la question et il avait oublié ensuite le le faire. Maintenant qu'il était là, il allait se rendre compte par lui-même de leur destination.

Au centre de chaque porte, un emblème en or indiquait à quel Éthique du Conseil des Douze appartenait le domaine qu'elle desservait. L'emblème situé juste en face de Burton se composait de deux barres horizontales coupant deux barres verticales, plus longues que les premières. C'était celui de Loga, dont cette double croix symbolisait en somme assez bien la duplicité.

Burton prononça le mot-code qui l'identifiait et un écran lumineux apparut au-dessus des barres.

– Je veux pénétrer dans cette pièce, dit-il. Ai-je besoin de prononcer une formule spéciale pour en ouvrir la porte ?

– OUI, répondit l'écran.

– Quelle est cette formule ?

Il pensait que l'Ordinateur allait refuser de la lui révéler et fut donc surpris de voir s'inscrire sur l'écran, encore qu'en caractères éthiques : PAR ORDRE DE LOGA.

– Simple comme bonjour, murmura de Marbot.

Burton, en émettant le vœu que Loga n'eût pas aussi assujetti le mécanisme de verrouillage au timbre de sa voix, prononça la formule avec un accent éthique parfait.

Le vantail s'ouvrit vers l'extérieur, révélant une petite pièce dépourvue de mobilier et bien éclairée, au fond de laquelle un escalier donnait accès à une autre porte, ordinaire celle-là, précédée d'une petite loggia. Les deux Terriens gravirent l'escalier et Burton poussa la porte. Une vive lumière les aveugla aussitôt ; ils restèrent un instant à cligner des yeux avant de bien saisir ce qui s'offrait à leur regard.

Bien qu'ils fussent à proximité de la courbe formée par les murs, ils avaient l'impression que ceux-ci se prolongeaient sur des kilomètres à leur gauche et à leur droite, tandis que devant eux la vue s'étendait jusqu'à un horizon très lointain. Cette dernière impression n'était pas une illusion, cependant, puisque cette salle gigantesque mesurait, en longueur, huit kilomètres sept cents.

— C'est un petit monde! dit à voix basse de Marbot.

— Pas si petit que ça!

La majeure partie des lieux était occupée par ce qui ressemblait à un grand parc bien entretenu, avec de nombreux arbres et des pelouses tondues. Au loin, à quelque quatre kilomètres de là semblait-il, un bâtiment que le soleil de midi embrasait se dressait au sommet d'une butte en pente douce. Le bâtiment était probablement réel, le soleil indiscutablement artificiel.

— On dirait une villa romaine, observa Burton. Mais je gage que si nous allions l'examiner de plus près, elle se révélerait nettement plus confortable à beaucoup d'égards.

Leurs fauteuils auraient pu franchir les portes par lesquelles ils étaient passés; Burton renonça cependant à explorer le fief de Loga. Ils revinrent donc dans le hall central et se firent indiquer par l'Ordinateur la formule qui leur permettrait d'entrer dans la salle voisine, laquelle était l'ex-domaine de l'épouse de Loga. L'antichambre était la même, mais ce qu'ils découvrirent ensuite les frappa de stupeur. Aussi immense que la précédente, la salle n'était qu'un vaste labyrinthe de miroirs de toute taille, disposés dans un ordre dont le principe leur échappa. Leur image, captée et renvoyée par les plus proches, se réfléchissait maintes fois dans chacun d'eux jusqu'à l'infini. La lumière semblait provenir de toute part, sans qu'il fût possible d'en repérer la source. Très loin, on devinait plus qu'on ne voyait des colonnes formant un cercle. Elles se reflétaient, elles aussi, dans les miroirs, mais l'ensemble était agencé de telle façon qu'ils s'apercevaient, minuscules, entre leurs fûts.

— A quoi ceci peut-il servir? s'étonna de Marbot.

Burton haussa les épaules en signe d'ignorance.

— C'est une énigme que nous tâcherons de percer. Mais pas maintenant.

En pénétrant dans la salle suivante, ils se crurent transportés dans un désert d'Arabie. Un soleil brûlant dardait ses rayons sur une mer de sable et de rochers que parsemaient, çà et là, quelques collines. L'air était beaucoup plus sec que dans les deux salles précédentes. A quatre ou cinq kilomètres d'eux se profilait ce qui ressemblait à une importante oasis. De grands palmiers jaillissaient de l'herbe, autour d'un lac dont les eaux ondulantes miroitaient dans la lumière crue d'un milieu de matinée.

Les squelettes de trois animaux gisaient non loin des Terriens. Burton ramassa un crâne, l'examina et conclut : « Lion ! »

– C'est remarquable ! bafouilla de Marbot, en revenant sous le coup de l'émotion, à sa langue natale. Puis, en anglais cette fois, il commenta : Trois mondes différents. Lilliputiens, certes, et néanmoins assez vastes pour répondre pleinement à leur objet ; qui m'échappe, je l'avoue.

– Je suppose, mais je peux me tromper, que ce sont... c'étaient... des retraites pour les membres du Conseil des Douze. Des espèces de... heu... lieux de villégiature. Chacun d'eux s'était créé un monde conforme à ses aspirations, son tempérament, où il se retirait de temps en temps afin de satisfaire ses inclinations spirituelles ; et physiques aussi, bien entendu.

De Marbot aurait aimé jeter un coup d'œil dans les autres salles, mais Burton refusa en alléguant qu'ils en auraient largement le temps plus tard. Dans l'immédiat, il leur fallait poursuivre leur mission de reconnaissance.

Comme le Français s'apprêtait à dire quelque chose, il lui coupa la parole :

– Oui, je sais. Mais je préférerais voir le plus vite possible le plus de choses possibles. C'est mieux que de nous faire tout montrer par l'Ordinateur en fainéantant dans nos chambres. De plus, qui nous prouve qu'il nous montre *tout* ? Il peut omettre n'importe quoi sur l'injonction du Snark, et nous n'avons aucun moyen de le vérifier. Rien ne vaut une bonne visite des lieux. Nous allons effectuer une patrouille aérienne, jouer les oiseaux, acquérir une vision d'ensemble de tout ce qu'il y a à l'intérieur de la tour. Nous pourrons ensuite prendre le temps de nous intéresser aux détails.

– Ce n'est pas de cela que je voulais parler. J'allais simplement t'entretenir de l'état de mon estomac ; il crie famine !

Reprenant leurs fauteuils, ils descendirent à l'étage suivant par le puits central, empruntèrent un couloir jusqu'à la première porte, qu'ils ouvrirent et franchirent. La pièce où ils entrèrent ne comportait, en guise de mobilier, qu'un convertisseur mural. De Marbot se commanda des escargots de Bourgogne, avec du pain français et un verre de vin blanc. Trente secondes plus tard, il retirait du convertisseur plat, assiette, verre et serviette. Quand il huma l'arôme délicat qui se dégageait du plat, ses yeux bleus se dilatèrent d'admiration.

– Tudieu ! Je n'aurais jamais obtenu sur la Terre quelque chose d'aussi parfait, d'aussi succulent ! C'est certainement la reproduction d'un mets dont l'original a été cuisiné par un grand chef parisien. Quel pouvait être le nom de ce génie ? J'aimerais le ressusciter, ne serait-ce que pour le remercier !

– Un de ces jours, je vais me commander un repas délibérément raté, histoire de changer un peu. Tu ne trouves pas lassant de ne bouffer que des choses exquises ? De ne jamais rien manger qui ne soit un régal ?

– Ah non ! s'indigna de Marbot, qui sursauta en voyant le menu hétéroclite que Burton s'était composé : biscuits au babeurre et pigeonneaux à la crème, accompagnés d'une énorme chope de bière brune.

– Barbare ! Et je croyais que tu n'aimais pas la bière ?

– Si. Avec le jambon et le pigeon.

– *De gustibus non disputandum.* Je ne sais pas qui a dit ça, mais c'était un fieffé imbécile !

Une partie du mur s'abaissa pour servir de table et ils attaquèrent leur repas.

– Délicieux ! s'exclama de Marbot, en claquant des lèvres.

Trois semaines plus tôt, il était maigre comme un clou. Son visage commençait maintenant à s'empâter et sa taille à s'arrondir.

– Il y a un glacé de viande que je tiens absolument à goûter.

– Tout de suite ?

– Non. Je ne suis pas un goret. Plus tard ; ce soir.

Comme dessert, le Français s'octroya un soufflé aux figues arrosé d'un verre de vin rouge.

– Excellent !

Après s'être lavé les mains dans la salle de bains, ils rejoignirent leurs fauteuils.

– Nous devrions marcher un peu, afin d'éliminer toutes ces calories, observa Burton.

– Nous les éliminerons en nous livrant un assaut au sabre avant le dîner.

7.

Les couloirs qu'ils traversaient s'illuminaient quelques secondes seulement avant leur arrivée. Réagissant à la chaleur de leurs corps, les détecteurs enchâssés dans les murs actionnaient des interrupteurs qui allumaient les lampes devant eux et les éteignaient après leur passage. De ce fait, l'inconnu savait probablement l'endroit exact où ils se trouvaient ; il n'avait qu'à prier l'Ordinateur de lui transmettre l'image de tous les endroits éclairés. Mais il ne pouvait pas demeurer en permanence planté devant les écrans : il lui fallait bien dormir de temps en temps. Toutefois, il avait sans doute chargé l'Ordinateur de le réveiller si les Terriens parvenaient, d'une manière quelconque, à le serrer d'un peu trop près.

Burton et de Marbot descendirent un puits vertical qui les amena dans un grand couloir. A mi-chemin de celui-ci, ils s'arrêtèrent et quittèrent leurs fauteuils. Une paroi transparente, inclinée vers l'extérieur, fermait une vaste cavité d'où jaillissait une vive clarté. Le haut de la cavité était vide et les deux hommes dominaient de cent cinquante mètres la source de cette lumière : une masse dansante, tournoyante, grouillante de globes qui ressemblaient à de minuscules soleils. De Marbot prit deux paires de lunettes noires dans une boîte placée sur une étagère voisine et en tendit une à Burton. Celui-ci, l'ayant mise, jouit pour la énième fois du spectacle le plus somptueux qu'il lui eût jamais été donné de contempler : plus de dix-huit milliards d'âmes rendues visibles et rassemblées en un seul endroit. Les Éthiques leur donnaient le nom de *wathans*, équivalent, en plus précis, de celui d'*âme* qu'employaient les Terriens. Le *wathan* était cette entité d'origine artificielle qui s'attachait à chaque humain dès l'instant où le spermatozoïde s'unissait à l'ovule pour former le zygote et ne s'en détachait qu'à la mort de cette personne. C'était elle qui avait conféré à l'*Homo sapiens* la notion du « moi », elle qui renfermait la part immortelle de l'individu.

On ne pouvait apercevoir les *wathans* qu'à l'aide d'un dispositif spécial, en l'occurrence la matière polarisée qui formait la paroi transparente de la cavité. Ils se présentaient sous l'aspect de sphères incandescentes, multicolores et chatoyantes, munies de tentacules qu'ils déployaient ou rétractaient en tourbillonnant sur eux-mêmes. En paraissant tourbillonner, plus exactement ; ce que Burton et de Marbot voyaient n'était pas la réalité, du moins pas dans sa totalité : ils ne voyaient que ce que leur cerveau était en mesure d'appréhender, une image transformée par leur système nerveux.

Les *wathans* – les âmes – dansaient ou semblaient danser, virevolter, changer de couleur, se traverser mutuellement, parfois se fondre entre eux pour constituer un *superwathan* qui, quelques secondes plus tard, se disloquait en laissant réapparaître les sphères originales.

Étaient-ils inconscients quand ils se trouvaient séparés du corps qui leur servait d'hôte ? Pensaient-ils alors ? Nul ne le savait. Lors de la résurrection, quand ils rejoignaient le corps de leurs possesseurs, personne ne conservait le moindre souvenir de l'existence que son *wathan* avait menée durant sa mort.

Les deux amis demeurèrent un instant en extase devant cette merveille que rien, à coup sûr, ne surpassait dans l'univers.

– Dire que j'ai de nombreuses fois pris part à ce ballet extraordinaire, murmura Burton.

– Et dire que si les Éthiques n'avaient pas fabriqué ces *wathans*, nos corps seraient redevenus poussière depuis des milliers d'années et le seraient restés jusqu'à ce que la poussière elle-même disparaisse...

Loin au-dessous de la nébuleuse ardente, on devinait un énorme amas gris. Il paraissait informe, mais Loga avait assuré qu'il ne l'était pas.

« C'est le sommet du titanesque agrégat de protéine organisée qui constitue l'unité centrale de l'Ordinateur, avait-il expliqué. Le cerveau vivant mais dépourvu de conscience individuelle auquel la tour, les pierres à graal et la chambre de résurrection tiennent lieu de corps. Il ne revêt cependant pas la forme de celui qu'abrite le crâne humain. Si on pouvait le comparer à quelque chose, ce serait à l'une de vos grandes cathédrales gothiques, avec ses arcs-boutants, ses flèches, ses gargouilles, ses porches et ses vitraux. Il baigne dans de l'eau contenant du sucre en suspension ; si on l'en privait, il dépérirait et se transformerait en boue grisâtre. Il faut que vous alliez le voir un jour : ça vaut le déplacement ! »

Titanesque, il devait l'être, pour que les Terriens le distinguent d'où ils se tenaient, soit à près de cinq mille mètres audessus de lui, et ce à travers la houle flamboyante des *wathans*. Ce qu'ils en voyaient, flou comme un nuage gris, n'était qu'une portion de sa face supérieure ; le reste occupait un dôme aménagé à la base de la cavité.

Jusqu'ici, les Terriens ne s'étaient pas aventurés jusqu'à l'étage d'où ils auraient découvert l'ensemble du cerveau et Burton n'avait nullement l'intention de s'y rendre dans l'immédiat. Remontant sur son fauteuil, il entraîna son compagnon de l'autre côté de la tour où ils s'enfoncèrent à nouveau dans un puits. Burton compta les étages au passage, comme il les avait comptés la première fois qu'ils les avait gravis, jusqu'à ce qu'il parvienne à celui d'où il était alors parti et où Loga possédait sa chambre secrète.

Il immobilisa son fauteuil avant d'atteindre la chambre ; le Français vint se ranger à côté de lui : « Qu'est-ce qui se passe ? »

Burton l'invita à se taire en plaçant un doigt sur ses lèvres. Aucun écran mobile ne se dessinait sur les murs, mais il était à craindre que l'inconnu pût les surveiller par d'autres moyens. S'il ne les observait pas à l'instant précis, il était probable que l'Ordinateur filmait leurs faits et gestes à son intention.

Ils pénétrèrent dans un grand laboratoire équipé d'appareils dont Burton ignorait la destination – à l'exception de quatre énormes armoires métalliques grises qui étaient des convertisseurs énergie-matière. Leurs parois contenaient tous les circuits nécessaires, ou, plus exactement, servaient elles-mêmes de circuits. Le courant leur parvenait par l'intermédiaire de cercles orange sertis dans le sol, auxquels correspondaient des cercles identiques sur la partie inférieure des armoires. Deux d'entre elles avaient été scellées au plancher, tandis que les autres étaient transportables ; mais pas par deux hommes seuls avec l'unique secours de leurs muscles.

Burton fit pivoter son fauteuil ; suivi par de Marbot, il sortit du laboratoire et passa sans s'arrêter devant le mur qui dissimulait la chambre secrète de Loga. Le Français, s'il en marqua de l'étonnement, s'abstint de tout commentaire. Lorsqu'ils eurent regagné le couloir desservant leurs appartements, après avoir parcouru à pleine vitesse des puits et des corridors choisis au hasard, l'étonnement sur son visage s'était mué en exaspération. Il tira un carnet de la sacoche latérale de son fauteuil et griffonna quelque chose sur un feuillet qu'il en détacha.

Prenant le feuillet et le tenant contre sa poitrine tout en le cachant partiellement de la main gauche, Burton lut : *Quand vas-tu te décider à m'exposer tes plans* ? Il répondit, à l'aide d'un crayon extrait de sa propre sacoche : *Dans la soirée.*

De Marbot sourit en déchiffrant ces mots et marmonna : « Voici qui va nourrir mon impatience ! »

Après avoir déchiré le feuillet en fragments minuscules, il posa ceux-ci sur le sol, les calcina avec son lance-rayons, écrasa les cendres du bout de sa chaussure et les dispersa.

Presque aussitôt, une machine articulée, dont le corps cylindrique était monté sur roues, sortit d'une niche qui s'ouvrit dans le mur et se dirigea droit sur les cendres en déployant un bras en forme de pelle ; elle aspergea la saleté d'un liquide qui se coagula rapidement en petites boulettes, qu'elle aspira dans la pelle, puis ingéra par une trappe. Une minute plus tard, elle disparut dans la niche qui se referma.

De Marbot cracha par terre juste pour le plaisir de voir de nouveau le robot en action et, alors qu'il regagnait sa niche après avoir exécuté sa corvée de nettoyage, lui décocha un coup de pied. La machine rentra dans son antre sans broncher.

— Je préfère vraiment les robots en protéine et en os, les androïdes, déclara le Français. Ces mécaniques me flanquent la chair de poule.

— Moi, ce sont ceux de chair et de sang.

— Ah oui, si on leur flanque un coup de pied, pas pour leur faire mal, seulement histoire d'entamer leur impassibilité, on sait qu'ils souffrent, puisqu'ils sont faits de chair et de sang. Mais ils sont inhumains dans la mesure où ils ne t'en veulent pas de les injurier ou de les frapper.

— Ce sont leurs yeux que je n'aime pas.

De Marbot rit :

— Ils ne sont pas plus morts que ceux de mes hussards à la fin d'une longue campagne. Tu lis en eux une absence de vie qui n'existe pas. L'absence, j'entends. Tu sais qu'ils n'ont pas de cervelle, ou plutôt qu'ils n'en utilisent qu'une infime partie. Mais on peut en dire autant de certains humains de notre connaissance.

— On peut dire beaucoup de choses. Et si nous rejoignions les autres ?

De Marbot consulta sa montre-bracelet.

— Il reste une heure avant le dîner. Cela me laisse le temps de dissiper la mauvaise humeur d'Aphra. Il n'y a rien de pire pour la digestion qu'un commensal maussade.

— Dis-lui qu'elle sera dans le coup la prochaine fois. Ça la rassérénera. Mais ne te sers que de ça pour lui expliquer ce que nous avons fait.

Il désigna le carnet.

De Marbot grimaça.

– L'inconnu, s'il nous observe, doit se demander ce que nous mijotons. Il me paraît difficile de lui dissimuler quoi que ce soit : on ne peut pas péter sans qu'il le sache !

Burton sourit d'un air menaçant :

– C'est peut-être lui qui va chier dans son froc. Au figuré, bien entendu.

Les huit Terriens avaient décidé de s'inviter tour à tour. Ce soir-là, c'était Alice qui recevait et elle avait mis, pour accueillir ses hôtes, une robe du soir vert clair très décolletée, style 1890. Burton se demanda si elle portait aussi les nombreux sous-vêtements dont les femmes se caparaçonnaient à cette époque. Sans doute pas : elle s'était trop accoutumée aux vêtements légers et confortables en usage dans la Vallée, où une serviette de toilette tenait lieu de mini-jupe et un foulard arachnéen de soutien-gorge. Elle était chaussée d'élégants souliers verts à talons hauts et avait enfilé des bas de soie, qui ne montaient probablement pas au-delà du genou. Elle arborait aussi des bijoux fabriqués par un convertisseur énergie-matière : une bague en or sertie d'une émeraude, de petites boucles d'oreilles en or retenant chacune une grosse émeraude et un collier de perles.

– Tu es ravissante, dit-il en s'inclinant pour lui baiser la main. Dix-huit cent quatre-vingt-dix, hein ? L'année de ma mort. Est-ce une façon subtile de me signifier que tu fêtes mon trépas ?

– Inconsciemment, alors. On ne s'envoie pas de vannes, d'accord ?

– Vanne. Terme d'argot datant de mille neuf cent trente-quatre, releva Frigate. L'année de ta première mort, Alice.

– Et la seule, grâce à Dieu ! Sommes-nous obligés de ne parler que de la camarde ?

Frigate baisa la main qu'elle lui tendait.

– Tu es irrésistible ! Tu n'as qu'un mot à dire, et je suis tout à toi. Non, tu n'as pas besoin de le dire : je suis déjà tout à toi.

– Quelle galanterie ! Et quelle audace aussi !

Burton ricana :

– Audacieux, lui ? Quand il a bu seulement. Le courage de l'ivrogne !

– *In bourbono veritas !* plaisanta l'Américain. Mais tu te

trompes : même ivre l'audace n'est pas mon fort, n'est-ce pas, Alice ?

– Alice est une forteresse bien gardée qui se dresse au sommet d'une colline abrupte entourée d'un large fossé ; n'essaye pas de la miner : prends-la d'assaut !

Frigate rougit. Alice garda le sourire mais implora :

– Je t'en prie, Dick, ne nous chamaillons pas.

– C'est promis !

Burton se retourna et sursauta : Grand Dieu, qui sont... ?

Deux hommes en livrée de domestique se tenaient debout près de la table. Non. Pas des hommes. Des androïdes. L'un d'eux était le sosie de Gladstone, l'autre, celui de Disraeli.

– Personne n'a encore jamais eu le privilège d'être servi par deux premiers ministres de Grande-Bretagne, dit Alice.

Burton fit brutalement volte-face, le visage rouge de colère.

– Alice, nous avons discuté du danger que cela présentait ! Le Snark pourrait introduire dans leur programmation l'ordre de nous attaquer !

– Nous en avons effectivement discuté. Mais quelqu'un – toi je crois – a dit aussi qu'il existait pour le Snark des milliers de façons de forcer nos défenses ; qu'il n'avait encore rien tenté contre nous, et que s'il en avait eu l'intention, il l'aurait déjà fait. Deux androïdes ou un millier n'y changeront rien.

– Approuvé ! glapit Li Po de sa voix perçante. Bravo Alice d'avoir franchi le premier pas ! J'ai moi aussi mes plans au sujet des androïdes et il se pourrait bien que je les mette à exécution dès ce soir. Ah ! Ce soir tes souffrances s'achèveront, Li Po !

Burton dut admettre, *in petto*, qu'elle avait raison. Mais elle n'aurait pas dû agir ainsi sans solliciter auparavant le consentement des autres ; et, au strict minimum, le consulter, lui.

Peut-être l'aurait-elle fait si le responsable du groupe avait été quelqu'un d'autre. Il avait l'impression qu'elle ne manquait pas une occasion de le défier, désormais. Sous cet extérieur doux et tranquille, derrière ces grands yeux noirs, se dissimulait une femme têtue comme une mule.

De Marbot et Behn arrivèrent les joues empourprées et le front légèrement moite, comme s'ils sortaient du lit ou venaient de se disputer. S'ils étaient fâchés, ils donnaient bien le change : ils souriaient et plaisantaient avec le plus grand naturel.

Après les avoir salués, Burton se dirigea d'un pas décidé

vers une desserte couverte de bouteilles, de verres à pied et d'un énorme seau à glace. Il congédia de la main le sosie de Gladstone qui était venu s'enquérir s'il pouvait lui servir quelque chose. Si Alice avait reconstitué de mémoire les traits de l'ex-premier ministre, c'était du beau travail. Cela n'avait rien d'impossible, car l'homme avait dîné souvent chez elle du vivant de ses parents. Mais elle avait plus probablement demandé à l'Ordinateur de rechercher la photo de Gladstone dans les archives et d'en fabriquer, sur ses directives, ce double vivant mais privé de cervelle.

– Seigneur, murmura-t-il, il a même sa voix !

Il savoura son whisky, plus moelleux qu'aucun de ceux dans lesquels il avait trempé ses lèvres sur la Terre bien qu'il fût probablement la copie d'un produit terrestre, puis alla bavarder avec Nur. Le petit Maure ibérique tenait à la main un verre de vin jaune paille qui lui ferait toute la soirée.

« Le prophète n'a interdit qu'une seule boisson alcoolisée : le vin de datte, avait-il expliqué un jour à Burton qui le savait déjà. Ce sont ses disciples trop zélés qui ont par la suite étendu la prohibition à toutes les autres. Bien que je ne me sente nullement tenu d'obéir aux diktats de ces intégristes ignares, je n'apprécie pas les alcools forts. J'ai cependant appris à aimer ce vin chinois. En outre, même si j'étais un ivrogne, quelle punition Allah m'infligerait-il que je ne me serais pas infligée moi-même ? Quant à Mahomet, où est-il ? »

Burton et Nur s'entretinrent un moment de La Mecque, après quoi le sosie de Disraeli annonça que le dîner était servi. Chacun de ses invités ayant, le matin, indiqué à Alice ce qu'il ou elle désirait manger, les menus étaient enregistrés dans la mémoire de l'Ordinateur. Les mets apparurent en une microseconde à l'intérieur d'un gigantesque convertisseur énergie-matière ; les domestiques mirent plus de temps à déposer les amuse-gueule sur la table. Burton avait commandé une salade au raifort, de l'esturgeon fumé à la moscovite et, pour dessert, deux tartelettes à la rhubarbe. Chaque plat était accompagné du vin approprié.

Burton, Behn, Frigate et Li Po reçurent ensuite des cigares roulés dans le meilleur des tabacs cubains. Nur alluma une cigarette, la seule qu'il se permettait de fumer dans la journée.

Burton s'approcha de de Marbot, qui recula en protestant vigoureusement :

– Épargne ce vil poison à mes précieux poumons !

— Bien des gens seraient heureux de mourir en respirant ça! Enfin, pour te retourner ta citation: *de gustibus non disputandum.* As-tu informé Aphra qu'elle pourrait participer à notre prochaine expédition si elle le désirait?

— Oui, je le lui ai dit. Mais j'ai été, à mon grand regret, incapable de lui apprendre en quoi au juste elle consisterait, cette expédition.

Burton lui tendit une note. Après l'avoir lue, de Marbot proféra un «hein...?» de surprise, en levant les yeux vers son ami. Venant tout près de celui-ci, il se dressa sur la pointe des pieds pour lui parler à l'oreille, l'obligeant tout de même à se pencher.

— Nous serons prêts; moi, en tout cas. Mais... ne peux-tu m'indiquer, au moins approximativement, ce que tu as en tête?

— Il vaut mieux que je m'en abstienne.

— Que cela m'intrigue! Puisse la réalité ne pas décevoir mon attente! Danger, aventure romanesque, stratagème, charge sabre au clair, ou manœuvre furtive, appréhension, incertitude, tâche exigeant tout notre courage et des nerfs d'acier?

— Tout cela à la fois. Peut-être.

8.

A une heure et quelques minutes du matin, Burton rangea son fauteuil devant l'appartement de Behn et de Marbot. La porte, comme il l'avait demandé, en était ouverte. Il pénétra dans la grande salle de séjour, qui s'éclaira d'une lumière sans ombre dès qu'il en franchit le seuil. Empruntant un couloir, il alla frapper à la porte de la chambre à coucher. De Marbot demanda d'une voix ensommeillée:

— Qui est là?

— C'est moi, naturellement.

Un instant plus tard, l'Anglaise et le Français apparurent en se frottant les yeux, la démarche encore incertaine.

— Tu me dois six heures de sommeil, déclara de Marbot.

— Comment s'acquitte-t-on d'une dette de ce genre?

— En renonçant aussi à six heures de sommeil. Mais comme la réciproque est vraie, nous sommes quittes.

De Marbot s'était ceint les reins d'une serviette-kilt ; Aphra portait un fin soutien-gorge de dentelle noire et une culotte assortie.

Son amant s'en inquiéta :

— Hé, mon lapin, tu comptes rester dans cette tenue ?

— C'est toujours ainsi que je me vêts pour mes rendez-vous nocturnes.

De Marbot éclata de rire, l'étreignit et l'embrassa sur la joue.

— Ma fleur sauvage anglaise ! Toujours aussi adorablement imprévisible !

Mais elle se moquait de lui. Rentrant dans la chambre, elle en ressortit habillée d'une blouse légère, d'une jupe courte et de bottines. Burton avait pendant ce temps fait délivrer par le convertisseur trois grands bols de café brésilien. Tandis qu'ils le buvaient, il annonça qu'il leur expliquerait ce qu'ils auraient à faire seulement quand ils seraient parvenus à destination.

— Ordres scellés, commenta de Marbot. Mais l'ennemi nous surveille et nous écoute. Nous sommes comme le chat avec son grelot autour du cou.

— Lorsque nous en aurons fini, il ne pourra plus ni nous voir, ni nous entendre.

De Marbot haussa les sourcils et sourit.

— Je brûle d'impatience, je trépigne, je bous d'excitation.

— Nous allons avoir énormément de travail. Vous serez épuisés avant d'en voir la fin.

— Non ! Je suis de fer, quant à Aphra, elle est dure comme du platine et vaut deux fois plus que son poids de ce précieux métal.

— Poids qui va en augmentant, se plaignit la jeune femme en se tapotant les hanches.

Sur un signe impatient de Burton, ils suivirent celui-ci dans le couloir. Bien qu'ils n'eussent aucune raison de penser qu'ils auraient à s'en servir, ils emportaient avec eux deux lance-rayons et des poignards. Ils s'installèrent sur leurs fauteuils et, derrière leur ami, descendirent par le puits jusqu'à l'étage situé au niveau de la mer sombre et glacée qui entourait la tour.

Quand l'Anglais mit pied à terre, de Marbot remarqua :

— Nous ne sommes pas loin de la chambre secrète de Loga.

Burton, hochant affirmativement la tête, les entraîna dans la pièce la plus proche, qui était le laboratoire déjà reconnu la veille. Aphra, après l'avoir exploré du regard, chuchota :

– Le Snark doit se demander ce que nous mijotons ; j'aimerais bien le savoir, moi aussi !

– Richard est le général, répliqua de Marbot, nous sommes de simples soldats ; la tradition veut qu'il nous en dise le moins long possible.

Affectant de ne rien entendre, Burton s'approcha du plus grand des convertisseurs auquel il commanda des éléments d'escabeau, cinq cents bombes de peinture noire, douze lampes puissantes et un petit compresseur nucléaire.

– Grand Dieu ! s'exclama de Marbot. Nous allons nous transformer en peintres en bâtiment ! Et en quoi d'autre encore ?

Burton entreprit de prendre livraison de sa commande, au fur et à mesure que l'équipement arrivait ; il vidait le convertisseur, en refermait la porte quelques secondes, le temps qu'il se remplisse de nouveau, et recommençait l'opération. Lorsque tout le matériel fut sur le plancher, il dit à ses compagnons de déballer les bombes de peinture tandis qu'il assemblerait l'escabeau.

De Marbot regarda Aphra en haussant les sourcils, comme pour lui demander : « Tu comprends où il veut en venir ? » Elle haussa les épaules et, le front emperlé de sueur, se mit au travail; le Français, qui commençait à transpirer lui aussi, murmura :

– Eh oui, mon petit chou, il nous faut payer toute cette nourriture divine et ces vins exquis, n'est-ce pas ?

– On n'a rien pour rien. (Le souffle court, Aphra se redressa pour contempler le mur en face d'elle). L'inconnu qui nous espionne partage avec Dieu le privilège de savoir tout ce que nous faisons. J'espère que, comme lui, il s'en moque éperdument.

– Contrairement à Dieu, le Snark dort, intervint Burton. Il a, comme les autres mortels, un corps qui lui impose certaines contraintes. Quant à son intelligence, aussi grande soit-elle, elle a ses limites elle aussi.

– Peut-être que, comme Dieu, il n'existe pas, dit de Marbot.

– Ce n'est pas impossible, convint Burton. Et voilà : les escabeaux sont prêts.

– Est-ce qu'on ne pourrait pas se faire aider par des

androïdes ? suggéra de Marbot. Voire leur laisser accomplir tout le travail ? Nous serions les contremaîtres qui se tourneraient les pouces en regardant leurs esclaves trimer pour eux.

– C'est un risque que je ne veux pas prendre. Allez, au boulot ! Commencez chacun par un bout du mur du fond.

Il avait demandé à l'Ordinateur d'évaluer le nombre des bombes dont ils auraient besoin pour badigeonner le laboratoire : il se fit maintenant livrer deux brouettes par le convertisseur et, empilant les bombes supplémentaires dans l'une d'elle, les transporta en quatre voyages dans le couloir pendant que ses amis, perchés sur les escabeaux, peignaient le plafond. Il commanda ensuite douze bombes de ciment prompt, qu'il transporta également dans le couloir, puis un certain nombre de briques, calculé lui aussi par l'Ordinateur.

De Marbot, qui l'observait, commenta :

– Opposer ses propres armes à l'ennemi, c'est le fin du fin !

Avant d'aller plus loin, il fallait que Burton vérifie si la porte de la chambre secrète de Loga s'ouvrait toujours ; sinon, cela ne l'empêcherait cependant pas de mener à bien la première partie de son plan. Il frappa sur le mur en articulant : « Ah Qaaq ! » La porte, sous son regard attentif, roula à l'intérieur de son logement. Le Snark n'en avait donc pas verrouillé le mécanisme depuis sa première visite. Il pouvait toutefois encore changer d'avis et la condamner définitivement ; pour parer à cette éventualité, Burton plaça sur le seuil un fauteuil qui interdisait au vantail de se refermer.

La maçonnerie ne figurait pas parmi les nombreuses activités qu'il avait exercées sur la Terre, mais il avait souvent regardé des ouvriers arabes édifier des murs en briques sèches. En outre, la tâche n'avait rien de compliqué. Il aligna une rangée de briques entre les deux parois du couloir, peu après l'entrée de la chambre de Loga, puis il posa une deuxième rangée sur la première, après avoir répandu sur le sommet de celle-ci le contenu d'une bombe de ciment qui se trouva sec (c'était en réalité une sorte de colle) sitôt la dernière brique posée.

Ne s'interrompant que deux fois pour boire un peu d'eau, il mura complètement cette partie du couloir, d'une paroi à l'autre et du sol au plafond.

Se rendant alors de l'autre côté de l'entrée du laboratoire, il recommença la même opération. Aphra passa la tête par la porte et annonça :

– Nous avons presque terminé les murs. La sueur lui ruisselait du visage, imbibant ses vêtements.

Burton alla jeter un coup d'œil dans le laboratoire et ordonna :

– Inspectez ce que vous avez fait. Assurez-vous qu'il ne reste pas un centimètre carré non recouvert de peinture, puis attaquez le plancher. Quand vous aurez fini, prévenez-moi.

Feignant le désespoir, de Marbot rapporta en gémissant son escabeau à l'endroit par où il avait commencé et en escalada les marches. Burton retourna à sa maçonnerie. Travaillant vite et efficacement, il ferma rapidement cette partie du couloir. De Marbot le rejoignit presque aussitôt.

– Ça y est. Les murs, le plafond et le plancher sont entièrement peints. Le Snark peut y installer tous les écrans qu'il voudra : il sera aussi aveugle que moi ignorant de tes véritables intentions.

Burton revint dans le laboratoire.

– Maintenant, peignez les hublots des convertisseurs. Déplacez tous les meubles qui peuvent l'être et projetez de la peinture sur l'emplacement qu'ils protégeaient.

De Marbot désigna les deux convertisseurs mobiles.

– Sous ceux-là aussi ?

– Oui.

– Comment veux-tu qu'on les déplace ? Nous avons accompli un travail d'Hercule, mais nous ne sommes pas aussi forts que lui.

– Servez-vous des fauteuils volants pour les haler.

De Marbot se frappa le front avec la paume de la main.

– Bien sûr ! Que je suis bête ! Cela vient de ce que je n'ai pas l'habitude de ces tâches ancillaires : elles m'ont desséché le cerveau.

– Oh, ça va. Tu y aurais bien pensé.

– Ce n'est pas une affaire militaire, répondit le Français, comme si cela expliquait tout.

Aphra accompagna Burton dans le couloir.

– Comment allons-nous sortir d'ici, maintenant ?

– Ce sont des briques ordinaires, faites d'argile.

Behn désignant du doigt le lance-rayons qu'il portait à la ceinture, Burton hocha affirmativement la tête.

– Mais comment alors vont-elles l'arrêter... le Snark... ?

– Elles ne l'arrêteront pas. (Il regarda sa montre.) Nous avons encore du pain sur la planche.

Aphra eut une mimique d'incompréhension.

– Je ne vois vraiment pas où tu veux en venir.

– Tu le verras. En temps voulu.

S'emparant d'un escabeau, il le dressa près du mur de briques et se mit à peindre. Quand il arriva à la porte du laboratoire, après avoir enduit le plafond, les parois et le plancher du couloir, il regarda dans la pièce. Ses coéquipiers avaient débranché les deux convertisseurs mobiles et les avaient déplacés, ainsi que tous les autres meubles, afin de badigeonner les portions de plancher sur lesquelles ils reposaient. Adossés contre le mur, ils buvaient maintenant de l'eau, Aphra fumant un cigare.

– Dès que vous aurez récupéré, venez m'aider à peindre le couloir.

Quand de Marbot sortit, il s'exclama, les yeux ronds de surprise :

– Sacrebleu ! Tu as peint le mur de briques !

– Oui. Les briques ont *l'air* parfaitement normales ; j'en ai cassé une pour l'examiner. Mais il est possible que le Snark ait mêlé un matériau conducteur à leur argile. Je veux avoir la certitude absolue qu'il ne peut pas nous voir à travers le mur.

– Le risque est quasi nul.

– Nous ne devons en prendre aucun.

– Foutu Anglais, va ! Pas étonnant que nous ayons perdu la guerre !

De Marbot n'en croyait pas un traître mot. Il soutenait toujours, avec feu et maints exemples à l'appui, que c'était les fautes et les erreurs des maréchaux de Napoléon – plus une ou deux commises par le Corse lui-même – qui avaient provoqué la chute de l'Empire. Si leurs chefs n'avaient jamais pris de décisions erronées, ses vaillants compatriotes auraient été invincibles.

Burton s'était, jusqu'ici, abstenu de lui faire remarquer que ceci s'appliquait à n'importe quelle armée.

La peinture du couloir et de la chambre de Loga les occupa jusqu'à cinq heures.

Le revêtement et les évents muraux ne leur dispensant plus ni lumière, ni air, ils recoururent aux lampes et au générateur d'oxygène qu'ils avaient apportés avec eux.

De Marbot s'écria joyeusement :

– Voilà ! Nous sommes au bout de nos peines, si je ne m'abuse.

— Tu t'abuses! Maintenant, nous transportons le grand convertisseur dans la chambre secrète de Loga.

Ils effectuèrent le déménagement en poussant l'armoire avec un fauteuil volant, Burton se tenant debout à côté du siège afin d'en actionner les commandes. L'opération prit dix minutes. Le haut et les flancs du convertisseur touchèrent les bords de l'entrée circulaire, mais l'Anglais, pour avoir mesuré la veille le meuble et l'ouverture, savait que l'un passerait dans l'autre, encore que d'extrême justesse. Quand l'armoire fut dans la chambre secrète, il la brancha sur le câble d'alimentation de celle-ci.

Aphra Behn demanda :

— Tu as badigeonné le bout de mur qui perçoit la formule-code commandant l'entrée : que comptes-tu faire si tu dois revenir dans la pièce ? Est-ce que tu vas laisser la porte ouverte ?

— Rien n'est plus facile, au besoin, que de gratter la peinture à cet endroit.

De Marbot désigna les parois de la main.

— Maintenant que tout ça est impénétrable, que le Snark ne peut plus ni nous voir, ni nous entendre, nous sera-t-il permis de connaître tes intentions ?

La lumière des lampes posées sur le sol projetait sur leurs visages des ombres épaisses qui les transformaient en masques ; les masques de personnes épuisées et désespérées. Les yeux bleus du Français et d'Aphra brillaient en revanche d'une flamme dont l'éclat ne vacillait pas, témoignant que leur volonté demeurait intacte.

— La ligne qui alimente le convertisseur est branchée sur le circuit principal, expliqua Burton. Mais elle ne figure pas sur les plans que détient d'Ordinateur, et celui-ci n'enregistre pas le courant qui y circule. Du moins, si le Snark n'a rien modifié. Nous sommes libres de faire tout ce que nous voulons, sans qu'il ait la moindre idée de ce que nous fichons. Il saura que nous tramons quelque chose et ça va le tracasser. Pour découvrir de quoi il retourne, il sera obligé de descendre ici s'en rendre compte par lui-même.

— Pas forcément, objecta Behn. Il peut envoyer des androïdes à sa place.

— S'il s'agit d'un être conscient, c'est-à-dire humain, il sera curieux comme un singe : il voudra voir ce qui se passe de ses propres yeux.

– Peut-être.

– As-tu prévenu les autres ? s'enquit de Marbot.

– Non, je ne l'ai pas jugé nécessaire.

Le Français consulta sa montre.

– Dans deux heures et demie, environ, quelques-uns d'entre eux se réuniront pour le petit déjeuner. Tu le prends toujours en leur compagnie. Ne vont-ils pas te chercher ?

– Probablement. Et ils ne me trouveront pas. Ensuite ils s'apercevront que vous deux aussi avez disparu.

– Ils vont croire que le Snark nous a capturés ! dit Aphra. Ils vont être aux cent coups !

– Ça les tirera de leur léthargie. Ils cesseront enfin de s'ennuyer.

– C'est un peu cruel, objecta la jeune femme.

– Et ils vont se lancer à notre recherche, ajouta de Marbot.

– Sans grandes chances de succès, attendu qu'ils auront trente-cinq mille sept cent quatre-vingt-treize pièces à fouiller !

– Mais ils peuvent en laisser le soin à l'Ordinateur, et quand il leur apprendra... (Elle s'interrompit, sourit.) Ah ! je comprends : le Snark lui interdira peut-être, et même probablement, de leur révéler où nous sommes.

– Pendant qu'ils nous chercheront, le Snark sera obligé de les surveiller ; j'espère qu'ils lui fourniront des motifs de distraction.

– Oui mais, insista Aphra, ils auraient pu agir de même si tu le leur avais demandé, l'inquiétude en moins.

– Moins ils en savent et mieux cela vaut. S'ils nous croient réellement disparus, ils ne feindront pas. Or je ne suis pas certain que le Snark ne s'en rendrait pas compte. N'oublie pas qu'il peut déchiffrer leurs émotions en examinant leurs voix et leurs *wathans*. Il s'apercevrait probablement qu'ils jouent la comédie.

– C'est comme si on luttait contre Dieu.

– Je t'ai déjà dit que le Snark n'était pas Dieu. Et même s'il l'était, je m'arrangerais pour lui donner du fil à retordre !

– Morbleu ! grommela de Marbot, et s'il ne venait pas ? Et s'il se contentait de nous laisser moisir ici, comme des rats pris à notre propre piège ?

– Un rat dans un piège, ça se voit. Lui, il ne peut pas nous voir.

Ils se turent un petit moment. Ils s'étaient enfermés dans ce réduit obscur, mais ils disposaient de tout ce dont ils avaient besoin pour y rester aussi longtemps qu'ils en auraient le courage. Il y avait un cabinet de toilette dans la chambre de Loga et plusieurs autres dans le laboratoire. Le convertisseur qu'ils avaient déplacé leur procurerait, outre la boisson et la nourriture, tout ce qu'ils voudraient. Il était maintenant relié à un petit ordinateur auxiliaire, non connecté à l'Ordinateur principal.

Sept heures. Ils parlaient peu, n'ayant pas grand-chose à dire. Le silence, l'étrange éclairage dispensé par les lampes qui les changeait tellement de la vive lumière sans ombre à laquelle ils s'étaient accoutumés, l'attente de l'imprévisible enfin soumettaient leurs nerfs à rude épreuve. A sept heures et demie, Burton suggéra aux deux autres de prendre leur petit déjeuner, puis de dormir sur le grand lit pendant qu'il monterait la garde.

A huit heures, Aphra et de Marbot décidèrent de suivre son avis. Le convertisseur fournit les aliments. Burton mangea peu ; il voulait conserver sa vivacité intacte pour le cas où il aurait à réagir promptement. Ses compagnons se couchèrent, mais le Français déclara :

– Ça m'ennuie de dormir ; tu pourrais avoir besoin de moi.

– Dors en paix. Tu as le sommeil léger ; de plus, je ne pense pas que le Snark tente quoi que ce soit avant un bon moment.

– Mais tu n'en sais rien.

– Exact.

Burton retourna se poster à l'entrée de la chambre secrète. Craignant de s'assoupir après cette longue veille, il entreprit de faire les cent pas devant la porte. Il ignorait s'il allait réellement se passer quelque chose ; dans l'affirmative, il marquerait un point, mais il était probable que ce quelque chose revêtirait alors un aspect imprévu.

N'était-il pas en train de perdre son temps ? De se comporter comme un imbécile ? Cela valait toujours mieux que de se croiser les bras. A la place de l'inconnu, serait-il capable de laisser tranquillement les trois Terriens qu'il ne voyait plus poireauter derrière leurs murs ? Ne se demanderait-il pas ce qu'ils faisaient ? Ne s'efforcerait-il pas de réfléchir à ce qu'ils étaient susceptibles de faire ? N'irait-il pas jusqu'à prier l'Ordinateur de dresser la liste de tout ce qu'ils pouvaient faire ?

Non. Pas ça. L'Ordinateur n'était pas un être conscient ; il était totalement dépourvu d'imagination. On n'en extrayait que ce qu'on y introduisait. C'était cela qui le différenciait des humains et le rendait inférieur à ceux-ci. A certains de ceux-ci.

Tu es trop cynique, se morigéna-t-il. Vraiment ? N'existe-t-il pas des millions, des milliards de gens qui ne sont rien d'autre que des robots de protéine ? Qui en diffèrent uniquement parce qu'ils sont capables d'éprouver du chagrin, de la peine, de la déception, de l'amour, de l'ambition, du désespoir, de la frustration, de la colère, de l'amusement, de la rage, de la sympathie, de l'empathie... cette dernière, assez rarement... capables d'imagination... enfin, quelques-uns... *Vive la différence* !

Frigate avait un jour affirmé : « La plupart des gens sont des « personnes » et une minorité seulement des « êtres humains ». Ce à quoi les Éthiques s'emploient, c'est à transformer les personnes en êtres humains. Je leur souhaite de réussir, mais je n'y crois guère. Et je suis le premier à reconnaître que je ne mérite pas encore le qualificatif d'être humain. »

Frigate parlait souvent philosophie en avançant d'excellents principes qu'il mettait rarement en pratique. Nur s'adonnait aussi à la philosophie, en conformant, lui, ses actes à ses théories. Et lui, Burton ? Duquel se rapprochait-il le plus ?

Il avait exploré bien des continents et bien des esprits, mais pas le royaume hanté par les légions infernales qui portait le nom de Burtonie.

— Il n'existe qu'une seule grande aventure, avait également déclaré Frigate, et c'est la descente en soi-même. (Il citait ou paraphrasait un écrivain du vingtième siècle, Henry Miller, qu'il admirait beaucoup tout en condamnant certaines de ses positions.) L'Afrique la plus mystérieuse, l'Everest le plus élevé, l'abysse le plus profond du Pacifique, c'est pour chacun son propre esprit. Pourquoi sont-ils si rares ceux qui entreprennent de le conquérir ?

— Parce que, avait répliqué Burton, cela équivaut à tenter de découvrir la nature de l'eau quand on est un poisson.

Bla-bla-bla. Des perroquets ! Le langage était le plumage de l'être humain.

Comment pouvait-on forcer les barrières qu'on édifiait soi-même ?

A cet instant précis, quelque chose les força, les barrières. Burton entendit un fracas violent, accompagné d'un vrombissement. Il se tourna d'un bond en direction du bruit, que les battements de son cœur couvraient presque.

Le couloir n'était éclairé que par la lueur provenant de la

chambre de Loga et celle qui filtrait par la porte entrebâillée du laboratoire. Non. De la lumière arrivait aussi par une énorme brèche percée dans le mur de briques. Elle révélait vaguement les contours d'un objet monstrueux, un cylindre horizontal doté d'une nez conique, une masse sombre munie de roues qui s'avançait vers lui.

9.

Burton s'abrita précipitamment dans l'encadrement de la porte, puis avança prudemment la tête, juste assez loin pour apercevoir la chose. Elle roulait lentement, alors qu'il lui avait fallu être animée d'une très grande vitesse pour trouer le mur, dont les briques étaient jointes par un ciment bien plus solide que tous ceux employés sur la Terre à l'époque où l'Anglais y avait vécu. La lumière projetée par les murs du couloir à travers la brèche montrait qu'elle se déplaçait sur dix roues.

Burton braqua son lance-rayons sur un point situé à l'arrière du nez. La pointe du mince faisceau écarlate frappa au but, mais alors qu'elle était capable de perforer trente centimètres d'acier au nickel en cinq secondes, elle n'exerça aucune action visible sur la surface grise d'aspect métallique. Le Terrien se jeta vivement en arrière et de côté afin d'éviter un rayon violet qui, jailli du flanc de la machine, lui rasa l'épaule. D'autres tirs succédèrent au premier, puis le nez conique du monstre dépassa l'endroit où Burton se tenait. Osant de nouveau avancer la tête, il constata que l'engin était équipé, sur ses deux côtés, de nombreux lance-rayons de gros calibre orientés selon différents angles.

Quand la chose parvint à proximité de l'autre mur de briques, elle s'arrêta et repartit en marche arrière ; ses lance-rayons continuaient de cracher à des intervalles de quelques secondes en modifiant chaque fois leur axe de tir. La peinture se calcinait aux points d'impact, dénudant le matériau qu'elle recouvrait.

Burton se plaqua contre la cloison. Un rayon fulgura par

l'embrasure de la porte pour aller grésiller sur le mur du fond, puis un autre qui entama la peinture un peu plus haut.

– Dick, tu n'es pas blessé ? cria de Marbot.

– Ça va. Reste à couvert !

– Je ne suis pas fou !

Mais fou, il prouva qu'il l'était ; aux yeux de Burton en tout cas. Il se rua dans le couloir, où il fonça sur la machine. Sans prêter l'oreille aux objurgations de son ami, il sauta sans hésiter sur le dos du Léviathan et s'agrippa à un barreau qui en saillait. Burton s'était attendu qu'un faisceau le déchiquette, mais la machine avait cessé de tirer dès l'instant où le Français avait pénétré dans le couloir ; il se demanda par la suite si les rayons qu'il avait lui-même essuyés ne visaient pas uniquement à le dissuader de s'approcher de l'engin ou de le suivre quand il repartirait.

Le monstre repassait maintenant en marche arrière devant la porte de la chambre de Loga. De Marbot, se retenant d'une main, leva l'autre en souriant quand il parvint à la hauteur de Burton.

– Descends ! hurla celui-ci. Tu ne peux rien contre ce truc ! Descends avant qu'il ne te tue !

– Où qu'il aille, je vais avec lui !

Le Français perdit presque aussitôt sa superbe car l'engin, après s'être arrêté, redémarra si brutalement que ses pneus hurlèrent en patinant sur le sol. Un faisceau violet jaillit à nouveau de son nez, perfora le mur de briques, puis, s'élargissant en forme de cône, fit fondre celles-ci en dégageant une ouverture juste assez grande pour que la machine pût y passer.

De Marbot poussa un cri perçant et lâcha prise, trop tard cependant pour éviter le choc ; il heurta de flanc le bord de l'ouverture, tomba par terre et resta allongé sur le ventre sans prononcer un mot.

– Quel cinglé, ce mangeur de grenouilles ! grommela Burton.

La machine franchissait déjà à vive allure le coude du couloir, révélant qu'elle n'était pas rigide mais articulée de manière à pouvoir tourner à angle droit, de justesse il était vrai.

De Marbot entreprit de s'asseoir en se tenant la tête. Burton accourut vers lui, devançant Aphra de quelques pas.

– Tu es blessé ?

Le Français finit de s'asseoir, grimaça, puis sourit.

— Dans mon amour-propre, uniquement. J'ai ressenti de l'effroi ; j'ai crié de peur !

Il se releva avec l'aide de son ami.

— J'ai quelques écorchures et quelques bleus aussi. Il m'est arrivé maintes fois d'être désarçonné plus brutalement quand je combattais pour mon glorieux empereur, mais jamais, jamais je ne suis resté en selle aussi peu longtemps !

Aphra le serra dans ses bras, se blottit contre sa poitrine.

— Espèce d'inconscient ! Tu m'as fait mourir d'épouvante.

— Tu es bien vivante et grondeuse pour un cadavre ! (Il l'étreignit). Oh, mon bras et mon épaule ! Je ne peux pas te démontrer la force de mon amour par l'une de ces étreintes herculéennes auxquelles je t'ai accoutumée, mon petit chou.

Aphra se dégagea en essuyant ses larmes du bout des doigts.

— Ton petit chou, tu me prends pour un légume ? Je suis une femme ! Une femme qui en a plein le dos de toi et de tes actions d'éclat !

— Une rose avec des épines, alors ?

Burton inspecta le corridor dans les deux sens. Il était désert.

— Pourquoi as-tu sauté sur cette machine ? Qu'espérais-tu ?

— Qu'elle me transporterait jusqu'à sa tanière, où son maître, le Snark, l'attendait peut-être. Je l'aurais alors capturé par surprise ou tué s'il l'avait fallu. Mais j'ai oublié, dans la chaleur du combat, que ce truc ne ferait qu'un trou juste assez grand pour lui.

— Tu as eu de la chance de ne pas te fracasser le peu de cervelle que tu possèdes ! (Burton partageait la colère d'Aphra : il aimait beaucoup le Français.) Ton geste était magnifique, mais inefficace du point de vue militaire.

— Bah, tu dis ça parce que tu es jaloux de ne pas y avoir pensé.

Burton éclata de rire :

— Peut-être bien ! (Il désigna du doigt les endroits où la peinture avait été calcinée). Maintenant, le Snark nous voit et nous entend.

— Le salaud ! s'exclama Aphra. Il s'est contenté de nous démontrer combien nous étions faibles et désarmés. Nous ne sommes même pas fichus de nous cacher !

— Mais nous l'avons obligé à réagir, objecta Burton. Il a été forcé de chercher ce que nous fabriquions ici. Nous ne sommes pas quantité si négligeable qu'il puisse nous ignorer.

– Alors, c'est pour rien que j'ai sué sang et eau à projeter cette peinture ? récrimina de Marbot.

– Ça t'a permis d'effectuer une chevauchée qui sortait de l'ordinaire !

Le Français sourit de toutes ses dents.

– En effet. Ça valait la peine !

Burton en était moins sûr. Ils avaient mal manœuvré. En outre, la machine était probablement équipée de caméras grâce auxquelles le Snark avait vu, ouverte, la chambre secrète de Loga.

– Qu'est-ce qu'on fait maintenant ? demanda Aphra. On rentre la queue basse dans nos appartements comme des petits chiens qui ont reçu le fouet ?

La conversation fut interrompue par un appel qui s'éleva sur leur droite. Un fauteuil volant planait, immobile, à l'angle du couloir ; il était surmonté d'une espèce de mini-cabine, formée d'une armature sur laquelle on avait tendu un plastique transparent. Son occupant se tenait recroquevillé sur le siège, les jambes repliées contre la poitrine.

– Qui est-ce ? s'étonna de Marbot.

– Frigate, dit Aphra qui avait reconnu la voix.

Le fauteuil accéléra brusquement pour venir se poser auprès d'eux ; Frigate souleva la cabine, descendit du siège, regarda autour de lui.

– Qu'est-ce qui s'est passé ?

Burton le lui expliqua, puis ce fut autour de l'Américain d'apprendre à de Marbot et Behn pourquoi il se trouvait là et la raison pour laquelle son fauteuil était muni d'une cabine.

– Nous étions convenus avec Dick que je vous retrouverais ici huit heures après votre départ. Quant à la cabine, elle empêche l'Ordinateur de détecter ma chaleur animale.

De Marbot adressa à Burton un regard lourd de reproches.

– Tu nous avais affirmé que nous étions seuls dans le coup !

– Je mens quand il est utile de mentir. J'ai jugé bon de nous faire rejoindre par deux de nos compagnons et plus sage de ne pas vous en informer, de crainte que vous ne vendiez la mèche par inadvertance.

– Deux de nos compagnons ? releva de Marbot. Et où est le deuxième ?

— Nur doit en principe passer par l'autre côté, celui vers lequel la machine est partie.

— Tu crois qu'il a réussi à la suivre jusqu'à sa tanière ?

— Nous le saurons tout à l'heure. (Burton se tourna vers Frigate). Je suppose que si tu n'as rien signalé, c'est que tu n'as rien remarqué de particulier ?

— Exact.

— La machine a pu aller n'importe où dans ce labyrinthe. Nous allons attendre que Nur arrive ici.

— Si le Snark ne l'a pas capturé.

— J'adore ton optimisme, persifla Aphra.

— Je tiens simplement à envisager toutes les hypothèses, se défendit l'Américain avec une certaine véhémence. Ce n'est pas de ma faute si les négatives l'emportent toujours sur les positives.

— Faux. C'est toi qui as tendance à ne retenir que les premières.

Burton consulta sa montre. Cinq minutes s'étaient écoulées depuis que la machine avait franchi la brèche. Si Nur ne se manifestait pas les vingt-cinq minutes suivantes, ils regagneraient leurs appartements. Turpin, Alice et Li Po ne seraient probablement pas encore rentrés ; dans la mesure où ils étaient partis à leur recherche, évidemment. Ils auraient peut-être estimé plus logique et plus sûr de se retrancher ensemble dans un seul appartement.

Une voix les fit sursauter ; c'était celle de Nur, qui leur parlait depuis l'autre côté du mur de briques.

— Ne tirez pas ! C'est moi, Nur. J'ai de bonnes nouvelles à vous annoncer !

— Viens !

Le petit Maure les rejoignit. Il se débarrassa des bouts de plastique qui lui adhéraient au visage, retira ses gants et sa veste.

— Quelle chaleur !

Burton s'avança dans le couloir, puis rentra après avoir vu le fauteuil de Nur rangé près du mur : il était équipé de la même cabine que celui de Frigate. Le Maure souriait ; non sans raison.

— J'ai surpris le Snark à l'extérieur de sa chambre secrète. J'ai débouché en trombe de la partie obscure du couloir en lui criant de se rendre. Au lieu d'obtempérer, elle a tenté de dégainer son lance-rayons et j'ai été contraint de la tuer.

— Elle ?

— Oui. Nous savions que l'inconnu pouvait appartenir à n'importe lequel des deux sexes, mais nous avions si souvent dit « il » en parlant de lui que nous nous étions accoutumés à le considérer comme un homme. Vous du moins ; pas moi. Mais il vaut mieux que je vous emmène sur place pour vous expliquer ce qui s'est passé.

Montant sur leurs fauteuils, ils se faufilèrent derrière lui à travers la brèche du mur, suivirent un couloir, bifurquèrent et s'arrêtèrent une trentaine de mètres plus loin. L'inconnue gisait sur le dos, les yeux et la bouche ouvertes ; une fine brûlure marquait l'endroit où le faisceau de Nur lui avait transpercé la gorge d'avant en arrière. Petite et mince, elle était vêtue d'une chemise cramoisie, d'un pantalon bleu ciel et de chaussures jaunes. Son lance-rayons reposait sur le sol, à proximité de sa main.

— Elle est de type asiatique, dit Nur (trahissant ainsi, car il n'avait pas l'habitude de souligner l'évidence, qu'il n'était pas aussi calme qu'il le paraissait). Je ne sais pas si elle est Chinoise, Japonaise ou d'une autre race mongole. Li Po pourrait nous l'apprendre ; mais ça ne changerait rien.

Une large ouverture circulaire béait dans le mur, laissée par la porte en forme de roue qui avait disparu à l'intérieur de son logement. Elle donnait sur l'appartement où l'inconnue s'était tapie, tout en surveillant de près les faits et gestes des huit Terriens : chacune des pièces de leurs logements respectifs apparaissait sur un écran mural. Alice, Tom, Turpin et Li Po n'étaient pas dans leur lit ; on les voyait, sur un autre écran, occupés à jouer aux cartes chez Turpin. S'ils étaient inquiets, ils n'en manifestaient rien. Ils avaient, semblait-il, attribué la disparition de leurs amis à l'exécution de quelque plan secret ourdi par Burton, ou encore jugé plus prudent de s'enfermer ensemble. La suite prouva qu'ils avaient obéi à l'un et l'autre de ces deux motifs à la fois.

Burton aurait néanmoins à subir leurs reproches quand il rentrerait. Il les endurerait aisément, puisqu'il reviendrait avec la victoire en poche.

La nuit précédente, Peter Frigate et Nur el-Musafir s'étaient rendus dans leur chambre à coucher. Ils escomptaient que le Snark dormirait et que l'Ordinateur ne le réveillerait qu'au cas où quelqu'un quitterait l'appartement commun pour s'aventurer dans le couloir. Ils espéraient que les seuls capteurs branchés seraient ceux servant à détecter la chaleur, et qu'aucun écran vidéo n'était dissimulé dans la paroi du couloir regardant la porte de l'appartement.

Ils s'étaient fait livrer par leurs convertisseurs des combinaisons, des casques, ainsi que des cabines adaptables à leurs fauteuils. L'Ordinateur pouvait certes signaler ces commandes au Snark, mais ils misaient sur le fait que – s'il les avait enregistrées – il ne lui en rendrait compte qu'à son réveil.

C'était isolés par leurs combinaisons qu'ils étaient sortis, en emportant avec eux les cabines dont ils avaient équipé leurs fauteuils. Les capteurs muraux n'avaient pas réagi. L'inconnue, qui n'avait pas prévu le recours à de tels stratagèmes, était restée endormie ; contrairement à l'Ordinateur, elle aurait été capable de les imaginer, mais tel n'avait pas été le cas.

– Nous avons eu beaucoup de chance, convint Burton. Les événements ont tourné à notre avantage, mais ils auraient pu aussi bien jouer contre nous. En réalité, nos chances de succès n'étaient pas très élevées.

– Tu estimes que nous avons eu trop de chance, commenta Nur, qui, au lieu d'expliciter sa pensée comme Burton s'y attendait, poursuivit : La première chose à laquelle j'ai songé après l'avoir tuée – je ne cherchais qu'à la blesser – a été qu'elle avait probablement pris des dispositions afin de ressusciter automatiquement dès qu'elle mourrait.

Il conduisit ses compagnons dans la chambre, dont l'un des angles était occupé par un convertisseur. A proximité de celui-ci, un autre cadavre de la même femme gisait étalé sur le ventre ; le faisceau d'un lance-rayons avait détruit la console de l'ordinateur auxiliaire.

– Je suis entré dans cette pièce aussitôt après l'avoir tuée. Son nouveau corps venait de se former et elle se précipitait vers un lance-rayons posé sur la table. Je lui ai ordonné de s'arrêter. Comme elle n'obéissait pas, j'ai tiré, d'abord sur elle, puis immédiatement après sur le convertisseur, afin de prévenir une troisième résurrection. Malheureusement, le faisceau a également détruit l'enregistrement du corps de ma victime.

Il entraîna Burton jusqu'à l'armoire endommagée et lui désigna un trou découpé dans son métal. On apercevait à l'intérieur, noirci, à demi fondu, l'objet de la taille d'une myrtille qui avait renfermé tout ce qu'il fallait pour reproduire le corps de la femme jusqu'au niveau sous-moléculaire.

– Je serais déchiré de remords et de chagrin si je pensais l'avoir privée définitivement de toute chance de ressusciter à nouveau. Mais je suis persuadé que l'Ordinateur détient un autre enregistrement dans sa mémoire ; encore qu'elle lui aura sans doute interdit de nous le révéler.

– Probablement. On verra bien.

– Qui diable était cette femme ? demanda Frigate. Que fichait-elle ici ? Loga nous a dit que tous les Éthiques et leurs agents étaient morts. S'il n'a pas menti, elle n'appartenait ni aux uns ni aux autres. Alors, que pouvait-elle bien être ?

– Une ennemie de Loga, puisqu'elle l'a éliminé, raisonna Nur. Mais si elle n'était ni une Éthique, ni un agent, pour quel motif l'aurait-elle supprimé ? Si elle n'aspirait qu'à jouir d'un pouvoir absolu, pourquoi ne nous a-t-elle pas tués ?

– Peut-être, énonça lentement Aphra, Monat, l'Opérateur, voyait-il beaucoup plus loin que Loga ne l'imaginait. Peut-être avait-il fait le nécessaire pour que cette femme, cet agent, ressuscite si certains événements se produisaient. Certains événements en général, j'entends : il ne pouvait pas envisager tous les cas particuliers.

Burton demanda à l'Ordinateur d'identifier la morte. L'appareil prétendit ne pas être en mesure de fournir ces données, et ne put, ou ne voulut, pas dire pourquoi.

Burton lui demanda s'il détenait l'enregistrement corporel de la femme, et obtint la même réponse.

Il demanda alors où se trouvait la machine qui avait défoncé les murs de briques ; sans plus de succès.

– J'ai vu tous les robots que contient la tour – l'Ordinateur me les a projetés sur un écran. Cette machine ne figurait pas parmi eux. La femme a dû la faire fabriquer spécialement pour enfoncer nos barricades.

Nur et Frigate allèrent chercher le cadavre du couloir et le posèrent à côté de celui étendu près du convertisseur, qu'ils retournèrent. Ainsi allongés côte à côte, on aurait dit ceux de deux jumelles absolument identiques.

– On les désintègre dans le convertisseur ? proposa Nur.

– L'un des deux seulement, répliqua Burton. Je veux que l'Ordinateur examine l'autre.

– Afin de vérifier si son cerveau ne contient pas une petite boule noire ?

Burton tiqua. Nur paraissait toujours lire dans ses pensées.

– Oui.

Les deux hommes introduisirent l'un des corps dans le convertisseur et commandèrent à l'Ordinateur de le désintégrer. Une lueur blanche envahit l'armoire ; quand ils regardèrent par le hublot qui en perçait la porte, ils ne virent plus rien, pas même une poignée de cendres.

Ils placèrent alors l'autre cadavre sur une table surmontée d'un énorme appareil en forme de coupole. Une série de clichés montrant ses organes internes défila aussitôt sur un écran, sans que l'on constate, extérieurement, la moindre dépense d'énergie. Burton fit redéfiler les images en marche arrière, jusqu'au retour de celle qu'il désirait. Une petite boule noire *avait* été implantée chirurgicalement dans la partie antérieure du cerveau ; ces boules, sous l'action d'un code subvocal, libéraient dans l'organisme de leur porteur un poison qui les tuait instantanément.

— Donc... c'était un agent.

— Mais nous ignorons toujours quand elle est arrivée ici et quelles fins elle poursuivait, dit Frigate.

— Pour l'instant, on s'en fout, rétorqua Burton. L'essentiel est de nous être débarrassés du Snark. Nous sommes désormais seuls dans la tour ; seuls et libres.

Libres, ils ne l'étaient cependant qu'à certains égards. Burton ayant demandé à l'Ordinateur si les restrictions imposées par la femme étaient levées, celui-ci répondit que non.

— Quand seront-elles levées ?

— JE NE SAIS PAS.

— On est baisés, gémit Frigate.

— Nous n'avons pas dit notre dernier mot, plastronna Burton, avec bien plus d'assurance qu'il n'en éprouvait réellement.

10.

Sur cette Terre aujourd'hui si lointaine dans le temps et dans l'espace, cette Terre peut-être définitivement perdue, avait paru en l'an de grâce 1880 dans la ville de Londres (Angleterre) un livre publié à compte d'auteur et intitulé : *La Kasîdah d'Hâdjî Abdû El-Yezdî ou la Somme de la Loi Supérieure, traduite et annotée par F.B., ami et disciple de l'auteur.* Les initiales F.B. correspondaient à Franck Baker, l'un des pseudonymes littéraires du capitaine Richard Francis Burton. Franck était son deuxième prénom ; Baker, le nom de jeune fille de sa mère. Ce ne fut qu'après la mort de l'intéressé que son nom véritable figura sur une réimpression de l'ouvrage.

Le poème, composé en distiques à l'instar des œuvres arabes classiques, était attribué au Hâdjî Abdû, soufi ayant vécu dans la ville de Yezdi, en Perse. Le titre d'Hâdjî s'applique à tout Musulman ayant accompli le pèlerinage de La Mecque ; Burton y avait donc droit, puisqu'il avait effectué ce pélerinage sous un déguisement. Les vers reflétaient sa sagesse, son pessimisme, ses vastes connaissances, son agnosticisme, la Vision burtonienne de l'Univers et de ses Tourments. En tant que Franck Baker, il avait annoté le poème « d'Abdû » et rédigé une postface où il se dépeignait de manière quelque peu cynique et plutôt railleuse ; la tristesse perçait toutefois sous la raillerie.

Dans la préface, il résumait la philosophie à laquelle il était parvenu après cinquante-neuf années d'errance sur la seule planète qu'il connaîtrait jamais – ainsi qu'il le croyait à cette époque.

AU LECTEUR

> Le traducteur a pris le risque de sous-titrer l'ouvrage ci-après, qui vise à fournir le moyen d'être en avance sur son temps, « Somme de la Loi Supérieure » ; il n'a pas craint le rapprochement qu'on ne manquerait pas de faire avec des formules aussi détestables que celle, par exemple, de « Civilisation supérieure ». Sa justification, il la puise dans l'assertion de l'Auteur selon laquelle : le Bonheur et la Misère sont en proportion égale et également répartis dans le monde.

(Frigate ne contestait pas la véracité intrinsèque de cet axiome. Mais si Burton affirmait par là que tout *individu* recevait une part égale de bonheur et de misère, il se trompait. Certaines gens ployaient sous un lourd fardeau de misère que bien peu de bonheur venait alléger. D'autres avaient bien plus que leur lot de bonheur. Et puis, Burton n'avait pas défini ce qu'il entendait par bonheur et misère. Pour cette dernière, cela n'était pas nécessaire : tout le monde savait ce qu'était la misère. Mais le bonheur ? Se réduisait-il à la simple absence de peine et de douleur ? Existait-il en lui-même ? Se confondait-il avec la satisfaction ? Ou fallait-il être joyeux pour être heureux ?)

> Hâdjî Abdû assigne à l'individu, comme fin unique et suffisante de son existence, le développement de sa personnalité, pratiqué en tenant dûment compte des autres.

(Et les enfants, alors ? avait objecté Alice. On doit s'occuper d'eux plus que de soi-même, afin qu'ils soient plus heureux et plus épanouis que nous. Chaque génération devrait être meilleure que la précédente ; je reconnais d'ailleurs volontiers que c'est rarement le cas. Peut-être as-tu raison en ce sens qu'il est impossible de former convenablement ses enfants si l'on ne s'est pas formé convenablement soi-même. Mais tu n'en as pas eu, n'est-ce pas ?)

(Le développement de la personnalité est un objectif majeur et vital, avait acquiescé Nur. Nous autres soufis lui attachons la plus grande importance, sans perdre de vue que cela exige de l'autodiscipline, de la compassion et de l'intelligence. La plupart des gens poussent cette recherche à l'extrême et lui confèrent un caractère égocentrique. Ce qui n'a rien de surprenant : l'homme tombe toujours dans l'excès ; la plupart des hommes, du moins.)

> Il professe que les affects, la sympathie et le « don divin de la Pitié » procurent à l'homme ses plus grandes joies.

(Une pincée de pitié pimente le potage de l'existence, avait commenté Nur. Trop de pitié en gâche le goût. La pitié risque de conduire à la sentimentalité et au larmoiement.)

(La pitié engendre un sentiment de supériorité, avait déclaré Frigate. Elle débouche aussi sur l'auto-apitoiement. Que je ne dédaigne absolument pas : on en tire des jouissances exquises quand on s'y adonne de temps en temps, pas trop souvent, et qu'on finit par rire de soi-même.)

(Tu as oublié le sexe, avait remarqué Aphra. Il est vrai qu'il relève des affects et de la sympathie.)

(C'est créer qui procure à l'homme – et à la femme – ses

plus grandes joies, avait ajouté Frigate ; que ce soit un tableau, un poème, de la musique, un livre, une statue, un meuble, un enfant... Bien qu'il y aurait beaucoup à dire sur le tape-à-l'œil et les œuvres authentiquement bidon.)

Il plaide le sursis à statuer, en récusant « la référence aux faits, la plus vaine des superstitions ».

(Nur : Il vient pourtant un moment où l'on doit juger. Encore qu'il faille d'abord être sûr de posséder la qualification requise ; et cela, qui peut l'affirmer ?)

(Frigate : Les faits de l'un sont la superstition de l'autre. Tiens, je serais bien en peine de vous expliquer ce que ça veut dire...)

(Li Po : On ne peut croire qu'à ce qu'on voit. A moins au contraire qu'on ne puisse croire vraiment qu'à ce qu'on ne voit pas, ce qu'on imagine : les dragons et les fées existent parce que j'y crois. Un rocher est un fait ; ce que j'imagine aussi.)

En définitive, s'il détruit les apparences, c'est dans un esprit essentiellement constructif.

(Nur : L'homme est le seul animal qui songe plus volontiers à ce qui devrait être qu'à ce qui est. C'est pourquoi il est aussi le seul animal qui adapte consciemment à ses besoins le milieu où il vit, et, en règle générale, le dégrade, par stupidité et absence de mesure. A quelques exceptions près, bien entendu.)

(Alice : La formule est belle. Dick a malheureusement toujours pratiqué l'autodestruction. Quand cessera-t-il de s'autodétruire, s'il cesse jamais ?)

Le lecteur qui désirerait obtenir des informations plus détaillées sur le poète et son œuvre est prié de se reporter à la fin du présent ouvrage. Vienne, novembre 1880.

F.B.

(Nur : T'est-il venu à l'esprit que tu approchais de la fin du livre intitulé Richard Francis Burton ? Il est paru en deux volumes : Burton de la Terre et Burton du Fleuve. Cette tour en constituera peut-être le dernier chapitre.)

(Frigate : Vivre comme si l'on devait mourir dans l'heure suivante est un principe dont tout le monde s'accorde à reconnaître l'excellence. Mais les seules personnes à l'appliquer réellement sont celles qui se savent condamnées à brève échéance ; et encore !)

(Aphra : C'est pourquoi je ne perds pas une occasion de m'envoyer en l'air. Marcelin, tu es en forme ?)

(De Marbot : Le soldat le plus ardent a lui-même besoin de séjourner de temps en temps dans un camp de repos. Pour l'instant, je ne suis qu'un vétéran recru de fatigue, moulu par de longues chevauchées.)

11.

Burton lui aussi avait l'impression d'être un vétéran recru de fatigue. Il y avait trop longtemps qu'il s'éperonnait et éperonnait les autres. Maintenant qu'il avait franchi le dernier des cent obstacles à sauter immédiatement, il éprouvait le besoin de se reposer et de se divertir. Les problèmes qui restaient à résoudre, ceux que posaient l'Ordinateur, pouvaient attendre.

Pourtant, songea-t-il en se regardant dans un miroir, je n'ai pas l'air d'avoir vécu soixante-neuf ans sur la Terre et soixante-sept ans sur le Monde du Fleuve. Mon visage n'est pas celui d'un homme de cent trente-six ans, mais celui que j'offrais quand j'étais un jeune homme de vingt-cinq ans ; il ne lui manque que les longues moustaches tombantes, noires et broussailleuses, qui lui donnaient un aspect satanique. (Les Éthiques, en ressuscitant les hommes, les avaient privés de leur pilosité faciale et Burton le regrettait encore. Il était vrai que cela les dispensait de la corvée du rasage, mais en faisant fi du désir – des droits – de ceux qui souhaitaient arborer la moustache et la barbe).

Si je profitais de ce que je suis dans la tour pour m'affranchir de cette décision arbitraire ? rêva-t-il. Il existe sûrement un moyen de faire pousser à nouveau des poils sur mon visage !

Sur la Terre, il était affligé – non, affligé était trop fort – il accusait un léger strabisme. Il avait un « œil vagabond », dans tous les sens du terme. L'Ordinateur avait corrigé ce petit défaut en le ressuscitant d'entre les morts au bord du Fleuve.

Ceci avait donc compensé cela. Mais ne pourrait-il, désormais, récupérer sa pilosité sans renoncer au bénéfice de la correction oculaire ? Il prit mentalement note d'étudier la question.

« Sourcil jupitérien, mâchoire de démon », avait écrit de lui un biographe impressionnable. Le trait ne manquait pas de justesse ; il décrivait bien, de surcroît, la dualité de sa personnalité, tiraillée entre sa volonté de réussir et son goût de l'échec.

A en croire, du moins, les livres qu'on lui avait consacrés et dont les conclusions n'étaient pas forcément exactes.

Certains d'entre eux reposaient précisément sur sa table. Il avait commandé à l'Ordinateur quelques-uns des titres suggérés par Frigate et la machine lui en avait livré des reproductions, dûment imprimées et reliées, par l'intermédiaire d'un convertisseur. Le meilleur, aux dires de Frigate, était *The Devil Drives* (Poussé par le Démon), rédigé par une Américaine, Fawn M. Brodie, et publié en 1967.

« J'ai renoncé à écrire ta biographie quand il est sorti, avait expliqué Frigate, tant il m'a paru excellent et complet. Mais cela n'a pas empêché d'autres plumitifs, que le bon sens n'étouffait pas, de s'attaquer à leur tour au même sujet. Je ne suis cependant pas certain que *The Devil Drives* te plaise. Madame Brodie n'a pas su se retenir de t'analyser en termes freudiens. Sa lecture, en revanche, te permettra de me dire si elle a vu juste ou non. Quoi que tu sois le plus mal placé pour en juger, évidemment. »

Burton n'avait pas encore lu ce livre, mais il en avait regardé les illustrations. L'une d'elle était la photographie d'un portrait que Sir Frederic Leighton, le célèbre artiste, avait peint de lui à l'âge de cinquante et un ans, et qui avait été exposé à la National Portrait Gallery de Londres. Sur cette toile, il avait la mine farouche d'un boucanier élisabéthain. Leighton avait choisi une perspective qui faisait ressortir la dimension du front, les arcades sourcilières saillantes, les épais sourcils, la flamme avide du regard, le menton proéminent, les pommettes hautes, ainsi que la cicatrice laissée par la lance d'un guerrier somalien ; il avait voulu à tout prix mettre cette dernière en évidence et Burton ne s'y était pas opposé. Une blessure reçue dans des circonstances honorables équivalait à une médaille et l'explorateur avait été injustement frustré des nombreuses décorations, réelles celles-là, qui auraient dû lui couvrir la poitrine.

– En partie par ta faute, avait souligné Frigate. Ce que je comprends fort bien d'ailleurs. Moi aussi, j'ai été et reste enclin à me desservir.

– Ma famille avait pour devise : l'Honneur et non les honneurs.

En pendant de son portrait par Leighton figurait une photo de sa femme, Isabel, prise en 1869 alors que celle-ci avait trente-huit ans. Avec ses formes épanouies et son port de reine, c'était une vraie beauté ; une mère bonne mais dominatrice. Quelques pages plus loin était reproduit le portrait qu'en avait fait le peintre français Louis Desange en 1861, lorsqu'elle avait épousé Burton – elle paraissait jeune, aimante et optimiste – et, au-dessous, celui que cet artiste avait effectué de son mari à la même époque. Elle avait trente ans, lui quarante. Il avait sans conteste l'air sombre et féroce avec ses imposantes moustaches dont la pointe lui touchait presque les épaules. Et que ses lèvres étaient donc charnues ! Certains de ses biographes, entre autres, en avaient déduit qu'il était extrêmement sensuel. Isabel avait au contraire les lèvres minces et pincées, unique imperfection d'un visage par ailleurs parfait. Lèvres minces, lèvres épaisses. Amour, tendresse et gaieté contre impétuosité, ambition et pessimisme. Isabel la blonde, Burton le basané.

Tournant les pages, il tomba sur une photo de lui à soixante-neuf ans, et une autre le représentant en compagnie d'Isabel, prise la même année, 1890, au même endroit, Trieste, qui avait été tirée par le docteur Baker, son médecin personnel, sous un arbre de la cour. Il était assis sur une chaise qu'on n'apercevait pas sur le cliché, la main droite reposant sur le pommeau de sa canne métallique, l'autre sur le poignet de la première. Avec leurs doigts squelettiques, on eût dit celles de la Mort en personne. Il portait un haut-de-forme gris, un col blanc empesé et une jaquette grise. Le regard de ces yeux éteints, cette face émaciée, auraient pu appartenir à un prisonnier agonisant ; ce qu'il était, dans un sens. Il ne subsistait plus grand-chose de la violence qui transparaissait si manifestement dans les photographies précédentes.

A ses côtés, les yeux baissés vers lui, pointant dans sa direction l'index de sa main blanche comme pour le morigéner, se dressait Lady Isabel. Grosse, grosse, grosse. Elle ne cessait de prendre de l'embonpoint tandis qu'il se ratatinait. Et pourtant, selon Frigate, alors qu'elle le savait mourant, elle savait aussi qu'en elle se développait le germe de sa propre mort : un cancer ; elle ne lui avait rien dit, pour ne pas l'inquiéter.

Avec sa robe noire et sa capeline, elle ressemblait à une bonne sœur ; une bonne sœur infirmière. Bienveillante mais stricte ; menant son monde à la baguette.

Burton compara dans un miroir ses traits juvéniles à ceux qu'il avait sur la photographie. Ces yeux vieux, si vieux ; caves, désespérés, perdus. Les yeux d'un détenu qui n'attendait plus ni grâce ni mise en liberté conditionnelle ; des lunes masquées par une éclipse.

Il se souvint comment à Trieste, en ce mois de septembre qui devait être le dernier de son existence terrestre, il avait acheté au marché des oiseaux en cage pour les libérer une fois rentré chez lui. Et du jour où il s'était arrêté devant un singe en cage : « Quel crime as-tu donc commis dans un autre monde, mon pauvre vieux, qui te vaut de subir aujourd'hui les tourments du purgatoire, enfermé derrière ces barreaux ? » ; après quoi, alors qu'il s'éloignait, il avait murmuré en hochant la tête : « Je me demande ce qu'il a fait. Je me demande bien ce qu'il a fait. »

Ce monde-ci, le Monde du Fleuve, était un purgatoire, si les Éthiques ne mentaient pas. Le Purgatoire était le plus dur des trois univers où l'on séjournait après la mort. Au Paradis, on jouissait non seulement de la liberté et d'un bonheur extatique, mais aussi de la certitude que l'avenir n'apporterait que des satisfactions. En Enfer, si l'on souffrait, on savait aussi une fois pour toutes ce que l'avenir vous réservait ; on n'avait pas à se battre pour sa liberté, puisqu'on était assuré de ne l'obtenir jamais. Tandis qu'au Purgatoire, on se savait destiné à aller soit au Ciel soit en Enfer, l'un ou l'autre ne dépendant que de soi. Avec les délices et la liberté paradisiaques en guise de carotte, on s'y démenait comme un beau diable. On connaissait en théorie la marche à suivre afin d'acheter son billet pour le Paradis. Mais en pratique... ah ! en pratique on pataugeait lamentablement. On repoussait sans cesse ce qu'on s'efforçait de saisir.

De carottes, la Terre n'en avait pas manqué, et de toutes sortes : physiques, mentales, spirituelles, économiques, politiques. L'une des plus affriolantes, sinon la plus affriolante, était le sexe.

Frigate avait un jour écrit une histoire dans laquelle Dieu

avait créé tous les animaux, et donc les humains, unisexués. Il n'existait, dans chaque espèce, que des femelles. Les femmes s'engrossaient en mangeant les fruits d'un arbre à sperme. Le processus de fécondation croisée n'était pas une mince affaire : les femmes libéraient les gènes en déféquant et les arbres les absorbaient par leurs racines. Le monde parallèle que Frigate avait imaginé ne comptait pas de mâles, puisque l'intervention de ceux-ci n'était donc pas nécessaire.

Tous les trois ans, les femmes subissaient les effets d'une transe arbustive qui les poussait à se gaver de fruits jusqu'à ce qu'elles deviennent enceintes. Dans l'intervalle, elles tombaient amoureuses les unes des autres, formaient des ménages amicaux, passionnés ou haineux, connaissaient la jalousie, se livraient à l'adultère et, bien entendu, à des déviations érotiques. L'une des plus communes consistait à s'éprendre d'un arbre et à en manger les fruits en dehors de la période de reproduction.

Le thème principal de l'histoire était la jalousie maladive d'une femme qui, s'imaginant avoir été trompée par l'arbre qu'elle aimait, l'abattait à coups de hache, après quoi, dévorée de chagrin, elle allait s'enfermer dans un couvent.

Il y était aussi question d'un écrivain de science-fiction qui avait inventé un monde dépourvu d'arbres à sperme. Pour remplacer ceux-ci, les femmes avaient des compagnons qui leur ressemblaient physiquement, à ceci près qu'ils ne possédaient pas de glandes mammaires et étaient équipés d'un organe en forme de baguette avec lequel ils projetaient de la semence dans l'utérus de leur amante.

A en croire l'écrivain de science-fiction, cette méthode était très supérieure à l'autre et présentait en outre l'avantage de supprimer la rivalité que les arbres suscitaient entre les femmes. En raison de la nature végétale des porteurs de baguette, les femmes exerçaient sur eux la même domination que sur les arbres et pouvaient, de surcroît, les utiliser à d'autres fins que la reproduction : elles se déchargeaient sur eux des tâches ménagères, des travaux extérieurs et de la garde des enfants pendant qu'elles jouaient au bridge ou assistaient à des réunions politiques.

A la fin de l'histoire, toutefois, les porteurs de baguette, chez qui l'humain l'emportait sur le végétal et dont la force physique surpassait celle des femmes, se révoltaient contre leurs maîtresses et les réduisaient à l'état de servantes.

Burton, après avoir entendu Frigate raconter son histoire, lui avait suggéré d'y apporter les modifications suivantes : conserver l'idée d'une race humaine unisexuée, mais masculine cette fois-ci ; ce serait les mâles qui féconderaient les arbres, dont les fruits constitueraient aussi leur principale ressource alimentaire. Étant humains, ils seraient assoiffés de pouvoir et se feraient la guerre à propos des arbres. Les vainqueurs disposeraient de vastes vergers-harems. Les vaincus seraient soit tués soit chassés dans les bois où ils n'auraient, pour assouvir leurs désirs, qu'un végétal d'une espèce inférieure, un buisson qui se prêterait à la copulation mais sans pouvoir porter d'enfants.

– L'idée est bonne, avait admis Frigate, mais qui s'occuperait des enfants ? Les arbres en seraient incapables. De plus, les vainqueurs auraient tant à faire pour soustraire leurs vergers-harems à la convoitise des autres mâles qu'ils en négligeraient leurs gosses, dont la plupart mourraient. Et ils laisseraient périr ou même tueraient ceux des vaincus, car ils ne voudraient pas élever la progéniture d'un autre homme.

» Il ne semble donc pas exister de méthode parfaite pour assurer la reproduction des humains et la survie de leurs enfants. Peut-être Dieu savait-il ce qu'il faisait lorsqu'il nous a créés mâles et femelles.

» Peut-être n'avait-il le choix qu'entre un nombre limité de solutions et a-t-il adopté la moins mauvaise. Peut-être la perfection est-elle impossible en cet univers ; ou, si elle ne l'est pas, interdit-elle le progrès. L'amibe est parfaite, mais elle ne peut pas évoluer pour se métamorphoser en quelque chose d'autre ; à moins de cesser d'être une amibe et de renoncer à sa perfection pour bénéficier de certains avantages, plus ou moins contrebalancés par certains inconvénients.

Et c'était donc ainsi que la subdivision de l'*Homo sapiens* en deux espèces distinctes avait, jointe aux caprices du Destin, provoqué dans le monde réel la rencontre du général Joseph Netterville Burton avec Martha Baker, futur père tatillon et hypocondriaque, future mère coquette et trop laxiste, mais moralisatrice. Ils s'étaient mariés après de courtes fiançailles, probablement parce que la fortune de Martha avait appâté l'officier réduit à la demi-solde par son départ à la retraite. Il avait eu lui aussi de l'argent naguère, mais il n'avait pas su le préserver. Bien qu'il méprisât les joueurs, il n'estimait pas que spéculer en bourse fût une activité peu chrétienne.

Au cours de la nuit du 19 juin 1820, ou d'une nuit voisine de cette date, le général avait éjaculé des millions de spermatozoïdes dans le vagin de la riche héritière et l'un de ceux-ci était parvenu avant les autres jusqu'à l'œuf qui l'attendait tapi dans son antre. La combinaison aléatoire des gènes avait abouti à la formation de Richard Francis Burton, aîné de trois rejetons, qui était né le 19 mars 1821 à Torquay, Devonshire, Angleterre. La mère de Richard avait eu la chance d'échapper à la fièvre puerpérale qui tuait tant d'accouchées à cette époque. Richard avait eu de la chance, lui aussi, dans la mesure où il n'avait contracté qu'une seule des maladies qui conduisaient alors de si nombreux enfants au cimetière. Il avait survécu, sans en conserver de séquelles, à la rougeole qui avait failli l'emporter.

Son grand-père maternel avait accueilli avec tant de joie la survenue de ce petit-fils roux aux yeux bleus qu'il avait envisagé de modifier son testament afin de lui laisser la majeure partie de ses biens, au détriment du demi-frère de Martha. Celle-ci s'y était opposée, ce que Richard ne lui avait jamais véritablement pardonné. Pour finir, le grand-père avait décidé de passer outre aux arguments de sa fille et de prendre les dispositions voulues pour que son petit-fils bien-aimé fût son héritier. Il avait succombé à une attaque alors même qu'il montait dans la voiture qui devait l'emmener chez le notaire. Son fils entra en possession de sa fortune, s'en fit dépouiller par un aigrefin et mourut dans la misère. Peu de temps après, les cheveux roux de Richard devinrent noirs comme du jais, et ses yeux bleus brun foncé ; première d'une longue série de métamorphoses, volontaires celles-là.

L'amour excessif que sa mère vouait à son demi-frère fut à l'origine des nombreuses épreuves que Burton avait endurées par la suite. Ou du moins se l'était-il toujours imaginé. S'il avait bénéficié d'une indépendance financière suffisante, il n'aurait pas été obligé de porter aussi longtemps l'uniforme pour subvenir à ses besoins, lui qu'une indiscipline foncière et un tempérament ergoteur destinaient si peu aux rigueurs de la vie militaire. Il aurait eu les fonds nécessaires pour achever, avec un plein succès, ses missions d'exploration en Afrique.

La décision qu'avait prise son père d'aller se fixer sur le continent, où la vie était moins coûteuse et où il espérait trouver le moyen de soigner ses maux plus ou moins imaginaires, l'avait coupé des vieux camarades d'école qui auraient pu faciliter la carrière de son fils. Elle avait aussi contribué à faire de Richard un vagabond, un déraciné, qui ne s'était jamais senti chez lui en Angleterre. Il était vrai, comme Frigate l'avait souligné, qu'il ne s'était jamais senti chez lui nulle part.

Il était incapable de séjourner au même endroit plus d'une semaine. Huit jours ne s'étaient pas écoulés qu'il lui fallait absolument se remettre en route ; ou ronger douloureusement son frein si les circonstances ne le lui permettaient pas.

C'était dire combien il souffrait en ce moment.

– Tu pourrais changer sans cesse d'appartement, avait suggéré Nur. Je doute que cela te satisfasse. La tour est un monde minuscule, ce qui limite d'autant la longueur des voyages qu'elle autorise. D'ailleurs, pourquoi déménagerais-tu ? Tu peux modifier à ta guise le décor de ton logement de manière à te croire transporté dans un autre monde ; et quand tu es las de celui-ci, le remplacer par un autre. Il t'est loisible de te rendre d'Afrique en Amérique sans faire un seul pas.

– Tu es né sous le signe du Poisson, avait dit Frigate. Gouverné par Neptune et Jupiter, et associé à la douzième maison. Neptune représente l'idéalisme, Jupiter la force d'expansion. Le Poisson harmonise. Ses aspects positifs font de toi un artiste, ouvert aux autres et intuitif. Ses aspects négatifs se traduisent par une tendance au martyr, à l'indécision et au pessimisme. Les caractéristiques et les activités correspondant à la douzième maison sont l'inconscient, les institutions, les banques, les prisons, les universités, les bibliothèques, les hôpitaux, les ennemis cachés, l'intuition, l'inspiration, les entreprises solitaires, le rêve, les processus du sommeil et les animaux domestiques de grande taille.

– Pure jobardise, crasse superstition ! s'était récrié Burton.

– Peut-être. Mais tu as toujours été comme un poisson hors de l'eau. Idéaliste, en dépit de ton cynisme. Animé d'une force d'expansion, ô combien ! Tu t'es efforcé d'être tout à la fois. Tu as tenté de mettre en harmonie de nombreux domaines, d'en établir une synthèse. Tu es intuitif, ouvert aux autres et artiste. Le martyr, tu ne t'es pas privé de te l'infliger. Tu as souvent fait preuve d'indécision. Quant au pessimisme, relis donc tes propres livres !

» S'agissant de l'inconscient ou du subconscient, tu n'as pas seulement exploré des contrées inconnues, mais aussi les jungles les plus impénétrables de l'esprit humain. Tu as eu une foule d'ennemis cachés et autant d'adversaires déclarés. Tu t'es très souvent fié à des intuitions, des pressentiments. Tu as chéri les entreprises solitaires, notamment l'érudition et l'écriture. Si tu n'as guère aimé travailler dans les institutions, tu les as étudiées et analysées. Le rêve et les processus du sommeil t'ont fasciné au point que tu as acquis une grande maîtrise de l'hypnotisme.

»Les animaux domestiques de grande taille ? Il semblerait que ce ne soit pas vrai. Tu t'es surtout attaché aux bull-terriers, aux coqs de combat et aux singes. Mais tu as adoré les chevaux.

— Je pourrais prendre n'importe lequel des autres signes du zodiaque et vous prouver que chacun d'eux, sinon tous à la fois, s'applique parfaitement à moi. Ou à toi. Ou à n'importe lequel d'entre nous !

— Probablement. Mais il est si amusant de jouer avec l'astrologie, ne serait-ce que pour démontrer son inanité. Et pourtant... (Nur et Frigate étaient convaincus que l'univers constituait une immense toile d'araignée et que la vibration provoquée par une mouche touchant l'un de ses fils se propageait d'un bout à l'autre du réseau. Il suffisait, en quelque sorte, que quelqu'un éternue sur une planère de Mizrab pour qu'un paysan chinois se cogne le gros orteil contre un caillou)... l'environnement a autant d'importance que les gènes, mais il s'étend beaucoup plus loin que la plupart des gens ne le pensent.

— Comme toute chose.

C'était à cela que Burton réfléchissait quand le mur situé en face de lui se mit à scintiller. Il se redressa en rejetant le buste en arrière. L'écran qui se dessinait allait être bien plus grand que d'habitude. Quand il cessa de croître, il mesurait trois mètres de large.

— Eh bien ? s'exclama le Terrien en ne voyant pas, contrairement à son attente, le visage de l'un de ses compagnons s'y encadrer. L'éclairage au contraire s'affaiblit jusqu'à ne plus laisser qu'une tache sombre sur le gris du mur. Des bruits assourdis jaillissaient de cette tache.

Burton demanda à l'Ordinateur de les amplifier et il se pencha en avant. Les sons demeurèrent aussi indistincts. Il réitéra son ordre : l'Ordinateur n'obéit pas.

Soudain, un trou lumineux aux bords irréguliers apparut au centre de l'écran tandis que les sons s'amplifiaient, tout en demeurant inintelligibles. Le trou s'agrandit, dévoilant quelque chose de blanc strié de rouge. Quelque chose d'humide aussi.

– Le voilà qui sort, le petit vaurien ! dit une voix. Burton quitta son fauteuil d'un bond.

– Grand Dieu !

Il voyait par les yeux de quelqu'un d'autre. La chose blanche était un drap ; le liquide, les eaux qui s'écoulaient avant la naissance ; les stries rouges, du sang. La voix, il ne se souvenait pas l'avoir jamais entendue, mais le cri qui la couvrit, il sut, sans pouvoir s'expliquer comment, il sut de façon certaine qu'il jaillissait de la bouche de sa mère.

Son champ de vision s'élargit, sans que l'image devienne plus nette pour autant. Il apercevait autour de lui une chambre occupée par des géants. Un objet masqua un instant l'écran. Puis la chambre tournoya et il entrevit des bras énormes, avec des manches de chemise roulées au-dessus du coude ; un grand lit, qui tournoyait aussi ; et sur ce lit, sa mère, trempée de sueur, les cheveux moites, jeune. Une main gigantesque recouvrait d'un drap les jambes et le ventre nu, ainsi que le gîte auréolé de poils ensanglantés dont on venait de l'extraire.

Maintenant, il avait la tête en bas. Une claque cuisante sur les fesses. Un vagissement. Son premier coup.

« N'est-il pas costaud, le petit gaillard ? » dit une voix d'homme.

Burton assistait à sa propre venue au monde.

12.

Burton voyait et entendait ce qui lui arrivait, arrivait au nouveau-né plus exactement, mais sans éprouver les sensations de celui-ci. Il ne ressentit aucune douleur quand on sectionna le cordon, sauf sur le plan de l'imaginaire. En fait, il n'observa pas l'opération elle-même, mais aperçut le cordon reposant sur une serviette quand quelqu'un le souleva. Il ne sut de même qu'on le lavait que quand un gant de toilette effleura ses paupières, les paupières du bébé. On l'enveloppa ensuite dans une couverture et on le déposa dans les bras de sa mère ; là encore, il vit seulement l'infirmière qui s'approchait, sa coiffe blanche amidonnée, le haut du corps, puis la figure de sa mère, en contreplongée.

Son père entra. Qu'il était donc jeune, ce visage de romain au teint olivâtre ! Et il souriait. D'habitude, ceci n'arrivait que lorsque monsieur Burton avait réalisé un profit en bourse, c'est-à-dire bien rarement.

Burton frémit en découvrant les mains du docteur. Celui-ci les essuyait à l'aide d'une serviette sans les avoir au préalable savonnées soigneusement ; de toute évidence, il ne s'était pas donné la peine non plus de les laver avant l'accouchement. Il était d'ailleurs curieux, contraire à l'usage en tout cas, que le praticien fût intervenu en personne. Sauf erreur, la plupart des médecins se contentaient à cette époque de fournir des directives aux infirmières ou aux sages-femmes, sans toucher eux-mêmes à la parturiente. Certains ne voyaient même pas le bassin de la patiente, qu'un drap leur dissimulait : ils guidaient le travail de la sage-femme en se fiant à la description qu'elle leur faisait de la délivrance.

Une énorme main, celle de son père, descendit vers lui et le dépouilla de quelque chose ; de la couverture.

– C'est un joli garçon que vous m'avez donné là, ma chère.

– Il est beau, vraiment beau, répondit une voix rauque ; celle de sa mère.

– Allons, allons, gronda une voix au timbre grave, tandis que le visage du docteur entrait brusquement dans son champ de vision. Nous ne devons pas fatiguer madame Burton. De plus, le petit galopin semble avoir faim.

Là-dessus, Burton avait dû s'endormir. L'image suivante fut celle d'un sein monumental à la pointe rose foncé tumescente vers lequel ses minuscules menottes se tendaient, puis, entr'aperçus d'un œil, un pan de chair rose et le menton de sa nourrice. Une lady comme madame Burton n'aurait pu sans déchoir allaiter son enfant elle-même.

Qui donc était cette nourrice ? murmura Burton. Une Irlandaise ?

Il se rappelait vaguement avoir entendu sa mère mentionner un jour son nom. Une certaine madame Riley, ou Kiley ?

Tout perturbé qu'il fût, Burton n'avait rien perdu de sa lucidité. L'Ordinateur avait extrait les souvenirs contenus dans son enregistrement corporel comme un pêcheur, actionnant son moulinet, ramène une truite à la surface. Après en avoir constitué un fichier séparé, il les lui restituait par l'intermédiaire de l'écran mural. Si la restitution avait eu lieu en temps réel, la projection des événements survenus durant la vie du sujet aurait couvert la même durée que celle-ci. Mais personne ne conservait le souvenir de tout ce qu'il avait vu, entendu, goûté, senti et pensé. La mémoire était sélective et les périodes de sommeil y laissaient en outre de grands blancs, à l'exception de celles où l'intéressé avait rêvé, bien évidemment. Projeter intégralement ce qu'un individu conservait dans son « bloc de mémoire » exigeait donc moins de temps qu'on s'y serait attendu.

Le film, car c'était une sorte de film, pouvait être projeté en accéléré, au ralenti, ou avec des retours en arrière. Sans doute était-ce le procédé que l'Ordinateur employait en ce moment. A moins que Burton ne se fût assoupi peu après sa naissance.

Le Terrien, qui regardait maintenant une autre domestique le langer, se demanda qui avait organisé cette projection et pourquoi.

Avant qu'il eût le temps de poser la question à l'Ordinateur, plusieurs petits écrans s'illuminèrent sur le mur. Les visages de Frigate, Turpin, de Marbot et Alice y apparurent, également bouleversés.

– Oui, dit-il, avant qu'ils n'aient pu ouvrir la bouche. Je reçois moi aussi la visite du passé. Depuis ma naissance !

– C'est terrible ! s'exclama Alice. Et merveilleux en même temps. Impressionnant. J'ai envie de pleurer.

– J'appelle les autres pour savoir si c'est pareil pour eux, proposa Frigate, dont l'écran s'obscurcit.

Tom Turpin sanglotait.

– Ma parole, voir m'man, p'pa et c'te vieille turne, j'crois bien que c'est trop pour moi.

Burton jeta un coup d'œil sur le grand écran. Il l'occupait toujours : on l'approchait du sein titanesque qu'il réclamait bruyamment. L'image s'estompa pour être remplacée par celle d'un ciel de lit bleu autour duquel la pièce se balançait ; non, c'était lui qu'une grande main balançait dans son berceau.

Les écrans des autres s'allumèrent. Sept visages exprimant des sentiments divers le fixèrent.

Li Po arborait un sourire forcé. « Se voir téter sa mère est un spectacle indescriptible, sauf pour un poète, évidemment. Mais... qui a ordonné ça ?

– Attends un peu ; je vais le demander à l'Ordinateur.

— Je l'ai déjà questionné, dit Nur. Il prétend ne pas être en mesure d'indiquer le qui et le pourquoi ; mais il n'a pas refusé de révéler le quand : c'est il y a deux jours qu'ordre lui a été donné de commencer à nous représenter nos souvenirs ce matin.

— Alors, l'ordre émane certainement de la femme que tu as tuée.

— C'est le plus vraisemblable.

— Je ne pige vraiment pas où elle voulait en venir.

— Manifestement, à accélérer notre perfectionnement moral. En nous contraignant à revoir notre passé, la manière dont nous-mêmes et les autres nous sommes conduits, elle nous dévoile dans tous leurs détails nos faiblesses, nos fautes et nos vices. Que la chose nous plaise ou non, on va nous fourrer sous le nez l'image de ce que nous avons été ; sans fard et sans échappatoire possible. Être les témoins forcés de ces drames et de ces comédies pouvait, à son idée, nous affecter si profondément que cela nous inciterait à éliminer nos traits de caractère indésirables ; et par conséquent à devenir meilleurs.

— Ou fous ! observa Frigate.

-- Cela nous incitera plus probablement à nous triturer la cervelle pour trouver une parade, rétorqua Burton. Nur, as-tu demandé à l'Ordinateur d'interrompre la projection ?

-- Oui. Il n'a pas répondu. L'ordre de la femme entre certainement dans la catégorie des consignes prioritaires.

— Accorde-moi une minute.

Burton sortit dans le couloir. L'écran, qui l'avait suivi sur la paroi de la grande pièce à mesure qu'il se déplaçait, apparut en face de lui sur le mur du corridor. Il poussa un juron et, pivotant sur ses talons, rentra dans la pièce ; l'écran l'accompagna.

Il expliqua aux autres ce qui s'était produit. « Nous ne pouvons apparemment pas nous en débarrasser. C'est comme l'albatros qu'on attachait autrefois au cou des matelots. »

Fermant les yeux, il s'entendit vagir énergiquement, puis, les rouvrant, il vit le ciel-de-lit bleu au-dessus de lui et perçut, étouffée, la voix de la bonne : « C'est-y pas Dieu possible, qu'est-ce qu'il y a encore ? »

— Je crois, dit-il posément, que si nous voulons arrêter ça, il ne nous reste qu'à peindre nos murs. Cela nous empêchera d'utiliser l'Ordinateur dans nos appartements, mais sans doute pas les calculateurs auxiliaires. Et il nous faudra porter des oreillères pour dormir. Pas question d'échapper à ce truc en allant nous installer ailleurs.

– On va devenir cinglés! gémit Frigate.

– Ce risque n'aura certainement pas échappé à la femme, le réconforta Nur. Peut-être nous sera-t-il accordé un répit de quelques heures durant la journée; et pendant la nuit également.

Burton demanda à de Marbot et Behn où se trouvaient leurs écrans respectifs.

– Chacun d'eux sur un mur opposé, lui apprit le Français. Nous pouvons nous relayer, mon petit diamant et moi, pour nous délecter tour à tour de la charmante enfance de l'autre.

– Comment diantre vais-je pouvoir me livrer à la moindre recherche dans des conditions pareilles? grommela Burton.

Il prit congé des autres après qu'ils eurent convenu de se retrouver à la piscine. L'Ordinateur accepta de lui délivrer une paire d'oreillères qui interceptaient complètement les sons. Quant au spectacle qui se déroulait sur le mur, la seule façon de s'y soustraire consistait à fixer attentivement l'écran de l'ordinateur auxiliaire; or, il se découvrit incapable de se concentrer sur son travail. La curiosité était trop forte; il ne put résister à l'envie de contempler des scènes qu'il avait oubliées. Une minute plus tard, l'ennui le submergea. Il n'arrivait pas grand-chose à un bébé qui sortît de la routine, et voir ses parents encore jeunes perdit rapidement de son intérêt. Ils ne s'entretenaient que de lui quand ils étaient ensemble, et sa mère n'employait qu'un babil enfantin pour converser avec son rejeton. Lequel, encore trop peu éveillé pour comprendre ses propos, devait réagir à ses expressions et au ton de sa voix; aujourd'hui, cette mièvrerie lui soulevait le cœur. Non pas que sa mère fût souvent auprès de lui; les gens qu'il voyait le plus étaient la nourrice et les deux bonnes qui tour à tour procédaient à sa toilette ou le promenaient.

A onze heures, il se rendit à la piscine sous l'escorte de l'écran. Les autres aussi arrivèrent accompagnés par leur passé. Les écrans se fixèrent d'abord sur l'un des longs murs de la salle, puis les recouvrirent tous.

– J'espère qu'en acquérant un caractère familier, cette vision engendrera surdité et cécité, dit Aphra en émergeant de l'eau.

– Familière, elle ne le deviendra jamais, bien qu'elle se rapporte essentiellement à la famille. Quant à ce qu'elle engendrera, ce sera la honte, le chagrin et la colère. Et l'humiliation. As-tu envie de te voir odieuse, enfantine et vile ?

— Oh, je n'ai jamais été odieuse. Ni vile, bien qu'on ait tenté de m'avilir.

Burton ne crut pas à cette sérénité apparente ; rester serein en de pareilles circonstances excédait les forces humaines.

Nager, bavarder, s'amuser s'avérèrent difficiles. Il ne pouvait s'empêcher de guigner furtivement en direction des écrans.

La tête de Frigate brisa la surface de l'eau tout près de lui.

— Vois ça ! Je suis en train de me regarder maintenant !

Sa mère, une femme svelte à la chevelure d'ébène, aux yeux brun foncé et aux pommettes hautes, tenait Peter-bébé en face d'un miroir. L'enfant était nu et souriait si béatement qu'avec sa bouche grande ouverte il ressemblait à une grenouille.

« Ça file un coup de se voir dans une glace quand on a cet âge. Et je peux m'attendre à contempler mon reflet des milliers de fois, depuis celui du bébé piailleur jusqu'à celui du vieillard de soixante-cinq ans. Jésus Jésusovitch ! »

Ce soir-là, Frigate demanda à l'Ordinateur jusqu'où remontaient les données qu'il détenait sur leurs existences ; la réponse fut : jusqu'à l'instant de la conception. Frigate ayant voulu savoir pourquoi, dans ce cas, la projection n'avait commencé qu'à la naissance, il ne put lui en donner la raison. L'Américain et quelques-uns de ses compagnons présumèrent que c'était parce que les neufs mois de gestation se passaient principalement dans le silence et l'obscurité ; revivre cette période ne serait donc guère instructif et on pouvait donc la négliger sans inconvénients.

Cependant, lorsque Frigate pria l'Ordinateur de lui en montrer uniquement les moments où les sons parvenaient jusqu'à l'embryon, il fut surpris. Bien qu'assourdis, il ouït clairement à maintes reprises la voix de sa mère, les bruits qui s'élevaient à proximité de celle-ci et beaucoup d'autres encore, produits par des moteurs de voiture, des sifflets de locomotive et des lâchers de vapeur, des pétards, des verres ou des assiettes qui se brisaient, des éclats de rire et, plus gênant, ses parents occupés à faire l'amour. Au bout de deux heures d'écoute, il intima à l'Ordinateur d'interrompre la reconstitution.

— Je présume qu'en entreprenant ceci la femme n'était pas animée de mauvaises intentions, dit-il. Elle devait vouloir nous rendre apparents, que nous le voulions ou non, nos faiblesses, nos vanités, nos mesquineries, nos méchancetés, notre égoïsme, nos erreurs de jugement, nos préjugés, en somme, pour reprendre la définition de Nur, tout ce qu'il y a d'indésirable en nous. Et ce dans un dessein précis : nous permettre de nous améliorer ; de progresser sur le plan éthique.

– Tu as probablement raison, convint Nur. Mais... pourquoi s'entourait-elle de secret ? Pourquoi a-t-elle tué Loga ?

– C'est à nous de le découvrir, conclut Burton. Si nous en sommes capables.

La femme qui leur avait infligé cette rétrospective implacable avait eu cependant pitié d'eux. Les écrans s'éteignirent à vingt heures pour ne se rallumer que le lendemain matin à huit heures. Les Terriens auraient droit à un certain répit.

Burton, ce soir-là, rentra tôt chez lui ; mais l'insomnie qui l'avait torturé durant toute son existence l'y attendait de nouveau. Après s'être tourné et retourné deux heures dans son lit sans réussir à chasser de son esprit les séquences de son passé qu'il avait eu sous les yeux dans la journée, il se leva, se rhabilla et quitta son appartement. Montant sur son fauteuil volant, il parcourut durant trois heures d'innombrables couloirs, pénétra dans d'innombrables chambres, gravit et descendit d'innombrables puits. Plutôt que de continuer à errer ainsi au hasard, il décida alors de procéder à une exploration plus méthodique. Pourquoi ne se ferait-il pas livrer par l'Ordinateur un plan de la tour et ne fouillerait-il pas minutieusement celle-ci de bas en haut, étage après étage ? Non pas qu'il eût un objectif précis en tête, ni l'espoir de découvrir du nouveau ; il était simplement incapable de rester en place, et peut-être dénicherait-il quelque chose d'imprévu, ou d'utile, ou d'imprévu et utile à la fois.

En montant vers le hangar qu'il avait choisi comme point de départ, il changea encore d'avis. Les douze salles immenses qui avaient servi de monde privé aux membres du Conseil des Éthiques l'arrêtèrent au passage. Elles au moins offriraient un peu de variété, le changeraient de la similitude monotone des couloirs et des autres pièces. Il leur consacra quatre heures ; quand il eut fini de visiter chacune d'elles, il sut qu'il recommanderait vivement à ses compagnons d'explorer ces univers fascinants.

Il se rendit ensuite dans le hangar et n'y décela aucun changement. Il compta une fois de plus les aéronefs pour vérifier qu'il n'en manquait aucun ; ce qui ne signifiait nullement que la femme agent n'en avait pas utilisé un depuis son dernier passage.

Il regagna son appartement à quatre heures et dormit de quatre heures et demie à sept heures et demie. Après s'être douché, il décida d'aller prendre son petit déjeuner chez Li Po, mais jugea préférable d'appeler auparavant ce dernier pour s'assurer qu'il accepterait de le recevoir. Le beau visage de l'Asiatique, à l'expression vaguement méphistophélique, était souriant.

— Oui, je serai ravi de t'accueillir. Je te réserve une surprise.

Tournant la tête, il prononça quelques mots en chinois.

Burton sursauta en voyant un autre visage apparaître sur l'écran : celui d'une inconnue, une Chinoise ravissante.

13.

Certaines personnes ressemblent à des locomotives à vapeur haletantes qui suivent immuablement leurs rails en ralentissant lorsqu'elles gravissent une pente, mais sans se décourager pour autant et en reprenant de la vitesse dès qu'elles abordent la descente. D'autres, à des automobiles dotées de moteurs à combustion interne qui sont libres de choisir leur itinéraire mais tombent de temps en temps en panne sèche et doivent attendre qu'on refasse leur plein d'essence.

Li Po, lui, ressemblait à une fusée aux réserves de carburant inépuisables. Ses tuyères ne s'éteignaient jamais, le propulsant dans les directions les plus imprévues ; toujours bruyant, parfois odieux, il vous remémorait systématiquement qu'il fallait compter avec lui. Ses traits, ses expressions, ses gesticulations rappelaient à Burton la dernière strophe du *Kubla Khan* de Coleridge :

Et tout en lui devrait crier « prends garde ! »
Ses yeux étincelant, sa chevelure ondoyante
Qui d'un triple cercle lui auréole le front
Et d'une crainte sacrée vous clôt les paupières
Car de rosée de miel Kubla Khan s'est nourri
En étanchant sa soif au lait du Paradis.

Également connu sous les noms de Li T'ai-Po et Tai-Peng, Li Po avait vu le jour en 701 après Jésus Christ dans la ville oasis de Yarkande. A l'époque de sa naissance, l'immense désert n'appartenait à aucun des royaumes chinois. Yarkande se trouvait sur la route par laquelle s'effectuait le commerce entre la Perse et la Chine, pays d'où était venu le trisaïeul de Li Po, banni pour des motifs politiques selon ce qu'affirmait la tradition familiale. Il avait emmené avec lui sa femme et ses enfants ; son fils aîné avait épousé une femme de langue turque, une Ouïgours, dont le fils aîné avait convolé avec une Chinoise. Le deuxième rejeton de ce couple s'était marié avec une Afghano-Ouïgours.

La famille s'était enrichie et, à l'âge de cinq ans, Li Po était parti habiter avec ses parents la province du Seutch'ouan, dans le sud-ouest de la Chine. Ils avaient élu domicile dans une ville qui abritait de nombreux étrangers, zoroastriens, hindous, juifs, chrétiens nestoriens et musulmans originaires de Perse, d'Afghanistan et de la région mésopotamienne. Li Po connaissait la langue de tous ces gens et il avait plus tard complété ce bagage par le coréen et des notions de japonais.

Il mesurait plus d'un mètre quatre-vingt-cinq, gigantisme que les Chinois attribuaient à son sang étranger. Il avait commencé très jeune à composer des poèmes et à boire du vin. La réputation d'ivrogne qu'il acquit par la suite ne l'avait nullement discrédité ; les membres des classes supérieures s'enivraient volontiers en ce temps-là et l'alcool, croyait-on, contribuait à ouvrir la porte à l'inspiration divine. La rapidité avec laquelle il alignait des vers lorsqu'il avait bu stupéfiait ses contemporains, ce qui, curieusement, avait incité nombre d'entre eux à le considérer comme le plus grand poète du pays.

Dans la fleur de ses vingt ans, il avait adopté la vie nomade à laquelle tant d'artistes et d'hommes d'État chinois devaient leur renommée, devenant une sorte de vagabond, de chevalier errant qui s'efforçait de redresser les torts à l'aide de son épée. Il avait alors occis plusieurs guerriers en duel, exploits qui lui avaient valu le surnom, largement répandu, de « démon à la lame ». Il avait été une fois emprisonné pour avoir tué un homme au cours d'une rixe d'ivrognes mais s'était évadé avant que la sentence pût être rendue.

Il était néanmoins extrêmement studieux et il avait, notamment, assimilé la physique et la chimie de son temps.

A de nombreux égards, il était le Byron non seulement de son époque, mais aussi de celle de Burton. Comme ce dernier, il avait traîné ses guêtres un peu partout, acquis une vaste érudition, maniait l'épée avec maestria, se montrait naïf en politique, s'emportait au spectacle de la souffrance, quelle qu'elle fût, connaissait un grand nombre de langues et ne brillait ni par la discrétion, ni par la politesse.

Contrairement à la plupart des hommes de son pays, il avait déploré l'asservissement et le sort pénible des femmes chinoises, sans pour autant s'abstenir de les exploiter. Même en tenant compte de sa tendance à la vantardise, il était extraordinairement viril. « Trois femmes à la fois, ce n'est pas assez ! »

Au terme de son expérience de chevalier errant, il avait vécu quelque temps avec un ermite dénommé Tung Yen-Tsu, sur le mont Min, dans le Seutch'ouan. Il avait approfondi auprès de lui sa connaissance du taoïsme, qu'il appréciait déjà beaucoup, et s'était transformé en une sorte de saint François d'Assise. Tung et lui apprivoisaient des oiseaux sauvages auxquels ils apprenaient à venir leur manger dans la main quand ils les appelaient.

Les « ermites » chinois ne menaient toutefois pas la même existence que les anachorètes occidentaux. Il s'agissait en général d'hommes qui, s'ils s'étaient retirés de la vie publique, l'avaient fait en compagnie de leur famille et de leurs domestiques, et hébergeaient souvent des amis ou des voyageurs.

A vingt-cinq ans, Li Po avait quitté le Seutch'ouan pour parcourir les provinces orientales et septentrionales de la Chine. Il avait séjourné plus longuement à Anlu, dans le Houbeï, parce qu'il s'était épris d'une femme appelée Hu, qui était devenue sa première épouse et lui avait donné plusieurs enfants avant de mourir.

Un jour, l'ami avec lequel il se rendait au bord d'un lac célèbre avait rendu l'âme en arrivant sur les berges de celui-ci. Li Po l'avait d'abord enseveli sur place, mais l'ami ayant souvent exprimé le désir de reposer parmi ses ancêtres, il l'avait déterré, enveloppé dans une couverture et transporté sur son dos jusqu'à Wou-tch'ang, dans le Hou-pei, soit à quelque cent cinquante kilomètres de là.

« Je n'avais plus d'argent pour acheter un cheval, car j'avais distribué le contenu de ma bourse aux pauvres. »

Appâté par sa réputation de poète, l'empereur T'ang Hsüan Tsung l'avait convoqué à sa cour en 742, bien que l'arrogant Li Po eût refusé de passer l'examen d'accès à la fonction publique. La paresse et la lubricité du souverain, la corruption des hauts dignitaires, l'appauvrissement et les terribles souffrances qui en résultaient pour le peuple, avaient suscité son dégoût. Ayant une fois reçu l'ordre de venir reciter quelques-unes de ses œuvres à l'empereur, Li Po s'était présenté ivre à la porte du palais et avait exigé que le chef des eunuques, personnage très puissant, lui retire ses chaussures. Un tel comportement l'avait privé de toute amitié à la cour et incité les espions de Hsüan Tsung à le surveiller étroitement. Il lui avait garanti également qu'il aurait à battre longuement la campagne avant de trouver un protecteur. Mais cela, il s'en moquait, vu qu'il adorait vagabonder.

Sa deuxième femme était morte et sa troisième avait obtenu un divorce par consentement mutuel après une très courte union. Sa quatrième épouse devait lui survivre.

En 757, le seizième fils de l'empereur, le prince Lin, avait rassemblé une armée et une flotte sous couvert de combattre le rebelle An Lou-shan. Li Po, ignorant que Lin avait en réalité l'intention de se révolter contre son père, s'était mis à son service.

« J'avais alors cinquante-sept ans, mais j'étais très fort et très agile pour mon âge. J'ai pensé qu'il était encore temps pour moi de me couvrir de gloire au combat et que cela me rétablirait peut-être dans la faveur de l'empereur, qui m'octroierait un poste élevé ; ou, au minimum, une pension. »

L'un des frères aînés de Lin avait malheureusement dévoilé la trahison de son cadet, dont les troupes avaient été massacrées. Li Po s'était vu condamner à mort – coupable par association – mais l'empereur, estimant qu'il ne convenait pas de faire périr un si grand poète, avait commué la peine en bannissement, puis l'avait gracié à l'occasion de son soixantième anniversaire. Alors qu'il rejoignait en bateau le domicile où l'attendait sa quatrième femme, Li Po s'était enivré et était tombé par-dessus bord en essayant d'attraper son propre reflet dans l'eau. Il avait contracté une pneumonie dont il était mort peu de temps après.

– Tu étais réellement convaincu à cet instant que tu

parviendrais à saisir ton reflet dans le fleuve? s'était étonné Frigate.

– Oui. Eussé-je bu une coupe de vin en plus, que j'aurais réussi. Personne d'autre n'en aurait été capable; moi, si.

– Et qu'en aurais-tu fait, de ce reflet? s'était enquis Nur avec un sérieux imperturbable.

– Je l'aurais placé sur le trône impérial! Si cinquante hommes ne sont pas de taille à vaincre Li Po, deux Li Po auraient conquis la Chine tout entière!

Il avait ri si fort et si longuement que ses compagnons l'avaient cru sensible au ridicule de sa vantardise; encore que sans pouvoir en être absolument sûrs!

– Tu es le plus grand pochard du monde, avait conclu Frigate.

Li Po était ressuscité sur les berges du Fleuve. Il avait repris son existence errante, mais comme il le proclamait, il en avait l'habitude. Sur la Terre, il avait parcouru dans les deux sens tous les principaux fleuves de la Chine et bon nombre des autres.

Une nuit, il avait été réveillé dans sa hutte par un homme masqué et encapuchonné. Cet inconnu était Loga, l'Éthique renégat, qui avait aussi rendu visite à Burton et à bien d'autres Terriens pour les enrôler au service de sa cause. De ses nombreuses recrues, Li Po avait été l'une des rares à parvenir jusqu'à la tour.

– Et qu'as-tu appris durant ton séjour en ces lieux? lui avait demandé Nur. As-tu changé, en mal ou en bien?

– Au contraire de toi, qui bien qu'hérétique n'en est pas moins musulman, je ne croyais pas à un au-delà. J'estimais avec le Sage que les affaires du pays des esprits ne me regardaient pas. J'étais persuadé qu'après ma mort, mon cadavre se décomposerait et retournerait définitivement en poussière. M'éveiller au bord du Fleuve m'a causé un choc, le plus violent de mon existence. Où étaient donc les dieux qui m'avaient ressuscité d'entre les morts, ces dieux auxquels j'avais refusé de croire? Je ne voyais autour de moi ni dieux, ni démons, mais uniquement des êtres humains semblables à moi, qui, bien que transportés dans un autre monde, n'en savaient pas plus long sur ses causes et ses raisons que sur celles de la Terre. Pauvres hères! Pitoyables ignorants qui tâtonnaient en trébuchant dans l'obscurité. Où étaient ceux qui nous avaient rallumés afin que nous soyons de petites flammes lancées à la recherche de la flamme mère ?

– Où sont les neiges d'antan ? avait persiflé Frigate. La réponse est aisée : elles ont fondu, se sont transformées en nuages, puis de nouveau en neige, les neiges d'aujourd'hui.

Après avoir tant erré sur la Terre et le Monde du Fleuve, Li Po avait atteint la tour. Il ne semblait pas avoir changé, ce que Nur jugeait regrettable ; le Monde du Fleuve n'avait-il pas été spécialement créé pour permettre aux Terriens de s'amender ? Le grand Asiatique élancé, dont le beau visage aux yeux verts surmonté d'une chevelure noire nouée en chignon avait quelque chose de démoniaque, ne faisait que rire de ce reproche amical.

– Ce qui est parfait ne peut changer qu'en mal !

Il avait réaménagé le décor de son appartement de manière qu'il rappelle celui du palais impérial. L'Ordinateur lui avait fabriqué, à partir de ses archives, les duplicata de maintes toiles célèbres des écoles chinoises et il peignait lui-même ; non des doubles de ses œuvres terrestres, mais des scènes empruntées au Monde du Fleuve.

– Je possède tout ce que l'empereur possédait, et bien plus encore. Sauf, évidemment, des millions de sujets, d'épouses et de concubines. En fait, je suis plus pauvre et plus malheureux que le plus misérable des paysans, puisque je n'ai pas une seule compagne. Mais ça ne durera pas !

Il existait une femme dont les historiens n'avaient jamais entendu parler bien que Li Po lui eût consacré près de deux cents poèmes ; ceux-ci figuraient en effet parmi les neuf mille pièces de sa composition qui s'étaient perdues.

Li Po avait fait construire une maison contre la taverne que la famille de sa quatrième épouse détenait dans le Lu oriental, qui, au vingtième siècle, devait former l'un des districts du Chantong, province septentrionale de la Chine. Et les patrons de la taverne avaient à leur service une esclave dénommée Hsing Shih, ou « Cuillère d'Étoile ».

– La plus belle femme que j'aie jamais vue. Qu'Alice et Aphra me pardonnent : elles sont sans conteste éblouissantes, mais, attendu qu'elles font preuve d'une impartialité rare chez des représentantes de leur sexe, elles conviendront certainement avec moi que leur beauté peut, éventuellement, le céder à une autre.

» Cuillère d'Étoile était réservée ; la clientèle grossière de la taverne n'appréciait pas son parler agréable et ses manières élégantes qui détonnaient en ces lieux. Ce n'était pas une fille de paysans. Sa mère avait été l'une des concubines du Glorieux Monarque qui passait pour être le père de Cuillère d'Étoile. Cette paternité fut remise en question le jour où l'on surprit la concubine dans les bras d'un des gardes du palais. Les deux amants furent décapités et Cuillère d'Étoile, alors âgée de neuf ans, vendue à un riche négociant qui la mit dans son lit le jour de son dixième anniversaire. Quand le marchand se lassa d'elle, ses six fils en jouirent tour à tour à mesure qu'ils atteignaient leur puberté. Le marchand décéda peu de temps après avoir perdu sa fortune et ses héritiers revendirent Cuillère d'Étoile à mon beau-père, le propriétaire de la taverne, qui la prit comme concubine et la traita bien, relativement du moins, tout en l'obligeant à travailler dans son établissement. Mon mariage avec sa fille m'amena à bien connaître Cuillère d'Étoile, dont je ne tardai pas à tomber passionnément amoureux. Il est vrai que je ne peux rien faire qu'avec passion. Elle eut un enfant de moi, qui mourut d'une fièvre maligne quelques jours après sa naissance. Bien que je n'aie peur de rien, je ne voulais pas provoquer de désordre sous mon toit. Ma femme était extrêmement jalouse et encline à la violence : son couteau avait laissé sur mon épaule une cicatrice qui en témoignait ; ni Cuillère d'Étoile, ni moi-même, ne révélâmes jamais à quiconque l'origine de cet enfant.

Si Li Po n'avait souhaité qu'avoir un intime, c'était un homme qu'il aurait choisi, mais il avait besoin d'une femme et ses pensées s'étaient orientées vers Hsing Shih. Il s'occuperait plus tard de retrouver, avec ses anciens camarades, la chaleur masculine et les relations tapageuses qui le stimulaient intellectuellement.

Pour rechercher Cuillère d'Étoile, il fallait d'abord savoir si les archives de l'Ordinateur contenaient quelque chose sur elle.

Ces archives partaient de l'an 97 000 avant Jésus-Christ, époque à laquelle les prédécesseurs des Éthiques avaient débarqué sur la Terre. (Loga avait parlé de l'an 100 000, mais d'une manière approximative et en arrondissant les chiffres.) Ce millésime constituait l'an Un de la chronologie utilisée par l'Ordinateur ; pour celui-ci, Cuillère d'Étoile qui avait vu le jour en l'an 721 de l'ère chrétienne était donc née en 97 724.

Li Po avait ordonné de commencer les recherches à partir de cette date et aux alentours du lieu de naissance de l'intéressée.

Le palais du Glorieux Monarque représentant l'un des centres vitaux du pays, il était probable que les agents des Éthiques en avaient photographié les êtres et les occupants.

Les archives étaient cependant loin de tout englober. Rien n'assurait qu'on eût souvent filmé les lieux sous la dynastie T'ang. Li Po avait néanmoins reconstitué les traits de Cuillère d'Étoile avec le concours de l'Ordinateur et de sa propre mémoire, qui, comme celles de Burton et de Nur, était d'une fidélité extraordinaire.

L'Ordinateur avait alors, par extrapolation, rajeuni progressivement le visage de la jeune femme jusqu'à lui rendre la physionomie de son enfance ; puis, armé de ce modèle, il avait passé au peigne fin la partie de ses archives qui correspondait à la région et à la période considérées. Et il l'avait repérée, non pas une fois, mais à trois reprises. Li Po avait eu beaucoup de chance – jusque-là.

Ayant identifié le *wathan* de Cuillère d'Étoile à partir des films, sur lesquels il apparaissait également, l'Ordinateur l'avait cherché parmi les quelque dix-huit milliards d'autres que renfermait le grand puits central de la tour. Si la Chinoise avait été encore en vie dans la Vallée, son *wathan* n'aurait pas séjourné dans le puits et la chance aurait cessé de sourire à Li Po. Mais l'Ordinateur l'avait trouvé ; un quart d'heure plus tard, Cuillère d'Étoile sortait du convertisseur énergie-matière installé dans l'appartement de Li Po ; en état de choc et complètement perdue.

Elle avait été tuée au cours de ces journées horribles où les pierres à graal avait cessé de ravitailler les Terriens qui habitaient la rive gauche du Fleuve. Elle s'était mêlée aux hordes affamées qui avaient traversé le cours d'eau en bateau pour s'emparer, en de sanglants combats, de la nourriture fournie aux occupants de la rive droite. Ignorant que le processus de résurrection était interrompu, elle s'était attendue à se réveiller quelque part au bord du Fleuve.

Au lieu de cela, elle revenait à la vie dans un endroit inconnu, manifestement situé en dehors de la Vallée. Et qui était donc ce compatriote au sourire démoniaque planté en face d'elle ?

« Elle m'a pris réellement pour un démon. Elle ne se trompait qu'à moitié ! Elle ne m'a reconnu que quand je lui ai parlé ; tout lui est alors revenu d'un bloc et elle a sangloté longuement. »

La mettre au courant de ce qui leur était advenu à tous les deux avait exigé une bonne partie de la nuit. Li Po l'avait ensuite laissé dormir en dépit du désir qu'elle lui inspirait.

« Je ne suis pas homme à m'imposer de force à une femme ; il faut qu'elle soit consentante. »

Tout le monde se rendit chez lui afin de lier connaissance avec la nouvelle venue. Celle-ci, qui mesurait environ un mètre cinquante, était effectivement très belle, avec ses os menus, ses formes fines mais néanmoins bien pleines, ses longues jambes et ses immenses yeux brun foncé. Elle portait le même genre de vêtements que sur la Terre, mais se révéla moins timide que Li Po l'avait affirmé ; le Monde du Fleuve avait modifié son comportement sur ce point. Lorsqu'elle prit la parole, ce fut néanmoins d'une voix douce, un peu voilée et en espéranto. Elle parlait couramment une bonne douzaine de langues, mais pas l'anglais.

Burton, qui frémissait de rage, réussit pour une fois à se contrôler. L'arrivée de Cuillère d'Étoile était un fait acquis. Reprocher à Li Po d'avoir rompu l'engagement auquel les huit Terriens avaient souscrit de ne ressusciter personne pour l'instant n'aurait servi qu'à bouleverser la jeune femme et à susciter une dispute avec le Chinois ou, pis encore, une provocation en duel de la part de celui-ci. Burton avait perdu le peu d'autorité dont il jouissait. Maintenant que la situation avait évolué, que le danger était écarté, il devait renoncer à diriger cette bande d'individualistes forcenés qui n'en feraient désormais qu'à leur tête.

Il réussit à sourire, mais son ton le trahit quand il grommela :

— Combien de personnes encore comptes-tu ressusciter ?

— Pas beaucoup. Je ne suis pas fou.

Burton émit un reniflement méprisant.

— Les six Paresseux de la Rivière aux Bambous, mes immortels compagnons. Ils te plairont. Des femmes à leur intention, plus peut-être quelques autres pour moi. Mes honorables parents, mes sœurs, mes frères et une tante que j'ai beaucoup aimée. Mes enfants. Bien sûr, il me faut d'abord les *retrouver* !

Frigate poussa un gémissement.

— Une véritable invasion ! Le péril jaune se profile de nouveau à l'horizon !

— Quoi ?

— Rien. Je suis persuadé que nous allons tous nager dans la félicité.

— Je serai très heureux de connaître les gens que tu ressusciteras.

Frigate grimaça un sourire et décocha une bourrade à Li Po. Bien qu'il eût un faible pour le poète, il lui arrivait, comme aux autres, d'être agacé par ses foucades.

14.

Peter Jairus Frigate était né en 1918 à North Terre Haute, dans l'Indiana, non loin des berges du Wabash. Bien que se prétendant rationaliste, il croyait, ou du moins l'affirmait, que tout terroir possédait des propriétés psychiques particulières. Le sol du Comté de Vigo, par exemple, avait absorbé les qualités spécifiques des Indiens qui avaient vécu en ces lieux et des pionniers qui les avaient chassés pour s'installer à leur place. Sa psyché, à lui, Frigate, imprégnée des effluves de l'amérindianité et de l'indianité, ne s'en débarrasserait jamais, en dépit de l'évaporation que ces effluves subiraient en d'autres temps et sous d'autres climats.

— En un sens, il y a en moi de l'Indien et du pionnier.

Sa voix rappelait celle de Gary Cooper, acteur de cinéma originaire du Montana, mais de temps à autre l'accent nasillard de l'Indiana perçait sous le vernis. Il disait alors « warsh » pour « wash », « pail » à la place de « bucket », et, dans sa bouche, l'Illinois devenait le plus souvent « l'Ellinois ».

Dans son enfance, il avait été soumis à l'influence de la Christian Science, ce mélange d'hindouisme et de bouddhisme que Mary Baker Eddy, une névrosée à la cervelle brumeuse, avait transmué en religion occidentale. Ses père et mère avaient d'abord été méthodistes épiscopaliens, puis baptistes, jusqu'au jour où un « miracle » était arrivé à sa tante maternelle, qu'on avait envoyée à l'hôpital mourir d'un cancer incurable. Un ami avait conseillé à la tante de lire *La clé des Écritures* et, tandis qu'elle se livrait à cette occupation, son cancer avait perdu de sa virulence. La plupart des parents que Frigate possédait à Haute Terre étaient devenus de fervents disciples d'Eddy et de Jésus-Christ Homme de Science.

Le petit Peter Frigate avait quelque peu confondu le personnage de Jésus avec ceux des scientistes dont il avait lu les biographies à l'âge de sept ans, ainsi que ceux des docteurs Frankenstein, Doolittle et Van Hesling. Deux d'entre eux étaient mêlés à des histoires de morts rappelés à la vie et Doolittle, auquel il devait par la suite prêter le visage de Saint-François d'Assise, parlait avec les animaux. Le gamin précoce et doué d'une vive imagination se représentait le Christ sous les traits d'un savant barbu, revêtu d'une robe, qui travaillait dans un laboratoire quand il ne sillonnait pas le pays pour prêcher la bonne parole.

– On commence l'opération, Judas ? Je crois que cette jambe va là, mais je ne vois vraiment pas à qui appartient cet œil.

Cette conversation se déroulait alors que Jésus essayait de ressusciter Lazare. La présence des autres corps qu'on avait placés antérieurement dans le tombeau compliquait singulièrement le problème. Après être demeuré trois jours, sous un climat aussi chaud, au fond d'un trou creusé dans une falaise, le cadavre de Lazare s'était déjà désagrégé sous l'effet de la décomposition ; d'où l'embrouillamini. D'où aussi l'obligation pour Jésus et ses assistants, Judas et Pierre, de porter des masques à gaz par-dessus leurs masques chirurgicaux.

Ils travaillaient entourés de cornues géantes où bouillonnaient de mystérieux liquides, d'un générateur statique qui envoyait de nœud en nœud des décharges électriques sinusoïdales et d'autres appareils impressionnants de facture hollywoodienne. Frigate n'empruntait pas ce décor au film sur Frankenstein, dont la sortie n'aurait lieu qu'en 1931, mais à une série de courts métrages muets qu'il avait vue à l'âge de six ans.

Le montant de la dépense inquiétait Judas, le trésorier de l'organisation mise sur pied par le docteur Christ et dont les finances n'étaient alimentées que par des contributions volontaires. « Cette opération va nous lessiver, » dit-il d'une voix rauque aux deux grands savants.

– Oui, mais songe à la pub que nous allons en retirer. Quand le millionnaire Joseph d'Arimathie aura vent de notre intervention, il rappliquera dare-dare, avec des masses de pognon. D'autant plus que ça sera déductible de son impôt sur le revenu !

Quand, bien plus tard, Frigate se remémora cette scène, l'idée le frappa qu'à l'époque il n'avait encore jamais entendu parler de publicité ni d'impôt sur le revenu. En les reconstituant, il devait donc modifier ses visions enfantines. Mais l'imagination s'exerce aussi bien en direction du passé que de l'avenir, et même mieux.

Peut-être était-ce cette version du Christ homme de science qui avait conduit le jeune Frigate à s'intéresser aux ouvrages de science-fiction. Tout en dévorant Swift, Twain, Doyle, Dumas, Baum et Homère, il avait lu la Bible, dans une édition de John Bunyan illustrée par Doré. Quelque part dans le magma obscur de son inconscient, les élans religieux fusionnaient avec le culte d'une science salvatrice de l'humanité. Les premiers magazines et romans de science-fiction qu'il avait eus entre les mains reposaient sur le même principe : la raison, la logique et la science tiraient l'*Homo sapiens* du chaos qu'il avait provoqué depuis cent mille ans. Personne ne lui avait encore appris que tout nouveau-né, bien que destiné à vivre au sein d'une société technologiquement très avancée, portait en lui les vestiges du paléolithique, du mésolithique, du néolithique, de l'âge de bronze, de l'âge de fer et des temps médiévaux ; bagage qui l'accompagnait d'un bout à l'autre de son existence ; que bien rares étaient ceux qui parvenaient à s'affranchir de ce fardeau dont personne ne réussissait à se débarrasser totalement.

A l'exception de Nur, peut-être.

Le Maure n'avait-il pas déclaré : « Tout n'est pas indésirable, dans l'héritage de ces âges ; j'en conserve certainement quelque chose. »

Lorsque Frigate avait atteint ses onze ans, ses parents avaient traversé une crise d'apathie religieuse. Ils cessèrent de fréquenter, pour un temps, la Première église de la Science chrétienne d'Hamilton Boulevard, à Peoria. Ne souhaitant pas couper leur fils aîné de la communauté des croyants, mais peu désireux de le transporter tous les matins jusqu'à l'église scientiste, ils l'inscrivirent à l'école du dimanche de l'église presbytérienne sise Arcadia Avenue où il pourrait se rendre à pied.

C'était là qu'il était entré tête baissée et à pleine gomme théologique dans la prédestination, en une collision si brutale que son âme comme son être philosophique en portaient encore les meurtrissures.

— Après cela, le monde entier s'est transformé pour moi en

une vaste maison de convalescence, avait-il un jour confié à Burton ; j'exagère un peu, bien sûr !

Jusqu'alors, il avait été convaincu qu'une existence féconde en actes méritoires, riche en bonnes pensées et régie par une foi inébranlable en l'existence de Dieu et en la véracité de la Bible se voyait récompensée par l'admission au Paradis.

« Les presbytériens soutenaient au contraire qu'avoir le sentiment d'être empli par la grâce et de se comporter en chrétien exemplaire ne changeait rien à l'affaire : Dieu avait décrété des milliers d'années avant notre naissance, avant même la création de l'univers, que *telle* personne à naître serait sauvée, *telle autre* damnée. Leur doctrine rappelait étrangement la théorie du déterminisme chère à Mark Twain, et selon laquelle dès l'instant où l'atome premier a heurté le suivant, un mouvement en chaîne s'est déclenché dont la direction dépendait exclusivement de l'angle sous lequel les deux atomes s'étaient abordés et de la vitesse à laquelle ils se déplaçaient au moment du choc. L'angle ou la vitesse eussent-ils été différents que cette différence se serait étendue à tout ce qui s'est produit par la suite. La route qu'on suit durant sa vie est tracée d'avance ; rien de ce qu'on fait ne peut l'infléchir. Tous nos actes sont prédéterminés, ou pour employer le jargon des informaticiens du vingtième siècle, préprogrammés. »

L'ennui, c'était qu'on ne pouvait pas jeter l'éponge et s'adonner sans retenue à tous les plaisirs défendus. Il fallait se conduire comme un parfait chrétien ; pis, il fallait *être* un parfait chrétien. Croire sincèrement. L'hypocrisie était interdite.

Or on ne savait qu'après sa mort si Dieu vous avait destiné à monter au Paradis ou à tomber dans les flammes inextinguibles de l'Enfer.

— Dans la pratique, si les presbytériens avaient raison, on pouvait pécher toute sa vie : du moment que Dieu vous avait marqué du sceau des élus, un repentir de la dernière minute vous valait d'accéder à la félicité éternelle. Mais qui, en vérité, allait accepter de courir un tel risque ?

» J'aurais dû parler à mes parents de l'angoisse que j'éprouvais à cette perspective. Ils m'auraient rassuré en m'affirmant qu'il n'existait ni prédestination, ni enfer tel qu'on le décrivait. Ou, du moins, ils se seraient efforcés de me réconforter. Mais j'ai souffert en silence — ce qui vous donne un aperçu de mon aptitude à communiquer. Ils n'avaient bien entendu pas la moindre idée de ce qu'on m'enseignait dans cette église où je pouvais me rendre à pied – pour y rencontrer le Désespoir, le Doute de l'Enfer.

– Tu as réellement souffert autant que ça ? avait demandé Burton.

– Pas en permanence. Juste de temps en temps, par à-coups. Après tout, j'étais un gosse actif, débordant de santé. Et puis j'ai réalisé que si les adultes de cette communauté avaient véritablement cru à la prédestination, ils ne se seraient pas comportés comme ils le faisaient. Leur étrange doctrine n'altérait manifestement pas leur sérénité. Ils affectaient d'y adhérer tant qu'ils étaient à l'église et s'empressaient de l'oublier sitôt sortis ; où même avant !

» Je me suis également aperçu, en lisant une biographie de Twain, qu'il ne croyait pas lui-même à son univers païen et strictement mécanique. Il agissait comme s'il jouissait de ce libre arbitre dont il s'évertuait a dénier la possession aux humains.

A douze ans, Frigate était devenu athée.

– Ou plutôt, un dévot de la Science salvatrice ; de la science exploitée raisonnablement. J'avais oublié que comme Swift l'a déclaré, laissé entendre en tout cas, la plupart des gens sont des Yahoos. Non, je corrige : la plupart des gens ont tendance à se conduire comme des Yahoos ; seule une minorité d'entre eux, encore trop importante il est vrai, mérite pleinement ce qualificatif.

» La science ne peut nous sauver que dans une certaine mesure et que si on n'en abuse pas. Malheureusement, nous usons et mésusons de tout. Mais ça, je ne l'ai vraiment compris qu'à trente-cinq ans. A la moitié de ma vie, comme Dante, je touchais aux portes de l'Enfer.

– Il lui a fallu longtemps pour se rendre compte que les hommes sont souvent sinon toujours irrationnels, avait observé Nur. La belle découverte !

– Ce n'est pas seulement le paléolithique, mais aussi le singe bipède qui survit en nous, avait ajouté Burton. Et encore, je crains que cette affirmation ne soit insultante pour les singes.

Frigate avait professé durant de nombreuses années que ce qu'on appelait l'âme n'existait pas. Puis il lui était venu à l'esprit que si Dieu n'avait pas donné d'âme à l'*Homo sapiens*, il appartenait à ce dernier de réparer l'omission. Il avait écrit un récit fondé sur l'idée d'âmes artificielles qui conféraient aux hommes l'immortalité que Dieu, s'il y avait un Dieu, avait négligé de leur octroyer.

A sa connaissance, personne n'avait encore songé à ça, et il tenait là un excellent point de départ pour un roman de science-fiction. Cela lui avait révélé aussi que, au fond de lui-même, il croyait toujours que seule l'humanité pouvait assurer son propre salut. Elle ne serait pas rachetée par un sauveur venu du Ciel ou d'une autre planète.

« J'avais tort et raison en même temps. L'âme synthétique était bien notre salut ; mais ce sont des extra-terrestres qui l'on inventée. »

– Cette âme, le *wathan*, n'est pas notre salut, avait répliqué Nur. Elle n'en est que le moyen. Notre salut, c'est toujours de nous qu'il dépend.

La science et la pulsion religieuse s'étaient combinées pour aboutir à la création du Monde du Fleuve et du *wathan*, mais à partir de là la science s'évanouissait, comme le soleil se couche, pour céder la place à la métaphysique.

Dans l'intervalle, il n'y avait qu'à vivre une seconde après l'autre, à se laisser emporter au fil du temps. Que cela plaise ou non, il fallait dormir, manger, déféquer et, comme l'avait dit Burton, développer sa personnalité en tenant dûment compte des autres. On avait le droit de poser des questions et, si on n'obtenait pas la réponse sur-le-champ, d'espérer la connaître un jour.

Frigate fut présenté à Cuillère d'Étoile et s'entretint un moment avec elle bien qu'il eût du mal à la comprendre ; elle s'exprimait en espéranto, mais en y mêlant bon nombre de termes étrangers empruntés aux Chinois du huitième siècle après et aux Sabins du cinquième siècle avant Jésus-Christ qui peuplaient majoritairement les régions où elle avait vécu. Il ne tarda pas à s'excuser et à regagner son appartement. Comme Burton, il regrettait que Li Po n'eût pas consulté ses compagnons avant de ressusciter la jeune femme. Le groupe avait certes besoin de s'étoffer ; un effectif de huit personnes ne suffisait pas à lui garantir la variété et le renouvellement indispensables. Les épreuves subies en commun pour atteindre leur objectif en avaient rapproché les membres, établi entre eux des liens quasi familiaux, mais, comme dans la plupart des familles, cette intimité elle-même les amenait parfois, à l'exception de Nur, à se taper mutuellement sur les nerfs et à se quereller pour des motifs futiles.

Ressusciter d'autres Terriens était donc juste et nécessaire; à condition de choisir avec discernement les bénéficiaires de cette mesure: il fallait éviter à tout prix de s'adjoindre des fauteurs de troubles.

Li Po avait ouvert les vannes. Les autres allaient vouloir procéder chacun aux résurrections qui leur tenaient à cœur, or on n'avait encore fixé aucune limite au nombre de celles-ci, nì défini les critères auxquels elles devraient obéir.

Burton partageait ce point de vue, qui était sans doute celui de la majorité. Il ne parviendrait cependant pas, dans les conditions présentes, à gouverner ces fortes individualités. Aussi brave, vigoureux et audacieux qu'il fût, c'était un piètre meneur d'hommes en dehors des circonstances qui exigeaient une action prompte et brutale. Il ne possédait aucune des qualités requises pour administrer une collectivité en temps de paix.

C'était à Nur el-Musafir qu'il aurait dû maintenant incomber de diriger le groupe, mais il n'avait pas proposé d'exercer cette responsabilité et ne le ferait probablement pas. Plus lucide que tous les autres, il savait que personne ne serait capable d'enrayer l'inéluctable glissade vers l'anarchie.

15.

Burton avait remarqué combien assister, sur un écran, au spectacle de sa propre naissance, avait bouleversé Cuillère d'Étoile. Ce bouleversement, il s'y attendait, mais qu'il se manifeste aussi clairement le surprit. Comme la plupart des Occidentaux, il croyait à la fameuse impassibilité chinoise, au mythe de «l'Oriental impénétrable». Si Li Po se montrait presque maladivement expansif, ne constituait-il pas l'exception qui confirmait la règle? Il lui avoua discrètement son étonnement. Li Po rugit de rire:

— Il se peut que les Chinois de ton époque aient été inexpressifs — quand ils se savaient observés par des étrangers ou exposés à un danger. Cuillère d'Étoile et moi, nous sommes originaires de ce que vous appelez le septième siècle ; tu ne penses pas qu'il existe autant de différence entre nous et un Chinois de ton temps qu'entre un Anglais du septième siècle et toi.

– Touché ! Voilà qui me servira de leçon.

Nur intervint dans la conversation :

– Ce n'est peut être pas tant ce qu'elle voit en ce moment que ce à quoi elle sait devoir assister par la suite qui la trouble tant.

Il était impossible d'être à l'aise quand on avait ainsi son passé sous les yeux. Burton proposa de prendre désormais les repas communs dans un appartement inoccupé dont ils peindraient les murs afin d'aveugler les écrans. Tout le monde ayant jugé l'idée excellente, il retourna chez lui commander deux androïdes à l'Ordinateur ; treize secondes montre en main après qu'il en eut précisé les caractéristiques, les robots sortirent du convertisseur. Il s'était amusé à leur donner, à l'un, les traits du colonel Henry Corsellis, ancien commandant du Huitième d'infanterie indigène de Bombay, à l'autre, ceux de Sir James Outram, ex-héros de la révolte des cipayes et ci-devant Résident de Sa Majesté à Aden. Il s'était brouillé avec Corsellis le jour où il avait improvisé au mess des bouts rimés avec les noms de ses camarades ; il avait omis celui de son supérieur, qu'il savait colérique et susceptible, mais le colonel lui ayant ordonné de composer un distique avec son patronyme, il avait récité :

Ici gît le corps du colonel Corsellis,
Quant à son âme, je crains fort qu'en Enfer domicile elle n'élise.

Comme il le craignait, l'intéressé avait fort mal pris la chose ; ils avaient échangé des propos acerbes et, depuis lors, le colonel l'avait poursuivi de sa vindicte.

– Ce que j'aurais dû prévoir. Et avais sans doute prévu !

Quant à Outram, alors général de l'armée des Indes, il s'était attiré son inimitié en prenant parti pour Sir Charles Napier, qu'il admirait beaucoup, dans la longue et âpre querelle qui avait opposé les deux hommes. Il avait adressé des articles et des lettres favorables à Napier au *Karachee Advertiser*, publication privée vouée à la défense de celui-ci. Outram lui en avait voulu et s'était juré de se venger à la première occasion. Quand, des années plus tard, Burton, qui était alors capitaine dans l'armée des Indes, avait sollicité la permission d'explorer la Somalie, Outram la lui avait refusée; ses supérieurs hiérarchiques ayant passé outre à son veto, il s'était arrangé pour limiter les objectifs de la mission.

Les androïdes qu'il avait baptisés Corsellis et Outram se tenaient maintenant devant l'Anglais, le premier en uniforme de colonel, le second en costume civil et le visage inexpressif: ils ne souriraient que si on le leur commandait et que si leur programmation le prévoyait.

— Espèces de minables trous du cul, vous allez peindre les chambres à l'aide du matériel que contient ce convertisseur, leur enjoignit-il en désignant l'appareil du doigt.

Les androïdes ne comprirent pas le sens de son geste.

— Regardez là-bas, dans la direction de mon doigt. Ce placard est le convertisseur en question. Vous y trouverez des bombes de peinture, dont vous connaissez le mode d'emploi. Vous y trouverez aussi des escabeaux démontables: vous savez comment on les assemble et comment on s'en sert.

Il avait failli introduire dans leur programmation la consigne de lui embrasser le derrière avant de se mettre au travail, mais il avait renoncé à cet enfantillage. Un tel acte n'aurait eu de signification qu'exécuté par les deux hommes eux-mêmes, qui s'y seraient évidemment refusés. De plus, il ne pouvait pas les ressusciter provisoirement, en dépit de la jouissance qu'il aurait éprouvée à leur imposer ces corvées humiliantes, car qu'en aurait-il fait ensuite? Ordonner la désintégration de deux êtres humains était impossible.

Il ressentit néanmoins une certaine satisfaction et gloussa même de rire en voyant ses deux androïdes se diriger vers le convertisseur. Si seulement il avait pu se débrouiller pour que Cornellis et Outram fussent au moins témoins de ce spectacle! Ils se seraient étranglés de rage et d'indignation.

Il poussa un soupir. Cette forme de vengeance était mesquine, il s'en rendait bien compte. Nur aurait dit: « Ce n'est pas digne de toi. Tu te rabaisses à leur niveau. »

Je devrais tendre l'autre joue? murmura-t-il à voix haute, comme s'il poursuivait cette conversation imaginaire. Je ne suis pas chrétien. En outre, je n'ai jamais rencontré de chrétien qui tendait l'autre joue quand on lui flanquait une baffe.

Il lui faudrait garder pour lui l'identité des deux sosies et cela le privait d'une partie du plaisir qu'il retirait de la situation. Si Alice avait pu se permettre de conférer à ses androïdes l'aspect de Gladstone et de Disraeli, c'était parce qu'elle ne nourrissait aucune animosité à l'encontre de leurs modèles ; elle trouvait simplement amusant de se faire servir par deux anciens premiers ministres.

Il s'absenta un instant, non sans se demander s'il n'avait pas tort de laisser les robots livrés à eux-mêmes. S'ils se heurtaient à un problème qu'un peintre doué de conscience aurait résolu de lui-même, soit ils continueraient leur tâche comme si de rien n'était, soit ils l'interrompraient en attendant des ordres. Cependant, il avait besoin de se soustraire aux images de son passé qui défilaient sur l'écran, pas encore recouvert de peinture, et qui l'emplissaient de colère. Elles ne se suivaient pas dans l'ordre chronologique : il avait d'un seul coup atteint l'âge de trois ans, et son tuteur le fouettait sauvagement. « Je lui avais pourtant seulement dit qu'il avait mauvaise haleine et qu'il pétait trop souvent. C'était tout ! »

Il ne savait pas encore lire, mais le tuteur avait entrepris de lui apprendre le latin. A dix ans, Burton le savait mieux que son mentor et le parlait couramment.

– Mais c'était en dépit et non à cause de lui. J'avais pour les langues un penchant inné, si solidement enraciné qu'il aurait résisté aux brutalités de n'importe quel pédant. Il n'en allait malheureusement pas de même pour les autres enfants qui, confondant la matière enseignée et la baguette du maître, haïssaient autant l'une que l'autre.

L'écran réapparut sur le mur à côté de la porte lorsqu'il la ferma. Burton s'assit dans le fauteuil volant qui stationnait près de l'entrée et le fit pivoter de cent quatre-vingts degrés ; l'écran se transporta immédiatement sur le mur opposé. Il se plaça sur les oreilles des tampons antibruit et se coiffa d'une longue visière dont le saillant, tant qu'il tenait les yeux baissés, lui dissimulait l'écran que l'Ordinateur, apparemment, n'avait pas reçu l'ordre de transférer sur le sol. S'étant ainsi soustrait aux sons et aux images de la projection, il fut en mesure de lire, en tenant l'ouvrage contre sa poitrine.

Il s'agissait de la grammaire de la langue étrusque rédigée par l'empereur Claudius, que l'Ordinateur avait retrouvée et reproduite à son intention. L'original avait disparu vers le début du Moyen Âge, mais un agent des Éthiques en avait photographié un exemplaire peu de temps après que Claudius eut achevé son travail. Tandis que les linguistes de la Terre déploraient sa perte, la grammaire dormait dans les archives des Éthiques depuis un millier d'années.

Bien qu'absorbé par sa lecture, Burton ne put s'empêcher de jeter de temps à autre un coup d'œil sur l'écran. Maintenant McClanahan, le précepteur, l'obligeait à fixer son visage convulsé de colère ; il n'entendait pas ce qu'il disait, mais il parvint à le reconstituer d'après le mouvement des lèvres. Et ceci lui rappela soudain les nombreuses fois où McClanahan l'avait ainsi accablé de reproches et d'injures, en lui prophétisant qu'il irait en enfer quand il mourrait, voire même plus tôt.

Burton n'apercevait pas ses propres lèvres, mais il savait qu'il criait : « Et je vous y retrouverai ! » L'angle de vue changea ; l'enfant regardait désormais dans la direction opposée, tandis que le précepteur le battait de nouveau. Aucun sanglot, aucun cri ne lui échappait ; il tenait obstinément la bouche fermée afin que la brute n'eût pas la satisfaction de se rendre compte combien il souffrait. Cela ne faisait qu'accroître la colère de McClanahan et la sévérité de la correction ; mais l'homme n'osait pas le frapper aussi fort qu'il l'aurait souhaité. Si le père de Burton approuvait qu'on recourût à la baguette pour instiller le goût de l'étude et le sens de l'obéissance, il n'aurait pas toléré qu'on batte son fils à mort ; or, McClanahan savait que le gosse n'émettrait pas un gémissement avant d'être sur le point de trépasser, et encore !

Burton détourna la tête pour concentrer son attention au point de la rendre aussi acérée qu'une épée, à la pointe de laquelle il embrocha les mots de la grammaire. Quand il eut ainsi parcouru deux pages, il s'efforça de se les remémorer en fermant les yeux, comme s'il se fût agi d'un film. Après quoi, il vérifia *de visu* la fidélité de sa mémoire et sourit de satisfaction : la restitution avait été exacte à cent pour cent.

Apprendre une langue de manière livresque n'était qu'une première étape ; pour la maîtriser parfaitement, il faudrait qu'il ressuscite une Étrusque avec laquelle il la pratiquerait jusqu'à s'en imbiber. Mais – il y avait toujours un mais – que ferait-il de cette femme quand il n'aurait plus besoin d'elle ?

Ce fut alors qu'il envisagea la possibilité de recourir aux enregistrements des morts contenus dans les archives. Pourquoi ne pas prier l'Ordinateur de dévider leurs souvenirs ? Les défunts ne pourraient-ils pas parler ?

Usant d'une formule-code, il enjoignit à l'Ordinateur de

former un écran sur le sol, puis lui posa la question. L'Ordinateur répondit qu'il lui était possible d'extraire et de projeter les souvenirs des personnes dont l'enregistrement figurait dans les archives ; à quelques exceptions près, régies par des consignes prioritaires.

Burton consulta sa montre. Les androïdes devaient normalement avoir terminé leur travail.

La représentation de son passé s'était transportée d'un bond à Naples, où la famille avait séjourné quelque temps au cours de son interminable vagabondage à travers l'Europe du Sud. Il recevait de nouveau le fouet, cette fois-ci des mains d'un autre précepteur, un diplômé d'Oxford dénommé Dupré.

Comme l'avait dit Frigate, leurs vies étaient des longs-métrages dont ils ne voyaient pour l'instant que la bande-annonce.

La chose deviendrait embarrassante quand l'Ordinateur dévoilerait ce qui s'était passé la veille de cette correction : le jeune Burton et l'un de ses camarades italiens s'étaient masturbés l'un devant l'autre !

Embarrassant serait aussi le spectacle de leurs innombrables excrétions, et proprement intolérable celui de leurs activités sexuelles. C'était précisément le désir de s'y soustraire qui l'avait amené à juger insuffisante la mesure consistant à peindre un appartement commun et indispensable de l'étendre à son propre logement ; si ses compagnons possédaient deux doigts de jugeote, ils imiteraient son exemple.

Rentrant chez lui, il constata que l'écran disparaissait sous la peinture. Les androïdes, couverts de sueur, terminaient la chambre à coucher. Il ne leur avait pas enjoint de peindre toutes les pièces, car il en existait plusieurs dans lesquelles il ne se rendrait jamais ; à moins, bien sûr, qu'il ne désire revoir son passé, tentation à laquelle il serait certainement maintes fois incapable de résister. Au moins, maintenant, ne le reverrait-il que quand il en aurait envie.

Il claqua des doigts en grommelant un juron.

Ce n'était pas garanti !

Il s'approcha de la console de l'ordinateur auxiliaire qui n'avait pas été enduite, l'alluma, scruta attentivement l'écran et sourit : ces maudites images ne l'envahissaient pas ! L'Ordinateur principal n'avait, semblait-il, reçu mission que de les projeter sur les murs.

Le pseudo-Outram vint lui annoncer qu'ils avaient fini leur

tâche. Burton lui commanda d'entreposer les escabeaux et les bombes de peinture inutilisées dans l'une des chambres et de placer les bombes vides dans le convertisseur. Après les avoir désintégrées, il ordonna aux androïdes, qui obtempérèrent sans broncher, d'entrer à leur tour dans la grande armoire, dont il referma la porte sur leurs talons. Un éclair jaillit et il ne resta plus aucune trace des robots, pas même une particule de cendre.

Ce devait être son imagination qui lui avait fait discerner une lueur implorante dans leur regard ; les androïdes ne possédaient ni conscience individuelle, ni instinct de conversation.

Les murs, le sol et les plafonds étaient maintenant d'une teinte blanc cassé consternante, qu'il lui faudrait égayer par quelques fresques.

Frigate l'appela sur l'écran de la console.

– J'ai exploré les petits mondes de l'avant-dernier étage, et je me suis aperçu que l'Ordinateur n'y projetait pas le film de mon passé. Je présume que les Éthiques avaient frappé cette zone d'interdits dont le Snark n'a pas été en mesure d'obtenir la levée. Mais ce n'est pas tout ; je crois que nous devrions nous y installer pour d'autres raisons encore : on y a l'impression de se retrouver au grand air. Je m'y suis senti bien plus libre que dans mon appartement. Je vais proposer qu'on s'y installe et que chacun réaménage le sien à sa guise. J'ai l'intention de le faire, que les autres suivent mon exemple ou non, mais ce serait plus sympa si tout le monde venait. On serait voisins et on pourrait utiliser la rotonde centrale pour se réunir.

Ils se retrouvèrent ce soir-là dans le hall de « l'étage des chimères » afin d'examiner la suggestion de Frigate.

– Il faut que vous voyiez vous-mêmes ces salles, dit l'Américain ; c'est fabuleux !

Il rappela que les salles formaient un cercle subdivisé en douze sections égales de trente degrés, partant de l'immense rotonde centrale.

« Il m'est venu à l'esprit que, vu d'oiseau, l'ensemble ressemblait à une carte du zodiaque, avec ses douze maisons liées chacune à un signe ; Verseau, Bélier, Taureau, Gémeaux, etc. si vous voulez considérer les choses ainsi. J'ai pensé que nous pourrions élire domicile dans la partie correspondant à nos dates de naissance respectives.

– Pourquoi ? s'enquit de Marbot.

— Une idée à moi. Cette méthode aurait en outre l'avantage d'éviter toute dispute dans la répartition des domaines puisque ceux-ci seraient attribués en fonction des dates de naissance. Nous n'avons bien entendu aucune raison de nous disputer, attendu que les salles auront toutes le même aspect une fois qu'on aura supprimé le décor original. Mais ce n'est là qu'une suggestion.

Ses compagnons convinrent que la méthode leur paraissait aussi bonne qu'une autre.

— Mais ne me raconte pas que tu crois à ces foutaises d'astrologie ? dit Turpin.

— Non ; pas vraiment, bien que je sois assez calé en la matière. Bon. Li Po, selon le calendrier occidental, tu es né le 19 avril 701, ce qui fait de toi un Bélier, habitant la première maison dont le principe est l'énergie. Énergique, tu l'es sans conteste.

— Et bien plus encore !

— Oui. La première maison incarne aussi l'esprit pionnier, et tu as bien été un pionnier. Tes qualités sont l'ouverture sur l'extérieur, l'originalité et le dynamisme.

— Très juste ! Il faut que je m'initie à cette astrologie occidentale.

— Tes aspects négatifs, poursuivit Frigate en souriant, sont la témérité, une dépendance excessive des autres et la fourberie.

— Quoi ? Moi ? Je suis peut-être téméraire, encore que je préfère appeler ça un courage sans limite, mais comment peux-tu prétendre que je dépende trop des autres, toi qui me connais si bien ?

— Je me contente d'énoncer les caractéristiques que l'astrologie prête à ton signe. De toute façon, les aspects négatifs sont à surmonter et tu y as manifestement réussi, si jamais tu les as présentés.

— Réussi, ô combien ! renchérit Burton, pince-sans-rire.

— La maison du Bélier te convient ?

— Pourquoi pas, du moment que c'est *la première !*

— Toi, Alice, tu es née le 4 mai 1852, soit sous le signe du Taureau, que gouverne Vénus, la planète de l'affectivité.

— Ha ! s'exclama Burton, que l'intéressée foudroya du regard.

— Le Taureau construit. Ses aspects positifs te rendent loyale, digne de confiance et patiente. Mais tu dois lutter contre un orgueil excessif, une tendance à satisfaire tous tes caprices et l'avidité.

– Pas que je sache, rétorqua tranquillement Alice.

– La deuxième maison t'agrée ?

– Naturellement.

Frigate se tourna vers Turpin, qui fumait un panatela en sirotant un verre de bourbon.

– Tu as vu le jour le 21 mai 1873, sous le signe des Gémeaux ou des Jumeaux et l'influence de Mercure : ton point fort est la communication ; tu as de multiples dons, notamment un véritable génie créateur.

– Continue, mon vieux !

– Avec, en négatif, une propension à l'instabilité, à la superficialité et à l'hypocrisie.

– Quel foutu mensonge ! J'ai jamais été un faux jeton, j'ai toujours joué franc jeu. Où as-tu été cherché une saloperie pareille ?

– Personne n'a prétendu le contraire. Tout ce que ceci signifie, c'est que tu as été contraint d'étouffer ces tendances.

– Je suis pas un faux jeton. Je suis poli et discret, un point c'est tout. Mieux vaut éviter de contrarier les gens quand on a pas de bonnes raisons de le faire ; ça ne paye pas !

– La troisième maison te va ?

– Autant qu'une autre et peut-être mieux.

– Nous n'avons pas de Cancer parmi nous ; du moins, pas encore. La cinquième maison est celle du Lion, signe de la vitalité dominé par le soleil. Le Lion théâtralise. C'est toi, de Marbot ; né le 18 août 1782.

– Jusque-là, je souscris entièrement à la description. Elle me va comme un gant.

– Le Lion est royal...

– Exact !

– ... gai compagnon...

– Doublement exact !

– ... et doué pour le commandement.

– Triplement exact.

– Hélas, il se montre aussi prétentieux, dominateur et vaniteux.

Le Français rougit et se renfrogna ; les autres éclatèrent de rire.

– Il t'a drôlement eu ! s'esclaffa Turpin.

– La cinquième maison te va ? demanda Frigate.

– A condition qu'il soit bien entendu que cette histoire d'astrologie est un jeu de salon auquel nous nous livrons dans le seul dessein de nous amuser ; que si je suis doué pour le commandement, je ne suis pas dominateur ; que je tais modestement les moults hauts faits dont je pourrais me vanter, que je ne suis pas vaniteux et que je ne me montre jamais, jamais prétentieux !

– Aucun de nous ne se hasardera à te contredire, biaisa Frigate. Et nous en arrivons à la sixième maison, celle de la Vierge, que gouverne également Mercure, la planète de la communication. La Vierge analyse. C'est toi, Aphra, qui est venue au monde le 22 septembre 1640. Le natif de la Vierge est réaliste, doté d'un esprit analytique, tourné vers les activités intellectuelles...

– Je ne me reconnais vraiment pas !

– ... mais il est aussi critique, chagrin et collet monté.

– Collet monté ? Moi ? Avec ma réputation et mes comédies grivoises ! (Elle affecta de rire à gorge déployée.)

– OK pour la sixième maison ?

– Pourquoi pas.

– Pourquoi pas ? s'étrangla de Marbot. C'est à moi de poser la question ! Nous avons jusqu'ici vécu ensemble, mon petit chou, pour mon plus grand bonheur. Et maintenant... sacrebleu... nous ne partagerions plus le même toit et le même lit ? As-tu songé à ça ? Alors, pourquoi pas ? Es-tu lasse de moi ?

Aphra lui tapota le bras.

– Absolument pas, mon coq de combat, absolument pas. Mais... mais nous sommes toujours l'un avec l'autre, nous ne nous perdons pas un instant de vue... une intimité aussi étroite risque à la longue, note bien que je dis risque, de perdre de son charme, car nous ne sommes que des êtres humains ordinaires. En outre... l'idée d'avoir mon propre monde me plaît. Rien ne nous empêche de bâtir chacun le nôtre selon nos goûts et de nous retrouver aussi souvent que nous le souhaiterons. Je passerai une nuit dans ton monde, toi, la nuit suivante dans le mien. Nous aurons l'impression d'être un souverain et une souveraine se rendant en visite officielle dans le royaume de l'autre.

– Je n'en vois pas l'intérêt.

Aphra haussa les épaules.

– Bon, si ça ne marche pas, nous pourrons toujours

recommencer à vivre ensemble. Y a-t-il là-dedans quelque chose qui soit de nature à t'effrayer, Marcelin ?

– M'effrayer ? Moi ? Tu plaisantes ! D'accord, Peter, je vais m'établir dans la cinquième maison et Aphra dans la sixième ; nous serons voisins de palier, après tout.

– Avec un mur épais entre vous. Les bons murs font les bons voisins.

– Et les piètres amants, enchaîna Burton.

– Tu es trop cynique, mon ami, répliqua de Marbot.

– Les septième et huitième maisons, celles de la Balance et du Scorpion, resteront inoccupées pour le moment. La neuvième est celle du Sagittaire, l'archer, gouvernée par Jupiter dont la dominante est l'expansion. Le Sagittaire s'adonne à la philosophie ; ce qui s'applique parfaitement à Nur, dont c'est le signe. L'antique science te décrit comme chaleureux, prophétique et logique.

– Exact, mais un peu court.

– Tes défauts sont la brusquerie, le fanatisme, l'intolérance.

– Étaient. Je les ai jugulés en devenant adulte.

– Nous sautons le Capricorne pour passer directement au Verseau et à la onzième maison. Le Verseau, ou le porteur d'eau, sous le signe duquel je suis né, est gouverné par Saturne, qui symbolise l'enseignement, et par Uranus, la planète des occasions favorables. Diplomate, altruiste et inventif, il contribue à humaniser ses semblables. Sur le plan négatif, il lui arrive malheureusement d'être égoïste, excentrique et impulsif.

– Tu plaides coupable ? demanda Burton.

– Plus ou moins. Et maintenant, à ton tour, Dick. Tu es Poisson, puisque né le 19 mars 1821. Le Poisson harmonise, ouaf ! ouaf ! Gouverné par Neptune, la planète de l'idéalisme, et par Jupiter, celle de la force d'expansion – pas de contestation possible sur ce point – il est ouvert aux autres, intuitif, artiste.

– Tu m'as dit plus d'une fois que j'aimais à m'infliger le martyr.

– Et voilà, conclut Nur. Il ne nous reste plus qu'à entrer dans nos nouveaux logis avec notre bagage de qualités et de défauts. Quel dommage que nous ne puissions pas laisser à la porte la valise qui renferme ces derniers !

16.

S'installer à l'étage des chimères ne fut pas une mince entreprise. Les nouveaux occupants durent visiter longuement leurs petits mondes afin de décider s'ils conserveraient le décor (« l'environnement ») existant ou s'ils lui en substitueraient un autre de leur choix. A l'exception de Nur, que le labyrinthe de miroirs intriguait, tous finirent par faire place nette. Tandis que des armées d'androïdes et de robots s'employaient à dégager les immenses salles, ils choisirent le type d'univers au sein duquel ils souhaitaient vivre. Il leur fallut ensuite passer à l'Ordinateur des commandes précisant jusqu'au moindre détail.

Nur changea d'avis : il demeurerait dans son ancien appartement, mais irait de temps à autre méditer dans le monde aux miroirs.

Burton surprit ses compagnons par l'inexplicable réticence qu'il mit à déménager, lui, l'éternel vagabond qui ne pouvait supporter de s'attarder plus d'une semaine au même endroit. Il refusa d'abord d'habiter son petit monde avant de l'avoir remodelé de manière qu'il corresponde exactement à ses goûts ; puis, alors que le chantier était à moitié terminé, il interrompit les travaux et fit jeter à bas tout ce qui avait été édifié. Après un long délai, il entama l'exécution d'un deuxième plan, auquel il renonça au bout de quinze jours.

— S'il répugne tant à changer de domicile, commenta Nur, c'est peut-être parce qu'il sait que ce sera la dernière fois. Où pourrait-il aller, après ça ?

L'après-midi du jour fixé pour le déménagement de six d'entre eux, les huit Terriens célébrèrent l'événement en organisant dans la rotonde centrale une grande fête, dont la fin fut malheureusement assombrie par une querelle qui éclata entre de Marbot et Behn. Le Français était ulcéré qu'Aphra eût refusé de venir vivre dans son monde ; ayant bu plus de vin qu'il n'en avait l'habitude, il accusa la jeune femme de ne pas l'aimer.

— Tu ne vas pas m'interdire de jouir de mon monde à moi, de celui que je me suis aménagé !

— La place d'une femme est auprès de l'homme qu'elle aime. Elle doit le suivre partout où il va.

– Nous avons déjà discuté la chose de long en large ; je n'ai pas envie de recommencer.

– Tu dois habiter sous mon toit. Je suis en droit de l'exiger. Comment, sans cela, pourrais-je avoir confiance en toi ?

– Rien ne m'oblige à supporter une surveillance de tous les instants. Si tu n'es pas fichu d'avoir confiance en moi, si tu t'imagines que je vais sauter dans le lit d'un autre dès que tu auras le dos tourné... C'est uniquement de moi que tu te méfies, ou de toutes les femmes ? Tu as souvent laissé ton épouse seule de nombreux mois quand tu étais soldat. Ça t'inquiétait ? Sûrement pas, vu que tu n'as pas...

– Mon épouse était au-dessus de tout soupçon !

– Ave, César ! L'épouse du vrai César lui a fait porter les cornes, ma précieuse petite merde ! Alors, si la tienne était aussi vertueuse...

Sans se soucier de ses vociférations, Aphra tourna le dos à de Marbot et entra d'un pas décidé dans la sixième maison.

Ce fut en sanglotant qu'elle en laissa la porte se clore sur ses talons ; ne se refermait-elle pas pour toujours entre elle et son amant ? La jeune femme avait pourtant suffisamment d'expérience pour savoir que c'était ses sentiments, et non sa raison, qui lui inspiraient cette crainte. De combien d'hommes s'était-elle séparée sans espoir de les revoir jamais ? Une centaine, lui semblait-il, alors que leur nombre ne devait pas en réalité excéder vingt ; et elle avait oublié jusqu'au nom de certains d'entre eux ! L'écran qui la poursuivait obstinément se chargerait de les lui rappeler quand il la rattraperait avec les images de son passé. Ici au moins, elle lui échapperait.

Elle gravit les portes de la loggia, dont la porte s'ouvrit à son approche, et pénétra dans son univers. Un fauteuil volant l'attendait ; elle y prit place, s'éleva d'une trentaine de mètres et se dirigea vers l'intérieur du monde artificiel. Elle survola une jungle tropicale sud-américaine traversée par des cours d'eau sinueux dont les méandres miroitaient sous les rayons de la fausse lune. Les cris argentins ou stridents des oiseaux nocturnes montaient jusqu'à elle ; une chauve-souris la dépassa à tire-d'aile et plongea vers la cime obscure des arbres qui s'élevait jusqu'à quelques mètres du fauteuil. La lune était pleine, comme elle le serait chaque nuit conformément à ses plans, et deux fois plus brillante que sur la Terre. Quant aux étoiles, dont les constellations reproduisaient aussi celles qu'on apercevait depuis la partie tropicale de l'Amérique du Sud, leur éclat atteignait trois fois celui des véritables. Dans ce clair-obscur, elle vit une ombre traverser furtivement une clairière : un jaguar ; et elle entendit des alligators se lamenter.

Une brise rafraîchissante fit voleter sa robe à l'approche du grand lac qui s'étalait au milieu de la jungle et dont les flots étincelants cernaient un palais flottant. Ce palais, elle l'avait reconstruit de mémoire, sur le modèle de celui qui lui était apparu un jour au cours d'une traversée entre Anvers et Londres. Il avait surgi soudain, comme par magie, devant le bateau, à la grande surprise et à l'effroi des passagers et de l'équipage. L'édifice mystérieux était carré, haut de quatre étages, construit en marbre de différentes couleurs, entouré par des rangées de colonnes torses cannelées recouvertes par des amas de plantes et de fleurs grimpantes que le vent agitait. Des centaines de petits cupidons sculptés sur chaque colonne paraissaient les escalader en s'aidant de leurs ailes frémissantes.

Tout le monde avait vu le palais à bord du navire. D'où venait-il ? S'il s'agissait d'un mirage, de quel bâtiment était-il le reflet ? Il n'existait nulle part ni en Angleterre, ni sur le continent, rien qui ressemblât à ce fantastique palais rococo.

Cette vision inexplicable avait hanté Aphra durant tout le temps de son existence terrestre et la hantait encore sur le Monde du Fleuve. Elle avait prié l'Ordinateur de lui fournir la clé du mystère, mais il n'avait rien trouvé d'autre qu'une allusion à l'incident dans une biographie d'Aphra rédigée par John Gildon. Cet ouvrage posthume l'ayant intéressée, mais aussi irritée par ses inexactitudes et ses contrevérités, elle avait demandé à l'Ordinateur de lui communiquer tous les écrits la concernant qu'il détenait dans ses archives, et elle avait lu les monographies de Montague Summer, Bernbaum et Sackville-West. Ils s'étaient surtout évertués à démêler le vrai de la légende et de la conjecture, le plus souvent sans grand succès. On ne pouvait le leur reprocher ; ils ne disposaient que de rares documents de référence, et tenter de reconstituer la vie d'Aphra Behn à partir de ses romans, de ses pièces et de ses poèmes était une gageure désespérée.

Aphra savait, du moins le lui avait-on dit, que son père était un barbier de Canterbury dénommé James Johnson ; que sa mère étant morte quelques jours après sa naissance, elle avait été adoptée, ainsi que son frère et sa sœur, par des parents, John et Amy Amis. Nul ne se doutait alors que la petite fille serait la première Anglaise à vivre uniquement de sa plume ; ni que ses poèmes figureraient des siècles plus tard dans les anthologies, et que l'un de ses romans passerait à la postérité à titre de classique mineur.

Son intrusion réussie dans le domaine littéraire, jusqu'alors fief exclusif de la gent masculine, avait fait sensation et avait été ressentie par beaucoup comme un affront. Les plus traumatisés avaient été les écrivains et les critiques du sexe mâle. Leurs commentaires partiaux, leurs attaques vindicatives et leurs campagnes de dénigrement l'avaient tant indignée qu'elle avait répliqué sur le même ton, en quoi elle avait eu bien raison. Elle avait enduré toutes les épreuves, reçu toutes les pierres et porté toutes les croix réservées aux précurseurs, mais frayé le chemin aux innombrables femmes qui avaient embrassé depuis le métier d'écrivain.

Enfant, elle était timide, imaginative, et souvent malade. Elle n'en avait pas moins survécu au pénible et dangereux voyage de quatre-vingt-quinze mille kilomètres qui l'avait conduite au Surinam, possession britannique située sur la façade atlantique et au nord de la péninsule sud-américaine. Son père adoptif, John Amis, avait eu moins de chance ; il était mort en cours de route, victime de ce qu'on appelait alors une fièvre. Un de ses parents, Lord Willoughby of Parham, avait réussi à le faire nommer « Lieutenant général » de la colonie. En dépit de cette perte, Aphra avait beaucoup apprécié son séjour en terre exotique et en avait tiré pleinement profit. Elle avait connu notamment un esclave noir que l'on avait arraché à sa tribu ouest-africaine et déporté au Surinam. Les histoires qu'il lui avait racontées sur son existence antérieure et la position élevée qu'il occupait dans son pays natal, qu'elles fussent véridiques ou non, lui avaient inspiré, des années plus tard, son fameux roman *Oroonoko ou l'Esclave royal.*

— Ces jours furent les plus heureux de ma vie. Là-bas, c'était toujours le printemps, toujours avril, mai et juin. Les arbres portaient à la fois bourgeons, feuilles, fleurs et fruits. Orangers, limoniers, citronniers, figuiers, muscadiers et autres plantes aromatiques emplissaient en permanence l'air de leurs effluves. Des aras, des perroquets et des canaris au plumage gaiement coloré frôlaient de leur vol rapide les nénuphars qui parsemaient les lagons et les canaux d'irrigation ; le chant du *twa-twa* résonnait comme un gong d'argent, et le kiskadee lançait à tue-tête son *qu'est-ce que tu dis ? qu'est-ce que tu dis ?*

L'étrange jargon des Noirs, mélange d'anglais et de dialecte africain, n'eut bientôt plus de secret pour moi, et j'entendis parler du Gran Gado, le Grand Dieu, de sa femme Maria et de son fils Jesi-Kist. Des Indiens descendaient de la montagne avec des sacs pleins de poussière d'or.

»Tout n'était pas paradisiaque, bien entendu. J'ai un jour contracté le paludisme et j'ai failli en mourir.

Aphra était revenue à Londres en 1658, à l'âge de dix-huit ans. A dix-neuf, elle avait épousé un riche marchand hollandais bien plus vieux qu'elle, Jans Behn, qu'elle avait séduit par son extérieur avenant, son esprit et sa culture, en dépit du fait qu'elle n'eût pas un sou vaillant. Grâce à ses relations, celui-ci l'avait introduite à la cour de Charles II.

— Est-il exact que tu aies été la maîtresse du roi ? s'était enquis Frigate.

— Sa Majesté m'a en effet demandé de partager sa couche, mais j'ai refusé ; j'étais alors mariée et je considérais encore l'adultère comme un péché, préjugé dont je me suis affranchie par la suite. En outre, j'aimais mon mari, qui n'avait rien d'un lourdaud germanique, et je savais qu'il serait très malheureux si je le trompais.

En 1665, Jans Behn avait perdu son immense fortune, les vaisseaux transportant ses marchandises ayant été coulés par des tempêtes ou capturés par des pirates. Il était mort d'une crise cardiaque au début de 1666, en laissant seulement cinquante livres à sa veuve ; lorsque celle-ci eut trouvé un emploi, il ne lui en restait déjà plus que quarante. Des amis qu'elle s'était faits à la cour lui avaient obtenu une mission de renseignements à Anvers. On lui avait dit que toute information sur la flotte hollandaise serait la bienvenue, mais elle devait surtout espionner les nombreux Britanniques qui, trahissant leur souverain, s'étaient enfuis aux Pays-Bas afin d'y ourdir des conspirations destinées à le renverser.

— Un James Bond en jupon, avait lancé Frigate.

— Quoi ?

— Rien. Continue.

— On m'avait chargée plus particulièrement de me lier avec un exilé, William Scott, et de le persuader de rentrer en Angleterre. Il y mettait comme condition l'octroi d'un pardon sans restriction, mais accepta de collaborer avec moi en vue de le mériter. Arrivant alors au bout de mes ressources, j'écrivis à James Halsall, l'échanson du roi qui était mon supérieur immédiat, de m'envoyer les fonds nécessaires à la poursuite de ma mission. N'ayant reçu aucune réponse, je lui adressai une deuxième lettre dans laquelle je lui expliquais que la vie était très chère à Anvers et que j'avait été contrainte d'engager une bague uniquement pour payer mon logement et ma nourriture. Toujours pas de réponse. J'écrivis une nouvelle fois à Halsall et en même temps à Thomas Killigrew, un ami qui appartenait aussi aux services secrets. Je leur déclarais que j'avais besoin de cinquante livres pour rembourser mes dettes, en leur fournissant également des renseignements sur le nombre et la disposition des vaisseaux et des troupes néerlandaises ainsi que sur l'état de mes relations avec Scott. Devant leur silence, je me tournai en désespoir de cause vers Lord Arlington, le secrétaire d'État, en lui exposant tout ce que j'avais accompli, l'extrême pauvreté où je me trouvais et le risque que j'encourais de finir prochainement dans une prison pour dettes hollandaise. Il ne répondit pas, lui non plus.

– Tu n'as pas envisagé alors de passer au service des Hollandais ? avait demandé Burton.

– Moi ? Jamais !

– Le Gouvernement britannique traitait déjà aussi mal ses soldats et ses espions que de mon temps...

– J'écrivis encore une fois à Lord Arlington en le suppliant de me faire parvenir les cent livres qui me permettraient de rembourser mes dettes et de revenir en Angleterre, sans plus de succès. Que faisais-je donc là, pauvre idiote, à me débattre dans la misère, alors que mes chefs ne me versaient pas un penny en rémunération de mes services, ne daignaient même pas m'honorer d'un mot ? Je réussis finalement à emprunter cent cinquante livres à Edward Butler, un ami resté en Angleterre, et à m'embarquer à destination de mon ingrate patrie au mois de janvier de l'an de grâce 1667.

C'est épuisée, malade et criblée de dettes qu'Aphra Behn avait traversé la Manche d'Anvers à Londres. En débarquant dans cette ville, elle avait vu les ruines de la Cité récemment dévastée par le « Great Fire ». Ce terrible incendie avait eu un bon côté : l'anéantissement des millions de rats et des myriades de poux qui avaient propagé la Grande Peste au cours des années précédentes. Aphra n'avait cependant guère eu le temps de songer à ces fléaux : Butler réclamait avec insistance l'argent qu'il lui avait prêté, tandis que Lord Arlington et le roi ignoraient toujours les requêtes dont elle les assaillait afin de percevoir les arriérés auxquels elle avait droit. L'inévitable s'était produit : on l'avait jetée en prison pour dettes.

— Où ceux qui n'avaient pas de quoi s'acheter à manger mouraient de faim, si les maladies qui assaillaient leurs pensionnaires comme des peaux-rouges sur le sentier de la guerre ne les emportaient pas auparavant. Toutefois, les épidémies étaient démocratiques : elles tuaient aussi bien les puissants que les misérables, les riches que les pauvres, les jeunes que les vieux.

Le Grand Incendie avait détruit ou endommagé toutes les prisons de la Cité. On réparait hâtivement celle de Newgate ; Aphra avait cependant été envoyée à Caronne House, dans le faubourg de South Lambeth. Cet établissement, déjà immonde et surpeuplé en temps normal, l'était dix fois plus depuis que le feu avait consumé non seulement une bonne partie des autres, mais aussi les maisons et les biens d'un grand nombre de Londoniens qui, incapables de payer leurs dettes, se retrouvaient condamnés à l'emprisonnement.

— J'ai survécu, bien qu'il me soit arrivé plus d'une fois de souhaiter mourir. Les relents des corps et des vêtements non lavés, la puanteur des dysentériques, l'odeur fétide des égouts à ciel ouvert, les gémissements des enfants terrorisés et malades, les vols, les hurlements des forcenés, les toux et les vomissements, les rixes, la brutalité, l'absence totale d'intimité... il fallait faire ses besoins sous les regards et les quolibets d'une douzaine d'autres détenus... si ma mère n'avait pas emprunté assez d'argent pour me faire parvenir un peu de nourriture, dont les gardiens s'appropriaient la moitié... je me serais affaiblie jusqu'à ne plus pouvoir résister aux miasmes qui imprégnaient l'atmosphère de cette géhenne. Quels que soient les péchés que j'ai commis avant ou après mon incarcération, je les ai expiés. C'était un purgatoire sans flammes, flammes que nous aurions accueillies avec joie car elles nous auraient réchauffés.

Deux des gardiens avaient proposé de lui procurer tous les jours un repas comportant de la viande, des légumes et du vin si elle acceptait de les laisser jouir d'elle en même temps.

— Si ma mère ne m'avait pas envoyé de quoi ne pas dépérir complètement, j'y aurais consenti tôt ou tard, et probablement plus tôt que plus tard. Mon estomac vide me torturait et je me suis dit, sans y croire vraiment, que céder aux gardiens valait mieux que crever de faim. Et pourtant l'un deux, non content d'être anormalement sale, borgne, bossu et d'avoir les dents pourries, souffrait d'une maladie vénérienne. Je ne sais pas...

– Syphilis ou blennorragie ? l'avait interrompue Frigate.

– Les deux, sans doute. Qu'est-ce que ça pouvait faire ? Quoi qu'il en soit, je leur ai échappé, grâce non à Dieu mais à ma mère. Et pour finir, Killigrew m'a versé une somme suffisante pour couvrir mes dettes et me permettre de subsister quelque temps ; très peu de temps.

Elle avait marqué une pause, puis ajouté en souriant (elle était belle quand elle souriait) : « J'ai menti en affirmant avoir souhaité mourir en prison. Oh, la tentation du suicide m'a bien effleurée à l'occasion. Mais j'ai toujours été passionnément convaincue que la vie méritait d'être vécue. Je n'étais pas de ceux qui hissent le pavillon blanc à la première déconvenue et je n'ai jamais accepté la défaite ; jusqu'à et y compris mon dernier souffle ! La mort elle-même ne m'a pas contrainte à capituler : j'ai simplement battu en retraite devant elle. Bon, me voici donc sortie de prison, squelettique, blême, mes dettes remboursées en dehors de ce que je devais à ma mère et que je ne pouvais lui rendre sans me priver de nourriture, de logement, de produits de beauté, de vêtements et de livres. »

Aphra approchait alors de la trentaine, à une époque où une femme de cet âge paraissait – en général – bien plus vieille que ses sœurs de la fin du vingtième siècle. Elle avait le plus souvent perdu la majeure partie de ses dents et la carrie de celles qui lui restaient lui empuantissait l'haleine. La femme qui ne bénéficiait pas de la protection d'un mari, père, frère, oncle ou cousin était tenue pour une proie de choix. Si elle subissait un préjudice, elle pouvait, certes, recourir à la justice, mais celle-ci était largement favorable aux nantis et aux privilégiés. Juges, assesseurs, avocats et jurés se laissaient facilement corrompre – à de rares exceptions près – et impressionner par la richesse ou les titres. S'il existait déjà des femmes de lettres, il ne s'agissait pas de professionnelles, mais presque toujours de filles de curés de campagne qui écrivaient pour meubler leurs loisirs ou de nobles qui ambitionnaient de « se faire un nom » par elles-mêmes. Aucune Anglaise n'avait encore tenté de gagner son pain à la pointe de sa plume.

Aphra se savait douée d'un style aisé, spirituel et agréable, ainsi que d'une imagination fertile. Elle était très cultivée et certaine de pouvoir écrire d'aussi bons romans, poèmes ou pièces de théâtre que n'importe quel homme, mais consciente aussi du handicap que constituerait son sexe dans la course littéraire.

Cet handicap se trouvait cependant, en un sens, compensé par un extérieur plus avenant que celui de la plupart des femmes de son âge. Elle possédait encore toutes ses dents, ce qui s'expliquait soit par le fait qu'elle avait passé la première partie de son existence au Surinam où les aliments étaient plus riches en sels minéraux, soit, au moins en partie, par l'hérédité. Bien que petite, elle avait de longues jambes ; si les robes tombant jusqu'aux pieds qu'on portait à cette époque disimulaient (habituellement) cet avantage, leurs décolletés dévoilaient généreusement les seins, pleins et fermes. Avec sa belle chevelure blonde, ses grands yeux bleus et les épais sourcils noirs qui en accentuaient le relief, son visage était extrêmement attrayant, en dépit d'un nez un peu trop long et d'un menton un peu trop court. Elle alliait à beaucoup de charme une volonté qui balayait les obstacles avec la force irrésistible d'un attelage de six chevaux dévalant une pente au galop.

Elle avait en outre décidé irrévocablement de demeurer célibataire. Comme elle l'avait écrit un jour : « Le mariage tue aussi inéluctablement l'amour qu'un prêt d'argent, l'amitié ; jamais je n'en exigerai ni n'en concéderai les liens. »

Elle avait aussi écrit :

Selon les strictes règles de l'honneur,
La beauté devrait être la récompense de l'amour
Et non une vile marchandise qu'achète la fortune
Ni la drogue bon marché d'un rite religieux.
Elle n'est qu'infâme celle qui par intérêt
Ouvre sa couche à un triste clown qu'elle hait ;
Qu'une cérémonie ou un vœu solennel soit son prix
Ne sert qu'à faire d'elle la plus chère des putains.
Reprends ton or et me donne de l'amour ordinaire,
Les trésors de ton cœur et non ceux de ta bourse.

Ceci ne l'avait pas empêchée de donner son cœur à un énergumène qui avait failli, mais failli seulement, le briser ; un avocat dénommé John Hoyle, qui l'avait traitée fort mal, profitant de son amour et de son argent en les repayant principalement d'infidélité et de mépris. Frigate lui avait appris, car elle était morte avant cet événement, qu'Hoyle avait ete assassiné en 1692 au cours d'une rixe de cabaret.

— Quelqu'un, je ne sais plus qui, l'a qualifié d'athée, sodomiste avéré, corrupteur de la jeunesse et blasphémateur du Christ.

— A l'exception de la dernière, ce sont exactement les accusations qu'on a portées contre Socrate. Je me moquais éperdument qu'il fût tout cela, et bien d'autres choses encore. Ce que je lui reprochais... c'était de ne pas m'aimer autant que je l'aimais... de ne m'avoir jamais aimée, sauf au commencement.

— Que ferais-tu si tu le rencontrais maintenant ?

— Je l'ignore. Je ne le hais pas. Pourtant... je lui flanquerais peut-être un coup de pied dans les couilles pour l'embrasser ensuite. Qui sait ? Mais j'espère ne jamais le revoir.

Aphra était devenue célèbre — tristement, aux yeux de certains — et on l'avait surnommée *Astrée*, par référence à la déesse étoile de la mythologie grecque, fille pour les uns de Zeus et de Thémis, pour les autres du Titan Astrée et d'Eos. Astrée avait prodigué les bienfaits durant l'Age d'Or ; la survenue de l'Age de Fer l'ayant révoltée, elle avait quitté la Terre et les dieux l'avaient envoyée siéger parmi les étoiles sous les apparences de la constellation de la Vierge.

Les grands noms de la littérature flanqués de leurs parasites, les jeunes auteurs dramatiques et poètes s'étaient alors pressés dans les salons d'Aphra. Certains avaient eu la bonne fortune d'obtenir ses faveurs.

— Hélas ! comme je l'ai déjà dit, de nombreux hommes ne me pardonnaient pas ma réussite et de nombreux critiques éreintaient mes pièces pour la seule raison que j'étais une femme. Que maudits soient leurs cerveaux imbibés de rhum, leurs yeux embrumés de vin et leurs bites vérolées, s'ils les prétendaient obscènes et grossières ! Elles l'étaient, en effet, mais ces pisse-vinaigre n'auraient pas pipé mot si elles avaient été écrites par un homme. Pourquoi la paillardise devrait-elle être l'apanage exclusif du sexe masculin ? Les filles d'Eve sont-elles des anges ?

Elle avait néanmoins amassé une fortune, que son train de vie et sa générosité avaient écornée sérieusement, et collectionné les amants sans recevoir d'eux beaucoup d'amour véritable. A quarante-six ans, elle avait subi la première attaque de la violente et douloureuse arthrite qui devait lui être fatale.

— Encore que la vérole ait certainement joué un rôle tout aussi fatal quoique plus insidieux dans mon trépas.

En dépit des souffrances que cela lui infligeait et bien que ses doigts eussent parfois du mal à tenir la plume, elle avait continué d'écrire fiévreusement ; *Oroonoko*, le roman qui devait lui assurer une place enviable dans la littérature britannique, était paru avant qu'elle ne meure. Le combat qu'elle menait contre les préjugés, la jalousie, les commérages, la haine des puritains et des hypocrites avait pris fin le 16 avril 1689.

Guillaume d'Orange, le prince hollandais qui régnait sur l'Angleterre, n'appréciait pas madame Behn ; il ne s'était pourtant pas opposé à ce que cette femme dont il jugeait la conduite scandaleuse fût ensevelie dans l'abbaye de Westminster.

– Comment cela se fait-il qu'on m'ait enterrée, moi, parmi les plus illustres des illustres ?

– Personne de mon temps n'a pu résoudre cette énigme, avait dit Frigate.

– Ni du mien, avait ajouté Burton. Il nous faudra ressusciter l'un de tes contemporains pour en avoir la clé.

– On a refusé d'inhumer Byron dans l'abbaye de Westminster en prétextant qu'il était trop impie et corrompu pour bénéficier de cet honneur, avait poursuivi Frigate. Et toi, on te l'a accordé !

– A moi aussi, on me l'a refusé, releva Burton. Je le méritais pourtant plus que bon nombre de ceux qui reposaient là ; mais la présence de Dick le Nègre aurait détonné dans cette enceinte sacrée !

Aphra avait affronté bon nombre d'épreuves et de périls effrayants sur le Monde du Fleuve, mais la vie valait presque toujours la peine d'être vécue. Être mort n'était pas drôle. Et maintenant, elle se trouvait dans la tour, venant une fois de plus de rompre avec un amant. Peut-être se remettrait-elle un jour en ménage avec de Marbot ? Pour l'instant, la séparation paraissait définitive. Peu importait ; elle n'avait pas l'intention de demeurer seule bien longtemps.

17.

Peter Jairus Frigate ne resta pas les bras croisés pendant que son petit monde se construisait. Il constata qu'un caviardage complet du «film mémoriel» ne satisfaisait pas sa curiosité. Il se posait au sujet de son passé trop de questions dont il avait, jusqu'ici, désespéré de jamais connaître la réponse. Aussi pénible que fût le spectacle de son existence terrestre, il décida de se l'imposer... de temps en temps. Il gratta donc, sur un petit carré, la peinture qui recouvrait le mur d'une des pièces de son appartement, dans laquelle il vint s'enfermer une heure tous les jours. Dès qu'il y entrait, le passé surgissait davant lui, comme s'il le revivait une seconde fois.

En tâtonnant, il découvrit que l'Ordinateur ne refusait pas de modifier le déroulement du programme; s'il lui demandait de projeter les événements d'une période donnée, il obéissait.

L'Ordinateur était également muni d'une horloge synchronisée à la mémoire du sujet. Si Frigate avait su autrefois, parce qu'il l'avait lue sur un calendrier ou que quelqu'un l'avait mentionnée devant lui, la date à laquelle un événement s'était produit, l'Ordinateur retrouvait instantanément la séquence correspondante. Sinon, il la recherchait par étapes successives après avoir estimé approximativement l'époque dans laquelle elle s'insérait.

Frigate s'aperçut également bientôt que le «film» comportait de nombreux trous. Alors qu'il se livrait à des expériences de repérage, il demanda au hasard à voir ce qui s'était passé le 27 octobre 1923. Il n'existait pas la moindre image de cette journée; sa mémoire n'en avait conservé aucun souvenir.

L'Ordinateur lui expliqua pourquoi.

Les cellules de sa mémoire ne pouvaient pas emmagasiner la totalité de son existence. Son système mnémonique comprenait un mécanisme de tri chargé d'effacer tout ce qui ne présentait pas d'intérêt pour lui, libérant ainsi de la place pour ce qui en présentait. Mais il n'était pas rare que son inconscient estime indispensable d'archiver ce que sa conscience jugeait dépourvu d'importance.

On pensait que le *wathan* conservait la trace de tout ce que son possesseur avait vécu d'un bout à l'autre de son existence; qu'il l'enregistrait dans les moindres détails. Il était impossible de le vérifier car on n'avait encore jamais réussi à «ponctionner» un *wathan*, dont l'enveloppe multicolore restait, à ce jour, impénétrable. Comme le Sphinx, il était beau, impressionnant, mais muet.

L'Ordinateur calcula, à la prière de Frigate, que celui-ci avait vécu 55 188 000 minutes jusqu'à celle du décompte, dont 22 075 200 étaient projetables; ce qui ne voulait pas dire que chacune de ces dernières pouvait l'être intégralement: il n'en figurait le plus souvent que des fractions dans les archives. Si Frigate avait souhaité connaître le nombre et la longueur exacte de ces fractions, l'Ordinateur lui aurait fourni le renseignement; mais il ne le souhaita pas, se contentant de murmurer:

«Soixante pour cent du film de ma vie a été coupé au montage. Seigneur! Si je voulais regarder ce qui en subsiste, cela me prendrait 15 330 jours de vingt-quatre heures. 42 années à passer dans un fauteuil!»

Comment le cerveau humain, cette petite masse de substance grise, pouvait-il contenir tant de souvenirs, tant de données, tant de kilomètres — des millions, voire des milliards — de film?

Le Terrien demanda à l'Ordinateur s'il pouvait lui montrer la «boîte» du «film». La machine s'exécuta obligeamment et exhiba sur l'écran une sphère jaune grosse comme une myrtille; qui n'était qu'à moitié pleine!

Ce que Frigate voulait surtout voir, et le redoutait en même temps, se rapportait à sa prime enfance. Alors qu'il était âgé d'un an environ, la mère de sa mère était venue de Kansas City habiter quelque temps dans la maison qu'ils occupaient à North Terre Haute, dans l'Indiana, afin d'aider sa fille à pouponner. Il s'imaginait que sa grand-mère l'avait rudoyé quand elle le gardait; non par cruauté ni par sadisme, mais parce qu'elle s'emportait facilement. Cette croyance reposait sur la vision qu'il avait eue d'elle durant quelques séances de psychanalyse subies à Beverly Hills, et au cours desquelles il s'était convaincu d'avoir acquis à cet âge son caractère soumis, craintif, pusillanime, à la suite des mauvais traitements qu'elle lui avait infligés, ou du moins les germes de ces traits de caractère qui se seraient ensuite développés lors de son adolescence.

Le psychanalyste n'avait visiblement pas attaché grand crédit à l'hypothèse, mais il avait permis à son patient de la creuser, probablement parce qu'il s'interrogeait sur la signification d'un tel transfert de responsabilité.

Non sans hésiter, Frigate fit défiler le film en accéléré jusqu'à ce qu'il repère la période exacte où sa grand-mère s'était occupée de lui.

Il lui fallut une semaine pour se rendre à l'évidence ; rien, dans le comportement de cette femme, ne confirmait, même très vaguement, ses affabulations. Car c'étaient des affabulations : la grand-mère n'avait jamais employé la manière forte pour empêcher le bébé de pleurer ; elle ne l'avait ni secoué, ni grondé trop fort, ni fessé, se contentant de geindre abondamment lorsqu'il braillait. Frigate ne comprit pas le quart de ce qu'elle disait, parce qu'elle avait l'habitude de se parler en allemand. Il aurait pu demander à l'Ordinateur de lui traduire ces jérémiades, mais il ne s'en donna pas la peine ; ce n'était pas le sens des mots qui impressionnait un nourrisson, mais uniquement le ton sur lequel on les prononçait. Or ces plaintes l'avaient certainement laissé indifférent, car la grand-mère ne lui manifestait nullement qu'il en était la cause. Et elle lui chantait des berceuses en allemand, sans, il était vrai, le prendre souvent dans ses bras.

– Et zut ! Voici une théorie de plus qui s'envole en fumée ! Je vais sans doute découvrir que mes déficiences provenaient bien plus de mon patrimoine génétique que de l'influence du milieu.

Frigate ayant fait part de ses recherches à Nur, le petit Maure rit :

– Ce n'est pas le passé qui importe, mais le présent. Tu ne peux pas imputer au passé tes défauts et tes faiblesses actuelles. Le présent est là pour te permettre de modifier ce que tu es et ce que tu as été.

– Oui, mais le film mémoriel constitue un fantastique instrument de psychanalyse. Quel dommage qu'on n'en ait pas disposé sur la Terre. Le patient et le médecin aurait pu examiner toutes les périodes suspectes et les élucider complètement. Ayant vu ce qui s'était passé réellement, le patient aurait été en mesure de distinguer la vérité de l'illusion, l'important de l'accessoire.

– Peut-être. Mais ce n'est pas nécessaire. Tu sais ce que tu es en ce moment. Ou plutôt, tu devrais le savoir si tu ne t'abuses pas volontairement, ce qui est très courant. L'un des bons côtés du film est qu'il détruit l'image que tu te fais de toi-même, te démontre combien de fois il t'est arrivé d'avoir tort en croyant avoir raison ; te prouve que les autres ne se sont pas comportés comme des monstres ou de manière totalement égoïste envers toi ; te révèle les occasions où ils se sont au contraire véritablement conduits de la sorte.

»Néanmoins, en dehors du fait qu'ils assouvissent la curiosité, d'une manière qui risque de s'avérer extrêmement humiliante et pénible, ou satisfont au désir de revoir des visages aimés ou détestés, on perd son temps à regarder ces films. C'est l'immédiat qui compte, l'immédiat qui représente la crête sur laquelle tu te campes avant de t'élancer dans l'avenir. Ce que tu as été, ce que tu es, ne sont pas ce que tu dois être. En t'immergeant dans le passé, tu te dérobes simplement à la nécessité d'agir sur le présent. Le passé ne devrait servir qu'à éclairer l'avenir ; à fournir l'aune permettant de mesurer ses progrès ; à cela, et à cela seulement.

– Tu ne regardes pas ton propre film ?

– Non. Ça ne m'intéresse pas.

– Tu n'as pas envie de voir tes parents au temps de leur jeunesse, ni tes compagnons de jeu ?

– Ils sont tous là-dedans. (Nur se tapota le front.) Je peux les évoquer à ma guise.

– Si l'on perd son temps à regarder les films, pourquoi l'inconnue a-t-elle fait en sorte que nous les ayons en permanence sous les yeux durant les heures de veille ?

– L'inconnue est allée plus loin ; elle a fait en sorte que nous puissions les voir si nous le voulions. Elle n'ignorait pas qu'il nous suffisait de peindre les murs pour interrompre la projection. Peut-être qu'en agissant ainsi, nous avons échoué à un test.

– Et quelle pénalité nous vaudra cet échec ?

Nur haussa les épaules en signe d'ignorance.

– Je présume que nous nous punissons nous-mêmes en laissant passer une occasion de progresser.

– Mais tu viens de dire que tu n'avais pas besoin de revoir ton passé.

– En effet. Mais je ne suis ni toi ni les autres.

– N'est-ce pas de la présomption ?

– Ce qui est présomption chez l'un n'est que lucidité chez l'autre.

– Vous avez décidément un proverbe pour toutes les circonstances, vous autres soufis !

Nur se contenta de sourire, ce qui donna à Frigate l'impression d'avoir de nouveau échoué à une épreuve. Il avait renoncé à être le disciple du Maure et en éprouvait un sentiment de culpabilité, tant à l'égard de celui-ci que de lui-même. Il ne se croyait plus capable de se hisser au niveau de ce sage si parfaitement maître de lui-même, de se libérer comme lui de ses névroses et de ses faiblesses, d'acquérir sa logique implacable et cependant bienveillante ; cela lui avait paru au-dessus de ses forces. Aussi, au lieu d'aller à un échec qu'il jugeait inévitable et s'exposer à l'humiliation qu'il ressentirait quand Nur l'abandonnerait à son sort, le flanquerait en somme à la porte, avait-il préféré prendre les devants.

– Un soufi ne redoute pas l'échec, avait déclaré Nur.

– Que feras-tu si je change d'avis et te demande de me reprendre comme disciple ?

– Nous verrons.

– J'ai renoncé de gré ou de force à beaucoup de choses, mais je suis toujours revenu à la charge par la suite.

– Peut-être est-il temps que tu perdes cette habitude d'agir par à-coups. Tu as besoin de te doter d'une force de propulsion psychique qui s'épuise moins rapidement.

– Le grand peut-être.

– Qu'entends-tu par là ?

Frigate n'en savait rien, et cela l'exaspéra.

– Tu n'as pas encore appris, en cent trente-deux années, à fondre les aspects contradictoires de ta personnalité en un tout harmonieux. Il y a toujours eu en toi un conservateur, dont il faut se garder de tenir l'influence pour intrinsèquement mauvaise, et un libéral, dont il faut se garder de tenir l'influence pour intrinsèquement bénéfique. Tu as en toi un lâche et un brave. Tu détestes et tu crains la violence, et pourtant il y a en toi quelqu'un de violent, quelqu'un que tu t'es efforcé de réduire à l'impuissance. Tu ne sais pas comment rendre ta violence créative, comment la contrôler de manière qu'elle se décharge dans la bonne direction. Tu...

– Dis-moi donc quelque chose que j'ignore ! avait répliqué Frigate en lui tournant le dos.

Li Po lui rebattait parfois les oreilles d'un couplet similaire. Il aimait à l'entretenir du processus qui consistait à « devenir rond », ou un « homme entier » ; à équilibrer son yin et son yang, ses qualités et ses défauts. Mais Frigate estimait que le Chinois était rien moins qu'équilibré. Il admirait son énergie, sa fécondité poétique, sa chaleur humaine, son assurance, ses dons linguistiques et son courage indomptable ; beaucoup moins son instinct excessivement dominateur, son égocentrisme, sa totale cécité au fait que cela le rendait souvent odieux, et son ivrognerie, encore que sa façon de boire fût elle-même foncièrement originale.

L'Américain ne croyait pas que Li Po, en dépit de sa supériorité apparente, eût plus de chances que lui de passer de l'autre côté. Des huit Terriens, il pensait qu'en fait seul Nur, plus éventuellement Aphra Behn et Alice, avaient pour l'instant des chances sérieuses d'y parvenir ; ce qui n'était peut-être pas aussi souhaitable qu'on le prétendait. En théorie, ce passage représentait l'objectif suprême car on ne pouvait y accéder qu'à la condition d'être parfait, ou quasi parfait, sur le plan éthique. Le *wathan* échappant alors à tous les appareils de détection, on en déduisait qu'il se fondait dans la Tête de Dieu, en Dieu, en Allah, bref, quel que fût le nom qu'on lui donnait, en une entité divine.

En théorie toujours, le *wathan* perdait son identité propre pour s'intégrer au Créateur et jouir dès lors d'une félicité éternelle ; d'une extase indescriptible, inconnue dans le monde physique.

« Qu'est-ce qui me prouve, songea Frigate, que le *wathan* ne disparaît pas, tout simplement ? Ne s'évapore pas comme une bulle ectoplasmique ? Ne devient pas rien, *nada, nihil,* zéro ? Est-ce là un sort si enviable ? En quoi cela diffère-t-il de la mort ordinaire ? Non pas qu'être mort n'ait pas ses avantages : on dit adieu au savoir, aux soucis, aux tourments physiques et spirituels, aux désappointements et aux échecs, à la solitude. O Mort, où est ton aiguillon ? »

D'aiguillon, la mort n'en possédait pas ; pas plus qu'elle n'en constituait un, d'ailleurs.

Acquérir d'un côté ce qu'on perdait de l'autre, telle était la loi immuable, le principe fondamental de l'univers.

« Suis-je paranoïaque ? Tout ceci n'est-il qu'une vaste escroquerie ? Tendant à quoi ? Un escroc est mû par l'appât du gain. Qui a quelque chose à gagner, en l'occurrence ? Et qu'a-t-il à gagner ? »

Il lui semblait parfois que son cerveau en ébullition allait lui faire éclater les parois du crâne, comme un ballon explose quand on le gonfle trop ; peut-être parce que ses pensées n'étaient que du vent...

« A cent trente-deux ans, j'aurais dû apprendre à ne plus me mettre dans des états pareils. N'irai-je donc jamais au-delà du cours préparatoire à l'université de la vie?»

L'étudiant en existence, le fol avisé, ne parvenait pas à suivre l'avis de Nur qui lui conseillait de se débarrasser de ces pensées, comme un aérostier jette du lest pour alléger son engin. Faute de mieux, il les aiguilla provisoirement sur l'une des voies de garage du Grand Réseau des Chemins de fer PJF et se transforma pour un temps en mécanicien du PGF, l'express des Pierres-à-Graal-des-Rives-du-Fleuve.

Il avait découvert quelque chose dont Loga, l'Ethique, ne leur avait pas parlé, mais qu'il leur aurait sans doute révélé s'il n'était pas mort prématurément. C'était que les pierres alignées sur les deux berges du Fleuve ne servaient pas uniquement à fournir aux graals, sous la forme de décharges électriques, l'énergie dont ils avaient besoin pour produire la nourriture, les boissons et les multiples objets nécessaires aux habitants de la Vallée, mais permettaient aussi d'observer ceux-ci. Une personne résidant dans la tour pouvait, par leur intermédiaire, voir et entendre ce qui se passait aux environs de chaque pierre.

Fort de cette découverte, Frigate entreprit de l'exploiter jusqu'à ce que sa vision et ses idées se troublent. Il explora d'abord la rive droite du Fleuve au rythme d'une pierre à graal toutes les deux secondes, en partant de la plus proche du pôle. N'ayant pas tardé à se rendre compte qu'à cette cadence il lui faudrait près de deux cent trente-deux jours pour arriver à l'autre extrémité de la rangée, il se mit à sauter dix-neuf pierres sur vingt, en consacrant dix secondes à celles sur lesquelles il s'arrêtait. Il obtint ainsi une vision moins confuse des gens, du fleuve, de la plaine et des montagnes, ce qui ne l'empêcha pas d'avoir le vertige au bout d'une heure. Le projet qu'il avait formé d'embrasser toute l'humanité en deux panoramiques était irréalisable. Non, il se trompait : toute l'humanité ne se pressait pas dans la Vallée ; plus de dix-huit milliards de Terriens séjournaient actuellement dans les archives de l'Ordinateur et le puits aux *wathans*. Il n'en restait pas moins un nombre prodigieux à passer en revue.

«Tu vois toujours trop grand, Frigate, se morigéna-t-il. Tu n'es pas de taille. Ton ambition dépasse de cent années-lumières tes capacités. Ton imagination t'emporte à la vitesse du Sleipnir, le fabuleux coursier à huit pattes d'Odin, mais à l'instar de ce dieu, tu as mordu la poussière à des milliers de lieues de la destination. »

Il avait du mal à déterminer la nationalité des gens qu'il apercevait. En dehors de ceux qui allaient nus, et ils étaient nombreux, ils portaient des serviettes de toilette nouées en kilt ou en pagne autour de la taille, auxquelles les femmes adjoignaient des tissus plus fins en guise de soutien-gorge. Leur race était en général identifiable, à quelques exceptions près. Si certains visages appartenaient indiscutablement aux types méditerranéen, ibérique, italien, grec, arabe, etc., on ne pouvait pas toujours se fier aux apparences. La langue qu'ils parlaient aurait constitué un indice clé, mais il en existait des milliers que Frigate était incapable de reconnaître à l'oreille. En outre, la majorité des lazares employaient l'espéranto ou des dialectes qui en dérivaient.

Après avoir consacré deux heures à cette activité, il s'en lassa.

— Au diable l'exploration collective ! Passons à l'examen individuel.

Ne voyant personne qui excitât son intérêt à proximité de la pierre à laquelle il s'était arrêté, il se remit à sauter de pierre en pierre en direction du sud, en s'attardant une vingtaine de secondes sur chacune. L'après-midi commençait ; les habitants de la rive droite tuaient le temps après avoir déjeuné. Certains bavardaient, debout ou assis en rond ; d'autres jouaient. Beaucoup nageaient ou pêchaient. Bon nombre d'entre eux s'étaient retirés dans leur hutte, qui les protégeait des regards indiscrets. Mais il était facile de voir et d'entendre ceux qui se trouvaient à moins de cent mètres de la pierre. Celle-ci pouvait venir en gros plan, comme les caméras de télévision, et elle était équipée d'amplificateurs de son directionnels.

L'Ordinateur était également en mesure de montrer ce qui échappait à l'œil humain. Sur l'écran de Frigate, les *wathans* multicolores apparaissaient dans toute leur splendeur, tournoyant au-dessus des têtes auxquelles ils se rattachaient. L'Américain avait maintenant suffisamment d'expérience pour discerner instantanément ceux dont la teinte ou la structure trahissaient une anomalie, qui n'était pas obligatoirement d'ordre éthique. De larges bandes noires ou rouges, par exemple, indiquaient aussi bien une mauvaise santé que de mauvaises intentions. La croissance, la décroissance et les circonvolutions du *wathan* reflétaient les tensions mentales émotionnelles et les changements qui affectaient tant le conscient que l'inconscient de son possesseur ; l'ensemble de son système nerveux, en fait. Il arrivait que le noir occupe une large place dans le *wathan* d'un malade. Interpréter ces symptômes n'était pas chose facile : seuls quelqu'un de très entraîné ou l'Ordinateur étaient capables de s'en acquitter correctement, et encore non sans risques d'erreur.

18.

A cet instant précis, l'œil de Frigate fut accroché par un homme dont le *wathan* était presque entièrement noir, avec, çà et là, des scintillements rouges. Il s'agissait d'un Caucasien, un colosse blond aux yeux bleus mesurant plus d'un mètre quatre-vingts, dont le visage n'aurait pas été dépourvu de beauté s'il n'avait été aussi cramoisi et convulsé de fureur. Il tonitruait contre une femme bien plus petite qui reculait pas à pas, les yeux agrandis de terreur, tandis qu'il s'avançait vers elle en brandissant le poing. Bien qu'il parlât trop vite et en estropiant trop les mots pour que Frigate pût bien saisir ce qu'il disait, l'Américain devina qu'il accusait la femme d'infidélité. Les gens qui les entouraient observaient la scène d'un air inquiet, mais en se gardant bien d'intervenir.

Soudain, alors que son *wathan* devenait entièrement noir, le colosse saisit de la main gauche la longue chevelure de la femme, qu'il se mit à marteler du poing droit. Elle tomba à genoux en s'efforçant de se protéger le visage. Lui tirant brutalement les cheveux par saccades, il la frappa violemment sur le sommet de la tête, puis sur le nez et les lèvres. Elle cessa de crier et s'affaissa, retenue uniquement par la main qui lui étreignait les cheveux. Le sang lui jaillit de la bouche, formant sur l'herbe une mare écarlate où luisaient des dents cassées.

Plusieurs spectateurs bondirent sur le Caucasien et l'entraînèrent, écumant, loin de sa victime, qui demeura inerte sur le sol.

Un homme sortit en courant d'une hutte, s'agenouilla en gémissant près de la femme, la prit dans ses bras. Après l'avoir bercée un moment, il la recoucha doucement, se releva et rentra dans la hutte.

Le colosse, maintenant libéré par ceux qui le retenaient, tentait de se justifier auprès d'eux. La femme n'était qu'une traînée, une putain, une chienne en chaleur, mais elle lui appartenait et il ne tolérait pas que l'une de ses compagnes aille avec un autre homme. Elle avait bien cherché ce qui lui était arrivé ! Quant à Tracy, l'homme qui l'avait baisée, lui, Bill Standish, lui réglerait son compte à la première occasion !

– Si tu le tues, dit l'un des hommes qui l'avaient maîtrisé, nous te pendrons ; nous allons d'ailleurs peut-être te pendre de toute façon.

Tracy ressortit en trombe de la hutte, une longue lance à pointe de pierre à la main. En le voyant se ruer vers lui, Standish s'enfuit précipitamment en direction du Fleuve. L'homme qui avait menacé de le pendre cria à Tracy de déposer sa lance, mais, ignorant son ordre, celui-ci poursuivit sa course et projeta son arme, dont l'extrémité s'enfonça dans le dos de Standish, près de l'omoplate droite. Standish tomba à plat ventre dans l'eau peu profonde, réussit à se relever, puis, en se contorsionnant, à saisir la hampe de la lance. Tracy, qui arrivait sur lui, le recoucha d'un coup de poing. Quelques-uns des hommes le rejoignirent, le ceinturèrent et l'écartèrent, hurlant, de Standish. Celui-ci, dont l'épiderme avait pris une teinte blafarde et dont la bouche béait, avait déjà arraché la pointe de silex de son dos ; avant que les autres puissent l'en empêcher, il la plongea dans le ventre de Tracy.

Frigate crut qu'il allait vomir, mais parvint néanmoins à regarder le drame jusqu'au bout ; il avait des projets à l'égard de Standish.

L'un des hommes qui s'étaient élancés à la poursuite des combattants tenait un gros gourdin de chêne à la main ; il l'abattit sur le crâne de Standish, qui se recroquevilla et s'effondra dans l'eau. On le ramena, la tête ballante, jusqu'au rivage. Après l'avoir examiné, un autre homme leva les yeux et dit :

– Tu n'aurais pas dû taper si fort, Ben. Il est mort.

– Bah, ça ne change pas grand-chose : nous l'aurions pendu !

– Tu n'en sais rien.

– Si quelqu'un a jamais mérité d'être tué, c'est bien Standish, intervint l'un des témoins, en soulevant un murmure d'approbation.

Frigate avait été averti avant tout le monde du décès de la brute par la disparition de son *wathan*, que la mort avait escamoté comme par magie.

Interrompant la projection, il pria l'Ordinateur de le retrouver. Cela ne fut pas aussi facile qu'on aurait pu le supposer : bien que Standish vînt à peine d'expirer, dix-sept autres *wathans* avaient déjà pénétré dans le puits à la suite du sien.

Il s'enquit :

– Cet homme a-t-il déjà été tué auparavant ?

– Oui ; trois fois sur ce monde.

– As-tu analysé et enregistré ses souvenirs à ces occasions ?

– Oui.

L'Américain, après avoir défini avec précision ce qu'il entendait par là, demanda un rapide survol de tous les épisodes de violence qui avaient jalonné l'existence de Standish depuis l'âge de quinze ans.

Cela signifiait que l'Ordinateur aurait à déterminer d'abord la date à laquelle l'intéressé avait atteint cet âge. Localiser un événement qui puisse servir de point de repère exigea une heure ; on avait heureusement donné une fête pour son quinzième anniversaire en 1965 (il était donc né en 1950). Frigate se fit projeter le film de la réception. La scène se déroulait dans une maison sale, au mobilier usé jusqu'à la corde et souvent bancal. Standish avait pour mère une souillon courtaude et obèse, pour père un grand gaillard ventripotent au visage abondamment couperosé qui, d'après les dires d'un hôte, exerçait le métier de menuisier sans travailler autant qu'il l'aurait pu. L'un et l'autre empestaient l'alcool, de même que tous les invités dont beaucoup étaient des camarades de classe de l'adolescent. Celui-ci vomit en fin d'après-midi la bière, les bretzels et les sandwiches à la saucisse qu'il avait gloutonnement ingurgités ; l'assistance se débanda lorsque les parents en prirent prétexte pour s'injurier grossièrement. Ils paraissaient sur le point d'en venir aux mains quand Frigate coupa l'image.

L'Américain expliqua à l'Ordinateur qu'il s'agissait en l'occurrence de violence verbale, alors que ce qui l'intéressait était la violence physique, puis il partit assister à la réception organisée, ce soir-là, dans l'appartement de Li Po. L'Ordinateur poursuivrait pendant ce temps ses recherches, limitées pour l'instant à la décennie 1965-1975.

Au cours de la soirée, Frigate apprit que ses compagnons

effectuaient, eux aussi, des recherches. Alice, par exemple, essayait de retrouver la trace de ses trois fils, de ses parents, de ses frères et de ses sœurs.

– As-tu l'intention de les ressusciter ?

Les yeux noirs de la jeune femme accusèrent son trouble.

– Franchement, je n'en sais rien. Je crois avoir seulement envie de m'assurer que tout va bien pour eux ; qu'ils sont heureux. Il se peut naturellement que certains d'entre eux soient morts ; dans quel cas, évidemment...

Cette réticence était compréhensible. Ceux de ses proches dont l'enregistrement corporel et le *wathan* se trouvaient enfermés l'un dans les archives, l'autre dans le puits central, ne pourraient revenir à la vie que si elle les ressuscitait. Mais elle s'interrogeait sur les conséquences que leur présence entraînerait pour elle et les entraves qu'elle risquait d'apporter à sa liberté. Comment accepteraient-ils sa nouvelle personnalité ? Comment réagiraient-ils en apprenant qu'elle avait été la maîtresse de Dick Burton, ce monstre de turpitude ?

La réunion des parents et des enfants pouvait s'avérer catastrophique. Les parents avaient l'habitude de mener leurs enfants à la baguette, du moins à l'époque victorienne. Mais ici, aucun signe extérieur ne révélait la différence d'âge : les parents avaient l'air aussi jeunes que les enfants. De plus, après tant d'années de séparation vécues de manière si différente, les uns et les autres avaient énormément changé. Il existait entre eux un monde, au sens littéral, un fossé que bien peu parvenaient à franchir.

Alice avait pourtant aimé son père, sa mère, ses fils et ses petits-enfants.

Frigate remarqua qu'elle omettait de mentionner son époux, Reginald Gervis Hargreaves, mais s'abstint, par discrétion, de le relever.

– Tu n'as pas encore réussi à les retrouver ?

– Non. (Alice trempa les lèvres dans sa coupe en cristal pleine de vin.) J'ai communiqué à l'Ordinateur leur nom, avec les dates de leur naissance et de leur décès. Il ne me manque que la date du décès de mon fils Caryl, mais je la dénicherai certainement dans un livre ou un journal figurant aux archives, et je cherche des photographies que l'Ordinateur pourra comparer avec son fichier. Tout cela prend du temps, tu sais. S'ils sont morts et si leur enregistrement est revenu aux archives, l'Ordinateur les retrouvera. S'ils sont vivants, il a moins de chances de les repérer. Il peut certes explorer les environs de toutes les pierres à graal, mais s'ils ne sont pas à portée de leurs capteurs au moment de l'exploration, nécessairement rapide, ils lui échapperont. Provisoirement en tout cas.

– Et Lewis Carroll, le révérend Dodgson, il n'est pas sur ta liste ?

– Non.

Elle n'offrit pas d'expliquer pourquoi et se serait certainement offusquée qu'il l'y invite.

Frigate quitta la réception et regagna son appartement. Au lieu de se coucher, il visionna quelques épisodes du passé de Standish. Il en émergea si bouleversé qu'il passa une nuit blanche. Tant sur la Terre que sur le Monde du Fleuve, Standish s'était toujours conduit en brute répugnante, sale, méchante et bornée. Il lui consacra cependant encore deux jours avant de renoncer, submergé d'horreur, à l'observer durant quelque temps.

Standish, comme d'habitude sans emploi, était hébergé par sa sœur dans l'appartement que celle-ci habitait, en compagnie de sa fille, dans une petite ville du Midwest. Agée de vingt-deux ans, la sœur n'aurait pas manqué de charme si elle s'était lavée un peu plus fréquemment et avait manifesté le moindre signe d'intelligence. La fille, une blondinette de trois ans aux yeux bleus, aurait été carrément belle si une nourriture malsaine et l'absorption d'énormes quantités de coca-cola ne l'avait empâtée pareillement. En raison de la nature particulière de la projection, Frigate voyait la salle de séjour du taudis avec les yeux de Standish. La sœur, Maizie, buvait une bière, assise sur un canapé défoncé. L'enfant jouait dans un coin avec une poupée en haillons, à demi dissimulée par un fauteuil. De temps en temps, l'Américain apercevait la boîte de bière que Standish tenait à la main. A en juger par leur conversation, les deux adultes lampaient de la bière depuis le petit déjeuner.

– Où est Linda ? s'enquit Standish, en parcourant la pièce d'un regard embrumé.

– Là. (Maizie désigna le fauteuil de la main.)

– Ouais. Linda, viens ici ! brailla Standish.

La fillette s'approcha à contrecœur en étreignant sa poupée. Standish ouvrit sa braguette et en extirpa son pénis érigé.

– T'as déjà vu un truc comme ça, Linda ?

Linda recula. Standish lui hurla de rester où elle était. Maizie se leva en titubant.

— Qu'est-ce que tu fous, bon Dieu ?

— J'vais m'envoyer Linda.

Frigate en eut la nausée, mais il se contraignit à regarder la suite, le cœur au bord des lèvres.

Maizie, après s'être disputée avec son frère, finit par lâcher :

— Oh, après tout, faudra qu'elle y passe un jour. Alors, pourquoi pas tout de suite...

— Ouais, tu connais. T'as perdu ton pucelage à sept ans, pas vrai ?

Maizie ne répondit pas.

« Allons, viens ici, Linda ! (La fillette refusa de la tête). Viens ici, je te dis ! Tu veux qu'oncle Bill te flanque une fessée comme hier soir ? Viens ici tout de suite ! »

L'Américain n'eut pas la force de supporter plus longtemps ce spectacle. Coupant l'image d'une main tremblante, il pria l'Ordinateur d'accomplir un bond de trois jours. Toujours par les yeux de Standish, il découvrit l'intérieur d'une cellule, occupée par d'autres détenus auxquels l'homme se vantait d'avoir défloré la gamine.

— La petite salope en crevait d'envie, alors je me suis exécuté. Y'a pas de mal à ça, non ?

— Grand Dieu, murmura Frigate, la pauvre gosse !

L'Ordinateur était branché sur l'enregistrement corporel de Standish ; il n'avait qu'à lui intimer de le détruire pour que cet énergumène meure définitivement, à l'exception de son *wathan* qui dériverait à l'aveuglette à travers l'univers.

Se mordant les lèvres, frémissant, le corps et le cerveau en feu, Frigate quitta la console pour arpenter farouchement la pièce en grommelant :

— Le salaud, le salaud ! Qu'il aille rôtir en enfer sans billet de retour !

Pour finir, il revint d'un pas décidé à la console et cria :

— Quand je prononcerai ce mot code, tu détruiras Standish !

La procédure n'était pas aussi simple, cependant. Il lui fallut préciser le matricule du sujet, répéter trois fois qu'il en exigeait la destruction, puis indiquer la formule-code qui la provoquerait.

— Mais pour l'instant, le sort de Standish demeure en suspens !

Quelques heures plus tard, il fut saisi d'un sentiment de honte auquel il ne trouva aucune explication rationnelle. De quel droit s'érigeait-il en juge ? Pourtant... un individu assez taré pour violer une enfant... ne méritait aucune pitié.

Le lendemain, non sans hésiter, il s'ouvrit à Nur de ce qu'il avait fait. Le Maure haussa les sourcils. « Je comprends ta colère. Je n'ai pas vu ce que tu as vu, mais je suis moi aussi empli de dégoût et d'indignation. Cet homme me paraît irrémédiablement mauvais et l'avoir démontré tant sur ce monde que sur la Terre. Néanmoins, il a encore le temps de s'amender. Je te sais convaincu qu'il ne le fera jamais et tu as probablement raison. Mais les Ethiques ont accordé à tous les humains un certain délai pour se sauver et Loga s'est débrouillé pour l'allonger. Tu n'as pas le droit d'intervenir, quels que soient tes sentiments.

— Il ne devrait pas lui être permis de menacer à nouveau les autres.

— Et peut-être lui-même par la même occasion. C'est pourtant ce que tu vas faire. Ce qui t'anime actuellement n'est qu'un désir de vengeance auquel il serait répréhensible de céder : il y a une bonne raison à ça.

— Laquelle ?

— Tu la connais. Il arrive que des êtres dont tout pousse à croire qu'ils sont irrémédiablement perdus se rachètent, deviennent authentiquement humains. Songe à Goering, par exemple ; et je suis sûr que tu rencontreras d'autres cas semblables au cours de tes recherches.

— Standish est mort à trente-trois ans. Il a brûlé un feu rouge alors qu'il conduisait en état d'ivresse et percuté de flanc un autre véhicule. J'ignore s'il en a tué ou blessé les passagers, mais je pourrais le vérifier. Ça n'a sans doute pas d'importance. Ce qui en a, par contre, c'est qu'il n'a jamais rien appris, ne s'est jamais repenti, ne s'est jamais rien reproché, n'a jamais envisagé de changer ; et qu'il ne le fera jamais.

— Je te connais bien. Si tu élimines Standish, tu seras bourrelé de remords.

— Les Ethiques n'éprouvaient pas de remords. Ils savaient que l'heure viendrait où des individus comme Standish auraient scellé eux-mêmes leur destin.

— Ton vertueux courroux t'embrume l'esprit. Tu viens d'énoncer ce qui t'interdit précisément d'intervenir.

— Oui, mais... les Ethiques ne nous ont accordé qu'un délai limité. Ne peut-on penser que certains d'entre nous seraient sortis victorieux de l'épreuve s'ils nous avaient octroyé un peu plus de temps ? Qu'une année, un mois, un jour de plus y aurait suffi ?

— C'est ce qui a incité Loga à contrecarrer le plan de ses congénères ; il a infléchi le cours des événements et en a perdu le contrôle. Nous avons peut-être eu tort de prendre son parti.

— Voilà que tu démolis ta propre argumentation !

Nur sourit.

— Cela m'arrive souvent.

— Je nage complètement. Pour l'instant, Standish est neutralisé, hors d'état de nuire. Mais quand le jour viendra... s'il vient... de ressusciter dans la Vallée les dix-huit milliards d'humains actuellement décédés, je crois que je me résoudrai à l'éliminer.

— S'il appartenait à quelqu'un de prendre cette décision, ce serait à la petite fille. Demande-lui son avis.

— Impossible. Elle est morte d'une hépatite aux alentours de son cinquième anniversaire.

— Alors, elle a été élevée sur le Monde-Jardin. Elle figure peut-être au nombre des agents dont les enregistrements sont renfermés dans la partie des archives à laquelle nous n'avons pas accès.

Qu'est-ce qui me pousse à réagir ainsi, au-delà des apparences ? s'interrogea Frigate. Éprouverais-je un sentiment de puissance à tenir ainsi le sort de cette brute entre mes mains ? M'en délecterais-je ? Non, je n'ai jamais aimé le pouvoir. Je suis trop conscient des responsabilités qui l'accompagne ; ou devraient l'accompagner. Je me suis toujours dérobé devant les responsabilités. Dans la mesure du raisonnable, bien entendu.

19.

Si certains des Terriens se posaient des questions quant aux personnes qu'ils souhaitaient ressusciter afin de peupler leur petit univers Thomas Million Turpin n'en faisait pas partie. Il voulait Scott Joplin, Louis Chauvin, James Scott, Sam Patterson, Otis Saunders, Artie Mathews, Eubie Blake, Joe Jordan, et bien d'autres musiciens encore qu'il avait connus et aimés à l'époque du ragtime. Tous étaient de très grands artistes, Joplin et Chauvin surtout. Tom jouait du piano comme un ange, mais ces deux-là s'étaient hissés à trois cercles du Paradis au-dessus de lui et il les adorait.

Les femmes ? Il n'avait guère fréquenté que des putains sur la Terre, dont quelques-unes plus agréables à côtoyer et à regarder que les autres. Durant son séjour dans la Vallée, il s'était épris d'une Égyptienne de l'Antiquité dénommée Menti dont il ne se serait jamais lassé. Peut-être avait-elle regagné les archives, dans quel cas il pourrait la ressusciter. Il y avait treize ans qu'ils ne s'étaient vus, mais elle ne l'avait certainement pas oublié. Bien que Caucasienne, elle avait la peau plus sombre que lui et ne nourrissait aucun préjugé contre les Noirs. C'était la fille d'un négociant de Menphis ; Menphis en Égypte, et non dans le Tennessee. Elle... elle serait la première personne qu'il demanderait à l'Ordinateur de rechercher.

Il avait même composé un ragtime en son honneur, *My Egyptian Belle*, qu'il lui jouerait dès qu'elle se serait accoutumée à sa nouvelle existence.

En plein cœur de son univers, qu'il baptiserait Turpinville, il implanterait son New Rosebud Café. Il ne ressemblerait pas à l'original, la bâtisse de briques rouges carrée qui se dressait autrefois au 2220 Market Street, dans le quartier chaud de Saint Louis. Haut de dix étages, de forme circulaire, il serait construit en alliage d'or incrusté de diamants et d'émeraudes et surmonté d'un gigantesque T coulé dans le même alliage ; T, comme Turpin !

Les rues environnantes seraient pavées d'or et à sa porte stationneraient des Rolls-Royce, des Cadillac, des Studebaker, des Mercedes, des Stutz Bearcat, des Cord.

La petite ville comporterait d'autres immeubles de trois étages, eux aussi en alliage d'or incrusté de joyaux. Ça aurait une sacrée gueule ! Devant le Rosebud, il y aurait une fontaine qui déverserait jour et nuit du bourbon sur un faux piano en or. D'autres fontaines arroseraient de champagne, de gin et de liqueurs diverses les statues de Joplin, Chauvin et Turpin. Le décor et le mobilier des immeubles seraient d'une somptuosité à faire pâlir J.P. Morgan d'envie, à supposer que ce vieux forban eût l'occasion de les contempler.

On trouverait à Turpinville des milliers de pianos, et aussi des violons, des trompettes, des batteries, tous les instruments dont on pourrait avoir besoin. Le service serait assuré par des androïdes qui auraient tous la peau blanche et donneraient indistinctement à ses invités du « Missié » et du « Maam ». Mais Tom serait le seul à qui ils diraient « Patron ».

Autour de la ville, qui compterait une quarantaine de maisons, pousserait une forêt que sillonneraient un fleuve et de nombreux ruisseaux, avec plusieurs grands marécages et, çà et là, des collines escarpées. Une route bétonnée y serpenterait afin que Tom, ses potes et leurs compagnes puissent la parcourir à bord de leurs voitures luxueuses quand la fantaisie leur en prendrait. Les bois, les marais et les cours d'eau grouilleraient de lapins, de sangliers, de renards, de canards, d'oies sauvages, de faisans, de gélinottes, de dindons, de poissons et de caïmans. Tom avait la passion de la chasse ; il s'imaginait déjà emplissant son carnier de lapins et de canards.

— Tu prévois de te donner éternellement du bon temps ? lui demanda Nur.

— Éternellement, p't-être pas. Tant que ça durera, seulement.

L'expression du Maure le mit mal à l'aise, sans qu'il puisse expliquer pourquoi.

— Ça sera un monde où on rigolera, poursuivit-il (il lui arriva dès lors, quand il parlait de son petit univers, de l'appeler « la Planète de la Rigolade ») avant de s'extasier à voix basse : T'as fait du chemin, mon gars.

— Pardon ?

— Je dis que j'ai fait du chemin. Je suis né dans une vieille baraque déglinguée de Savannah, en Georgie, mais mon père était un grand bonhomme, dans des tas de sens. Il a gagné plein de fric et il nous a installés dans une chouette maison, pas une maison de passe, une belle villa comme celles qu'habitaient les rupins blancs. Mais vu que le Ku Klux Klan commençait à semer la merde, il a décidé d'nous emmener dans le Mississippi. Y'avait à Savannah une rue qui s'appelait Turpin Hill, en l'honneur de mon vieux et de ses frangins. Ça te prouve à quel point c'était un grand bonhomme !

Les Blancs du Mississippi s'étant révélés plus hargneux encore que ceux de Georgie, la famille Turpin était allée s'installer à Saint Louis, dans le quartier chaud du ghetto noir, où « Honest John » Turpin avait fait fortune avec son saloon à l'enseigne du Dollar d'Argent et son écurie.

« P'pa disait qu'il avait pas bossé un seul jour pour quelqu'un d'autre depuis que les esclaves étaient libres et qu'il s'était jamais servi de ses poings. Fallait pas se frotter à lui, pourtant. Il attrapait le poignet de l'autre, le tordait à fond, et puis lui flanquait un coup de boule. Il avait le crâne le plus épais du Mississippi, et même de l'est ; ça marchait à tous les coups. L'autre en voyait trente-six chandelles pendant une semaine. Personne n'osait lui chercher des crosses, à mon vieux. »

Comme beaucoup de Noirs, Tom s'était initié tout seul à la musique, mais, ce qui était moins courant, il savait déchiffrer une partition.

— Quand j'ai eu dix-huit ans, on est parti dans l'Ouest, moi et mon frère Charlie, histoire de se balader un peu. Et de chercher de l'or aussi : à l'époque, il y en avait à la pelle par là-bas ; le plus difficile, c'était de le déterrer. On a passé un an au Nevada, mais ce foutu métal se planquait quand on s'approchait.

» J'ai cassé ma pipe le 13 août 1922. C'te bonne vieille Mort avait le crâne encore plus dur que p'pa et j'ai pas pu lui graisser la patte. C'était la seule personne honnête de Saint Louis. Pas de pot-de-vin, pas de dessous-de-table. Moi aussi, j'suis comme ça : quand j'ai un boulot à faire, je le fais. J'ai pas eu d'enfant, mais on m'a appelé le père du ragtime de Saint Louis.

— Ta femme était plus qu'à l'aise et ton frère Charlie ne s'est pas mal débrouillé non plus, dit Frigate. Il a été élu constable, ce qui a fait de lui le premier Noir à occuper une charge élective dans le Missouri. A sa mort, survenue le jour de Noël 1935 si je ne me trompe, il a laissé aux siens cent cinq mille dollars en fonds de placement. Ça représentait un gros paquet alors.

— Surtout pour un nègre. Mil neuf cent trente-cinq, tu dis ?

— Oui. Je demanderai à l'Ordinateur s'il possède un livre intitulé *They All Played Ragtime* que tu liras avec plaisir. On y parle beaucoup de toi ; tu en seras fier.

— J'ai pas besoin d'un livre pour ça, mais je le réclamerai quand même.

Le lendemain du jour où l'Ordinateur l'avisa que l'aménagement de sa Planète de la Rigolade était terminé, Tom Turpin prit possession des lieux. Il était dix heures du matin ; seuls quelques flocons de nuages blancs, qu'on aurait cru très hauts, rompaient l'uniformité d'un ciel azur. Au bas du perron d'entrée, il trouva, comme il l'avait ordonné, son chauffeur et sa décapotable Mercedes-Benz rose, modèle 1920. Le chauffeur était un androïde d'un mètre quatre-vingt-dix à la peau claire, blond avec des yeux bleus. C'était aussi le Blanc le plus hideux que Tom eût jamais vu, ceci parce qu'il en avait lui-même dessiné le visage. Il portait la livrée classique, à ceci près qu'elle était de couleur rose. « Pour qu'elle soit assortie à la voiture », avait expliqué Tom à ses compagnons.

S'installant sur le siège arrière, Turpin lança : « A la maison, James ! » Le moteur partit au quart de tour, en émettant un ronronnement feutré, et la Mercedes s'engagea sous le tunnel que les arbres formaient en entrelaçant leurs branches.

« J'aurais pas dû faire la route aussi étroite, grommela Turpin. Mais qu'est-ce que ça fout ? On croisera pas grand monde. »

Au bout de quelque temps, les arbres s'éclaircirent et il longea un lac dont des canards et des oies ponctuaient la surface de brillantes couleurs, tandis que, près de la berge, des hérons et des grues plongeaient le cou sous l'eau pour attraper des poissons. Les coin-coin, les sifflements aigus se mêlaient au gémissement funèbre du grèbe en un bruyant concert.

La route s'éloignait de Turpinville en suivant le bord de l'immense salle. « Je m'en rendrais pas compte si j'le savais pas, murmura Tom. On croirait voir une autre forêt et d'autres collines. Je toucherai pas le mur afin d'prolonger l'illusion. »

En ligne droite, Turpinville n'était qu'à 4 345 mètres de l'entrée. La route sinueuse tracée par Turpin portait cette distance à près de seize kilomètres et même à trente-deux si empruntait son embranchement. Tom apercevait de temps en temps les toits de sa ville et son cœur se gonflait chaque fois d'orgueil. « Tout ça est à moi. A moi ! »

Quand la voiture émergea de la forêt obscure, il regretta de ne pas s'être organisé une réception en règle, avec fanfare et grand concours de foule. L'endroit était si désert, tellement silencieux ! « Une ville fantôme avant d'avoir vécu, maugréa-t-il. Enfin, j'm'en vais te la peupler et te l'aimer en deux coups d'cuillère à pot ! »

La décapotable s'arrêta devant le Rosebud. Il en descendit, se rendit jusqu'à la fontaine qui coulait au milieu de la place centrale de l'agglomération, décrocha le gobelet d'argent suspendu au-dessus du bassin, le plongea dans le liquide odorant, en dégusta le contenu.

« Fameux ! Mais il manque la cohue, la musique, la fumée, les rires, les... copains. C'est pas drôle de boire et de causer tout seul. »

Entrant dans le Rosebud, il se fit hisser jusqu'au troisième étage par l'ascenseur surchargé d'ornements, pénétra dans son appartement, puis dans la pièce où trônait une énorme console et entama ses recherches.

Trois semaines plus tard, il avait ressuscité non pas les quarante personnes prévues initialement, mais bien deux mille.

– C'est le paradis nègre ! confia-t-il à ses anciens compagnons l'une des rares fois où il assistait à l'une de leurs soirées. Un vrai cirque ! Tout le monde se marre !

Frigate tiqua en entendant les mots de « paradis nègre » ; libéral convaincu, des termes de ce genre lui écorchaient les oreilles. Tom en fut amusé. Il n'aurait pas toléré que d'autres les emploient, à moins que ces autres ne fussent Noirs, mais il les utilisait volontiers lui-même. L'Américain lui en ayant demandé la raison, il répondit que ça lui venait comme ça ; c'était une vieille habitude qu'il avait contractée sur la Terre et dont il ne parvenait pas à s'affranchir.

– Tu vis depuis assez longtemps sur le Monde du Fleuve pour avoir surmonté tes rancœurs, observa Nur.

– Ça en diminue la brûlure.

– L'autoflagellation me paraît une curieuse méthode pour soigner les blessures, rétorqua Frigate.

Jugeant la parenthèse close, Aphra intervint :

– Quand nous montres-tu ton univers ?

– Vendredi prochain vous irait ? J'vous garantis du bon temps et tout baignera dans l'huile. J'ai parlé de vous à mes potes : ils n'ont rien contre votre visite. (Il éclata de rire). Tant que vous resterez à votre place !

Quand Turpin fut parti, Frigate commenta :

– Soixante-sept années en ce monde n'ont pas suffi à exorciser les vieux démons de la Terre.

– Il ne passera pas de l'autre côté s'il ne réussit pas à se débarrasser du mal qui l'habite ; ou plutôt de ses effets, déplora Nur. Les mauvais penchants acquis sur la Terre ne s'évanouissent pas forcément sur le Monde du Fleuve. Il n'en demeure pas moins que l'humanité, prise dans son ensemble, a progressé moralement et psychiquement.

– Tu estimes, autrement dit, que de nombreux Terriens se sont humanisés ? s'enquit Burton.

– Oui. Nous subissons ici un remodelage brutal, mais il est rare qu'un changement s'accomplisse sans douleur.

Après s'être tu un instant, Nur reprit :

— Tom a un tas de qualités. Il est le plus souvent plein d'entrain, toujours courageux, et conciliant quand on ne lui marche pas sur les pieds, comme il se doit. Mais il n'a jamais exprimé le moindre regret quant à son passé de souteneur. Un homme qui exploite des prostituées se prostitue lui-même ; il exerce une activité abjecte et violente qui l'oblige à se montrer dur, impitoyable, voire à se souiller les mains de sang. Cela trahit une certaine indifférence à la souffrance d'autrui.

Un nouveau silence s'établit, que Frigate brisa.

— Oui ?

— Ce n'est pas seulement à Tom que je pense. Vous vous êtes enfermés chacun dans votre petit univers hermétique. Un être peut-il croître dans le vide ?

— Bien sûr que oui !

— Nous verrons.

Nur était le seul qui eût renoncé à quitter son appartement, dont il redit :

— C'est un monde bien assez grand pour moi.

— Tout le monde ne sera pas de cet avis et cela nous promet des jours sombres, prophétisa Burton. Certains des nouveaux ressuscités vont vouloir s'emparer des univers vacants, et ils n'hésiteront pas à faire couler le sang pour s'en rendre maîtres.

20.

Burton, Frigate et Aphra Behn s'entretenaient des critères à respecter dans le choix des gens qu'on ressusciterait à l'intérieur de la tour.

— Pas d'acteurs ! dit Frigate ; qu'ils aient sévi au théâtre, au cinéma ou à la télévision. Ils sont tous infatués d'eux-mêmes, égoïstes, arrivistes et déloyaux. Ils peuvent constituer d'amusants compagnons pour un temps, mais ils se prennent tous pour le nombril du monde.

— Tous ? demanda Burton.

— Tous, confirma Aphra. Je suis bien placée pour le savoir : écrire des pièces m'a conduite à les fréquenter de près.

— Il peut y avoir quelques exceptions, convint Frigate, mais non parmi les producteurs qui sont encore plus impitoyables que les acteurs. Ne ressuscitons pas de producteurs, surtout de la variété hollywoodienne : ils ne sont pas tout à fait humains.

– Dans ce cas, je les classe avec les politiciens.

– D'accord. Nous n'accepterons ni politiciens ni hommes d'État. Ce sont tous des menteurs et des opportunistes, proclama Burton.

– Tous ? interrogea Behn.

– Là aussi, tu es bien placée pour le savoir !

– Je ne les ai pas tous connus, il m'est donc difficile de les juger équitablement.

– Crois-moi sur parole ! Et les prêtres ?

– Curés, pasteurs, rabbins, mollahs, sorciers, bonzes, quels que soient le nom qu'on leur donne et l'uniforme qu'ils portent, tous les membres du clergé appartiennent à la même famille, affirma Frigate. Mais... tous ne se ressemblent pas. On trouve de temps en temps, ici et là, quelques humains authentiques dans leurs rangs. On n'en doit pas moins se méfier de quiconque a une assez bonne opinion de lui-même pour s'estimer digne d'exercer un magistère spirituel ; à quel motif obéit-il en réalité ?

– Les papes sont disqualifiés d'office, trancha Burton. Ils ont politicaillé, menti, manipulé froidement les gens et perverti le christianisme pour le plus grand bien de l'Église. Pas de papes !

– Ni grands rabbins, imams, archevêques de Canterbury et tutti quanti, renchérit Frigate. Ce qui vaut pour les papes vaut aussi pour eux.

– Et les mères supérieures ? glissa Aphra.

– Exclues ! pouffa Burton en faisant un bras d'honneur.

– Quant aux vendeurs et aux vendeuses de voitures d'occasion ? s'enquit Frigate.

Burton et Behn le regardèrent sans comprendre.

– C'est une espèce qui est apparue au vingtième siècle. N'en parlons plus. Je les surveillerai du coin de l'œil et vous avertirai si nécessaire. Je doute d'avoir à le faire.

– Les médecins ?

– On ne peut pas leur appliquer de règle générale, mais la plupart sont paumés dans ce monde où on n'a guère besoin de leurs services et où ils ne jouissent d'aucun prestige particulier. La prudence d'impose.

– Les hommes de loi ?

– On trouve chez eux le meilleur et le pire, dit Frigate.

Prudence donc! Tiens, au fait, j'ai repéré Bouddha. Siddhartha, le personnage historique.

— Quel rapport avec les hommes de loi?

— Aucun. Mais... il figure dans les archives, où il y a plein de films sur lui; si vous voulez voir Gautama, le Bouddha vivant, vous n'avez qu'à le demander à l'Ordinateur. Quand je dis vivant, il ne l'a été que sur la Terre; il n'est pas ressuscité sur le Monde du Fleuve: il est passé de l'autre côté au terme de son existence terrestre.

— Tiens! s'exclama Burton, comme si cette révélation lui ouvrait des horizons nouveaux.

— Ça t'étonne?

— Oui. J'ai repéré le dossier de Jésus-Christ il y a quelques jours.

— Moi aussi!

— Alors tu sais qu'il est ressuscité sur les berges du fleuve, qu'il est mort à plusieurs reprises et pour la dernière fois il y a vingt ans; que lui aussi est alors passé de l'autre côté. J'en déduis que Bouddha était plus avancé éthiquement que Jésus.

— Oui, mais il a séjourné plus longtemps sur la Terre.

— Je n'attaque personne; je me borne à constater un fait.

— J'ai repéré également saint François d'Assise. Il est revenu à la vie sur les bords du Fleuve, mais il est passé de l'autre côté quand il est mort, il y a dix ans.

— Combien de papes, de cardinaux et de hauts dignitaires d'une religion quelconque sont-ils passés de l'autre côté? voulut savoir Aphra.

— Aucun, à ma connaissance; mais je ne les ai pas tous retrouvés. Ou plutôt, l'Ordinateur ne les a pas tous retrouvés: je l'ai lancé sur leur piste et il a déniché tous les papes, sauf douze.

— Y compris saint Pierre, le premier d'entre eux? demanda Burton.

— Il ne fut pas exactement le premier pape, mais le premier évêque de Rome.

— Ah! Et il a réellement été à Rome?

— Oui, où les Romains l'ont trucidé. Cependant... il vit encore dans la Vallée; il est mort trois fois sans passer de l'autre côté.

— Alors, nous pouvons le ressusciter afin d'apprendre la vérité sur Jésus et le christianisme. La vérité telle qu'il la connaît, ce qui n'est pas forcément la vérité objective.

– L'enregistrement de Jésus est toujours dans les archives. Son *wathan* a disparu, mais l'Ordinateur peut nous projeter le film de son existence.

– Et saint Paul ?

– Ah, ce foutu saint Paul ! Après avoir été un fanatique du judaïsme orthodoxe, puis un fanatique du christianisme – il a plus que n'importe qui contribué à dévoyer l'enseignement de son fondateur – c'est aujourd'hui un fanatique de l'Église de la Seconde Chance. Était, devrais-je dire, car cette Église qui ne tient pas à ce que le zèle de ses disciples aille jusqu'au fanatisme l'a récemment flanqué à la porte. Il s'intéresse maintenant au dowisme.

– Qu'est-ce que c'est que ça ?

– Je vous l'expliquerai une autre fois. Paul vit dans la Vallée. Je l'ai localisé et observé pendant quelque temps. C'est un petit avorton horriblement laid, doué d'un talent oratoire extraordinaire. Il n'est plus célibataire ; il a dû se rendre compte que pour *lui* aussi « il valait mieux se marier que de brûler » !

Frigate montra à ses amis trois hommes dont il avait cherché à retrouver la trace parce qu'il les considérait comme les plus grands criminels de son époque. Burton avait entendu parler d'eux durant son séjour dans la Vallée, mais sans, jusqu'ici, apprendre grand-chose à leur sujet. Il était mort en 1890, soit un an après la naissance d'Adolf Hitler, onze ans après celle de Joseph Djougatchvili, plus connu sous le nom de Staline, et trois ans avant celle de Mao Tsé-Toung.

– Ils sont actuellement enfermés dans les archives. Je n'ai pu observer qu'assez peu de temps leur existence post-terrestre, mais j'en ai vu suffisamment pour affirmer qu'ils ne se sont pas améliorés. Leur nature est toujours foncièrement similaire à celle d'Ivan le Terrible ; que j'ai repéré lui aussi, soit dit en passant.

Nur se mêla à la conversation.

– Tu crois qu'il ne reste plus d'espoir pour eux, qu'ils ne s'amenderont jamais ?

– Oui. Le contraire me surprendrait. Ils ont été et demeurent intrinsèquement mauvais, des sadiques capables d'assassiner de sang-froid, des tyrans génocides, des êtres totalement fermés à l'amour ; des psychopathes.

– Loga n'a-t-il pas dit qu'il n'existait plus de véritables psychopathes sur le Monde du Fleuve ? Que la psychopathie provenait d'un déséquilibre chimique de l'organisme ? Que ce déséquilibre était corrigé lors du processus de résurrection ?

– Si. Alors... quelle excuse peuvent-ils invoquer désormais ? Plus aucune ! Ce qu'ils sont, ils choisissent délibérément de l'être ; la responsabilité leur en incombe entièrement, à eux et eux seuls.

– C'est possible, mais cela ne t'autorise pas à les anéantir, à raccourcir le délai de grâce dont ils disposent. Qui sait s'ils ne subiront pas à la dernière minute une métamorphose radicale ? Si leurs yeux ne se dessilleront pas ? Souviens-toi de Goering.

– Goering avait commencé à ressentir les morsures du remords et à se repentir depuis plusieurs années déjà. Tandis que ces... monstres, Staline, Hitler, Mao, Ivan le Terrible... sont toujours prêts... et le désirent même ardemment... à tuer quiconque se place en travers de leur chemin. Lequel chemin est celui du pouvoir, du pouvoir absolu, du pouvoir d'asservir les autres et de broyer tous ceux qui s'opposent à eux. Ou dont ils s'imaginent qu'ils s'opposent à eux. Ce sont tous d'authentiques paranoïaques, tu sais. Bien qu'ils s'efforcent de modeler la réalité, et souvent avec succès, ils ont perdu le contact avec elle ; ils ne la perçoivent pas telle qu'elle est. Ils sont obnubilés par leur désir de la conformer à ce qu'elle est ou devrait être à leurs yeux.

– C'est là un travers fort commun.

– Il y a des degrés dans le mal.

– Il y a des degrés dans l'accomplissement du mal. Le mal n'existe pas dans l'abstrait ; il se réduit toujours à des actes concrets exécutés par des acteurs concrets.

Burton, qui avait suivi cet échange, perdit patience.

– Contrairement à ce qu'imaginent la plupart des philosophes, la philosophie véritable réside dans l'action, et non dans les paroles. Pete, tu parles sans cesse de ce que tu voudrais faire. Pourquoi ? Parce que tu as peur d'agir, et que cette peur provient de ce que tu ne te sens pas irréprochable.

– Je m'abstiens de juger : *ne jugez point, afin que vous ne soyez point jugés.*

– Comment peux-tu croire un seul instant que ne pas juger t'évitera de l'être ? De plus, il est impossible de ne pas juger les autres. Les saints eux-mêmes ne peuvent pas s'en empêcher, en dépit de tous leurs efforts. C'est un réflexe automatique qui relève à la fois du conscient et de l'inconscient. Alors, allons-y joyeusement, jugeons tant que nous voulons, à tire-larigot et sans complexe !

– Mais sans condamner personne, enchaîna Nur en riant.

– Et pourquoi pas ? ricana sataniquement Burton. Pourquoi pas ?

– J'ai repéré un vrai juge, un magistrat professionnel, dit Frigate. Le président du tribunal forain qui siégeait à Peoria, ma ville natale, durant la Prohibition. Je me souviens de ce que j'ai lu sur lui quand j'étais gosse, et aussi de ce que mon père et ses amis racontaient à son sujet. Il faisait partie de la bande de politiciens véreux qui administraient la commune ; il a envoyé de nombreux bootleggers en prison et mis à l'amende les particuliers ou les patrons de bars chez qui on trouvait de l'alcool. Ça ne l'empêchait pas d'avoir lui-même une pleine cave de whisky et de gin qu'il achetait aux trafiquants ; et même d'acquitter ceux qui l'approvisionnaient directement !

– Tu as été très actif, releva Nur.

– C'est plus fort que moi.

Burton comprenait ce qui passionnait tant Frigate, ou du moins s'en croyait capable. Il émanait des êtres corrompus une sorte de magnétisme qui attirait également vers eux les méchants, les bons et les ni-tout-à-fait-mauvais-ni-tout-à-fait-bons. Les attirait d'abord, les repoussait ensuite. En fait, c'était probablement la répulsion qui engendrait l'attirance.

– Le plus curieux, dit soudain Frigate comme s'il exprimait une pensée qu'il refoulait depuis longtemps, le plus curieux est que ni Hitler, ni Staline, ni Mao, ni le tsar Ivan, ni le juge de Peoria, ni le violeur d'enfant dont je vous ai parlé ne s'estiment blâmables.

– Goering a pris conscience de sa noirceur, et cela a été le point de départ de sa rédemption, objecta Nur. Ces hommes... Hitler, Staline et les autres... quel sort leur réserves-tu ?

– Je les ai placés *en suspens*.

– Tu n'a donc pas encore arrêté ton verdict ?

– Non. Mais si l'Ordinateur entreprend de ressusciter dans la Vallée les dix-huit milliards de Terriens dont l'existence est actuellement interrompue, il ne libérera pas ces êtres malfaisants. Écoute, j'ai vu de quoi ils étaient capables ! Je l'ai vu de mes propres yeux, et aussi par les yeux de leurs victimes !

Frigate avait le visage cramoisi de fureur et son regard luisait d'un éclat farouche.

»Je ne veux pas qu'ils puissent poursuivre leurs crimes! Pourquoi devraient-ils éternellement échapper à la justice? Ils lui ont échappé sur la Terre, mais les choses sont différentes ici! Ce n'est pas sans raison qu'ils sont emprisonnés dans les archives et que nous sommes en position de les juger; et de les condamner et de les exécuter au besoin!

— S'ils sont emprisonnés, ce n'est pas en vertu d'une intervention ou d'une décision divine, mais à la suite d'un accident.

— En es-tu sûr?

Nur sourit et eut un geste d'ignorance.

— Je peux me tromper. Raison de plus pour que nous agissions avec prudence et discernement.

— Et pourquoi donc? rugit Burton. Nous n'avons de comptes à rendre à personne!

— Qui sait? répliqua le Maure en considérant l'extrémité de son index comme si celui-ci contenait la réponse. N'avez-vous jamais eu l'impression fugitive d'être surveillés? Pas par l'Ordinateur, mais par son intermédiaire?

— Et qui au juste pourrait nous espionner?

— Je l'ignore. Mais n'avez-vous jamais éprouvé cette sensation?

— Non.

— Moi si, avoua Frigate. Mais cela ne veut rien dire. J'ai toujours eu... toute ma vie... l'impression qu'on m'observait.

— Qui donc observe l'observateur et qui juge le juge?

— Sacrés soufis! grommela Burton.

— Ce qu'il y a d'intéressant, dit Frigate, c'est que ces hommes, Hitler, Staline, Mao, Ivan le Terrible et consorts ont joui d'un immense pouvoir durant leur existence terrestre. Ils ont joué un rôle historique extrêmement important. Et maintenant...

— Et maintenant, tu les tiens en ton pouvoir, toi qui n'es rien.

— Je regrette de ne pas les y avoir tenus quand ils entamaient à peine leurs carrières criminelles.

— Aurais-tu alors appuyé sur le bouton commandant leur destruction?

— Seigneur! Je ne sais pas. Je l'aurais dû, mais...

— Et si quelqu'un avait appuyé sur le bouton commandant ta propre destruction?

— Mes péchés n'étaient pas assez grands pour ça.

— La dimension de nos péchés dépend de l'appréciation de

celui qui a le doigt sur le bouton ; ou de ceux que nous avons offensés.

Burton se retira, non sans s'être arrêté un moment auprès de Li Po, de sa compagne, Cuillère d'Étoile, et de ses copains pour prendre congé d'eux. Li Po avait retrouvé et ressuscité sept des poètes et des peintres avec lesquels il s'était particulièrement lié d'amitié sur la Terre.

Alors que Burton se dirigeait vers la porte, Cuillère d'Étoile lui glissa à voix basse :

– Il faut que nous nous revoyons. Dès que possible.

– Bien sûr. Avec plaisir.

– Je veux dire seul à seul.

Cuillère d'Étoile s'éloigna aussitôt, avant que les autres ne puissent remarquer cet aparté.

Burton en conclut qu'elle ne voulait pas simplement *bavarder* avec lui. En d'autres circonstances, il aurait jubilé. Mais Li Po était son ami et, de surcroît, terriblement jaloux, bien que rien ne lui donnât le droit de se montrer aussi possessif. L'honneur interdisait donc de rencontrer Cuillère d'Étoile en catimini.

Et pourtant, réfléchit-il, elle est libre d'agir à sa guise. Ce n'est pas parce que Li Po l'a rappelée à la vie qu'elle lui appartient. Sauf si elle en décide ainsi. Si donc elle veut me rencontrer ouvertement, sans rien dissimuler à Li Po, ma foi...

Le Chinois, avec son égocentrisme forcené, aurait du mal à admettre qu'elle puisse lui préférer un autre homme. Il s'ensuivrait une scène, des cris, des rodomontades, peut-être même une provocation en duel. Cette provocation serait ridicule, l'accepter également. Li Po était né en l'an 701 de l'ère chrétienne, lui-même en 1821, mais ni l'un ni l'autre n'étaient tenus désormais de respecter les codes en vigueur à leurs époques respectives, auxquelles ni l'un ni l'autre ne s'étaient jamais complètement identifiés. Se battre pour une femme était absurde. Li Po en conviendrait certainement. Mais il lui retirerait son amitié ; or, cette amitié, Burton y tenait beaucoup.

D'un autre côté, Cuillère d'Étoile n'était pas un robot et Li Po aurait dû savoir, en la ressuscitant, qu'il ne pourrait pas la contraindre ; ce n'était plus une esclave.

Le roulement de ses hanches pulpeuses évoquait le battement d'une cloche. Ding, dong ! Ding, dong ! Il soupira et s'efforça d'oublier la tension douloureuse de son sexe érigé. En vain. Il y avait trop longtemps qu'il était réduit à l'abstinence.

Mais s'il venait à bien la connaître, autrement qu'au sens biblique, éprouverait-il ne fût-ce qu'un peu d'affection pour elle ? Elle ne valait probablement pas les ennuis qu'elle causerait, et des ennuis, elle n'allait pas manquer d'en susciter !

Être un vieillard dans un corps de jeune homme constitue une source de conflits, songea-t-il. Mes hormones se précipitent à contre-courant de ma longue expérience. Comme il est vrai que vit érigé n'a pas de conscience ; ni de cervelle non plus !

Cuillère d'Étoile n'était pourtant pas la seule femme de ce monde ; il en avait, théoriquement du moins, neuf milliards et demi à sa disposition. Malheureusement, c'était elle qu'il désirait pour l'instant. Il n'était pas "amoureux" d'elle, et ne se croyait pas exposé à retomber jamais amoureux ; à cent trente-six ans, un homme intelligent ne cédait pas, ou du moins ne devait pas céder à des élans romantiques.

Un seizième environ des huit milliards et demi de mâles emprisonnés dans les archives étaient aussi âgés que lui ; à supposer qu'un seizième de ce seizième fussent assez intelligents pour s'être cuirassés contre les flèches d'Éros, lui, Burton, se trouvait en maigre compagnie !

Pour le moment, son seul compagnon était l'écran qui se déplaçait sur le mur à la hauteur de son fauteuil volant. L'Ordinateur avait brusquement sauté à l'époque où il avait trente-neuf ans et sélectionné une séquence très pénible. Burton se préparait, à Londres, à accomplir incognito le pèlerinage de La Mecque. Les musulmans auxquels il se mêlerait risquant en maintes circonstances d'apercevoir son pénis, il lui fallait se faire circoncire ; sinon, un simple coup d'œil jeté sur son prépuce leur révélerait qu'ils avaient affaire à un chien d'infidèle et ils le mettraient probablement en pièces, au sens littéral, sur-le-champ. Si les hommes arabes s'accroupissaient pour uriner et portaient des robes qui leur dissimulaient habituellement le sexe, il ne pourrait pas toujours soustraire le sien à leurs regards. Il se prêtait donc à l'opération en ayant absorbé, pour tout anesthésique, un demi-litre de whisky.

Burton arrêta son fauteuil ; l'écran s'immobilisa aussi. Sans savoir pourquoi il agissait ainsi, il dit à l'Ordinateur de projeter le champ neuro-émotionnel.

Il ressentit à l'instant même la douleur fulgurante que provoquait le bistouri en découpant la calotte de peau.

Il serra les dents comme, durant la véritable opération, il avait mordu son cigare afin de ne pas crier.

Il voyait aussi un peu trouble et avait l'esprit embrumé : le champ lui restituait les sensations qu'il avait éprouvées à l'époque et il était ivre alors ; moins, cependant, qu'il aurait été souhaitable !

« Assez ! cria-t-il. Supprime le champ neuro-émotionnel ! »

La douleur s'évanouit aussitôt. Encore que... n'en subsistait-il pas un relent qui se dissipait lentement ?

Burton ne s'était pas infligé cette épreuve par masochisme, mais uniquement dans l'espoir de se guérir du désir qu'il éprouvait de Cuillère d'Étoile, de son désir des femmes en général. Le remède s'avéra efficace ; pas pour longtemps, hélas !

21.

Burton avait appris de Frigate qu'on n'était pas parvenu, sur la Terre, à identifier Jack l'Eventreur. Mais puisque l'Éventreur vivait probablement dans la Vallée, il devait être possible de le trouver. Les chances de tomber sur lui étaient cependant extrêmement faibles, et plus faibles encore celles de lui arracher des aveux ; en outre, on risquait de mettre la main sur un mythomane qui revendiquerait indûment la paternité de ses crimes. Tout bien pesé, l'énigme restait presqu'aussi indéchiffrable en ce monde que sur la Terre.

Cet exposé, Frigate l'avait fait à Burton bien avant qu'ils n'arrivent à la tour. Maintenant qu'ils l'occupaient, découvrir qui se dissimulait sous le pseudonyme de Jack l'Éventreur était à leur portée. Frigate connaissait le nom des principaux suspects, que l'Ordinateur n'aurait sans doute aucun mal à localiser dans ses archives ; mais rien ne garantissait, évidemment, que l'un d'eux fût bien le criminel.

L'Américain n'avait pas entrepris lui-même de donner suite à ce projet parce qu'il était trop absorbé par d'autres recherches et, notamment, par l'établissement de sa généalogie.

La tour, aimait-il à dire, était le paradis des généalogistes. Il n'avait pas ici à se fonder sur des documents difficiles à dénicher, sinon définitivement perdus : testaments, matrices fiscales et cadastrales, décisions des juges de tutelle ou des successions, recensements, chroniques locales, journaux, pierres tombales, états des effectifs militaires, registres des pensions, et autres traces fugaces de gens dont on descendait peut-être ou peut-être pas. Il suffisait de lancer l'Ordinateur sur la piste en partant de soi-même et il remontait la chaîne de vos parents. Il vous montrait sur un écran à quoi ils ressemblaient, l'endroit où ils habitaient, les événements qu'ils avaient vécus vus par leurs propres yeux et par ceux de différents témoins. Frigate devait parfois patienter un peu pendant que l'Ordinateur, utilisant le *wathan* de l'un de ses ancêtres comme modèle, cherchait dans ses archives le *wathan* correspondant afin d'identifier celui des parents de cet ancêtre. En cas de paternité douteuse, l'Ordinateur comparait le patrimoine génétique de l'enfant à celui du père « légal » et confirmait, ou rejetait la filiation. S'il la rejetait, il lui était facile d'identifier le véritable père, puisqu'il n'avait pour cela qu'à revoir le passé de la mère et les hommes avec lesquels elle avait fait l'amour, puis à analyser les gènes contenus dans l'enregistrement corporel du ou des suspects.

Cela intéressa Burton, mais pas au point de l'inciter, pour l'instant, à établir sa propre généalogie. Il s'était toujours passionné pour les histoires de crime, de mutilation et de torture et il avait lu les articles de journaux consacrés aux meurtres de Whitechapel. Une fois qu'il eut décidé de déclencher ce qu'il baptisait "l'opération Éventreur", il demanda à l'Ordinateur de lui communiquer la liste de toutes les études rédigées en anglais qu'il détenait sur cette affaire. L'agent, ou les agents des Éthiques qui s'étaient occupés de les réunir s'étaient acquittés très méticuleusement de leur tâche. Frigate abandonna la sienne quelques minutes pour passer cette abondante bibliographie en revue et indiquer à son ami les ouvrages qui, à son avis, constitueraient la meilleure base de départ.

« A ta place, je lirais d'abord *Jack the Ripper, the Final Solution* (Jack l'Éventreur, la solution définitive) que Stephen Knight a publié en 1976. C'est non seulement l'ouvrage le plus solidement documenté, le plus brillant et le plus convaincant sur le plan du raisonnement – Sherlock Holmes aurait pu le signer – mais aussi le seul dont les conclusions me paraissent vraisemblables, bien que certains critiques y aient décelé des failles. Que la solution proposée soit exacte, erronée ou à mi-chemin de la vérité, ce bouquin te fournira en tout cas le tremplin dont tu as besoin pour plonger dans l'océan rouge sang du mystère. »

Tenir en main la copie d'un livre publié quatre-vingt-sept ans *après* sa mort fit un effet curieux à Burton, qui ne s'en émerveilla cependant pas longtemps : les sujets d'émerveillement étaient si nombreux en ce monde qu'on ne pouvait pas s'y arrêter longuement. Il parcourut plus de deux cent soixante-dix pages en trois heures ; quand il reposa le livre, il aurait pu en réciter presque sans erreur de longs passages qui, ensemble, représentaient au moins le quart du texte total.

Si l'ouvrage avait paru à l'époque où il vivait sur la Terre, il l'aurait jugé rocambolesque. Était-ce bien sûr ? Sachant ce qu'il savait des manœuvres tortueuses auxquelles les grands recouraient afin d'accéder au pouvoir, des iniquités et des crimes que les gouvernants et les membres des classes dites supérieures commettaient afin de le conserver, n'aurait-il pas au contraire cru à l'exactitude des faits relatés ?

La thèse que Knight soutenait au terme de recherches approfondies, étayées par des déductions aussi claires que lumineuses, était la suivante :

En 1888, les masses populaires, les miséreux étaient ou semblaient être sur le point de se révolter en Angleterre, en Écosse, au Pays de Galles et en Irlande. La gauche révolutionnaire, composée des socialistes et des anarchistes, dénonçait bruyamment les souffrances et l'oppression des travailleurs. Ceci non seulement inquiétait, mais terrorisait le gouvernement, et l'opinion prévalait au sein de la classe dominante que la monarchie elle-même était menacée. Ces craintes excessives découlaient d'une profonde méconnaissance des masses et de leur conservatisme foncier. Les pauvres ne désiraient pas qu'on modifie les structures de la monarchie : ils voulaient avoir un travail régulier et correctement payé, de quoi manger, des logements décents et un soupçon de sécurité économique ; ils voulaient vivre comme des hommes et non comme des rats.

Les membres de la classe dominante ne pensaient pas que la reine Victoria serait détrônée, mais elle était vieille et, en cette fin de règne, impopulaire. A sa mort, ce serait son fils Edward (« Bertie ») qui lui succéderait ; or, Bertie était un jouisseur, un débauché totalement dépourvu de sens moral dont on ne pourrait pas dissimuler les turpitudes.

De nombreux titulaires de charges importantes appartenaient à la franc-maçonnerie, dont, entre autres, le premier ministre, le marquis de Salisbury. Knight affirmait que ces «frères» haut placés exerçaient de manière occulte l'essentiel des prérogatives de la couronne et redoutaient que la chute de la monarchie n'entraîne la leur et celle de leur secte.

Si le prince Edward décédait, ce serait le plus âgé de ses fils survivants, le duc de Clarence et d'Avondale, Albert Victor Christian Edward ou "Eddy" pour les intimes, qui monterait sur le trône. Eddy était (du point de vue victorien) un être pitoyable qui aimait à se mêler sous un nom d'emprunt aux artistes et autres bohémiens, un bisexuel qui avait un jour fréquenté une maison de prostitution masculine. Pis encore, s'étant épris d'une employée de magasin, Annie Elizabeth Crook, que le peintre Walter Sickert lui avait présentée, il l'avait épousée en secret. Ce mariage était illégal à bien des égards, mais surtout choquant et dangereux du fait qu'il l'unissait à une catholique romaine. La loi interdisait à un monarque anglais d'épouser une catholique. Eddy n'était pas roi, mais il risquait de le devenir bientôt. La reine avait déjà échappé à plusieurs attentats; elle était âgée et le père d'Eddy, le prince Edward, était à la merci d'un excès de table ou de boisson, d'une maladie vénérienne, de la balle d'un mari jaloux, d'un révolutionnaire ou d'un fou, ou de l'une des innombrables affections qu'on ne savait alors ni prévenir, ni guérir autrement qu'en s'en remettant à la résistance naturelle du patient.

Pour ajouter encore à la conduite ignominieuse d'Eddy, Annie Crook lui donna, en avril 1888, une fille qui se trouvait être l'arrière-petite-fille de la reine Victoria et la cousine germaine des futurs Edward VIII et George VI.

Cela fut trop pour la reine qui envoya au Premier ministre, Lord Salisbury, une note comminatoire lui enjoignant de veiller à ce que le scandale demeure ignoré de la presse et du public.

Salisbury chargea à son tour Sir William Gull, docteur de la reine et franc-maçon, d'étouffer l'affaire. Homme brillant et médecin remarquable, du moins selon les critères de l'époque, Gull se distinguait également par un sens de l'humour où le grotesque s'alliait à la perversité et une schizophrénie manifeste (manifeste pour les générations ultérieures). Il pouvait se montrer tantôt extrêmement bon et compatissant, tantôt froid, cruel et sans cœur, mais ceci uniquement à l'encontre des patients de condition modeste et de leurs proches. Traitant bien ses propres animaux, il avait défendu, plaidant ainsi *a pro domo*, un vivisectionniste qui, à titre d'expérience, avait fait périr des chiens en les cuisant à petit feu dans un four.

Obéissant à un ordre secret de Gull transmis par le chef de la police, lui aussi franc-maçon, des sbires perquisitionnèrent les appartements d'Annie Crook et de Walter Sickert, le vieux camarade chez qui Eddy logeait, ramenèrent de force le prince au palais et enfermèrent la jeune femme dans un asile. Gull certifia qu'elle avait perdu la raison, ce qui n'était pas encore vrai ; elle passa le reste de son existence dans des établissements d'aliénés ou des hospices et mourut en 1920, après être devenue réellement folle, sans avoir jamais revu Eddy.

La police tenta d'arrêter Mary Keller, une jeune Irlandaise qui avait assisté en qualité de témoin au mariage illicite. Gull l'aurait sans doute déclarée folle, comme Annie, mais quel que fût le sort qu'il lui réservait, ses espoirs furent déçus. Elle réussit, on ne sait comment, à échapper aux recherches en disparaissant au fin fond du labyrinthe que formait l'East End, puis s'occupa, un peu plus tard, d'Alice Margaret, la fille d'Eddy et d'Annie. Toutes deux accompagnèrent Sickert dans les longs voyages qu'il effectua à Dieppe. Mary Jane Kelly profita de son séjour en France pour modifier son nom et le transformer en celui de Marie Jeannette Kelly.

Elle finit par être obligée de revenir se cacher dans l'immense lapinière humaine de l'East End, où elle commença à dégringoler la pente qui devait la conduire à faire partie des putains, alcooliques et vérolées, vouées sans espoir à y mener une existence misérable. Comme ses sœurs prostituées, elle s'estimait bien heureuse de gagner juste de quoi s'acheter assez de gin pour s'abrutir quelques heures, assez de nourriture pour ne pas mourir de faim, et avoir un toit sous lequel s'abriter.

Elle ne manquait cependant pas d'amies ; les plus proches étaient Mary Anne Nichols, Anne Siffrey ou Chapman et Elizabeth « Long Liz » Stride (la grande Liz), toutes ivrognes, malades, sous-alimentées et promises à une mort prochaine même si Jack l'Éventreur n'avait pas existé. Quand Kelly les rencontrait dans les tavernes ou l'une de leurs tanières crasseuses, sa discrétion s'envolait dans les brumes dorées du gin : elle leur révéla qu'Eddy avait épousé Annie Crook et les terribles conséquences que cela avait entraînées. Ce fut au cours de l'une de ces beuveries que germa l'idée de faire chanter le prince.

Knight supposait que les quatre femmes s'étaient engagées dans cette tentative d'extorsion de fonds parce qu'elles y avaient été contraintes par de dangereux malfaiteurs, la bande d'Old Nichol.

Quels qu'eussent été leurs motifs, l'entreprise était aussi périlleuse que stupide. Salisbury s'était désintéressé de Kelly dans la mesure où il n'avait plus entendu parler d'elle et où ses espions n'avaient pas eu vent qu'elle ébruitât l'affaire. Tant qu'elle se taisait, elle ne menaçait en rien le régime qu'il représentait ; mais dès qu'il reçut le message par lequel elle réclamait de l'argent en échange de son mutisme, il déclencha le mécanisme du châtiment.

Pressé par Salisbury, Gull réagit sans perdre une minute. Le Premier ministre lui avait enjoint de colmater la fuite, mais il ne se doutait probablement pas de la manière dont il allait s'acquitter de sa mission. Aussi anxieux qu'il fût de réduire les maîtres chanteurs au silence, Salisbury aurait certainement été horrifié d'apprendre ce que l'autre tramait. Enfermer à vie une femme du peuple dans des hôpitaux et des asiles constituait à ses yeux une mesure regrettable, mais nécessaire ; assassiner et dépecer plusieurs femmes était quelque chose qu'il n'aurait jamais pu ordonner. Cependant, une fois les tueries commencées, il ne lui resta plus qu'à laisser faire et à protéger de son mieux « Jack l'Éventreur ».

Le cocher qui avait transporté Eddy chez Sickert et en d'autres endroits où le prince s'était livré à des actes indignes d'un héritier de la couronne s'appelait John Netley. Après l'enlèvement d'Eddy et d'Annie Crook, Gull lui avait fermé la bouche par des menaces accompagnées de pots-de-vin. Connaissant le personnage, le docteur lui exposa, dans les grandes lignes, le plan qu'il entendait appliquer à l'encontre des maîtres chanteurs. Netley s'engagea volontiers à la seconder. Gull embaucha aussi Sickert, qui connaissait bien les principaux protagonistes de l'affaire ainsi que l'East End, et avait accepté moyennant finance de se taire au sujet d'Eddy et de Crook. Si le peintre répugnait à tremper dans les meurtres, il savait qu'un refus lui vaudrait d'être assassiné lui aussi.

Sickert et Gull parcoururent le quartier de Whitechapel à

bord du fiacre de Netley. Au terme d'un certain nombre de reconnaissances, ils persuadèrent Mary Anne Nichols d'y monter en sollicitant ses services. Flattée de ce que deux gentlemen aussi élégants daignent lui accorder un regard, et bien que se demandant probablement quelles dépravations ils avaient en tête, elle prit place dans la voiture. Gull lui offrit un verre de vin contenant de la drogue (Knight pensait qu'il s'était servi de raisins empoisonnés), puis, quand elle fut inconsciente, lui trancha la gorge de gauche à droite, l'éventra et la poignarda. Sickert vomit par la fenêtre.

Le fiacre se rendit ensuite dans la rue sombre et à cette heure déserte de Bucks Row, où Netley et Sickert allongèrent le cadavre sur le sol. Ils savaient à quelle heure le policier de nuit accomplissait sa ronde ; cela ne les empêcha pas de repartir quelques minutes seulement avant son arrivée.

Le trio frappa de nouveau huit jours plus tard. On trouva le cadavre d'Anne Siffrey ou Chapman dans l'arrière-cour du 29 Hanbury Street. Elle avait eu la gorge tranchée de gauche à droite, puis en sens inverse. L'intestin grêle et un morceau d'abdomen reposaient près de l'épaule droite, toujours reliés au reste des entrailles. Deux lambeaux de peau provenant du bas-ventre gisaient dans une mare de sang au-dessus de l'épaule gauche.

Cette fois-ci, Gull avait fait transporter sa victime inconsciente du fiacre jusqu'à l'arrière-cour, dans la pénombre de laquelle il avait procédé aux mutilations rituelles.

Le 29 septembre, il tua deux prostituées. Long Liz Stride, la première, fut expédiée rapidement parce qu'elle avait refusé de monter dans la voiture. Netley et Sickert en descendirent pour la maintenir tandis que le docteur l'égorgeait ; mais celui-ci n'eut pas le temps de parfaire le travail : il entendit approcher des gens qui parlaient à voix haute et, peu désireux d'être surpris en train de charger le cadavre à bord du fiacre, s'enfuit hâtivement avec ses deux complices.

Un peu plus tard le même soir, ils récidivèrent sans être dérangés. On retrouva Catherine Eddowes à Mitre Square (en dehors du quartier de Whitechapel) privée d'une partie du nez, le lobe de l'oreille droite presque détaché, le visage et la gorge tailladés par un instrument tranchant, éviscérée, amputée du rein gauche et de l'utérus.

Malheureusement pour Gull – et pour sa victime – Sickert avait pris Catherine Eddowes pour Marie Kelly. N'ayant pas reçu les confidences de celle-ci, elle ignorait tout de l'histoire Eddy-Crook et n'avait péri que parce que que l'obscurité avait trompé le peintre. Bien qu'il eût découvert son erreur sitôt qu'elle avait eu la gorge tranchée, Gull avait tenu à respecter le rite habituel, “ histoire de ne pas perdre son temps ”. De plus, ce n'était qu'une prostituée et si, par hasard, un policier établissait un lien entre les différents assassinats, celui-ci fausserait la piste.

Au crépuscule du 9 novembre, Marie Jeannette Kelly, la dernière et la plus importante des proies désignées, fut mutilée encore plus sauvagement que les autres. Gull la charcuta durant deux heures, après quoi Jack l'Éventreur cessa de sévir.

Burton avait retrouvé les enregistrements de Gull, Netley, Kelly, Crook, Sickert, Salisbury, Eddy et Stride. Ceux de Chapman et de Nichol n'étaient pas disponibles ; l'Ordinateur, qui n'avait pas pu en fournir la raison, poursuivait ses recherches.

L'Anglais revécut, à travers les yeux et les oreilles des intéressés, les événements qui s'étaient produits depuis la rencontre d'Eddy avec Annie Crook jusqu'à l'exécution de Kelly. Il se repassa plusieurs fois certains épisodes, non sans vomir deux fois : la première en voyant Gull s'acharner sur Eddowes, la seconde en assistant au dépeçage de Kelly. Il croyait avoir l'estomac solide, mais il avait surestimé sa capacité d'absorption.

Il se fit ensuite projeter par l'Ordinateur quelques séquences de l'existence que chacun des héros de l'affaire avait menée sur le Monde du Fleuve.

Annie Elizabeth Crook s'était réveillée au bord du Fleuve saine d'esprit, mais privée de la plupart de ses souvenirs correspondant à la période 1888-1920.

Sir William Gull semblait avoir été guéri de sa schizophrénie. Vingt ans après la première résurrection, le fondateur de la secte dowiste, Lorenzo Dow, l'avait converti luimême à sa doctrine.

Le choc qu'il avait éprouvé en se noyant dans la Tamise puis en revenant à la vie sur la berge du Fleuve avait profondément marqué John Netley, le cocher. Durant six mois, il avait eu une conduite qu'on pouvait qualifier de chrétienne (conformément à l'idéal et non aux pratiques de la majeure partie des chrétiens) ; une fois le choc surmonté et évanouie la crainte d'avoir à subir le châtiment de ses péchés, il était redevenu tel que sur la Terre : un opportuniste égoïste, un débauché capable de tuer de sang-froid.

Walter Sickert, le peintre, avait adhéré à l'Église de la Seconde Chance qui l'avait élevé à la dignité d'évêque.

Long Liz Stride et Marie Kelly étaient ressuscitées dans la Vallée à quelques pas l'une de l'autre. Elles avaient voisiné cinq ans en étroite amitié sans exercer leur ancienne profession, mais en s'offrant de nombreux amants et en buvant tout l'alcool qu'elles réussissaient à se procurer. Stride s'étant alors tournée vers la religion et plus précisément une secte bouddhiste populaire, celle des nichirénites, Kelly l'avait quittée pour remonter le Fleuve, puis, après maintes aventures, s'établir dans une région paisible. Toutes deux étaient mortes durant les journées tragiques qui avaient suivi la panne des pierres à graal de la rive droite.

Tous étaient parvenus au terme de leur long voyage, provisoirement du moins ; ils étaient prisonniers des enregistrements corporels et leurs *wathans* tourbillonnaient dans le puits central.

22.

Maintenant que Burton avait « bouclé » son enquête et résolu l'énigme de l'affaire Jack L'Éventreur, plus rien ne s'opposait à ce qu'il emménage dans son univers privé. Pour une raison qui lui échappait, il avait toujours du mal à s'y décider. Il ne pouvait pourtant pas tergiverser plus longtemps ! Se trouver ainsi en conflit inconscient avec lui-même l'agaçait : il n'était pas homme à le tolérer.

Néanmoins, il revint avant de partir sur ce qu'il avait vécu, par procuration, au cours des deux dernières semaines. Il était traumatisé, surtout par la vision du monde qu'il avait eue à travers les yeux des prostituées. Il avait déjà assisté à bien des scènes horribles, souvent été confronté à l'injustice et à l'oppression, mais rien n'égalait l'horreur et l'inhumanité de l'East End de Londres aux alentours de 1880. Dans cette zone relativement étroite s'entassaient huit cent mille personnes au ventre presque toujours vide qui se nourrissaient de rebuts et se réjouissaient d'en trouver, s'enivraient quand elles pouvaient s'offrir ce luxe et bien souvent quand elles ne le pouvaient pas, logeaient dans des taudis minuscules, crasseux, dont les murs craquelés par l'humidité grouillaient de vermine ; de pauvres hères cruels les uns envers les autres, ignorants, superstitieux et, pis que tout, dépourvus d'espoir.

Burton n'ignorait pas que les habitants de l'East End avaient vécu dans des conditions épouvantables, mais il avait fallu qu'il partage leur misère, fût-ce de manière indirecte, pour que la simple existence de cet enfer l'emplisse de honte et de remords. De remords, car il comprenait maintenant que la faute en incombait à ceux qui, comme lui, s'étaient désintéressés de leur sort.

D'un certain point de vue, cynique mais néanmoins exact, l'Éventreur avait accompli un geste miséricordieux en arrachant ces putains faméliques, malades et désespérées à leur détresse.

De plus, il avait sans le vouloir obligé l'Angleterre à contempler la géhenne dont elle détournait ses regards. L'opinion en avait été profondément remuée et, sous son influence, on avait abattu de nombreux immeubles afin d'édifier des logements plus confortables. Avec le temps, hélas ! la misère et la pauvreté étaient retombées à leur niveau initial – dont elles ne s'étaient à vrai dire jamais beaucoup écartées – tandis que ceux qui n'avaient pas à y habiter s'empressaient d'oublier l'East End.

Frigate, quand Burton lui avait appris le résultat de ses recherches, avait suggéré :

– Tu devrais maintenant t'efforcer de dépister ces grands propriétaires absentéistes qui s'enrichissaient sur le dos des plus pauvres en les transformant en damnés de la Terre.

– Tu donnes dans le marxisme ?

– L'application qu'on a faite du communisme me répugne, mais je m'incline devant certains de ses idéaux. L'application du capitalisme me répugne tout autant, à bon nombre d'égards du moins.

– Mais il possédait aussi ses idéaux. (Burton éclata de rire en voyant la réaction de Frigate.) Peux-tu me citer un système socio-politico-économique qui se soit jamais approché de ses idéaux ? N'ont-ils pas tous été corrompus ?

– Si. Alors... il faudrait punir les corrupteurs.

Nur était intervenu pour leur rappeler une évidence qu'ils perdaient de vue.

– Peu importe ce qu'ils... ce que nous avons fait sur la Terre. Ce qui compte est ce que nous faisons aujourd'hui. Si le corrupteur et le corrompu se sont amendés, ils ont droit à la même récompense que ceux dont les actes ont toujours été vertueux. Maintenant, permettez-moi de définir ce qu'est la vertu... (il sourit). Non, il vaut mieux que je m'en abstienne. Le sage de la tour, comme vous m'appelez parfois, vous assomme. Ses vérités vous dérangent, bien que vous en admettiez le bien-fondé.

– Revenons, avait dit Frigate, au problème que nous pose le choix des gens à ressusciter afin d'en faire nos compagnons. Prends Cléopâtre, par exemple. Toi et moi aimerions la voir en chair et en os, l'entendre raconter son histoire, découvrir ce qui s'est réellement passé. Mais elle s'amusait à planter des aiguilles dans le sein de ses esclaves pour se divertir de leurs cris et de leurs contorsions. Shakespeare a omis ce détail dans son *Antoine et Cléopâtre*, de même que Bernard Shaw dans son *César et Cléopâtre*. Littérairement parlant, ils ont bien fait. Qui pourrait croire ou s'intéresser au génie, à la grandeur de Cléopâtre et de César, ou s'apitoyer sur leur tragique destin, s'il les voyaient se comporter en barbares sadiques et en meurtriers endurcis ? Nous, nous vivons dans le monde réel, et non dans celui de la fiction. Tu voudrais les avoir comme voisins, Cléopâtre, César et Antoine ?

– Nur répondrait que cela dépend de ce qu'ils sont aujourd'hui.

– Et il aurait raison. Il a toujours raison. Pourtant... (Frigate s'était tourné vers le Maure) Nur, tu es un élitiste. Tu es convaincu, et tu ne te trompes sans doute pas, que rares sont les humains naturellement pourvus des qualités nécessaires pour devenir soufi ou l'équivalent sur le plan éthico-philosophique. Tu professes que plus rares encore sont ceux qui passeront de l'autre côté. Tous les autres, la grande majorité, n'ont pas en eux ce qu'il faut pour atteindre le niveau moral requis. Dommage, mais c'est comme ça ! La Nature gaspille aussi prodigalement les âmes que les corps. De même qu'elle destine la plupart des mouches à servir de nourriture aux oiseaux et aux grenouilles, elle a voué la majeure partie des âmes à ne pas obtenir leur salut parce que, sans mourir comme les mouches, elles ne parviendront pas à se hisser jusqu'au seuil assigné. Quelques-unes passeront de l'autre côté ; les autres sont semblables aux mouches qui servent de nourriture.

– A cette différence près, avait répliqué Nur, que les mouches n'ont ni âme ni cerveau, alors que les humains sont doués de raison et savent ce qu'ils ont à faire ; qu'ils devraient le savoir, du moins.

– Comment la nature, Dieu, si tu préfères, pourrait-il être aussi prodigue, aussi insensible ? avait protesté Burton.

– Dieu a donné à l'homme son libre arbitre ; ce n'est pas de sa faute s'il y a un tel gâchis.

– Mais tu as dit toi-même que les défauts génétiques, les déséquilibres chimiques, les accidents cervicaux et l'environnement social pouvaient influencer le comportement.

– Influencer, oui, le déterminer, non. Non ! Ceci demande à être explicité. On rencontre des situations et des conditions dans lesquelles il est impossible d'exercer son libre arbitre. Cependant... ce n'est pas le cas, ici, sur le Monde du Fleuve.

– Et si les Éthiques ne nous avaient pas octroyé une deuxième chance ?

Nur avait souri en levant les mains.

– Ah, mais Dieu *a fait* en sorte que les Éthiques nous octroient une seconde chance.

– Que, selon toi, la majeure partie des gens gâchent ?

– C'est également votre avis, non ?

Burton et Frigate s'étaient sentis mal à l'aise ; comme bien souvent lorsqu'ils discutaient avec Nur de questions sérieuses.

Cet entretien avait été le dernier que Burton avait eu dans son appartement. Dès que les écrans s'éteignirent, il se dirigea vers le couloir. Allait-il annuler le code qui verrouillait la porte d'entrée afin que quelqu'un puisse utiliser ces pièces ? Non ; il risquait d'avoir besoin d'un refuge, d'un endroit où personne ne pourrait le trouver.

N'emportant rien d'autre que son lance-rayons, vêtu uniquement d'une serviette de toilette-kilt et d'une paire de sandales, il franchit la porte ; un écran apparut aussitôt sur le mur opposé du couloir. Sans accorder d'attention à la scène qui s'y déroulait – son père marchait sur lui d'un air menaçant pour un motif qu'il avait oublié – il esquissa le geste de s'asseoir dans le fauteuil volant parqué près du mur, puis se retourna pour faire face à l'extrémité du couloir, alerté par un grondement qui provenait de cette direction. Sa main se posa instinctivement sur la crosse du lance-rayons, puis retomba : il avait reconnu le bruit.

Une grosse moto noire franchit en trombe l'angle du couloir situé à plusieurs centaines de mètres de là, se couchant presque jusqu'au sol pour arrondir la courbe, après quoi elle se redressa et, suivie d'un écran mural où se projetait un épisode du passé de son pilote, fonça sur Burton. Le conducteur, un Noir colossal coiffé d'un casque à visière et enveloppé dans une combinaison de cuir noire, lui décocha au passage l'éclat de ses grandes dents blanches.

L'Anglais demeura planté à côté de son fauteuil, refusant de s'effacer même lorsque le guidon de l'engin le frôla.

« Planque-toi donc, enculé ! » brailla le motard en accompagnant ces mots d'un rugissement de rire dont l'effet Doppler distordit les notes à mesure qu'il s'éloignait.

Burton jura et enjoignit à l'Ordinateur de lui fournir un écran par l'intermédiaire duquel il pourrait appeler Turpin. Il dut attendre plusieurs minutes avant que le visage hilare de Tom s'y encadre. Turpin était entouré de sa cour, des hommes et des femmes affublés d'oripeaux voyants qui parlaient trop fort en ponctuant leurs propos de rires aigus. Lui-même portait un flamboyant costume à carreaux du début du vingtième siècle et un chapeau melon cramoisi sommé d'une longue plume blanche ; il fumait un énorme cigare et avait grossi d'au moins dix livres depuis la dernière fois que Burton l'avait vu.

— Comment ça va, mon pote ?

— Je m'amuse moins que toi, apparemment. Tom, j'ai une plainte à te présenter, une plainte légitime.

— Si elle est légitime, OK. On va pas se bouffer le nez pour des riens, non ? (Il exhala une épaisse bouffée de fumée verdâtre.)

— Tes hommes parcourent à pleine gomme les couloirs avec des motos, des autos et Dieu sait quoi encore. Ils ont failli me renverser deux fois ; de plus, ils empuantissent l'air avec leurs gaz d'échappement et les saloperies qu'ils balancent n'importe où. Peux-tu faire quelque chose ? C'est désagréable, et dangereux aussi.

— Foutre non ! (Tom souriait toujours.) Ce sont mes hommes, ça oui, et j'suis le roi ici. Mais j'ai pas de flics sous mes ordres. De plus, les robots nettoient les saloperies et les ventilateurs absorbent la fumée. Et puis, tu les entends arriver, non ? Tu n'as qu'à te tirer sur le côté. De toute façon, tu dois rudement t'emmerder sans copains là en bas. T'es pas heureux qu'mes gars mettent un peu d'piment dans ton existence? J'vais te dire, Dick, y'a trop longtemps qu'tu vis tout seul. Ça t'aigrit. Pourquoi tu te prends pas une femme? Merde, prends-en quatre ou cinq, tant que tu y es: ça te rendra p't-être moins rouscailleur.

– Alors, tu ne veux pas intervenir?

– J'peux pas. Et j'veux pas. Ces nègres sont d'une arrogance! (Il ricana.) Le quartier devient impossible. C'est bien c'que disent les Blancs? J'vais te donner un conseil, Dick: la prochaine fois qu'ils t'embêtent, tire-leur dessus. Le mal sera pas bien grand: je les ressusciterai et on se marrera tous. Évidemment, le coup d'après c'est p't-être eux qui te descendront! A bientôt, Dick. Passe une bonne journée!

L'écran s'éteignit.

Burton bouillait de colère, mais il lui fallait se résigner à moins de vouloir déclencher une mini-guerre; ce qu'il ne voulait pas. Et pourtant... Grimpant sur son fauteuil, il décolla en direction de son univers privé. Personne ne l'y dérangerait et, quand il le peuplerait, il veillerait à s'entourer de gens non seulement agréables, mais aussi respectueux de l'opinion des autres. Il adorait cependant la contradiction et la violence dans les conflits verbaux.

Au détour du couloir d'où avait jailli le motard noir, il faillit heurter les têtes de cinq personnes. Surpris, il actionna précipitamment le levier placé sur le bras du fauteuil afin de passer au-dessus d'elles. Elles s'étaient accroupies mais il les aurait percutées s'il avait volé un peu plus bas.

Le cœur battant à rompre sous l'effet de l'émotion provoquée par cette rencontre inattendue, il arrêta le fauteuil, le fit pivoter et atterrit. Les deux hommes et les trois femmes que comptait le groupe étaient des inconnus, mais ils ne semblaient pas dangereux. Ils étaient nus, ce qui leur interdisait de dissimuler une arme sur eux. Ils laissaient en outre paraître des signes manifestes de frayeur et d'incertitude. Sans chercher à s'approcher, ils l'interpellèrent en anglais. En anglais de Grande-Bretagne, l'un avec l'intonation d'un homme cultivé, les trois autres avec des accents réciproquement cockney, écossais et irlandais, le cinquième enfin avec un accent étranger, probablement scandinave.

Burton n'eut pas franchi deux pas dans leur direction que la surprise le cloua sur place. «Grand Dieu!»

Il les reconnaissait maintenant. C'étaient Gull, Netley, Crook, Kelly et Stride !

23.

Burton avait l'habitude de réagir promptement en toute circonstance et de ne se laisser que rarement pétrifier par l'étonnement ou par la peur. Rencontrer ces cinq individus en cet endroit était néanmoins si inattendu, si inimaginable, qu'il ne put que les contempler fixement durant quelques secondes. La surprise qu'il aurait éprouvée à rencontrer des intrus était décuplée par le fait qu'il les connaissait si intimement et aussi qu'il les croyait enfermés dans les archives corporelles.

Ils étaient, évidemment, bien plus désemparés que lui. Ils n'avaient pas la moindre idée de l'endroit où ils se trouvaient ni de la raison pour laquelle on les avait ressuscités. A en juger par l'expression de leur visage, on ne leur avait fourni aucune explication. Celui, ou celle, qui les avait rappelés à la vie les avait apparemment laissés livrés à eux-mêmes. Ce n'est probablement pas par hasard qu'on les a placés sur mon chemin, réfléchit Burton, qui commençait à entrevoir une faible lueur au fond de son esprit. Mais qui... qui, bon Dieu... a pu faire une chose pareille ? Et dans quel dessein ?

Gull était tombé à genoux ; les yeux levés vers le ciel, les mains jointes, les lèvres remuant en silence, il priait. Netley évoquait un animal aux abois qui, les babines retroussées, s'apprête à bondir à la gorge de quiconque le menacerait. Les trois femmes fixaient Burton d'une pupille dilatée, les traits empreints d'un mélange de peur et d'espoir : peur qu'il ne fût quelque monstre horrible, espoir de tenir en lui leur sauveur.

Il s'approcha lentement en souriant. Quand il fut à cinq pas d'eux, il s'arrêta, leva la main et déclara :

– Vous n'avez aucune raison de vous inquiéter, bien au contraire. Si vous vouliez avoir l'obligeance de vous calmer et de me suivre, je vous dirais ce qui vous est arrivé ; et je vous procurerais ce dont vous avez besoin pour vous sentir plus à l'aise. Au fait, je m'appelle Richard Francis Burton. Inutile de vous présenter en retour ; je sais qui vous êtes.

Il pénétra dans une pièce ouverte, qui était peut-être celle dont ils venaient de sortir, puis s'effaça pour les laisser entrer. A peine l'eurent-ils fait qu'il entendit dans le lointain un bruit en lequel il reconnut le vrombissement d'une moto. Au lieu d'inviter ses hôtes à s'asseoir comme il en avait l'intention, il demeura sur le seuil de la pièce. Les autres se pressèrent derrière lui. Dans un vacarme qui ébranlait les murs du couloir, l'engin jaillit à moitié couché d'une courbe, se redressa, passa comme une flèche devant eux. Le Noir qui la pilotait salua narquoisement d'une main gantée. « Alors ça te plaît, l'enculé ? »

Se retournant, Burton constata que ses compagnons étaient figés de stupeur, voire de terreur. Cela n'avait rien d'étonnant : c'était la première fois qu'ils voyaient une moto et même un véhicule propulsé par un moteur à combustion interne. Lui non plus n'en avait jamais vu avant sa mort, mais, depuis qu'il habitait la tour, il avait eu le temps de se familiariser avec ces engins en regardant des films et en parcourant des livres.

— Je vous expliquerai ça plus tard. Pour l'instant, asseyez-vous ! (Ils obtempérèrent.) Et cessez d'essayer de parler tous à la fois ! Je sais que vous avez une foule de questions à poser, mais je vous en prie, attendez un peu : nous y viendrons tout à l'heure. N'aimeriez-vous pas d'abord boire quelque chose ?

Non, le plus urgent était de leur faire délivrer des kilts, des soutiens-gorge et des couvertures par le convertisseur. A la minute, ils étaient trop bouleversés pour se soucier de leur nudité. Celle-ci ne devait d'ailleurs plus beaucoup les déranger, après leur séjour au bord du Fleuve où ils avaient eu amplement l'occasion de s'y accoutumer. Ils reçurent néanmoins avec plaisir les vêtements et les couvertures, comme en témoignèrent les remerciements qu'ils murmurèrent avant de les enfiler ou de s'en envelopper. Netley lui-même avait perdu son air traqué, bien qu'il parût encore se méfier de Burton.

« Je crois que vous avez besoin d'un remontant. Qu'est-ce que je vous commande ? »

Aucun d'entre eux n'avait, semblait-il, fait vœu d'abstinence. Netley, Stride et Kelly demandèrent du gin pur, Gull un scotch à l'eau, Annie Crook du vin. Après les avoir servis, Burton déclara : « Je suppose que vous n'avez pas envie de manger pour le moment. Quand vous aurez faim, vous pourrez avoir tout ce que vous voudrez, en quantité illimitée ; contrairement à ce qui se passait au bord du Fleuve, on a droit ici à autre chose que le contenu des graals. »

Les nouveaux venus sifflèrent si rapidement leurs verres qu'il leur offrit une deuxième tournée. L'alcool dissipa leur pâleur et les rasséréna : ils paraissent maintenant avides de l'écouter.

Gull s'enquit d'une belle voix de baryton :

– Ne seriez-vous pas Sir Richard Burton, le fameux linguiste et célèbre explorateur des contrées africaines ?

– Pour vous servir !

– Ma foi, je le pensais bien. Vous correspondez à l'image que j'avais gardée de vous, en plus jeune, naturellement. J'ai assisté à quelques-unes des conférences que vous avez prononcées devant la Société d'Anthropologie.

– Je m'en souviens.

Gull agita le verre en cristal taillé qu'il tenait à la main, en renversant un peu de whisky.

– Mais... tout ceci... qu'est-ce que... ?

– Chaque chose en son temps.

Gull et Netley savaient chacun qui était l'autre, bien qu'ils ne se fussent pas revus depuis plus de quarante ans. Il était en revanche douteux qu'ils aient reconnu les trois femmes. Gull n'avait qu'entr'aperçu Crook quand il l'avait déclarée folle, or elle ne portait plus ses habits victoriens et s'était coupé les cheveux court. (Elle ressemblait vaguement à la princesse Alexandra, la mère d'Eddy, ce qui expliquait peut-être pourquoi celui-ci, manifestement atteint d'un œdipe, s'était épris d'elle.) John Netley avait vu à maintes reprises Annie Elizabeth Crook durant son idylle avec le prince Eddy, mais rien, dans son comportement, ne trahissait qu'il l'eût reconnue. Peut-être se gardait-il volontairement de le laisser paraître parce qu'il jugeait préférable de ne pas se rappeler au souvenir de la jeune femme. D'un autre côté, comment expliquer qu'elle-même ne le reconnût pas ? Il avait certes perdu sa moustache, mais quand même... Le choc, le fait qu'il ne fût plus vêtu à la mode victorienne et les nombreuses années qui s'étaient écoulées depuis leur dernière rencontre étaient sans doute à l'origine de ce trou de mémoire.

Kelly avait été raccolée par Sickert et Gull dans une rue sombre, hissée dans un fiacre obscur et droguée. Quant à

Stride, elle n'avait vu les deux hommes que très brièvement et, elle aussi, dans l'obscurité.

Burton se demanda par où il allait commencer : leur parler de la tour et de la façon dont ils y étaient arrivés, ou les présenter les uns aux autres ? Il se pourléchait déjà les babines à l'idée de ce que seraient leurs réactions quand ils découvriraient leurs identités réciproques, mais craignait que le tohubohu qui en résulterait ne retarde exagérément l'exposé de la situation. D'autre part, ils risquaient de se reconnaître au cours de l'exposé, qui prendrait beaucoup de temps. Cette dernière considération emporta sa décision :

– Avant tout, il convient de procéder aux présentations.

– Ce n'est pas nécessaire pour Annie et pour moi, chéri, dit Kelly, nous nous sommes fréquentées longtemps ; ni pour Liz, qui est une vieille amie.

– Simple question de politesse, rétorqua Burton avec un sourire machiavélique ; et puis, il faut bien que les hommes fassent votre connaissance.

Il marqua une pause – ô comme il se délectait – puis enchaîna : « Elizabeth Stride, Mary Jane Kelly et Annie Elizabeth Crook, j'ai l'honneur de vous présenter Sir William Gull et John Netley. »

Ce qui s'ensuivit fut à la hauteur de ses espérances. Gull blêmit et faillit renverser le verre qu'il portait à ses lèvres – et qu'il ne réussit jamais à finir de boire. Netley pâlit lui aussi et, après être demeuré un instant paralysé, se leva précipitamment pour s'éloigner à reculons en dévisageant les femmes d'un œil exorbité.

Annie se dressa d'un bond en criant :

– Maintenant je vous reconnais ! Toi, tu es le médecin vendu qui m'a déclarée folle (elle désigna Gull d'un doigt tremblant) et toi (le doigt accusateur se déplaça en direction de Netley), l'homme qui a emmené mon Eddy le jour où les policiers sont venus m'arrêter !

– Il a également tenté à deux reprises de tuer votre fille, compléta Burton. Et, mesdames Stride et Kelly, ce monsieur (il tendit la main vers Gull) est l'homme qui vous a assassinées, avec l'aide de cet autre.

– Dieu me vienne en aide ! s'exclama Gull en tombant à genoux. Dieu me vienne en aide et me pardonne, comme j'espère que vous me pardonnerez vous-mêmes.

– Tout ça, c'est de l'histoire ancienne, grommela hargneusement Netley. Ça ne compte plus aujourd'hui. Vous êtes vivantes et en bonne santé, non ? Alors, où est le mal ?

– Si Stride et Kelly savent désormais que c'est vous qui les avez assassinées, précisa Burton, elles n'ont jamais eu l'occasion d'entendre parler de Jack l'Éventreur pendant les nombreuses années où elles ont vécu au bord du Fleuve ; de sorte qu'elles...

– Hé, l'interrompit Kelly en montrant Gull, c'est lui, Jack l'Éventreur ?

– Jack l'Éventreur n'existe pas ; ou, plutôt, ce n'était pas un homme, mais trois agissant de concert. Cependant, c'est lui, Gull, qui a rédigé les lettres grâce auxquelles ce nom est devenu célèbre, et lui qui a été le cerveau de l'affaire. Ce que vous ignorez, Kelly, c'est le traitement qu'il vous a infligé après vous avoir tuée. Vous rappelez-vous comme Catherine Eddowes avait été mutilée ? C'était de la plaisanterie à côté de la manière dont Gull vous a charcutée. Vous voulez des détails ?

– Non, non ! hurla Gull en se relevant. Bien que je sois maintenant en paix avec Dieu, je ne peux pas oublier ce que j'ai fait !

– Et moi ? demanda Stride, que m'est-il arrivé ?

– Gull vous a simplement tranché la gorge ; il n'a pas eu le temps de vous soumettre au dépeçage rituel.

– *Simplement* tranché la gorge ? Vous trouvez peut-être que ce n'est rien !

Elle se précipita sur Gull en glapissant, toutes griffes dehors. Celui-ci ne chercha pas à s'enfuir, mais broncha néanmoins quand elle lui enfonça ses ongles dans le visage. Netley s'avança d'un pas, comme pour venir à son secours, puis s'écarta après avoir légèrement hésité.

Burton ceintura la femme toujours vociférante et l'éloigna de sa victime ; Gull essuya sans mot dire le sang qui ruisselait sur ses joues.

– J'aurais plaisir à l'étriper et à lui flanquer ses boyaux sous le nez pendant qu'il crèverait, cracha Kelly. Elle s'approcha de Stride, l'enlaça et l'emmena dans un coin.

– La grande scène du règlement de comptes est terminée ! proclama Burton. Ce que vous ferez quand vous serez livrés à vous-mêmes vous regarde, dans la mesure où ça n'affecte pas ceux qui sont étrangers à votre affaire. Dans l'immédiat, conduisez-vous décemment et écoutez-moi attentivement. Vous avez besoin qu'on vous instruise et, bien que cela me dérange, je m'y sens obligé : je ne peux pas vous laisser découvrir les choses tout seul.

Il les pria d'abord de décrire les circonstances de leur arrivée. Ils étaient revenus à la vie dans l'énorme convertisseur cubique placé dans un angle de la pièce où ils se trouvaient actuellement. Après quelques minutes de confusion, ils en avaient ouvert la porte, exploré la pièce ainsi que les chambres adjacentes, puis étaient sortis dans le couloir juste avant que Burton n'en franchisse la courbe à bord de son fauteuil volant.

– Vous n'avez donc vu personne d'autre ?

– Non, personne.

Burton conduisit Gull dans la salle de bains voisine où, comme il s'y attendait, il trouva un flacon de baume liquide. Appliqué sur les égratignures qui zébraient le visage du docteur, le baume arrêta le sang ; il cicatriserait les blessures en vingt-quatre heures.

Revenu dans l'autre pièce, il demanda aux cinq intrus s'ils avaient faim. Netley et les femmes répondirent que oui ; Gull hocha négativement la tête. Burton recueillit leurs commandes et les transmit au convertisseur. Lorsqu'ils eurent attaqué leur repas, assis chacun devant une petite table, il se lança dans un très long exposé sur le Monde du Fleuve, les tribulations que lui-même et ses compagnons avaient endurées pour atteindre la tour, et les événements qui s'étaient produits depuis. Au terme de cette conférence, il avait bu deux grands scotchs, et ses auditeurs s'étaient copieusement désaltérés.

– Telle est donc la situation. Je sais que vous avez des milliers de questions à poser, et il vous faudra quelque temps pour apprendre à vous servir de l'Ordinateur. Pour l'heure, je vous suggère de vous installer en vue de la nuit ; je peux vous donner des somnifères si vous le désirez. Je vous reverrai demain matin et vous présenterai alors à mes compagnons – pas directement sans doute, mais par l'intermédiaire des écrans muraux.

– Qu'est-ce qui nous prouve, bredouilla Mary Kelly, qu'ces deux salopards vont pas encore essayer de nous tuer pendant qu'on dormira ?

– Une telle idée est à l'antipode de mes intentions ! protesta Gull. J'ai changé ; je ne suis plus celui que j'étais ! Croyez-moi, mesdames, je regrette profondément mes crimes et je me suis efforcé – je m'efforce – de vivre en vrai chrétien. Non seulement je ne vous causerai aucun mal, mais je vous défendrai contre quiconque s'aviserait de vous en causer.

– De belles paroles! rétorqua Liz Stride d'un ton méprisant.

– Elles viennent du cœur, madame, je vous l'assure!

– Je le crois sincère, dit Burton. Quoi qu'il en soit, je vous conseille de dormir avec les deux autres femmes dans un appartement distinct de celui des hommes. Je vous indiquerai un mot-code qui en interdira l'accès à tout le monde en dehors de vous trois et de moi-même.

Après leur avoir montré comment s'y prendre pour l'appeler, ainsi que pour se faire délivrer nourriture et boisson par les convertisseurs, il les quitta. Au lieu de se rendre dans son univers, il regagna son propre appartement: puisqu'il s'était engagé à les cornaquer le lendemain matin, autant valait demeurer dans le voisinage.

Pendant le trajet du retour, il s'interrogea sur l'identité de la personne qui avait ressuscité les cinq nouveaux venus. Elle avait en tout cas l'ironie cruelle. Mais qui pouvait-ce être? Seuls Frigate et Nur étaient au courant de son enquête sur l'affaire de l'Éventreur, et ni l'un ni l'autre n'en aurait introduit les cinq héros dans la tour. Qui, alors? Loga et l'agente mongole étaient morts. Existait-il... (son esprit se refusait à envisager cette hypothèse, tant elle lui répugnait)... un autre inconnu, un autre Snark?

Il venait de se coucher quand un écran se forma sur le mur. Le visage bouleversé de Cuillère d'Étoile y apparut. Pleurant à chaudes larmes, la Chinoise lui demanda en espéranto et en parlant à toute vitesse si elle pouvait venir chez lui.

– Pourquoi?

– J'en ai assez de partager Li Po avec cinq autres femmes, bien qu'il n'accorde beaucoup de temps à aucune d'entre nous: il est bien trop occupé à boire avec ses copains quand il n'étudie pas. De plus... je n'ai pas envie de lui.

Burton s'abstint de lui faire préciser de qui elle avait envie.

– Est-ce que Li Po est au courant de ta démarche?

– Oui, je l'ai prévenu il y a une heure. Il a d'abord déliré de rage, et puis...

– Il ne t'a pas battue?

– Non, il ne brutalise pas les femmes, il faut lui accorder ça. Pas physiquement, du moins.

— Et puis ?

— Quoi ? Ah oui ! Et puis il a souri et m'a donné sa bénédiction en me souhaitant d'être heureuse avec toi. Mais il a tout gâché en ajoutant que ça l'étonnerait.

Burton sortit du lit et se ceignit les reins d'une serviette de toilette-kilt.

— J'aimerais lui parler.

Les grands yeux noirs de la Chinoise se dilatèrent.

— Pour quelle raison ? Tu crois que je mens ?

— Non, bien sûr que non. Je ne veux pas qu'il aille s'imaginer que j'ai peur de l'affronter, simplement. Ni que je me suis livré à des manigances derrière son dos.

— Oh ça, je ne le pense pas. Je lui ai dit que tu ne te doutais absolument pas que j'avais envie de toi.

— Là, tu as menti ! constata Burton sans que ceci eût l'allure d'un reproche. (Il y avait mensonge et mensonge et celui-ci entrait dans la catégorie des mensonges pieux. En outre, il était mal placé pour décerner des blâmes en ce domaine.) Je vais lui parler quand même, s'il ne dort pas.

— Non, il ne dort pas, mais il ne veut pas qu'on le dérange. Il est avec une femme. Une femme qu'il vient de ressusciter – pour me remplacer, a-t-il prétendu. La pauvre !

— Peut-être. Mais pour l'instant, elle doit lui être reconnaissante de l'avoir arrachée à la compagnie des morts.

Il n'était pas amoureux de Cuillère d'Étoile. Cependant, il n'estimait pas que l'amour fût indispensable à la bonne entente d'un couple. Il avait été sans conteste amoureux d'Alice, et le résultat n'avait pas été particulièrement heureux.

« Viens ! Je donne à l'Ordinateur la consigne de te laisser entrer. »

Cuillère d'Étoile cessa de pleurer pour s'épanouir comme le soleil à l'aurore.

— Je prends juste le temps de retoucher mon maquillage et de rassembler mes affaires. Tu as envie de moi ?

— Si je n'avais pas envie de toi, je te le dirais !

24.

Burton appela les trois femmes et les deux hommes qui avaient dormi les unes dans la même chambre, les autres dans des chambres séparées. Après leur avoir dit bonjour, il les informa qu'il avait donné à l'Ordinateur les instructions voulues pour que celui-ci les initie à son emploi. Il les invita également à assister à la réception hebdomadaire de l'ex-groupe des huit – dont l'effectif avait grossi – qui aurait lieu ce soir-là.

« Après quoi, vous vous débrouillerez tout seuls. Je vous appellerai de temps en temps ou passerai vous voir si cela vous fait plaisir, et vous pourrez m'appeler de votre côté si vous avez des problèmes. »

Ses interlocuteurs parurent mécontents ; ils estimaient visiblement qu'il devait leur consacrer tout son temps jusqu'à ce qu'ils soient parfaitement adaptés à ce nouveau milieu. Mais il leur fallut bien se résigner.

Burton et Cuillère d'Étoile prirent leur petit déjeuner – œufs au beurre noir, petits pains fourrés aux myrtilles et figues à la crème – puis, enfourchant leurs fauteuils, se rendirent dans le mini-univers que l'Anglais avait baptisé Thélème en souvenir de la communauté imaginée par Rabelais dans *Gargantua*. Le célèbre écrivain lui avait donné pour devise *Fais ce que voudras* ; Burton la transformait en *Fais ce que je veux*. L'appellation de Bagdad-en-la-tour aurait cependant mieux convenu à son domaine. Il avait érigé en son centre une bourgade et un château qu'on aurait pu croire sortis d'une mouture romantique ou hollywoodienne des *contes des Mille et Une Nuits*. Un cours d'eau venu de l'extrémité ouest de l'immense salle décrivait une boucle autour de l'agglomération, repartait en serpentant vers l'est et se perdait dans les sables d'un désert situé non loin de l'entrée. Des lions, des léopards, d'innombrables gazelles, antilopes, autruches et autres animaux des contrées torrides erraient aux abords du bourg. Des hippopotames et des crocodiles nageaient dans le fleuve, les parcelles de jungle qu'il traversait grouillaient de singes, de civettes et d'oiseaux.

La population de Thélème se limitait actuellement à Cuillère d'Étoile et à lui-même. Il projetait de la compléter plus tard par l'adjonction de quelques personnes soigneusement choisies, mais rien ne pressait.

A vingt heures, il se rendit à la réception avec la Chinoise; un incident émailla le trajet. Le motard noir, portant cette fois-ci une sœur de race en croupe, passa en pétaradant en dessous de leurs fauteuils; il leva la main et lança, plus courtois que d'habitude: « Salut Burton! Qu'est-ce qui se passe? » Deux secondes plus tard, ils survolèrent un gros cochon qui trottinait tranquillement en martelant bruyamment le sol de ses sabots.

— Bon Dieu, s'exclama l'Anglais, qu'est-ce que c'est encore que ce truc-là?

— Je ne sais pas, répondit Cuillère d'Étoile. J'ai parlé avec Aphra cet après-midi et elle m'a dit qu'elle ne cessait de rencontrer des gens qu'elle n'avait jamais vus. La plupart viennent de l'univers de Turpin; elle le suppose du moins, attendu qu'ils sont Noirs. Mais elle a croisé aussi une douzaine de personnes qui ressemblaient à des gitans.

— Des gitans? Qui a bien pu les ressusciter?

Ils pénétrèrent dans l'appartement de Nur qui bruissait de bavardages et de rires. Alice était là, vêtue de l'une de ces robes « à la garçonne » 1920 qu'elle affectionnait tant. Elle adressa un petit sourire à Burton mais ne fit, ni dans l'immédiat, ni par la suite, aucun effort pour converser avec lui. Il s'était attendu à surprendre tout le monde en arrivant flanqué de la Chinoise: Li Po avait apparemment déjà annoncé ce changement de partenaire. S'il était jaloux, il le cachait bien. Il possédait assez de bon sens pour savoir que la manifestation d'un tel sentiment ne servirait qu'à lui faire perdre la face. De surcroît, il ne manquait ni de compagnons, ni de compagnes; il avait à ce jour ressuscité quarante hommes et quarante-sept femmes, qui étaient tous d'anciennes connaissances terrestres. Il réservait sept des femmes à son usage personnel: une pour chaque jour de la semaine. Cependant, il n'avait amené ce soir que l'une d'entre elles.

— Elles m'accompagnent chacune à leur tour à ces soirées, expliqua-t-il à Burton.

— Elles finiront par en avoir assez de partager et par se ressusciter des amants. Que feras-tu alors?

Li Po sourit.

— Rien. Je ne suis pas un tyran. Quand ceci se produira, je ressusciterai des remplaçantes. D'ailleurs, ce ne sera pas un mal, car il adviendra tôt ou tard soit que je me lasse de mes femmes actuelles, soit, chose inconcevable, qu'elles se lassent de moi.

Burton imagina la fourmillière pullulante qu'allait devenir le monde de Li Po. Quand le point de saturation serait atteint, l'excédent de population devrait s'installer dans les appartements. Il en allait de même pour le monde de Turpin.

– Mon vieux, j'suis dépassé, dit celui-ci en hochant la tête. Tout a démarré avec ceux qu'j'ai ressuscités, et puis ç'a été le foutoir. *Ils* se sont mis à ressusciter des gens *qui* se sont mis à en ressusciter d'autres *qui* ressuscitent eux aussi à tire-larigo.

Burton lui ayant parlé du motocycliste noir, Turpin s'esclaffa :

– C'est Bill Williams. J'sais vraiment pas qui l'a amené ici. J'pourrais m'renseigner, mais qu'est-ce que ça changerait ? Ce n'est pas un Noir américain, tu sais ; il est russe.

– Russe ?

– Ouais. Il a un sacré paquet de trucs à raconter. Tu devrais bavarder avec lui un d'ces jours.

En entrant, Burton avait repéré Gull, Netley, Crook, Stride et Kelly. Les hommes se tenaient dans un coin, les femmes dans un autre, sans se mêler au reste des invités. Il alla les chercher et fit avec eux le tour de la pièce afin de les présenter. Il semblait cependant que Frigate eût déjà répandu la nouvelle de leur arrivée et rappelé leur histoire. Celle-ci leur valait d'être l'objet d'une vive curiosité, mais bien rares étaient ceux qui ne se sentaient pas gênés en face de Netley et de Gull. Qui ne l'aurait pas été en présence des deux tiers de la très peu sainte trinité dont se composait Jack l'Éventreur ? Netley en fut si affecté qu'il partit bientôt. Burton se rendit dans le couloir desservant le salon, où personne ne pouvait le voir, et commanda à l'Ordinateur de le filmer en permanence.

Nur, qui avait remarqué la timidité de Stride, Crook et Kelly, s'approcha d'elles et ne tarda pas à les dérider. Il était à l'aise aussi bien avec les grands que les humbles, les érudits que les illettrés, les riches que les pauvres, et s'adaptait promptement à n'importe quel milieu sans pour autant jamais rien perdre de sa dignité. Aphra Behn et Frigate s'étant joints à leur groupe un peu plus tard, Nur se remit à circuler parmi ses hôtes pour s'arrêter, finalement, auprès de Gull. Intrigué, Burton s'immisça dans leur conversation.

Gull entretenait le Maure de l'homme qui l'avait converti, Lorenzo Dow. Dow était né en 1777 à Coventry, Comté de

Tolland, dans le Connecticut. Adolescent impressionnable et doué d'une vive imagination, il était devenu d'un piété exceptionnelle pour son âge du jour où il avait vu un ange. Ou prétendu avoir vu un ange. A peine adulte, il s'était transformé en prêcheur itinérant plus ou moins rattaché à l'Église méthodiste. De tous les pasteurs qui sillonnaient l'Amérique des pionniers, il était celui qui avait le plus voyagé et acquis le plus grand renom. Sa réputation s'étendait du Maine à la Caroline du Sud, de New York aux rives sauvages du Mississippi. Il suffisait qu'une poignée de gens s'établissent quelque part pour qu'il aille en bateau, en carriole, à cheval ou à pied leur infliger ses sermons extravagants.

Quand il était revenu à la vie sur les berges du Fleuve, il avait été surpris, mais sans excès. « Je me suis trompé sur un petit nombre de points, avait-il avoué à ses disciples, mais pas sur l'essentiel. »

Il était convaincu que l'ange dont il avait reçu la visite dans son enfance faisait partie de ceux qui avaient créé le Monde du Fleuve, lequel représentait une étape que les justes devaient franchir pour accéder à un monde meilleur. Il croyait, comme les adeptes de l'Église de la Seconde Chance, que tous les hommes devaient s'efforcer de s'amender moralement et spirituellement, mais pas, contrairement à eux, que l'objectif ultime fût l'absorption en Dieu. Non, le Monde du Fleuve ne constituait qu'une sorte de purgatoire au sein duquel Dieu et ses anges octroyaient à tous une seconde chance de se racheter. Les bienheureux qui atteindraient le seuil de vertu exigé ressusciteraient physiquement sur un autre monde. Quant à ceux qui n'y parviendraient pas, ils mourraient ici et retourneraient éternellement en poussière.

— Je les ai rencontrés, vos anges, dit Burton ; ce ne sont que des hommes et des femmes ordinaires. A une exception près, ils étaient nés et morts en bas âge sur la Terre. L'exception, c'était Monat, un extra-terrestre de race non humaine qui dirigeait le projet. Est-ce que cette tour a l'air d'avoir été construite par des anges ?

— Certainement, qu'elle en a l'air ! soutint Gull. Ce Loga dont vous nous avez parlé... devait être un ange déchu.

— Vous êtes cinglé, mon vieux ! rétorqua Burton en s'éloignant.

— Cet homme, commenta Cuillère d'Étoile, va ressusciter des coreligionnaires, et nous ne pourrons plus circuler dans les couloirs sans nous casser le nez sur eux. Les illuminés de ce genre ne fichent jamais la paix aux autres.

– Nous resterons à Thélème. Ils ne viendront pas nous y emmerder.

– Personne ni aucun endroit n'est inviolable.

Cuillère d'Étoile s'inséra dans la vie de Burton aussi facilement qu'une chaussure bien faite s'adapte au pied de son destinataire. Et l'image n'était pas choisie au hasard. Quand il retirait ses chaussures, elles ne requéraient plus son attention avant qu'il n'eût besoin de les remettre. La Chinoise semblait satisfaite d'être ignorée quand il s'absorbait dans ses études ou le maniement de l'Ordinateur, qu'elle l'aidait souvent à manipuler. D'excellente compagnie, interlocutrice toujours disponible et parfois amusante, elle ne s'obstinait jamais à l'interrompre ; intelligente, elle connaissait la poésie de son pays, peignait excellemment et jouait à ravir du luth chinois. C'était une amante passionnée, experte dans tous les jeux de l'amour, exempte d'inhibitions, qui cependant ne paraissait éprouver aucune rancœur quand, obnubilé par ses recherches, il demeurait une semaine sans la toucher.

La seule chose dont elle se plaignit fut de ne pouvoir installer ses parents dans la tour. Elle avait repéré sa mère, mais celle-ci vivait dans la Vallée ; quant à son père, elle ne parvenait pas à en retrouver la trace.

– Ça t'ennuierait que je les amène ici ? Cela me sera peut-être possible, un jour. Ils pourraient avoir leur propre appartement et ne te dérangeraient pas. Je n'irais les voir que quand tu me le permettrais.

– Ça ne m'ennuie nullement. Amène aussi tes frères et tes sœurs, tes oncles, tes tantes et tes cousins.

Il n'aurait pas pu l'empêcher de le faire même s'il l'avait voulu, mais il se garda bien de le lui dire. Pourquoi aurait-il gâché le désir qu'elle manifestait de lui plaire ? Il possédait en elle une maîtresse idéale.

Quand il en toucha deux mots à Frigate, celui-ci s'étonna :

– Je suis surpris qu'elle n'ait pas appris à être plus indépendante durant son séjour au bord du Fleuve. Elle a été élevée dans les normes de la culture chinoise du huitième siècle, mais elle a certainement vécu au sein d'un grand nombre de civilisations différentes dans la Vallée. En général, la Vallée libère les femmes.

– Pas toujours, loin de là. Elle a eu une existence difficile, c'est le moins qu'on puisse dire. Tu connais la triste histoire de sa vie terrestre ; elle n'a pas eu plus de chance dans la vallée. Elle y a été violée des dizaines de fois, sans que cela l'ait apparemment traumatisée.

– Apparemment ; mais elle se maîtrise parfaitement.

– Ah oui, la légendaire impassibilité orientale !

– Elle est très belle.

– Merveilleuse. Et j'avoue être flatté d'exciter sa convoitise. Toutefois... je préférerais une Caucasienne blonde, moins spectaculaire, qui me serait toute dévouée.

– Si tu en repères une et la ressuscites, méfie-toi des réactions de Cuillère d'Étoile. C'est un volcan qui sommeille.

Plusieurs jours après la réception, les deux amants partirent visiter l'univers de Frigate à bord de fauteuils spéciaux dont Burton avait dessiné les plans. Plus spacieux que les autres, ces sièges étaient entièrement entourés d'un dôme en matière plastique irradiée épais de huit centimètres, et armés de lance-rayons capables de tirer dans toutes les directions.

Quand elle les avait aperçus pour la première fois, Cuillère d'Étoile avait murmuré :

– De qui as-tu peur ?

– Je n'ai peur de personne, mais je me méfie de presque tout le monde. Il erre trop d'inconnus dans les couloirs ; et rien ne nous garantit qu'un Éthique ne se cache pas encore dans la tour.

S'élevant au-dessus des minarets et des coupoles en or où scintillaient de gigantesques pierres précieuses, ils survolèrent comme des flèches le fleuve, puis la jungle. Arrivé près de la sortie, Burton enfonça sur son tableau de bord le bouton d'un émetteur qui transmit à la porte le « Sésame, ouvre-toi » codé en commandant le mécanisme. Il n'avait pas équipé le fauteuil de la Chinoise d'un tel émetteur, se refusant à lui révéler la formule-code. Lorsqu'elle s'était hasardée, timidement, à lui en demander la raison, il avait répondu :

– Je ne veux pas courir le risque qu'on te l'extorque de force si on te capture.

– Qui pourrait faire une chose pareille ?

– Personne, peut-être. Mais c'est une éventualité que je dois envisager.

– Et si c'était toi qu'on capturait et qu'on torturait afin de t'arracher le code ?

— J'ai pris mes précautions.

Elle ne chercha pas à savoir en quoi consistaient ces précautions ; il était évident que si elle les connaissait, on pouvait aussi l'obliger à en dévoiler la teneur.

La rotonde centrale était déserte ; seuls quelques robots s'y employaient à ramasser les détritus qui jonchaient le sol. Immobilisant son fauteuil en face de l'entrée de l'univers de Frigate, Burton lança d'une voix forte le nom de l'Américain. Quelques secondes plus tard à peine, le visage de celui-ci apparut sur un écran scintillant. La porte s'ouvrit vers l'extérieur ; Burton et Cuillère d'Étoile la franchirent l'un après l'autre. La seconde porte les introduisit dans un monde à l'atmosphère humide, dont la température avoisinait les 30°C et où le soleil avait dépassé de dix degrés le point culminant de son orbite. Ils survolèrent une jungle luxuriante, un fleuve dans lequel se jetaient plusieurs affluents et quelques vastes clairières. De grands crocodiles aux dentures impressionnantes hantaient les cours d'eau ou lézardaient sur leurs rives. Les Terriens entr'apercevaient de temps en temps une énorme tête de reptile juchée au bout d'un long cou et virent, une fois, un saurien cuirassé de plaques traverser lourdement une clairière. Des reptiles ailés plongèrent en piqué non loin d'eux : des ptérodactyles. Ces animaux ne provenaient pas des archives, puisque les Éthiques n'avaient débarqué sur la Terre que soixante-dix millions d'années après la mort du dernier dinosaure. Frigate en avait fait confectionner des répliques vivantes par l'Ordinateur, et ces mastodontes régnaient désormais en maîtres sur la forêt vierge. Au centre de la salle brobdingnagesque se dressait un monolithe haut de soixante mètres dont nul être ne pouvait escalader les parois lisses et inclinées vers l'extérieur. La forteresse de l'Américain en occupait le sommet, qui formait un plateau de dix hectares ; elle se présentait sous l'aspect d'une demeure sudiste d'avant la Guerre de Sécession, cernée par un large fossé empli d'eau où nageaient des canards, des oies et des cygnes. Burton et Cuillère d'Étoile atterrirent sur la pelouse verte qui en bordait le perron.

Peter Frigate les attendait dans la véranda ; assis sur un fauteuil à bascule, un verre de mint julep à la main, entouré de trois chiens et le double du chat siamois utilisé en héraldique blotti sur ses genoux, il écoutait la *Water Music* de Haendel. Les chiens, qui étaient authentiques, eux, et non des symboles incarnés, s'élancèrent en aboyant à la rencontre de Burton ; ils bondirent autour de lui en frétillant du train arrière et gémirent de plaisir quand il les caressa. L'un d'eux était un énorme dogue, l'autre un malinois, le troisième un berger du Shetland. Frigate se leva pour leur souhaiter la bienvenue, non sans déranger le chat qui fut contraint de sauter à terre. Il portait un gilet de lin blanc brodé de hiéroglyphes égyptiens et un kilt de la même étoffe qui descendait jusqu'aux genoux.

— Bienvenue à Frigateland, dit-il en souriant. Asseyez-vous (il leur désigna deux chaises à bascule). Que désirez-vous boire ?

Il frappa dans ses mains et deux androïdes vêtus en maître d'hôtel jaillirent par la porte principale de la maison.

— Vous ne pouvez pas les reconnaître. Ce sont les sosies de deux présidents des États-Unis d'Amérique que je n'ai guère appréciés. Je les appelle Tricky Dicky et Ronnie[1]. Celui qui a l'air sournois est Dicky. (Il marqua une pause.) La maîtresse de maison descendra dans une minute.

Burton haussa les sourcils.

— Ah ! tu t'es donc enfin décidé à prendre femme ?

— Oui. Les chats et les chiens sont de merveilleux compagnons : ils ne tiennent jamais de propos futiles ou désobligeants. Mais j'ai éprouvé le besoin, entre autres choses, d'avoir quelqu'un avec qui converser.

Les serviteurs apportèrent les boissons : du whisky pour Burton, du vin pour Cuillère d'Étoile. Burton ayant extirpé un délicieux havane de sa poche, Dicky s'empressa de lui offrir la flamme d'un briquet ; Ronnie agit de même à l'égard de la cigarette de Cuillère d'Étoile.

— C'est la belle vie, poursuivit Frigate. Je vais observer mes dinosaures à bord de mon fauteuil volant ; ces animaux me réjouissent vraiment. J'empêche les tyrannosaures de bouffer tous les brontosaures en leur distribuant de la viande dans une sorte de mangeoire placée au pied du monolithe. Je n'en ai pas moins du mal à maintenir l'équilibre entre les prédateurs et leurs proies. Quand j'en aurai marre, ce qui leur pend au nez, je remplacerai le Jurassique par le Crétacé. J'ai l'intention de reproduire tous les stades de l'évolution jusqu'au Pléistocène auquel je m'arrêterai : j'ai toujours eu un faible pour le mammouth et le tigre machérode.

---

1. Tricky Dicky : Dick le fourbe, sobriquet de Nixon ; Ronnie, diminutif de Ronald (Reagan). (N.d.T.)

25.

Burton chassa une mouche.

– Étais-tu obligé de pousser l'authenticité aussi loin ?

– Il y a des moustiques, aussi. Au crépuscule, ils me contraignent à battre en retraite dans mon palais. Je ne veux pas vivre dans un paradis climatisé d'où toute vermine serait exclue. Il y a eu une époque où je maudissais les mouches, les moustiques et les fourmis, en me demandant pour quelle raison Dieu avait affligé la Terre de ces bestioles insupportables. Maintenant, je sais. Elles constituent une source de plaisir. Quand elles nous ont bien tourmentés et qu'on leur échappe en se réfugiant hors de leur atteinte, on découvre que la fin de leur présence est en elle-même une satisfaction. Je me suis arrangé de manière à jouir de leur absence.

Cuillère d'Étoile le dévisagea d'un œil interloqué. Burton, lui, le comprit. On ne pouvait connaître de plaisir complet sans l'expérience du déplaisir. L'existence du mal se justifiait. Sans lui, comment aurait-on su que le bien était le bien ? Encore que le mal ne fût, peut-être, pas nécessaire ; s'il l'était, pourquoi les Éthiques auraient-ils déployé tant d'efforts en vue de l'éliminer ?

Sur ces entrefaites, une femme sortit de la maison. Elle était splendide avec sa chevelure fauve, ses yeux verts, sa peau blanche, ses longues jambes, sa poitrine généreuse et sa taille de guêpe. Elle avait, certes, des traits irréguliers, le nez un soupçon trop long, la lèvre supérieure un soupçon trop courte, les orbites un soupçon trop creuses ; le tout n'en formait pas moins un ensemble harmonieux, une physionomie peu banale qu'on ne devait pas oublier facilement. Elle mesurait un mètre soixante-dix environ et portait une robe blanche taillée dans une étoffe chatoyante, largement décolletée, fendue jusqu'au sommet de la cuisse du côté gauche, avec des souliers à talon haut, blancs également, qui lui découvraient le cou-de-pied ; elle n'arborait ni perles ni bijoux, à l'exception d'un bracelet d'argent au poignet droit.

Frigate la présenta en souriant: «Sophie Lefkowitz. Nous nous sommes rencontrés en 1955, à une convention de science-fiction. Nous avons correspondu ensuite et nous sommes revus à d'autres conventions. Sophie est morte d'un cancer en 1979. Ses grands-parents avaient quitté la Russie en 1900 pour venir s'établir à Cleveland, dans l'Ohio; son père avait épousé la descendante de juifs sépharades qui étaient arrivés à La Nouvelle-Amsterdam en 1652. Le plus rigolo, c'est que j'ai bavardé une fois avec le patriarche de la tribu, Abraham Lopez. Nous ne nous sommes pas bien entendus: c'était un bigot assommant. Sophie a mené sur la Terre une existence de femme d'intérieur, mais elle a milité activement dans de nombreuses organisations, dont la National Organisation for Women. Elle a également gagné plein d'argent en écrivant des livres pour enfants sous le pseudonyme de Begonia West.

— Enchanté, déclara sincèrement Burton. Puis, à l'intention de Frigate: mais si mes souvenirs sont exacts, ne nous avais-tu pas déconseillé de ressusciter des écrivains?

— Ils ne sont pas tous imbuvables.

Sophie se révéla vive et intelligente, bien que trop encline aux jeux de mots. Elle semblait très reconnaissante à Frigate de l'avoir ressuscitée, et lui ravi de sa présence.

— Nous allons naturellement procéder à d'autres résurrections; nous finirions par ne plus pouvoir nous supporter si nous vivions en notre seule compagnie. Mais la sélection de nos futurs compagnons exige beaucoup de temps.

— Il cherche la perfection et ne la trouvera pas, commenta Sophie, puisque les êtres parfaits sont passés de l'autre côté. Moi je lui dis: choisissons des gens avec lesquels nous ayons de bonnes chances de nous entendre; ils iront habiter ailleurs si ça ne marche pas.

— Au train où vont les choses, observa Cuillère d'Étoile, la tour ne tardera pas à être pleine comme un œuf. Tout nouveau ressuscité s'empresse de procéder à ses propres résurrections.

— La tour peut héberger à l'aise plus de deux millions de personnes, dit Sophie.

— Oui, mais si chaque ressuscité y amène quatre autres personnes, cela donne une progression exponentielle au rythme de laquelle la tour aura vite fait de se remplir, répliqua Burton.

— Et il y a pis encore, ajoute Frigate. L'autre jour, alors que je barvardais avec lui, Turpin m'a dit que deux couples de son univers s'efforçaient d'avoir des enfants. Ils ont demandé à l'Ordinateur de ne plus mêler à leurs aliments les anticonceptionnels chimiques qui les rendaient stériles. Tom était furieux. Il les a prévenus que si les femmes devenaient enceintes, ils devraient quitter Turpinville ; ils lui ont répondu qu'ils s'en fichaient !

Un silence consterné s'ensuivit. Les Éthiques avaient veillé à ce qu'aucun enfant ne naisse sur le Monde du Fleuve parce que celui-ci était trop petit pour abriter une population en expansion ; en outre, il fallait que la première « fournée » de Terriens libère les lieux pour qu'on puisse ressusciter les humains nés après 1983.

— Tout le projet part à vau-l'eau, soupira Frigate.

— Vers le gouffre de l'Enfer ; si nous n'y sommes pas déjà ! renchérit Burton.

— Pour moi, ceci ne ressemble guère à l'Enfer, protesta Sophie en souriant.

Elle embrassa du geste leur petit univers privé. Des chants d'oiseaux et les piaillements de quelques ratons laveurs, également anachroniques puisque aucun de ces animaux n'existait au Mésozoïque, résonnaient dans le parc voisin. Du pied du monolithe leur parvenaient le mugissement gargouillant des brontosaures et le grondement sourd, semblable à celui produit par un train filant à toute vitesse ou par une avalanche, d'un tyrannosaure lancé au galop. Quant au cri des ptéranodons, dont les ailes atteignaient près de dix mètres d'envergure, il évoquait celui d'un gigantesque corbeau asthmatique.

— Ce n'est que temporaire, rétorqua Burton.

Les androïdes, Ronnie et Dicky, apportèrent de nouveaux rafraîchissements. Peut-être inspirés par leur présence, Frigate et Burton abordèrent un de leurs thèmes de discussion favoris, la question du libre arbitre et du déterminisme. Frigate soutenait que le libre arbitre jouait un rôle plus important dans le comportement humain que les facteurs mécaniques, chimiques ou neuraux. Burton, que la chimie de l'organisme et le conditionnement de la prime enfance dictaient les décisions de la plupart des gens.

— Mais il arrive que des individus modifient volontairement leur personnalité, l'améliorent au prix d'un effort. Leur volonté réussit à l'emporter sur leur conditionnement et même sur leurs tendances naturelles, avança Frigate.

— D'accord, je te concède que le libre arbitre joue un rôle chez quelques personnes, encore que très peu d'entre elles l'appliquent efficacement dans les rares cas où elles parviennent à l'appliquer. Il n'en demeure pas moins que la majeure partie des gens sont, en un sens, des robots. Les autres, les élus qui se comptent sur les doigts de la main, ne sont sans doute capables d'exercer leur libre arbitre que parce que leurs gènes le leur permettent. Le libre arbitre lui-même est donc soumis au déterminisme génétique.

— Autant te dire maintenant ce que j'aurais peut-être mieux fait de t'apprendre plus tôt : j'ai demandé à l'Ordinateur si les Éthiques s'étaient livrés à des travaux sur le libre arbitre et le déterminisme. Sous l'angle scientifique, et non philosophique. Il m'a dit qu'il détenait une énorme masse de données parce que les premiers Éthiques, les prédécesseurs des congénères de Monat, puis ceux-ci et leurs successeurs, les enfants terriens élevés sur le Monde-Jardin, avaient étudié ce problème. Je n'avais pas le temps d'examiner toutes ces données, ni même une petite partie d'entre elles ; et si je l'avais eu, je n'y aurais probablement rien compris. J'ai donc réclamé un résumé des conclusions auxquelles on était parvenu. L'Ordinateur m'a précisé qu'il n'avait pas encore terminé ses calculs, mais qu'il pouvait néanmoins me fournir les résultats obtenus à ce jour.

» Les Éthiques avaient depuis longtemps répertorié tous les chromosomes, déterminé leur fonction exacte et analysé les relations réciproques des gènes ; dressé la carte de leurs champs propres et interactifs. C'est ce qui leur a permis de remplacer nos gènes défectueux par d'autres en bon état quand ils nous ont ressuscités. Nous nous sommes réveillés en parfaite condition physique et chimique. Toute défaillance était dès lors d'origine psychologique. Ils n'ont bien entendu pas effacé nos conditionnements psychico-sociaux. Si nous devions nous en affranchir, c'était à chacun de nous qu'il incombait de le faire, sur un plan strictement individuel. Chaque individu devait recourir à son libre arbitre, s'il (ou elle) en possédait un et s'il voulait y recourir.

— Pourquoi ne m'as-tu pas raconté ça plus tôt ?

— Ne te fâche pas. Je désirais simplement te laisser exprimer ton opinion, puis te mettre la vérité sous le nez.

— Me prendre en traître, oui !

— Et pourquoi pas ? Il est impossible de te tenir tête dans une discussion tant tu te montres tranchant, dogmatique, sûr de toi... Je me suis dit que j'avais l'occasion de t'obliger pour une fois à écouter au lieu d'essayer de dominer la conversation.

— Ma foi, si tu y trouves un exutoire à ton ressentiment... Il y a une époque où je l'aurais très mal pris. Mais j'ai changé, moi aussi.

— Ça ne t'empêchera pas de me rendre la monnaie de ma pièce un de ces jours.

— Non. J'appliquerai mon libre arbitre de manière à profiter de cette leçon et à la retenir précieusement.

— Nous verrons bien. Toujours est-il...

— Les conclusions !

— Je vais tâcher de les exposer clairement. Nous ne sommes pas de simples robots, comme l'ont prétendu Sam Clemens et Kurt Vonnegut, l'écrivain dont je t'ai parlé. Ils ont soutenu que notre comportement et nos pensées étaient entièrement déterminés par les événements passés et par les fonctions chimiques de l'organisme. Pour Clemens, tout ce qui s'est produit dans le passé, sans exception aucune, détermine absolument tout ce qui se produit dans le présent. La vitesse à laquelle et l'angle sous lequel le premier atome a heurté le deuxième au commencement de l'univers a déclenché une réaction en chaîne orientée dans une direction bien précise. Ce que nous sommes découle de la collision initiale. Si le premier atome avait heurté le deuxième à une vitesse et sous un angle différents, nous serions nous aussi différents. Vonnegut, lui, s'est contenté d'affirmer que nos actes et nos pensées dépendent de ce qu'il appelle les « mauvaises substances chimiques ».

» L'un et l'autre ont vitupéré le mal, sans se rendre compte que par leur philosophie, ils en acquittaient d'avance les auteurs. Selon eux, personne ne peut éviter d'agir comme il le fait. Alors pourquoi ont-ils consacré tant de lignes aux méchants, pourquoi les ont-ils condamnés s'ils ne sont en rien responsables de leurs actes ? Peut-on reprocher au meurtrier de tuer, au riche d'exploiter le pauvre, au pauvre de se laisser exploiter, au puritain son intolérance, sa rigidité et son étroitesse d'esprit, au débauché ses excès, au juge sa vénalité, au Ku Klux Klan son racisme, aux progressistes leur cécité à l'égard des objectifs ouvertement déclarés et des méthodes manifestement sanglantes des communistes, aux fascistes et aux capitalistes de recourir à des moyens mauvais pour parvenir à des fins supposées bonnes, aux conservateurs leur mépris des petites gens et le droit qu'ils s'arrogent de les spolier ?

Peut-on condamner Ivan le Terrible, Gilles de Rais, Staline, Hitler, Tchang Kaï-chek, Mao Tsé-toung, Menahem Begin, Yasser Arafat, Genghis Khan, Simon Bolivar et les terroristes de l'IRA qui déposent dans les boîtes aux lettres des bombes dont l'explosion mutile des enfants ? Non, si on accepte l'axiome sur lequel Clemens et Vonnegut fondent leur philosophie. L'assassin, le bourreau d'enfant, le violeur et le raciste ne sont pas plus à blâmer de leurs crimes que les justes à louer de leurs bonnes actions ; tous ne font qu'obéir à leur conditionnement génétique, chimique ou psychosocial. Alors pourquoi ces deux écrivains se sont-ils souciés du mal, alors qu'ils s'interdisaient ainsi de flétrir ceux qui l'accomplissaient ?

» Parce que, pour leur appliquer leur propre théorie, ils étaient prédéterminés à agir ainsi ; ce qui leur retire tout crédit moral.

Burton, qui avait attendu patiemment l'issue de cet exposé, commenta :

– En résumé, pour Clemens et Vonnegut, nous sommes des boules de billard attendant passivement que le choc d'une autre boule nous envoie dans le trou par lequel la prédétermination nous voue à passer ?

– Oui.

– Je connais bien cette théorie. Comme tu le sais, j'ai écrit un poème sur ce thème. Mais même ceux qui ne croient pas au libre-arbitre se conduisent comme s'ils en jouissaient. Il semblerait que ce soit un réflexe animal – déterminé peut-être par les gènes. Bon, est-ce que ça ne t'ennuierait pas maintenant d'en venir au fait ?

– Il y en a plus d'un. Les travaux conduits par les Éthiques démontrent d'abord que toutes les races possèdent la même capacité intellectuelle ; les mêmes réserves de génies, de sujets très, moyennement ou peu intelligents et d'abrutis. A ma mort, en 1983, la question était encore très controversée. Les tests d'intelligence paraissaient indiquer que le Noir moyen le cédait en ce domaine de quelques points au Caucasien, et que le QI du Jaune dépassait également de quelques points celui du Caucasien. Un tas de gens contestaient la validité de ces tests qui ne prenaient en compte, notamment, ni les facteurs socio-économiques, ni les préjugés raciaux ; et ils avaient raison puisque, comme je viens de le dire, les travaux effectués par les Éthiques prouvent que toutes les races possèdent la même capacité intellectuelle. Ceci va à l'encontre de la thèse que tu défendais sur la Terre, Dick ; tu affirmais que le Noir était moins intelligent que le Blanc. Oh ! tu admettais certes que le Noir américain pourrait devenir plus « civilisé » et brillant que ses congénères africains ; mais en attribuant la chose au fait que les unions interraciales lui avait donné une forte proportion de sang blanc et donc de gènes caucasiens.

— J'ai affirmé plein de choses sur la Terre que je reconnais aujourd'hui erronées, protesta véhémentement Burton. Soixante-sept années vécues, souvent contre mon gré, au contact étroit de gens de toutes les races, nationalités ou tribus imaginables plus quelques-unes, m'ont fait changer d'opinions à de nombreux égards. Appeler Bamboula mon frère ne me dérangerait nullement aujourd'hui.

— Pour ma part, j'éviterais ce « Bamboula » au relent suspect.

— Tu m'as parfaitement compris.

— Oui. Je me souviens de ce vers, dans ton poème *Stone Talk*, où tu critiquais les Blancs américains qui se refusaient à appeler, heu... Bamboula leur frère. Tu étais mal placé pour leur jeter la pierre !

— Je n'étais pas ce que je suis maintenant. On ne se frotte pas à des tas de gens sans entrer un peu dans leur peau ; et réciproquement.

— Ce ne sont pas les contacts qui t'ont manqué, sur la Terre. Rares sont ceux qui ont voyagé autant que toi et ont ainsi fréquenté les représentants de toutes les classes sociales, de la plus riche à la plus pauvre.

— Ces contacts n'ont pas duré assez longtemps. Les conditions sont différentes ici et, de surcroît, je ne m'y suis pas seulement *frotté* à ces différences : je les ai bloquées en pleine gueule et ça m'a filé un sacré choc. La mécanique en prend un coup, tu sais.

— Évitons les comparaisons mécaniques.

— Nous sommes parfaitement fondés à parler de mécanisme psychique.

— La psyché n'est pas un moteur, mais un champ d'ondes subtil et complexe ; un superchamp, en fait, composé de nombreux autres. Comme la lumière, elle est de nature à la fois ondulatoire et particulaire ; je dirais une ondiparticule, des ondiparticules formant un hypercomplexe.

— Les conclusions !

— Voilà ! L'individu est un semi-robot, en ce sens qu'il doit répondre aux exigences du mécanisme biologique, le corps. Quand on a faim, on mange ou on s'efforce de se procurer à manger. Il n'est possible à personne de se transcender au point de se passer totalement de nourriture sans mourir de faim. Les lésions du système cérébroneural, le cancer, les déséquilibres chimiques peuvent modifier le mental, entraîner la folie, provoquer des changements dans les motivations et l'attitude. La volonté est absolument incapable d'annuler les effets de la syphilis, du poison, d'une lésion cervicale, etc. Et nous naissons tous avec un ensemble de gènes qui déterminent l'orientation particulière de nos intérêts ; de nos goûts aussi, en matière alimentaire du moins : tout le monde n'aime pas le steak, les tomates ou le whisky.

» Certains individus naissent également avec des associations de chromosomes qui les rendent plus rigides que les autres sur le plan émotionnel. Ils ont plus de mal à s'adapter au changement et à la nouveauté, tendent à s'accrocher aux passé et aux éléments culturels qui ont influencé leur jeunesse. Cette inadaptibilité, cette rigidité, est plus ou moins accentuée ; mais il arrive que la raison, la logique, en influençant la volonté, parviennent à les vaincre et, en quelque sorte, à défossiliser le sujet.

» Prends, par exemple, quelqu'un qui a été élevé au sein d'une secte chrétienne fondamentaliste. Il croit que Dieu a créé le monde en six jours, qu'il y a eu un déluge universel, un Noé et une arche, que Jéhovah a interrompu la rotation de la Terre afin d'octroyer à Josuah et ses Hébreux assoiffés de sang les heures de jour supplémentaires dont ils avaient besoin pour anéantir les Amorites, non moins assoiffés de sang. Qu'Eve a été séduite par un serpent et a incité Adam à manger le fruit de l'arbre de la connaissance du bien et du mal, que Jésus a marché sur les eaux, etc. Comme ses coreligionnaires, il ne tient aucun compte de l'immense accumulation de données qui placent l'évolution parmi les faits incontestables ; il lit la Bible mais ne voit pas que, sans le dire nulle part expressément, elle laisse entendre que la Terre est plate ; il ne prend pas non plus au pied de la lettre l'injonction du Christ ordonnant de haïr son père et sa mère. Il se bouche les yeux, range ces informations dans un compartiment séparé de son cerveau, ou les efface, comme si elles étaient enregistrées sur une bande magnétique.

» Mais quelques fondamentalistes tombent parfois sur des

preuves qu'ils préféreraient ignorer. Le fer frappe le silex, l'étincelle touche l'étoupe, le feu s'allume irrémédiablement. L'intéressé consulte d'autres documents, peut-être en maudissant sa curiosité « coupable », mais il s'instruit de plus en plus, jusqu'au jour où sa raison le convainc de son erreur passée ; il se convertit alors au christianisme libéral, à l'athéisme ou à l'agnosticisme.

» Quelque chose a percé un trou dans ses défenses génétiques, à moins que le trou n'ait toujours existé, prêt à laisser passer l'eau.

» Quoi qu'il en soit, il n'a pu utiliser sa raison que parce que sa structure génétique le lui permettait.

– Il me semblait t'avoir entendu dire que l'*Homo sapiens* était un semi-robot. Or tu me décris là des robots à cent pour cent.

– Non. Les robots sont dépourvus de raison. Ils sont capables de logique, si cela est prévu dans leur programmation. Mais confrontés à la preuve que leur programmation est erronée, ils ne peuvent pas s'en affranchir. L'Homme, si. *Parfois*. Les robots n'ont pas non plus à justifier leur comportement. Ils font, un point c'est tout, alors que les humains doivent expliquer pourquoi ils font telle ou telle chose, échafauder une construction logique expliquant leur conduite. Cette construction repose parfois sur des prémisses fausses, mais elle est en général cohérente à l'intérieur de son propre système de référence. Pas toujours, cependant.

» Ce que les Éthiques affirment, preuves à l'appui, c'est que même l'individu le plus rigide de par son patrimoine génétique, le plus fortement conditionné, a le pouvoir de se libérer de ces contraintes, de ces moules. Que très rares soient ceux qui utilisent ce pouvoir... les Éthiques le tiennent pour une démonstration du libre arbitre. Les contraints, les corsetés *ne veulent pas* changer, car ils sont heureux ainsi.

– Les Éthiques peuvent-ils le prouver ?

– Oui. J'avoue ne pas être assez calé en maths et en biologie pour confirmer moi-même la validité de leurs résultats. Mais j'accepte les preuves dont ils les étayent.

– Il n'existe pas de certitude absolue ou définitive, n'est-ce pas ? A moins de discerner clairement et dans leurs moindres détails, comme à travers une plaque de cristal, les éléments de preuve qu'ils invoquent, on ne peut pas être sûr qu'ils détiennent la vérité. D'accord ?

– Présenté de cette façon, non. Il est des choses qu'on est obligé de croire sur parole.

Burton s'esclaffa bruyamment. Frigate rougit et argumenta :

– A moins d'être suffisamment qualifié pour effectuer les recherches toi-même, comment peux-tu savoir que ce que tu lis dans un manuel de chimie, d'astronomie ou de biologie est exact ? Comment peux-tu savoir que n'importe quoi est exact sans refaire les recherches permettant de l'affirmer ? Et même dans ce cas, tu peux te tromper ou t'accrocher obstinément au point de vue opposé parce que...

– Parce que tu y es génétiquement incliné ? l'interrompit Burton d'un ton dédaigneux. Parce que tu es prédéterminé à croire en une chose et pas en une autre ?

– Avec un raisonnement pareil, on ne croit pratiquement plus rien !

– En effet !

– Tu ne t'es pas privé d'exprimer des opinions fondées sur des observations que tu n'avais pas exécutées toi-même, quand tu étais sur la Terre. Des opinions souvent plus que contestables.

– Quand j'étais sur la Terre...

Un silence s'ensuivit. Les femmes s'entretenaient de leurs mères ; Frigate devina cependant que Sophie écoutait en même temps leur conversation. Elle lui adressa un clin d'œil et un geste dont la signification lui échappa.

Il reprit le sujet comme s'il se fût agi d'un ballon de rugby avec lequel il s'apprêtait à monter à l'essai depuis sa propre ligne de but.

– Vers 1978, sauf erreur, j'ai lu dans un ouvrage de psychologie que dix pour cent des hommes semblaient posséder de naissance le don de commander les autres. Ce don, l'auteur lui attribuait implicitement une origine génétique : les travaux des Éthiques l'ont non seulement confirmé, mais encore ont permis de déterminer avec précision la structure génétique correspondante.

» Ces travaux ont aussi établi que dix pour cent des humains avaient toujours été, à des degrés divers, attirés par l'homosexualité. Cela ne voulait pas dire, bien entendu, que ces dix pour cent cédaient à leurs inclinations et s'engageaient activement dans des pratiques homosexuelles, mais la tendance n'en était pas moins là. Ceci avait été la règle depuis le jour où les Éthiques avaient commencé d'archiver les doubles corporels des humains, et probablement depuis l'apparition de l'*Homo sapiens.*

» La tendance est déterminée par les gènes. Ce qui m'a intéressé là-dedans, c'est qu'en 1983 et dans les années précédentes, les homosexuels militants se sont mis à proclamer que leur homosexualité découlait d'un choix libre et conscient. En d'autres termes, ils n'étaient pas nés homosexuels mais avaient choisi délibérément de l'être parce qu'ils préféraient vivre ainsi.

» Ils parlaient comme si, en atteignant l'âge de raison, on décidait souverainement de la voie dans laquelle on allait s'engager. Ils omettaient de dire, volontairement ou non, que si ceci était vrai, alors les hétérosexuels choisissaient eux aussi librement et consciemment de l'être. Ce qui ne résiste pas à l'examen : quelqu'un est hétérosexuel parce qu'il est né ainsi.

– Et que fais-tu...

– Tu allais m'objecter : et que fais-tu de ceux qui se conduisent en hétérosexuels malgré leurs tendances homosexuelles ? Ou des bisexuels ? Ou de ceux qui épousent des femmes mais ont des aventures homosexuelles en plus ? L'homosexualité... comme l'hétérosexualité, bien entendu, comporte des nuances. Et dans toute société où il était dangereux de pratiquer ouvertement l'homosexualité, les homosexuels ont été contraints de dissimuler leur tendance. Quoi qu'il en soit, on ne devient pas homo ou hétérosexuel à la suite d'un choix : on l'est de naissance.

– Mais ça ne change rien. Être homosexuel ou non n'est pas une question de moralité. Ce n'est pas une décision personnelle. C'est la manière dont on exerce son homo ou son hétérosexualité qui compte. Le viol, le sadisme, la violence demeurent condamnables, dans l'un et l'autre cas.

Sophie intervint :

– Vous parlez si fort qu'il m'est difficile de ne pas suivre votre conversation. A quoi rime tout ce baratin sur le libre arbitre, le déterminisme, les gènes et le choix ? Ces questions m'ont passionnée quand j'étais étudiante ; passionnée au point que je m'emportais avec délice contre les imbéciles assez stupides pour ne pas partager mes vues. Mais après avoir décroché mon diplôme – non, un peu avant – j'ai compris que... heu... il était fou d'espérer rien résoudre en discutant philosophie ou autres sujets du même genre. C'est un verbiage sans fin qui ne débouche jamais sur aucune conclusion irréfutable. Amusant, certes, mais vain. Superficiel. Vraiment. J'ai donc cessé de m'y livrer. Si quelqu'un tentait d'aborder l'un de ces sujets, je m'efforçais d'aiguiller la conversation dans une autre direction, ou alors je m'en allais, sans pour autant me montrer désagréable.

— Tu as et tu avais indubitablement raison, dit Frigate. Mais il se trouve que les Éthiques ont fait sortir ces questions du domaine de la discussion ou de l'opinion par l'apport de preuves. Nous ne sommes plus dans le noir.

— Peut-être. Je ne puis que me ranger à l'avis de Dick à cet égard. *Peut-être.* Mais peu importe. Qu'est-ce qu'a dit Bouddha ? Travaille avec diligence à ton propre salut. J'ignore qui peut bien être ce monsieur ou cette madame Diligence. J'ai cherché longtemps monsieur Diligence, et même emprunté la lanterne de Diogène pour cela. Lanterne dont, soit dit en passant, ce brave vieux Diogène n'avait pas besoin : pour trouver un homme honnête, il lui suffisait de se contempler !

» De toute façon, je constate, avec Dick, que nous agissons tous comme si nous disposions de notre libre arbitre. Alors, que celui-ci existe ou non, qu'est-ce que cela peut faire ? Tout ce que je sais, c'est que je suis moi, et moi seule, responsable de ma conduite morale. L'hérédité, l'environnement : des alibis ! La race, la nationalité, la tribu, la famille, la religion, la société : des excuses ! Au diable les alibis et les excuses ! Je décide de ce que je suis, et voilà tout.

— Ce n'est donc pas par inadvertance que tu as brûlé ton soufflé, hier ? Tu as décidé volontairement de le laisser se carboniser ?

Les deux amants éclatèrent de rire. Burton s'enquit :

— Vous cuisinez, Sophie ?

— Mon Dieu oui. J'aime bien. Quand ce n'est pas une obligation, du moins. En préparant notre dîner, hier soir, j'ai oublié de surveiller le soufflé. Je lisais et...

Ils se mirent alors à parler gastronomie, et ce thème en suscita d'autres qui les amenèrent à l'heure du dîner. Manger ensemble était une tradition plus ancienne encore que celle de la conversation.

26.

Le jour de Noël, une foule d'invités se pressa devant la porte du monde de Turpin. Burton ne fut pas le seul à être surpris par l'imposante escorte de Gull. Au nombre d'au moins quarante, ses compagnons étaient tous des Dowistes qu'il avait connus dans la Vallée. Ils ressemblaient à des citoyens de la Rome antique avec leurs longues toges blanches et leurs sandales, encore qu'il parût douteux que les Romains eussent jamais porté autour de la tête des bandeaux frappés d'un grand D en aluminium.

– D comme Dow et comme délivrance, expliqua Gull. D comme Dieu, également.

– Ou comme décès et damnation, murmura quelqu'un.

Gull ne s'en formalisa pas, ou du moins n'en donna pas l'impression.

– Exact, mon frère, qui que tu sois, pontifia-t-il. Le décès et la damnation pour ceux qui ne suivent pas la voie de la vérité.

– Dégoûtant, lança la même personne.

– Débile, ajouta une deuxième.

– Dangereusement douteux, renchérit une troisième.

– Détestablement débecquetant !

– Nous avons l'habitude d'essuyer les insultes et les reproches infondés de ceux qui appartiennent au T.O. tal. Mais la Grâce est toujours offerte en abondance même au pire des pécheurs.

– Que diable peut signifier ce T.O. tal ? souffla une femme à l'oreille de Burton.

– Je n'en sais rien. Pas total, comme on pourrait le penser. Gull et ses disciples refusent de l'expliquer en alléguant que quand on le comprend, c'est qu'on a été frappé par la Grâce et qu'on est devenu l'un des leurs.

– C'était un terme péjoratif que Dow employait souvent pour désigner ses ennemis, dit Frigate. Bien que certainement peu flatteur, le sens de cette expression n'était pas évident puisque lesdits ennemis ne l'ont jamais percé !

De Marbot grommela :

– Tom a commis une erreur en les invitant. Il aurait dû savoir qu'il est impossible d'avoir une conversation normale avec eux : ils ne songent qu'à vous convertir !

— Qui a ressuscité Gull ? s'étonna Sophie. Il fallait être cinglé pour avoir une idée pareille !

— Mystère ! J'ai demandé à l'Ordinateur qui avait ressuscité Gull, Netley, Crook, Stride et Kelly ; il m'a répondu qu'une seule personne, dont il a refusé de m'indiquer le nom, avait accès à ce renseignement.

Un visage apparut dans le cercle lumineux qui brillait sur la porte.

— Le père Noël ! s'exclama Frigate.

— Ouais, j'suis le père Noël ! répliqua Turpin. Tom Ho-Ho-Ho ! Turpin soi-même, pour être plus exact.

— Joyeux Noël ! crièrent plusieurs voix.

— Joyeux Noël à vous aussi. On a plein de neige, les mecs, mais pas de celle dont vous avez l'habitude. Du moins, ça m'étonnerait : vous êtes bien trop convenables pour ça, ha ! ha ! ha !

La porte s'ouvrit en grand. Elle fut aussitôt embouteillée, les invités qui en étaient les plus proches ayant voulu la franchir tous à la fois à bord de leur fauteuil volant. Il s'agissait de Li Po et de ses amis, chargés d'alcool jusqu'à trois pieds au-dessous de leur ligne de flottaison. Ils n'avaient jamais entendu parler de Noël avant l'invitation de Turpin, mais manifestaient un vif désir de s'instruire. Après un cordial échange d'horions et d'injures, Li Po prit la situation en main et les fit entrer un par un. Burton et ses compagnons leur emboîtèrent le pas, suivis à leur tour par les Dowistes qui, sur l'ordre de Gull, avaient poliment cédé le passage aux autres. Burton remarqua qu'ils échangeaient des regards dédaigneux et apitoyés. Ils n'appréciaient visiblement pas le comportement tumultueux des Chinois.

Derrière les Dowistes venaient Stride, Kelly et Crook, drapées de robes victoriennes élégantes en dépit de leur aspect un peu voyant, les oreilles ornées de diamants et les doigts surchargés de bagues serties d'énormes diamants, émeraudes ou saphirs. Burton ne fut pas étonné de les voir escortées de plusieurs hommes aux physionomies inconnues : Annie Crook par un seul, Stride et Kelly par deux chacune.

Elles précédaient de cinq à six mètres un Netley habillé en professionnel des champs de courses, étincelant de bijoux, une femme à chaque bras.

Burton sursauta en découvrant le groupe de vingt personnes environ qui arrivait ensuite. On avait donc bel et bien ressuscité des Gitans ! Ceux-ci arboraient les costumes pittoresques que ses amis nomades d'Angleterre et d'Europe lui avaient rendus familiers. Il aurait souhaité leur demander s'ils connaissaient l'identité de leur bienfaiteur, mais les circonstances ne s'y prêtèrent pas.

Sous un soleil qui approchait de son zénith, les invités survolèrent en une longue file distendue des forêts, des marais, des routes et des voies ferrées. Turpin avait donc un chemin de fer ! Ils atterrirent à l'endroit indiqué : l'extrémité de la rue Louis-Chauvin, que des cordes isolaient. Des guirlandes et autres décorations lumineuses éclairaient *a giorno* le Petit Saint Louis, alias Turpinville, où retentissaient les cris d'une foule en liesse. Burton eut l'impression que la population de deux mille âmes dont on lui avait parlé quelques semaines auparavant avait doublé depuis lors. Les rues grouillaient de danseurs et de fêtards vêtus de manière excentrique. Cela rappelait plus le Mardi Gras que la Noël ! Cinq orchestres interprétaient cinq types de musique différents : ragtime, dixieland, jazz hot, jazz cool et negro spiritual. Des dizaines de chiens couraient de-ci de-là en aboyant.

Burton et ses amis se frayèrent un chemin dans la cohue, où on leur offrit avec insistance des bouteilles d'alcool, des cigares et des joints de marijuana ou de haschisch. L'odeur d'alcool et d'herbe était si épaisse qu'on aurait pu la couper au couteau et tout le monde avait les yeux rouges.

Turpin, toujours déguisé en père Noël, les attendait à l'entrée principale de son imposant quartier général en briques rouges. Il leur souhaita la bienvenue en ces termes :

— La fête marche à plein tube, tout le monde se marre, le jazz est de première bourre ! Filez-moi un bout de peau, frangins et frangines !

Frigate fut le seul à comprendre. Il leva la main, la paume en avant, pour que Turpin la frappe de la sienne : « Sois mon frère ! »

Tandis que les autres l'imitaient, Frigate expliqua à Burton qu'on avait certainement ressuscité à Turpinville quelques Noirs ayant vécu dans la seconde moitié du vingtième siècle ; c'était de cette époque que venait ce mode de salutation original.

— Et ça, c'est à quoi il a fait allusion en disant qu'il y avait plein de neige pour Noël. (Il désigna du doigt deux Noirs qui, assis sur les marches, regardaient fixement dans le vide.) Ils sont probablement sous l'influence de l'héroïne – la neige, pour les initiés.

Turpin était survolté, mais son excitation ne devait rien à l'alcool : il avait l'œil clair et l'élocution aisée. Tout le monde pouvait bien se défoncer et, par là, se rendre vulnérable, mais pas ce vieux renard de Tom !

Ils pénétrèrent dans ce que Turpin appelait le « hall » du Rosebud, presque aussi vaste que la gare de Grand Central et pleine comme un œuf. Des androïdes à la peau blanche, revêtus de smokings, servaient à boire derrière vingt bars monumentaux en or ou en acajou poli. Burton dut enjamber plusieurs hommes et femmes ivres morts pour suivre Turpin jusqu'à l'ascenseur qui les hissa au troisième étage, où le Noir les introduisit dans une pièce de travail comparable, dit Alice, à la salle de réception de Buckingham Palace.

Après les avoir invités à s'asseoir, Tom se planta devant un bureau long de sept mètres et promena sur eux ses prunelles marron avant de prendre la parole.

– J'suis l'patron, et j'dirige ce monde comme un mécanicien son train à vapeur. Pas moyen d'faire autrement. Mais j'laisse mes gens se payer du bon temps. Ils sont presque tous au poil : ils se conduisent comme y faut et dépassent pas les limites que je leur ai fixées.

» Y'en a évidemment qui voudraient commander à ma place, alors, j'les surveille comme des puces guettent un chien. L'Ordinateur s'en charge pour moi. L'ennui, c'est que j'ai pas choisi la plupart des gusses qui sont ici. Avant de ressusciter quelqu'un, j'ai toujours étudié son passé ; mais ça m'permettait pas de dire qui ceux que je choisissais iraient choisir ensuite.

» En dehors de ceux qui voudraient s'asseoir sur mon trône, y'a deux sortes de personnes ici. Les bons vivants, qui sont les plus nombreux : sur la Terre, c'étaient des putes, des macs et des musiciens. Et puis les bigots, des vieilles et des nouvelles religions : ils font un foin pas possible contre ceux qui font du foin, qui font du foin pour qu'ils leur foutent la paix.

– Pourquoi ne te débarrasses-tu pas de tous pour repartir de zéro ? suggéra Cuillère d'Étoile.

Burton fut surpris. Elle n'ouvrait habituellement la bouche que si on s'adressait directement à elle ou si on lui demandait son avis. En outre, cette étrange question s'accordait mal avec l'image qu'il s'était formée de son caractère.

Turpin leva les bras au ciel.

– Et comment ?

– Il doit y avoir des moyens. L'Ordinateur...

– J'suis pas un boucher ! J'ai été dur dans le temps, mais j'vais pas m'livrer à un massacre juste pour avoir un peu d'tranquillité. De plus, les tenir en main me fournit une occupation. (Il sourit à pleines dents.) Bon, il est temps de vider les rues pour ramener tout le monde au Rosebud – c'est là qu'la fête doit avoir lieu –, et ça va pas être de la tarte !

Il s'approcha du mur situé derrière le bureau, prononça quelques mots à la suite desquels un cercle lumineux s'y dessina, puis quelques formules-codes.

Quand il se retourna, son sourire s'était encore élargi.

– Tu parles d'un pouvoir, mon gars ! J'suis Merlin l'Enchanteur et le Magicien d'Oz roulés ensemble et fumant comme un havane à dix dollars. J'suis l'grand dieu Turpinus, le Zeus noir, le puissant Thor maître de la foudre et du tonnerre, le Vieux Fabriquant de pluie, le Chef des vendeurs de vent, Monsieur Cliquettes, le manipulateur de marionnettes !

En moins de trois minutes, le soleil disparut derrière des nuages de plus en plus épais et sombres. Le vent siffla entre les barreaux des fenêtres ouvertes, soulevant les toges, les kilts et les jupes.

– Ils vont appliquer dare-dare, pouffa Turpin. En rouscaillant d'avoir été mouillés, mais ça, on s'en fout !

– Il y a des gens inconscients là-dehors, s'inquiéta Alice. Que vont-ils devenir ?

– Ils n'avaient qu'à y penser avant. Et puis, ça leur fera du bien. Y'en a qui avaient rudement besoin d'un bain. D'toute façon, personne ne risque plus de choper une pneumonie !

Il donna à ses amis quelques conseils quant à la façon de ne pas s'attirer d'ennuis si des ivrognes les importunaient.

– Normalement, on devrait pas vous embêter : j'ai ordonné de vous traiter gentiment, malgré que vous êtes blancs.

– Et nous, alors ? s'enquit Li Po. Nous ne sommes pas blancs !

– Pour mes gars, si. Tout ce qui n'est pas noir est blanc. Bien qu'un peu sommaire, le distinguo ne manque pas de justesse.

Cette dernière phrase éveilla en Burton autant d'amusement que d'irritation. Turpin passait délibérément du langage châtié au jargon des ghettos noirs et réciproquement, comme s'il cherchait à exaspérer ses interlocuteurs. Ou à faire le clown. Ou les deux à la fois, peut-être ? La suprématie dont jouissaient les Blancs dans le système en vigueur de son vivant lui avait inculqué un sentiment d'infériorité qui subsistait toujours quelque part en lui, sans qu'il en soit obligatoirement conscient. Selon Frigate, les Noirs américains de la fin du vingtième siècle avaient surmonté ce complexe ou s'y étaient efforcés et se proclamaient fiers de leur couleur. Turpin, lui, s'obstinait à jouer un jeu dont la nécessité ne s'imposait plus.

Mais comme Nur l'avait dit, on n'avait pas à être fier de la pigmentation de sa peau ; on ne devait l'être que de ses qualités morales dans la mesure où ceci vous aidait à éviter les faux pas.

Turpin avait objecté :

— Ouais, mais il faut franchir certaines étapes pour en arriver là, et ne plus avoir honte d'être noir est l'un d'elles.

— Très juste ! A condition de ne pas s'éterniser à l'une des étapes, mais d'aborder courageusement la suivante.

Ils redescendirent dans le « hall ». Bien avant qu'ils ne l'atteignent, leurs oreilles furent assaillies par le vacarme des instruments tonitruants, des voix sonores et des rires suraigus, leurs narines par le raz de marée des vapeurs d'alcool et des fumées de tabac ou de stupéfiant. Tout le monde était là, y compris ceux qui ne pouvaient plus tenir debout : des androïdes les avaient transportés à l'intérieur et alignés au pied d'un mur.

« Mélangez-vous, les potes ! » brailla Turpin en désignant la foule. Il ne jugea pas utile de présenter ses hôtes, ayant déjà fait apparaître leurs visages et leurs noms sur les écrans muraux. Ceux-ci, pourtant, hésitèrent. Il n'était pas facile d'aller se mêler comme ça à la conversation de gens inconnus. Les Dowistes, dégoûtés et scandalisés, regrettaient visiblement d'être venus. S'en apercevant, Tom adressa un signe à un petit groupe de personnes qui se tenaient debout à l'extrémité du bar ; les intéressés s'approchèrent en jouant des coudes et abordèrent les invités. Tom les avait chargés de briser la glace et choisis avec discernement ; du moins le parut-il pour commencer. Certains d'entre eux, qui appartenaient à l'Église de la Seconde Chance ou à l'Église néo-chrétienne, accostèrent les Dowistes. Bien que divergeant sur quelques principes fondamentaux, les trois religions étaient pacifiques et, en théorie, tolérantes. Elles avaient aussi en commun d'abhorrer l'usage immodéré de l'alcool et celui, tout court, du tabac ou autres drogues.

L'homme à qui Tom avait confié le soin de s'occuper de Burton mesurait un mètre quatre-vingt-dix ; les épaules larges, la poitrine profonde et les membres massifs, il portait un serre-tête de daim blanc, un gilet de daim blanc, une ceinture en daim blanc que fermait une boucle d'argent ornée d'une tête de loup en relief, des pantalons en daim blanc moulants et des bottes en daim blanc montant presque jusqu'aux genoux. Avec son visage large au grand nez aquilin, il ressemblait plus à Sitting Bull qu'à un nègre, dont il n'avait que les lèvres proéminentes et les cheveux crépus. Quand il souriait, il était d'une beauté rugueuse.

Il se présenta en tendant normalement la main et en annonçant, d'une belle voix de basse, qu'il s'appelait Bill Williams et était enchanté de faire la connaissance du capitaine Sir Francis Richard Burton. Celui-ci se demanda s'il n'entrait pas un peu d'ironie dans l'étalage de ces titres.

– Ce n'est pas Tom Turpin qui m'a prié d'être votre fidèle guide et garde du corps indien ; c'est moi qui lui ai proposé de remplir cette fonction.

– Ah ? s'étonna Burton en haussant les sourcils. Puis-je en savoir la raison ?

– Vous le pouvez. J'ai lu différentes choses sur vous ; vous m'intriguez. En outre, Turpin m'a beaucoup parlé de la manière dont vous les avez conduits, lui et vos autres compagnons, à travers les montagnes et à l'intérieur de la tour.

– Vous me flattez. J'ai toutefois un léger différend à régler avec vous. Pourquoi m'avez-vous presque renversé avec votre moto ?

Williams rit.

– Si j'avais voulu vous renverser, je ne vous aurais pas raté !

– Et les injures ?

– Réaction instinctive. Les hélicoptères me rendent méchant. Je voulais aussi voir ce que vous aviez dans le ventre. Rien de personnel là-dedans.

– Ça vous soulage d'asticoter les Blancs ?

– Parfois. Vous n'allez pas me le reprocher, si vous êtes vraiment objectif.

– Soixante-sept années passées sur le Monde du Fleuve n'ont pas modifié votre mentalité d'un iota ?

– C'est quelque chose dont on ne se libère jamais. Mais je ne lui permets pas de me gâcher la vie. On peut comparer ça à un mal de dent sourd auquel on s'habitue. Qu'est-ce que vous buvez ?

— Du vin blanc. N'importe lequel. (Burton avait décidé de rester sobre.)

— Montons dans l'une des pièces du haut. Nous y serons plus tranquilles et nous n'aurons pas besoin de brailler pour nous entendre.

— D'accord, acquiesça Burton, non sans s'interroger sur les intentions de Williams.

Ils s'entassèrent dans l'ascenseur avec des gens qui gloussaient, riaient ou vociféraient. Quand la cabine s'éleva, les passagers se raccrochèrent à tâtons les uns aux autres, ce qui souleva des clameurs de protestation. Quelqu'un péta peu avant l'arrivée au deuxième étage ; cette incongruité provoqua des commentaires faussement indignés, mais quand les portes s'ouvrirent, on jeta le coupable ou le présumé coupable la tête la première sur le palier.

— Tout le monde nage dans l'euphorie, en pleine euphorie, murmura Williams. Mais ça tournera au vinaigre un peu plus tard. Vous êtes armé ?

Burton tapota la poche de sa veste.

— Lance-rayons.

Les pièces devant lesquelles ils passèrent étaient pleines de monde et de bruit à l'exception d'une seule. Une douzaine d'hommes et de femmes y étaient assis, regardant un film sur un écran mural. C'était l'un de ceux que Frigate lui avait vivement conseillé de se faire projeter : Laurel et Hardy vendant des arbres de Noël à Los Angeles en plein mois de juillet. L'assistance riait à gorge déployée.

— Ce sont des néo-chrétiens, expliqua Williams. Des gens calmes et inoffensifs. Trop polis pour refuser l'invitation de Turpin, mais offusqués par presque tout ce qui se passe ici.

Ils trouvèrent une pièce vide assez loin de l'angle du couloir. Burton admira au passage les reproductions accrochées au mur : des Rembrandt, des Rubens, le *Marat assassiné dans sa baignoire* de David, et de nombreuses toiles de peintres russes : Kiprensky, Surikov, Ivanov, Repin, Levitan, etc.

— Pourquoi tant de Slaves ? s'enquit-il.

— Ce n'est pas un hasard.

Ils se servirent à boire ; Burton s'assit, alluma un cigare. Après un silence, Williams lança :

— Je ne suis pas américain, vous savez.

Burton exhala une bouffée de fumée.

– Si Turpin ne m'avait pas dit que vous étiez russe, je m'y serais trompé.

– Je suis né en 1949 dans le ghetto noir de Kiev, sous le nom de Rodion Ivanovitch Kazna.

– Stupéfiant ! J'ignorais qu'il y avait des nègres... Ah si, pourtant : la Russie a compté un certain nombre d'esclaves noirs ; Pouchkine descendait de l'un d'entre eux.

– Ce que bien peu de gens savent, et que le gouvernement russe a soigneusement caché, c'est que douze millions de Noirs environ vivaient dans des quartiers spéciaux à l'intérieur de quelques grandes villes d'Union Soviétique. Le Russe moyen ne voulait pas plus se mêler à eux que les Blancs d'Amérique aux leurs, et le gouvernement approuvait et imposait cette discrimination – discrètement, cela va de soi. Sans réussir à empêcher totalement les parties de jambes en l'air interraciales, bien entendu. Quel que soit le mal qu'on se donne, il est impossible de préserver la pureté de la race ; pine qui bande n'a pas de préjugés, et tout ça. L'un de mes arrière-grands-pères était un Russe de couleur blanche, l'un de mes grands-pères un Ouzbek de langue turco-mongole, qui n'a jamais réussi à parler correctement le russe.

» On m'a néanmoins enseigné la doctrine marxiste et je suis devenu un adepte fervent des principes énoncés par Karl Marx. Tels qu'il les avait exprimés et non qu'on les appliquait en URSS. J'ai adhéré au parti, mais j'ai vite compris que je ne m'y élèverai pas très haut : il me reviendrait toujours d'occuper le strapontin et d'ouvrir la portière aux autres.

» J'aurais volontiers tenté ma chance dans l'armée, mais on envoyait systématiquement les Noirs garder la frontière sino-sibérienne. Le Politburo tenait à ce qu'aucun de nous ne serve sur le front occidental : nous aurions suscité l'attention et des enquêtes qui auraient révélé la situation d'infériorité où on nous maintenait. Cela aurait été des plus gênant pour les Soviétiques, qui dénonçaient en toute occasion l'inégalité des Noirs aux États-Unis d'Amérique, d'où la nécessité du secret.

» J'ai fait d'excellentes études, bien que nos écoles n'aient pas été aussi bonnes que celles des Blancs. Je brûlais de me hisser au sommet de la pyramide, mais l'ambition n'était pas mon seul motif : je souhaitais apprendre, tout savoir. Je lisais bien plus que ce qui figurait au programme et j'ai obtenu des résultats particulièrement brillants en langues étrangères. Le fait que vous en maîtrisiez tant est l'une des choses qui m'ont inspiré l'envie de vous connaître, figurez-vous.

» Les grands pontes se sont intéressés à moi, surtout parce qu'ils cherchaient des Noirs qu'ils puissent envoyer en mission d'agitation ou d'infiltration aux États-Unis. Ils m'ont demandé de me porter volontaire et je l'ai fait. Sans manifester trop d'empressement, bien sûr, sans quoi ils auraient cru que je n'avais qu'une idée en tête : quitter le pays afin de disparaître dans Harlem. En réalité, je n'avais nullement l'intention de les trahir. Je savais ce qu'ils valaient et combien ils me méprisaient ; je n'en étais pas moins russe et marxiste, et je haïssais le capitalisme.

» Il ne m'échappait pas, pourtant, que Marx rêvait complètement en imaginant que l'État dépérirait à partir du jour où le prolétariat dominerait le monde. J'aurais plus facilement attendu la seconde venue du Christ : aussi fortement improbable qu'il fût, cet événement appartenait du moins au domaine du possible. Tandis que quand une classe s'est emparée du pouvoir, elle ne le lâche pas ; si des révolutionnaires le lui arrachent, ils manifestent aussitôt le même acharnement à le conserver. L'étiolement naturel de l'État, la fin des lois, des polices, des règlements et de la bureaucratie, l'individu qui ne serait plus guidé que par l'amour, les élans d'un cœur pur et un désintéressement parfait, tout ça n'était que du vent. Personne n'y croyait vraiment, mais les membres du parti faisaient semblant d'attacher foi à ce dogme. Dans certaines limites, cependant : s'enthousiasmer à cette perspective valait d'être considéré comme un fou ou un contre-révolutionnaire.

Williams était descendu clandestinement d'un avion cargo polonais pour se fondre dans la jungle de Harlem, où il avait entamé son action d'Agit-Prop au sein de différents groupes de Noirs ou de libéraux blancs. Mais il avait attrapé une blennorragie trois semaines après son atterrissage.

– Ce fut ma première chaude-pisse, mais hélas pas la dernière ! Le Destin était contre moi. A peine guéri de cette saloperie, j'en ai rechopé une autre. J'étais aux États-Unis de Gonococcie et condamné à y rester. Après avoir surmonté ma deuxième chtouille, je décidai d'opter pour la chasteté ; ça n'a pas marché : j'avais trop de tempérament. Alors, je me suis dit : tu as été poivré deux fois ; il est statistiquement improbable que tu le sois une troisième. Eh bien, je l'ai été !

Son contact du KGB le sut, le signala à son supérieur et transmit à Williams un message dont la teneur était en gros la suivante : vos maladies vénériennes compromettent votre sécurité et votre efficacité. Tenez-vous à l'écart des femmes, des sièges de WC douteux et autres sources de contamination.

Chaque fois que le contact avait rencontré Williams depuis lors, il lui avait demandé s'il avait la chaude-pisse. Le Noir, qui évitait les femmes et acquérait ainsi une réputation d'homosexuel, pouvait lui répondre sans mentir par la négative car la question, heureusement, ne s'étendait pas à la syphilis : c'était maintenant contre la terrible *treponema pallidum* qu'il luttait.

— Je jure ne savoir ni où ni avec qui je l'ai contractée ; j'avais été aussi chaste que Robinson Crusoë — avant l'arrivée de Vendredi. Il y a des gens qui sont prédisposés aux accidents. Étais-je prédisposé aux maladies vénériennes ? Étais-je l'un des rares infortunés maudits par le Sort ou par le Matérialisme dialectique que pouvaient infecter des bactéries portées par la brise, soufflées par le trou de la serrure ? Le héros solitaire du sexe voué à tomber sur les bandits, sur les Jesse James des germes ? Ce qui est certain, en tout cas, c'est que je ne faisais guère d'espionnage ou d'Agit-Prop : je passais trop d'heures pour ça dans les salles d'attente des médecins.

Ayant appris que le FBI et, peut-être, la CIA s'étaient renseignés sur lui auprès des docteurs qui le soignaient, il en avait rendu compte à son contact. Ordre lui avait été donné sur l'heure de partir à Los Angeles infiltrer les Black Muslims. Le contact lui avait remis un billet de car, en alléguant que le KGB n'avait pas les moyens de payer le voyage par avion.

Tandis que, comme tout jeune Américain devait le faire, Williams « allait vers l'Ouest », il avait attrapé de nouveau une blennorragie sur la banquette arrière d'un Greyhound.

— Ouais, vous rigolez encore, Burton ! C'est marrant aujourd'hui, mais je vous assure que sur le coup je n'ai pas trouvé ça drôle du tout.

L'histoire de Williams, avec ses nombreux détails, ses circonvolutions compliquées et ses longues digressions, les occupait déjà depuis une heure. Pour intéressante qu'elle fût, Burton eut le sentiment qu'elle le retenait trop longtemps à l'écart.

Bill Williams avait réussi à s'intégrer aux Black Muslims, mais ceux-ci l'avaient flanqué à la porte quand ils s'étaient aperçus qu'il avait la chaude-pisse — pas celle du Greyhound, mais une autre, ramassée à Los Angeles. Puis, ayant découvert que c'était un espion – et le prenant à tort pour un agent du FBI –, ils avaient lancé un tueur sur ses traces.

Le récit devint à partir de là un peu confus. Il aurait fallu établir un diagramme pour s'y retrouver dans toutes ces cavales, retours au point de départ, échanges de coups de feu et autres péripéties. Williams s'était enfui à Chicago, puis à San Francisco, où, impliqué dans une rixe survenue dans un bar « gay », il avait été roué de coups et violé. Enchtouillé par-devant et par-derrière, selon son expression, il avait filé dans l'Oregon, après avoir extorqué par la force l'argent du voyage à son contact du KGB qui refusait de lui avancer un centime.

Cuillère d'Étoile apparut sur le seuil de la pièce et dit, sans élever la voix :

– Richard, je t'ai cherché partout.

– Entre. Tu connais Bill Williams, n'est-ce pas ?

La Chinoise s'inclina.

– Je suis enchantée de vous revoir, monsieur Williams. Dick et vous m'avez l'air en grande conversation. Pardonnez-moi de vous avoir interrompus. Je rejoins la fête, si cela ne vous ennuie pas.

– Où te retrouverai-je ?

– Dans l'appartement de Tom Turpin. Il s'y est retiré avec un petit groupe d'amis et m'a prié d'aller te chercher pour t'inviter à les rejoindre.

– J'arrive dans un petit moment.

Cuillère d'Étoile s'inclina de nouveau, prit congé de Williams et repartit.

– Belle femme ! commenta le Noir en soupirant.

– Elle sait rendre un homme heureux.

– Et vous, vous savez *la* rendre heureuse ?

– Évidemment !

– Ne vous énervez pas, ceci n'est pas dirigé contre vous. Je dirais que cette femme est une eau qui dort, calme en surface mais bouillonnante en profondeur. J'excelle à cataloguer rapidement les caractères. Bien obligé : c'était pour moi une question de vie ou de mort.

– La vie n'a pas été tendre avec elle ; c'est un miracle qu'elle n'ait pas perdu la raison.

– Est-ce une façon subtile d'insinuer que je ne suis pas le seul à en avoir bavé ?

– Vous êtes trop chatouilleux, mon vieux.

Il fallut encore trente minutes à Williams pour finir son histoire. Il avait épousé une Noire profondément religieuse qui, malheureusement, n'avait pas su dire non à son trop ardent pasteur. Résultat : une nouvelle chaude-pisse pour le mari. Surmontant son envie de la tuer, il avait décidé d'aller à la chasse afin de sublimer sa soif de violence en tirant des oiseaux et des lapins. Tandis qu'il battait les bois, il avait été blessé mortellement par un autre « chasseur » embusqué derrière un buisson, et il était mort en se demandant auquel de ses innombrables ennemis il devait son trépas : le KGB, la CIA, les Black Muslims, les Albanais ou l'Armée du Salut ? En réalité, ce n'était pas l'Armée du Salut elle-même qui le poursuivait de sa vindicte, mais l'un de ses soldats. Au cours de son séjour à Los Angeles, il avait feint de se convertir au christianisme durant un sermon prononcé par un certain Major Barbaro et s'était engagé dans l'Armée, dont une caporale, Rachel Coggin, s'était éprise de lui qui l'avait aimée en retour. Il se croyait alors sain de corps et d'esprit mais, après avoir fait l'amour avec sa bien-aimée, il avait constaté que la maladie vénérienne, sa persécutrice, l'avait de nouveau frappé ; pis, il avait contaminé Rachel !

Williams lui avait promis le mariage. Ses ennemis le serrant de près, il avait été contraint de l'abandonner pour sauver sa peau. L'équilibre mental de la caporal Coggin n'avait, semblait-il, pas résisté à cet abandon inexpliqué et à l'idée d'avoir reçu de son amant une maladie honteuse à laquelle elle était beaucoup moins habituée que lui. Il avait entendu dire à Portland qu'une femme ressemblant à Rachel le cherchait, armée d'un revolver.

— J'avais tout le monde aux fesses, en dehors des clubs du troisième âge, et encore ce n'était pas sûr.

— Et quel enseignement avez-vous tiré de ces expériences, heu, à la Candide ?

— On croirait entendre Nur !

— Vous lui avez parlé ?

— Évidemment. Je connais tout le monde ici. Et pas qu'un peu.

— D'accord ; et alors, cet enseignement ?

— J'en ai conclu que j'avais été le jouet de la vie et que je ne le serais plus jamais. J'y ai veillé dans la Vallée : je me suis battu pour être le plus fort et je l'ai été. Si je me trouvais provisoirement en situation d'infériorité, je m'arrangeais pour reprendre le dessus le plus vite possible. J'en avais assez d'être celui qui reçoit les coups, celui qu'on exploite, alors...

– Personne ne vous persécute ici, si je ne m'abuse ? (Burton se leva.)

– Et personne ne s'y hasardera.

Williams sourit, avec une expression étrange où l'amusement le disputait à la méchanceté.

– Rasseyez-vous une minute, et je vous laisse partir. Est-ce que rien ne vous a intrigué au cours des deux semaines écoulées ? Ne vous a paru totalement inexplicable ?

Burton, plissa le front, répondit lentement :

– Non, je ne vois pas. Puis, haussant les sourcils : A moins que... si, je me suis creusé la cervelle... mais vous n'y êtes certainement pour rien... je me suis creusé la cervelle pour deviner qui avait ressuscité Netley, Gull, Crook, Stride et Kelly.

– Les protagonistes de l'affaire Jack l'Éventreur ?

Burton tenta de dissimuler son saisissement.

– Comment se fait-il que vous soyez au courant ?

– Oh, *je vous* ai regardé visionner leurs archives mémorielles !

Burton se dressa d'un bon, le visage cramoisi et convulsé de colère.

– Vous m'avez épié ! De quel droit avez-vous osé... ?

Williams, sans cesser de sourire, se leva à son tour.

– Doucement, mon vieux ! Si vous trouvez normal d'épier les autres, pourquoi les autres ne vous épieraient-ils pas ? Il n'y a pas deux poids et deux mesures.

Burton en demeura un instant pantois.

– Il y a une sacrée différence. J'observais des morts. Vous espionnez des vivants, vos voisins !

– N'avez-vous pas observé des vivants, depuis les pierres à graal disposées le long du Fleuve ?

– Vous avez souillé mon intimité !

– On ne peut pas souiller ce qui l'est déjà.

Williams souriait toujours, mais trahissait par sa posture qu'il se tenait prêt à repousser une agression.

– Brisons là. Vous ne m'avez pas encore expliqué pourquoi vous aviez pris l'initiative de ressusciter ces assassins pathologiques.

– Ces ex-assassins pathologiques, car ils ne le sont plus. Ma foi... j'étudie et je collectionne les croyants de différents types. J'ai commencé à m'y intéresser sur la Terre, où j'ai eu amplement affaire à eux : les marxistes... ce sont des croyants, bien qu'ils s'en défendent, les Black Muslims, l'Armée du Salut, les bouddhistes, les méthodistes du Sud. J'ai moi-même l'esprit religieux, encore que pas dans le sens traditionnel. C'est moi qui ai ressuscité les néo-chrétiens, les nichirénites, les deutérochancistes de Turpinville, ainsi que Gull, le Dowiste, auquel j'ai laissé le soin, dont il s'est acquitté, de rappeler ses condisciples à la vie. Et j'ai d'autres projets en vue.

Burton, ne sachant s'il devait le croire ou non, émit un grognement méprisant et quitta dignement la pièce.

— Ne partez pas furieux, Sir Richard ! lui lança Williams, en poussant un rire tonitruant.

27.

En gagnant l'ascenseur, Burton regarda derrière lui. Williams descendait l'escalier, en vue sans doute de rejoindre la foule des fêtards dans le « hall ». Le Noir leva les yeux et agita la main à travers les montants de la rampe. Il souriait de toutes ses dents, manifestement très content de lui. Avait-il dit la vérité ou affabulé ? Sur le Monde du Fleuve, hommes et femmes n'auraient dû avoir plus aucune raison de mentir : n'y étaient-ils pas libérés des sociétés et des institutions qui les avaient obligés, ou conduits à se croire obligés de se protéger derrière des images publiques ou privées artificiellement construites ? Mais la plupart d'entre eux paraissaient ne s'en être pas rendu compte ou éprouvaient du mal à se départir des anciennes habitudes devenues inutiles.

Grimper l'escalier n'en était pas moins une bonne idée. Burton avait besoin d'exercice. Franchissant l'angle du couloir, il passa devant l'ascenseur et se dirigea à grandes emjambées en direction des marches. La musique et les rumeurs de voix qui lui parvenaient encore dans l'autre portion du couloir se perdirent derrière lui. Le silence n'était plus brisé que par le bruit de ses pas. Mais, alors qu'il arrivait à la hauteur de la dernière porte avant la cage d'escalier, il crut entendre un cri aigu. Il s'immobilisa. Le son avait été si ténu qu'il pouvait s'agir d'un tour de son imagination. Non, il s'élevait de nouveau, derrière la porte semblait-il.

Les pièces étaient isolées, mais pas absolument insonorisées comme les murs de la tour. Il colla l'oreille contre le chêne de la porte, décoré de sculptures tarabiscotées. Les cris avaient cessé, mais un homme vociférait de l'autre côté de l'huis. Si les paroles n'étaient pas claires, le ton, lui, était nettement menaçant.

Burton tenta d'actionner la poignée ; elle tourna, mais la porte ne bougea pas. Il hésita. Peut-être les deux personnes qui se trouvaient dans la pièce, si elles n'étaient que deux, ne souhaitaient-elles pas du tout qu'on les dérange. Si elles lui reprochaient de se mêler d'une querelle d'amoureux qui ne le regardait en rien, ce serait embarrassant. D'un autre côté, il en fallait beaucoup pour l'embarrasser, et il ne se pardonnait pas d'avoir laissé commettre un crime qu'il aurait pu empêcher.

Il heurta violemment la porte, trois fois du poing et deux du pied. Un hurlement de femme retentit, aussitôt étouffé.

– Ouvrez, là-dedans ! ordonna-t-il en martelant de nouveau la porte.

Un homme brailla quelque chose comme : « Fous le camp, enculé ! », mais rien n'était moins sûr.

Burton tira son lance-rayons de sa veste et découpa un rond autour de la serrure. Quand il eut poussé la serrure et la poignée à travers le trou, il fit un pas de côté. Bien lui en prit ! Trois détonations retentirent et trois balles percèrent le bois épais du vantail. L'homme – à supposer que le tireur fût un homme – possédait une arme de fort calibre, vraisemblablement un 45 automatique. Burton rugit :

– Sortez sans arme, les mains sur la tête ! J'ai un lance-rayons !

L'homme lâcha une série de jurons et déclara qu'il tuerait quiconque essayerait d'entrer.

– Vous êtes fait comme un rat ! Sortez, les mains sur la tête !

– Tu peux...

Un choc sourd suivi d'un bruit lourd interrompirent la phrase. Puis la voix de Cuillère d'Étoile annonça, haut perchée et tremblante : « Je l'ai assommé, Dick ! »

Burton poussa la porte et fit irruption dans la pièce, le lance-rayons au poing. Un grand Noir nu gisait à plat ventre sur l'épais tapis d'Orient, l'occiput ensanglanté; une statuette en or maculée de sang reposait sur le sol à côté de lui.

Burton jura. La Chinoise était dévêtue; des contusions lui bleuissaient le visage et les bras; l'un de ses yeux commençait à enfler; ses habits en lambeaux parsemaient la pièce. Elle se jeta en pleurant dans ses bras, et il serra son corps secoué de sanglots contre le sien. Il la relâcha en voyant le Noir s'efforcer de se relever, s'empara du 45 automatique et l'abattit sur la nuque de l'homme. Celui-ci s'écroula sans une plainte.

– Qu'est-ce qui s'est passé?

Cuillère d'Étoile ne parvenait pas à parler; il la guida jusqu'à une table et lui versa un verre de vin. Elle le but, non sans s'en renverser la plus grande partie sur le menton et sur le cou. Sans cesser de pleurer, elle raconta d'une voix étranglée sa mésaventure, qui correspondait pour l'essentiel à ce qu'il avait deviné. Alors qu'elle approchait de l'escalier, l'homme était sorti devant elle de la pièce et lui avait demandé en souriant comment elle s'appelait. Elle lui avait répondu, puis tenté de poursuivre son chemin, mais il l'avait saisie par le bras. Il voulait s'amuser, disait-il. Il ne s'était encore jamais envoyé de Chinoise, et elle était sacrément mignonne. Et cetera.

Cuillère d'Étoile s'était débattue quand il l'avait entraînée dans la chambre; elle avait failli s'évanouir quand il l'avait embrassée, tant son haleine était chargée d'alcool. Quand elle avait voulu crier, il lui avait plaqué une main sur la bouche, puis, refermant la porte à la volée, il l'avait poussée si brutalement qu'elle était tombée par terre, et il lui avait arraché ses vêtements après avoir tourné le verrou.

Il l'avait déjà violée à trois reprises quand Burton était arrivé.

Burton ligota soigneusement le Noir, commanda au convertisseur un tranquillisant qu'il donna, avec un verre d'eau, à la jeune femme. Il porta ensuite celle-ci sous la douche dont il tint le rideau tiré tandis qu'elle se lavait, toujours tremblante et sanglotante.

Quand elle se fut séchée, il lui fit délivrer des vêtements par le convertisseur, l'aida à les enfiler, la déposa sur un sofa. Après quoi, il se servit de la console de l'Ordinateur pour appeler Turpin. Tom, quand il lui eut relaté les faits, fronça les sourcils et déclara: «Je vais m'occuper de ce salopard!» Regardant l'homme étendu par terre, il ajouta: «C'est

Crockett Dunaway. Un type impossible. Je l'avais à l'œil depuis quelque temps. Attendez-moi où vous êtes.»

Tom Turpin entra quelques minutes plus tard, suivi par ses hôtes. Alice, Sophie et Aphra se chargèrent aussitôt de Cuillère d'Étoile, qu'elles emmenèrent dans la pièce voisine. Turpin prit une seringue pleine d'adrénaline, en injecta le contenu dans la fesse de Dunaway. Au bout d'un instant, celui-ci gémit et se mit à quatre pattes. Ses yeux s'agrandirent quand il vit les autres. «Qu'est-ce que vous fichez là?» croassa-t-il.

Turpin ne répondit pas. Dunaway se releva, se dirigea en titubant vers une chaise, s'y assit, se pencha en se tenant la tête à deux mains.

— Mon vieux, j'ai un mal de caillou à passer l'arme à gauche!

— Ce n'est pas d'ça que tu vas mourir! répliqua durement Turpin.

Dunaway leva la tête, le fixa de ses yeux injectés de sang qui louchaient légèrement.

— De quoi tu parles? Cette salope m'a allumé et, quand j'lui ai filé c'qu'elle réclamait, elle s'est mise à gueuler au secours. On peut pas me reprocher *à moi* c'que c'te pute aux yeux bridés a fait. Elle doit avoir entendu son mec arriver, alors elle a joué les effarouchées pour se tirer d'affaire.

— Elle ne pouvait pas m'entendre arriver, contra Burton. Je ne faisais pas le moindre bruit dans le couloir. Si je n'avais pas perçu ses cris, j'aurais continué mon chemin sans m'arrêter. Tu es coupable, mon vieux, ça ne fait pas l'ombre d'un doute.

— Je jure devant Dieu que j'le suis pas! C'est c'te garce qui m'a demandé de lui donner du bon temps.

— Inutile de discutailler, trancha Turpin. Il nous suffit de visionner tes souvenirs pour savoir la vérité.

Dunaway gémit et fonça comme un boulet de canon vers la porte; mais ses jambes le trahirent et il s'effondra sur le sol.

— Tiens, tiens! dit Turpin. C'est bien ce que je pensais. Dunaway, personne ne viole impunément ici. Ton compte est bon!

Dunaway leva la tête, la salive dégoulinant de sa bouche ouverte.

— Non, je jure...

Turpin ordonna à ses deux gardes du corps d'installer Dunaway sur une chaise devant la console de l'Ordinateur.

— Nous serons fixés dans quelques minutes.

Dunaway tenta de résister, mais les coups reçus l'avaient

affaibli. On l'assit sur la chaise et l'un des gardes du corps pria l'Ordinateur d'extraire et de projeter ses souvenirs de l'heure écoulée. Il assista en bégayant de terreur au spectacle de son crime.

– Je vais non seulement te tuer, affirma Turpin, mais encore détruire ton enregistrement corporel. Tu n'auras plus jamais l'occasion de violenter une femme. Tu es foutu, Dunaway !

Le faisceau du lance-rayons de Turpin coupa court aux cris du malheureux qui se renversa sur la chaise, la tête percée de part en part par un minuscule trou aux bords cautérisés.

– Balancez-le dans le convertisseur et incinérez-le ! ordonna Turpin à ses sbires.

– As-tu réellement l'intention de détruire son enregistrement ? s'enquit Nur.

– Pourquoi pas ? Ce type ne s'amendera jamais !

– Tu n'es pas Dieu.

Turpin se renfrogna, puis se mit à rire.

– Tu es un fin renard, Nur. Il y a si longtemps que tu me rebats les oreilles de ton prêchi-prêcha philosophique que je ne sais plus où j'en suis. OK. Donc, je ne le détruis pas ? Alors, il retourne dans la Vallée et il rosse et viole d'autres femmes. Tu veux avoir ça sur la conscience ?

– Dans leur sagesse, les Éthiques ont prévu que même le plus mauvais des hommes vivrait jusqu'à la fin du projet. Sans exception. J'ai confiance en eux : ils devaient savoir ce qu'ils faisaient.

– Ah oui ? S'ils étaient si malins que ça, pourquoi Loga les a-t-il baisés ? Pourquoi n'ont-ils organisé aucune parade contre un individu de son espèce ? Il a bouleversé leurs plans et le déroulement du programme.

– Je ne suis pas certain qu'ils n'aient pas organisé de parade contre un individu de son espèce, rétorqua posément Nur.

– Ça t'ennuierait pas de t'expliquer ?

– Je n'ai pas d'explication pour l'instant.

Tom Turpin alluma sans se presser un gros cigare avant de concéder :

– C'est bon, je me range à ton avis. Jusqu'à un certain point. Pour le moment, personne ne ressuscite dans la Vallée, Dunaway ne peut donc faire aucun mal. Mais quand... si... l'Ordinateur recommence à renvoyer les morts là-bas, ce fumier n'y retournera pas avant que j'en donne l'ordre exprès. Si je le donne, je ne sais pas au juste ce que je ferai quand l'heure de la décision viendra.

— Il y a des millions de Dunaway qui attendent comme des hyènes en cage d'être relâchés, dit Burton. A quoi servirait-il d'en juger un seul ?

— C'est ta femme qui a été violée !

— Elle ne m'appartient pas, et je n'ai pas à parler pour elle. Pourquoi... puisque c'est elle la victime... pourquoi ne pas la laisser trancher ?

Alice qui, arrivant de la chambre à coucher, avait entendu cette dernière phrase, s'exclama :

— Eh bien, Dick ! Elle ne t'appartient pas et tu n'as pas à parler pour elle ? Est-ce bien Richard Burton qui s'exprime ainsi ? Tu *as* changé !

— Probablement.

— Dommage que tu ne l'aies pas fait avant et non après notre séparation. Ce n'est guère flatteur pour moi, tu sais : il y a très peu de temps que tu vis avec cette Chinoise, et elle t'a déjà métamorphosé.

— Elle n'y est pour rien.

— Qui t'a transformé alors ? Dieu ? Oh, tu es impossible !

— Comment va-t-elle ? s'inquiéta Nur.

— Aussi bien qu'on peut l'espérer après... ça. Aphra, Sophie et moi allons prendre soin d'elle pendant quelques jours. Tu n'y vois pas d'inconvénient, Dick ?

— Bien sûr que non ! répondit Burton avec un soupçon de raideur. C'est très généreux... très gentil de votre part.

Cuillère d'Étoile s'était endormie sous l'effet d'un calmant recommandé par l'Ordinateur. Burton et Frigate la transportèrent sur un brancard jusqu'à une entrée latérale et l'installèrent à l'arrière d'une énorme automobile à vapeur Dobler, que Turpin pilota le long de la route sinueuse conduisant à l'entrée de son domaine. Là, Burton transféra la Chinoise dans son fauteuil volant pour parcourir, en la tenant sur ses genoux, la courte distance les séparant de l'orée de son propre univers, puis le long trajet aboutissant au palais des mille et une nuits qui en occupait le centre. Les autres le suivirent. Après avoir déshabillé et couché leur amie, Alice et Sophie rejoignirent les hommes.

— Elle devrait avoir récupéré quand elle se réveillera, dit

Sophie. Physiquement. Mentalement et moralement, c'est autre chose...

Les femmes garderaient Cuillère d'Étoile à tour de rôle; elles appelleraient Burton dès qu'elle s'éveillerait. Celui-ci protesta que cela n'était pas nécessaire. Il resterait assis à son chevet jusqu'à ce qu'elle ouvre un œil et s'emploierait alors à la réconforter de son mieux.

– Laissez-nous quelque chose à faire, supplia Sophie.

Burton ne put que céder. Il comprenait la raison de cette insistance. Les femmes se sentaient très proches de Cuillère d'Étoile parce qu'elles avaient été, elles aussi, violées plus d'une fois. Elles éprouvaient aussi le besoin de s'occuper d'elle, besoin qui correspondait à une sorte de compulsion naturelle.

– Des infirmières-nées! glissa-t-il à Frigate.

– Les veinardes!

L'Américain ne plaisantait pas. Il enviait ceux qu'animait le désir de se dévouer aux autres.

Cuillère d'Étoile se leva assez tôt pour le petit déjeuner. Elle ne but qu'un peu de thé et ne mangea qu'un petit morceau de gâteau, mais démontra qu'elle allait mieux en prenant part à la conversation. Elle paraissait contente d'avoir la compagnie de ses trois amies, qui réussirent même à la faire rire à plusieurs reprises. Elle refusa cependant que Burton la prenne dans ses bras et, quand il tenta de bavarder avec elle, ne lui répondit que par des monosyllabes ou des mouvements de tête.

Les femmes partirent au bout de deux jours. Cuillère d'Étoile cessa aussitôt de fixer longuement le vide pour s'engager activement dans diverses recherches à l'aide de l'Ordinateur.

– Elle se replie, expliqua Burton à Nur et à Frigate, mais pas uniquement sur elle-même. On dirait qu'elle cherche à s'ensevelir dans le travail qu'elle effectue avec l'Ordinateur. Si je lui parle, elle interrompt ses mystérieuses activités – car elle n'est pas très diserte non plus sur ce sujet – pour m'écouter. Mais j'ai passé des heures, des jours à essayer en vain de la ramener à son état normal.

– Elle avait pourtant déjà été violée auparavant, s'étonna Frigate.

– Le dernier viol a peut-être été l'ultime blessure dont on ne se remet pas; le coup de grâce, en somme.

Burton leur cacha qu'elle s'était animée et avait exprimé un intérêt authentique quand il lui avait demandé quel sort elle désirait réserver à Dunaway. Elle ne souhaitait pas détruire son enregistrement corporel ; ce salopard avait certainement mérité la damnation, mais elle ne pouvait se résoudre à l'y vouer. Il fallait le punir dans la mesure où cela lui servirait de leçon – ce qui était improbable. En définitive, elle allait renoncer à toute idée de punition ou de vengeance. Le mieux pour elle était d'oublier ; malheureusement, elle n'y parvenait pas. Son visage avait recouvré son aspect morne, sa voix son timbre neutre, et elle avait sombré de nouveau dans le mutisme.

Nur s'entretint avec elle. Il avoua n'avoir pas trouvé le levier qui la forcerait à s'entrouvrir et à laisser pénétrer un peu de lumière jusqu'à son âme, noyée de ténèbres. Il espérait qu'elle ne demeurerait pas définitivement ainsi.

– Mais tu ne sais pas si... elle ne le demeurera pas ? s'enquit Burton.

– Personne ne le sait. En dehors d'elle-même, peut-être.

Burton était frustré et, par conséquent, furieux. Ne pouvant s'en prendre à Cuillère d'Étoile, il déchargea sa colère sur Frigate et Nur. Comprenant ce qu'il ressentait, ils supportèrent d'abord patiemment ses invectives. Puis Nur déclara qu'il le reverrait quand il serait redevenu raisonnable. Frigate se jugea apparemment capable d'endurer plus longtemps l'épreuve, soit en souvenir du bon vieux temps, soit parce quelque part en lui-même il jouissait de ces coups de fouet verbaux. Une heure après le départ de Nur, il se leva de sa chaise, projeta son verre à demi plein contre le mur et s'en alla.

Cuillère d'Étoile entra quelques minutes plus tard. Elle contempla le whisky renversé, la mine sombre de son amant et, à la stupéfaction de celui-ci, vint l'embrasser sur les lèvres.

– Je vais beaucoup mieux, dit-elle. Je crois pouvoir être la femme enjouée que tu désires, et que je veux être. Je ne te donnerai plus aucun motif d'inquiétude dorénavant. Sauf que...

– Je suis très heureux. Il y a encore quelque chose qui te tracasse ?

– Je... je ne suis pas encore prête à faire l'amour avec toi. J'aimerais bien, mais je ne peux pas. Je suis persuadée que le moment viendra où je pourrai de nouveau, sans la moindre. réticence. Il faut simplement que tu sois patient.

– Comme je te l'ai dit, je suis très heureux. J'attendrai.

Mais tout ceci est tellement soudain ; qu'est-ce qui a provoqué cette métamorphose ?

— Je l'ignore. C'est arrivé comme ça.

— Comme c'est étrange ! Peut-être ce mystère s'éclaircira-t'il un jour ? Dans l'intervalle, ça ne t'ennuierait pas qu'on s'embrasse un peu plus longtemps ? Je te promets de ne pas perdre la tête !

— Bien sûr que non !

La vie, pour Burton, reprit le cours qu'elle suivait avant le viol de Cuillère d'Étoile. Celle-ci se montrait plus bavarde, voire agressive durant les réceptions. Verbalement agressive, en ceci qu'elle était plus encline à discuter, à exposer son point de vue. Elle consacrait toutefois autant d'heures à l'Ordinateur qu'au plus fort de sa dépression. Burton ne s'en inquiétait pas. Il avait ses propres projets.

28.

Tous les êtres humains, songea Nur, rapportaient que le temps leur avait paru s'écouler beaucoup plus lentement dans leur enfance, pour s'accélérer un peu à l'orée de l'adolescence, encore un peu durant celle-ci, et plus encore à l'entrée dans l'âge adulte. A soixante ans, ce qu'on avait perçu dans sa jeunesse comme un cours d'eau lent et calme, un fleuve cheminant tranquillement entre des berges écartées, se transformait en torrent rugissant ; à soixante-dix ans, en ressaut dont l'eau-temps dévalait ; à quatre-vingts, en une cascade imposante qui disparaissait par-dessus le bord de la vie, du gouffre qui s'ouvrait à vos pieds, et dans lequel le temps se ruait comme s'il aspirait à se détruire. Et à vous détruire par la même occasion.

Quand on était un vieil homme ou une vieille femme de quatre-vingt-dix ans et qu'on regardait derrière soi, l'enfance vous semblait être une longue, longue, longue grand-route se perdant dans un horizon incroyablement lointain. Mais les quarante dernières années... comme elles avaient été courtes, et promptes à s'enfuir !

Puis on mourait, et on se réveillait au bord du Fleuve doté

du corps de ses vingt-cinq ans, amélioré par la suppression de tous les défauts qu'il présentait alors. Il semblait qu'ayant retrouvé la jeunesse, le temps vous apparaîtrait de nouveau comme un fleuve paresseux, l'enfance moins éloignée dans vos souvenirs et moins longue qu'avant d'avoir recouvré vos vingt-cinq ans.

Eh bien non ! Votre organisme juvénile contenait un cerveau jeune quant aux tissus, mais vieux quant à la mémoire et à l'expérience. Si vous étiez mort à quatre-vingts ans sur la Terre et aviez vécu quarante années sur le Monde du Fleuve, ce qui portait votre âge réel à cent vingt ans, alors le temps était une série de rapides qui vous charriaient, vous pressaient, vous bousculaient. Avance, avance sans répit, disait-il. Tu n'as pas le droit de te reposer. Tu n'en as pas le loisir. Moi non plus, d'ailleurs.

Le corps de Nur comptait au total cent soixante et une années d'existence. Aussi, quand il se retournait sur son enfance, la voyait-il d'une longueur sans cesse plus grande. Plus il vieillissait, plus elle s'étirait. S'il vivait jusqu'à mille ans, elle lui paraîtrait avoir duré sept cents ans, le début de sa maturité, deux cents, sa pleine maturité, cinquante-neuf, tandis qu'une année seulement aurait passé depuis.

Ses compagnons avaient évoqué à l'occasion ce phénomène, sans s'y attarder. A sa connaissance, il était le seul à y avoir réfléchi. Il avait sursauté en entendant Frigate affirmer qu'ils ne séjournaient dans la tour que depuis quelques mois. En réalité, ils y étaient depuis sept mois déjà. Burton avait, à l'en croire, tergiversé quelques semaines avant d'emménager dans son univers privé. Or, il lui avait fallu deux mois pour s'y décider.

Ce qui contribuait à leur – et à lui – rendre insensible le passage du temps était l'absence de calendrier. Ils auraient pu enjoindre à l'Ordinateur d'afficher tous les matins la date sur le mur, mais ils avaient négligé de le faire en ces lieux où le temps était aussi dépourvu de signification que pour les Lotophages d'Homère. S'ils avaient disposé d'un point de repère chronologique, ils auraient marqué de l'étonnement quand Turpin avait annoncé qu'il fêtait Noël.

C'était cette ignorance du passage du temps, cette tendance suramplifiée à tout remettre au lendemain, qui les avaient conduits à différer ce qu'ils brûlaient de faire au début : ressusciter ceux de leurs camarades qui avaient péri durant le voyage, Joe Miller le titanthrope, Loghu, Kazz l'homme de Néanderthal, Tom Mix, Umslopogaas, John Johnston et tant d'autres. Tous ces morts avaient bien mérité de séjourner dans la tour, et les huit qui avaient réussi à en forcer l'accès étaient décidés à les y transférer. Ils en parlaient parfois, pas très souvent, mais avaient toujours une bonne raison de renvoyer la chose à plus tard.

Nur, lui, était inexcusable de s'être laissé emporter avec eux dans le bief qui desservait le moulin à eau du temps. Lui aussi avait négligé cette tâche primordiale. Il était vrai que ses différentes recherches l'avaient particulièrement accaparé, mais il n'aurait fallu à l'Ordinateur qu'une demi-heure pour localiser ces vieux compagnons – dans la mesure où on pouvait les localiser – et quelques minutes pour organiser leur résurrection.

Si nous vivions un million d'années, est-ce que notre enfance nous paraîtrait avoir duré sept cent cinquante ans ? Et les deux cent cinquante dernières années un siècle seulement ? L'esprit pouvait-il se jouer à lui-même un tour aussi gigantesque ?

Considéré objectivement, le temps s'écoulait toujours à la même vitesse. Une machine qui enregistrerait au jour le jour les activités des habitants de la Vallée constaterait qu'ils disposaient quotidiennement du même nombre d'heures pour les exécuter. Mais le temps ne se serait-il pas accéléré à l'intérieur de ces gens ? N'accompliraient-ils pas un peu moins de choses chaque jour ? Peut-être pas en ce qui concernait les actes physiques tels que manger, se baigner, faire de la gymnastique et cætera, mais sur le plan mental et émotionnel ? Les processus correspondants ne seraient-ils pas ralentis ? Et aussi le progrès spirituel que les Éthiques leur avaient ostensiblement assigné comme objectif ? Dans ce cas, les Éthiques auraient dû leur octroyer plus d'un siècle pour atteindre le niveau de quasi-perfection morale et spirituelle requis afin de passer de l'autre côté.

Cette limite d'un siècle se justifiait toutefois par une raison pratique incontournable. L'énergie nécessaire pour remplir les graals, alimenter la tour et ressusciter les morts provenait de la chaleur dégagée par le noyau de ferronickel en fusion de la planète. La quantité d'énergie disponible était énorme, mais la dépense ne l'était pas moins. Les Éthiques avaient sans doute calculé que les réserves étaient juste suffisantes pour qu'ils accordent un siècle aux deux groupes d'humains ayant vécu respectivement de l'an cent mille avant à l'année 1983 après Jésus-Christ, et postérieurement à 1983. Au rythme où les convertisseurs thermoniques absorbaient la chaleur, deux siècles de consommation refroidiraient le noyau au point qu'il ne serait plus en mesure de répondre aux besoins.

Loga, l'Éthique, n'avait jamais évoqué ce problème d'énergie. Il le connaissait certainement et cela avait dû l'angoisser et le culpabiliser. Quand il y avait songé, Nur avait demandé à l'Ordinateur de lui indiquer la quantité d'énergie nécessaire pour l'exécution des deux programmes, et la réponse avait été conforme à son attente : oui, même le noyau actuellement rougi à blanc de cette planète légèrement plus grande que la Terre s'assombrirait d'ici à deux siècles.

Les ascendants, les frères, sœurs et cousins de Loga vivaient toujours dans la Vallée. Tous avaient été tués au moins une fois et aucun n'était passé de l'autre côté. Si Loga avait bouleversé le cours du projet, neutralisé les autres Éthiques et leurs agents, c'était afin d'allonger le délai imparti à ses parents ; et de leur permettre ainsi, espérait-il, d'atteindre le niveau voulu pour passer de l'autre côté.

Cela ne signifiait pas, cependant, que le premier projet dût obligatoirement se prolonger au-delà des cent années fixées. Loga aurait pu sauver les siens en garantissant que leur enregistrement corporel ne serait pas effacé et que leur *wathan* dériverait librement jusqu'à la fin de l'univers, si ce n'était plus longtemps. Il aurait pu respecter le calendrier fixé pour l'exécution des deux projets en ne leur apportant qu'une modification mineure : donner à ses parents la possibilité de rester dans la Vallée en même temps que le deuxième groupe d'humains et de jouir ainsi d'un siècle supplémentaire.

Alors, pourquoi Loga ne s'était-il pas simplement arrangé pour que l'Ordinateur ne révèle pas qu'un certain nombre de personnes survivaient après la date à laquelle elles étaient censées disparaître ? Il l'avait amené à commettre des irrégularités bien plus graves !

Il n'avait probablement pas voulu tenter sa chance sur un seul point mineur – encore qu'essentiel à ses yeux. Il lui fallait acquérir une maîtrise totale des événements, même si cela accroissait considérablement le risque. Il savait qu'un an ou deux avant le terme du premier projet, un vaisseau spatial arriverait du Monde-Jardin avec, à son bord, l'équipe d'Éthiques chargée du second projet et les enregistrements corporels des Terriens intéressés. Pour éviter que les nouveaux venus ne contrarient ses plans, il avait dû faire en sorte qu'ils soient capturés ou tués quand ils débarqueraient sans méfiance à l'intérieur du hangar.

Quelqu'un avait malheureusement éliminé Loga et effacé son enregistrement corporel.

Qui ? Tous les indices accusaient la Mongole que Nur avait abattue. Mais ces indices étaient maigres. Le Maure n'avait pas la moindre idée de la façon dont cet agent avait pénétré dans la tour, du rôle qui lui incombait ou lui aurait incombé, et il ignorait même si elle ne se dissimulait pas toujours quelque part dans le bâtiment.

Nur et ses compagnons devaient en principe rechercher la solution de ce mystère jusqu'à ce qu'il soit éclairci. Il semblait que le Maure fût le seul à s'en être soucié. Les pouvoirs et les plaisirs que leur procurait la tour occupaient trop les autres. Ils avaient indubitablement eu l'intention de percer l'énigme, mais ne s'étaient pas rendu compte de la rapidité à laquelle le temps passait.

Nur se demanda s'il valait la peine de leur signaler cette négligence. Les efforts qu'il avait lui-même déployés en vue de tirer la chose au clair avec l'aide de l'Ordinateur n'avaient abouti à rien. Pourquoi les autres seraient-ils plus heureux que lui ?

Pourtant, c'était Alice Hargreaves qui avait trouvé le moyen de circonvenir l'Ordinateur peu après leur entrée dans le labyrinthe magique constitué par cette tour, formant elle-même partie dudit Ordinateur. Pas lui, Nur, ni aucun des autres Terriens. Il savait pourtant, pour les avoir observés, que résoudre le mystère ne leur paraissait nullement urgent. En fait, rien ne leur paraissait urgent désormais, si ce n'était de jouir des trésors dispensés par l'Ordinateur, dont ils ne se pressaient même pas de profiter intégralement.

En quoi ils avaient tort. Nur voyait une nouvelle crise poindre rapidement à l'horizon. Li Po en avait semé le germe quand il avait procédé à des résurrections sans se préoccuper vraiment de ce qui en résulterait. Turpin avait alors rappelé à la vie un tas de gens qu'il avait fréquentés sur la Terre et quelques-uns de ceux qu'il avait connus dans la Vallée. Ceux-ci avaient à leur tour ressuscité les êtres qu'ils souhaitaient avoir auprès d'eux, et cætera. Turpinville était déjà surpeuplée et Turpin décidé à expulser les nouveaux arrivants. Qui s'en ficheraient : ils n'auraient qu'à s'installer dans l'un des univers ou des appartements inoccupés et à y poursuivre le processus de peuplement.

La plupart des « invités » n'avaient jamais entendu parler des ordinateurs, même pas des modèles primitifs aux capacités limitées que la technologie de la Terre avait produits. Ils se trouvaient d'un seul coup aux commandes d'une machine qui les transformait, dans un sens, en demi-dieux. Demeurant malgré tout des humains, il était fatal que beaucoup d'entre eux fissent un mauvais usage de leurs pouvoirs quasi divins, soit par inadvertance, soit volontairement. Williams, par exemple, s'était simplement livré à une méchante plaisanterie en ressuscitant les personnes impliquées dans les meurtres de Jack l'éventreur. Il n'en résulterait probablement aucune conséquence fâcheuse, bien que Netley risquât d'abuser de son pouvoir. Les autres semblaient très convenables. Gull était régénéré, selon la curieuse phraséologie chrétienne, et les trois femmes n'étaient ni méchantes, ni ambitieuses. Il n'en irait peut-être pas de même des hommes qu'elles s'étaient ressuscités... Et puis, beaucoup de ceux qui hantaient maintenant Turpinville n'avaient guère changé depuis l'époque où ils vivaient sur la Terre. Une ville pleine d'anciens maquereaux, putains, trafiquants de drogue, hommes de main et assassins donnait froid dans le dos ; d'autant plus que ces malfrats pouvaient se servir de l'Ordinateur.

Nur avait en vain tenté de faire saisir à ses compagnons que l'Ordinateur était le génie libéré de sa bouteille ou l'afrite affranchi des contraintes du sceau de Salomon. Ou, comme Frigate l'avait dit, un monstre de Frankenstein muni d'une carte de crédit illimité. Quelqu'un qui utilisait ces pouvoirs risquait de s'apercevoir soudain que quelqu'un d'autre les utilisait contre lui. On ignorait encore jusqu'où allaient les capacités de l'Ordinateur. Pour s'en servir sans danger, il fallait découvrir tout ce qu'il était capable de faire, et ceci exigerait beaucoup, beaucoup de temps.

Par exemple, Burton n'avait pas imaginé qu'on pourrait l'observer pendant qu'il observerait les héros de l'affaire Jack l'éventreur. S'il l'avait imaginé, il aurait interdit, au moyen d'un blocage, à quiconque de l'espionner. Une fois averti de cette possibilité, il avait intimé à l'Ordinateur de le défendre contre toute indiscrétion lorsqu'il ferait appel à lui. Mais la mesure venait un peu tard. Cinq individus dont l'un, Netley, constituait un danger potentiel, avaient été transférés dans la tour. De plus, si Williams y avait songé, il pouvait avoir enjoint à l'Ordinateur de ne pas respecter les consignes que Burton lui donnerait touchant les indiscrets et de ne pas l'en prévenir.

Le premier qui s'adressait à l'Ordinateur avait barre sur les suivants.

Seul celui qui apprenait la liste de tout ce que l'Ordinateur pouvait faire était capable d'assurer sa propre protection. Et celle des autres. A condition qu'un tiers ne se soit pas déjà réservé des circuits de commande exclusifs.

Nur avait l'intention d'établir cette liste, de l'apprendre par cœur, puis de veiller à ce que l'Ordinateur refuse d'exécuter les ordres de quiconque pourrait mésuser de certains pouvoirs. Cela lui conférerait à lui-même un pouvoir supérieur à celui de n'importe qui d'autre dans la tour, mais il savait qu'il n'en userait pas à des fins mauvaises.

Pour le moment, il avait d'autres chats à fouetter. Les heures qu'il allouait quotidiennement au travail étaient épuisées. Il devait aller maintenant dîner avec la femme qu'il avait ressuscitée : son épouse terrestre dont les longs voyages qu'il avait accomplis dans sa recherche du savoir et de la Vérité l'avaient souvent éloigné. Il avait à son égard une dette immense dont il lui était aujourd'hui possible de s'acquitter.

29.

Alice choisit de donner son « Thé de fous » le premier avril, jour des farces.

Ce serait en même temps une fête d'adieux, non pour elle, mais pour le thème de son univers et ses androïdes. Lasse du *Pays des Merveilles* et *De l'autre côté du miroir*, elle avait décidé de changer de décor. Après l'avoir laissé voir une dernière fois à ses invités, elle prierait l'Ordinateur de le remplacer en grande partie par elle ne savait encore au juste quoi. Pour l'instant, déclara-t-elle, elle avait quelques idées, mais elle espérait que ses hôtes lui en suggéreraient d'autres au cours de la réception.

Il lui fallut d'abord établir la liste des invitations et cela se révéla immédiatement épineux. Elle entendait ne convier que ses sept amis et leurs compagnes. Li Po déclara vouloir amener toutes ses «épouses». Elle lui dit préférer qu'il n'en amène qu'une seule, par exemple celle dont ce serait le tour de partager sa couche le premier avril. Li Po répliqua que ses autres femmes et ses amis seraient vexés de ne pas être invités eux aussi. Après tout, elle disposait d'assez de place pour accueillir la petite suite dont il souhaitait s'entourer, soit approximativement une centaine de personnes. Les quarante sages (devenus cinquante) et leurs charmantes maîtresses étaient tous parfaitement bien élevés. Ils seraient peut-être légèrement turbulents, mais Alice désirait certainement que sa fête soit animée, n'était-il pas vrai ?

Alice se montrait parfois têtue comme une mule. Mais elle aimait beaucoup Li Po, tout en estimant qu'il manifestait un penchant excessif pour la boisson et le libertinage. De plus, le Chinois était divertissant et il semblait fermement décidé à venir escorté de sa bande. Elle finit donc par céder et lui donner carte blanche.

Frigate déclara que Sophie et lui-même seraient ravis d'assister à la réception. Toutefois, Sophie, qui avait l'esprit grégaire, avait ressuscité dix hommes et dix femmes, avec son autorisation, bien sûr. C'étaient d'excellents amis qu'elle avait fréquentés à New York, Los Angeles, et, chose incroyable, prière de ne pas rire, à Kalamazoo, Michigan.

Éberluée, Alice demanda ce qu'il y avait de drôle là-dedans. Frigate soupira.

– Kalamazoo, de même quelques autres noms de villes américaines tels que Peoria, Podunk et Burbank-centre, ont pris une connotation risible, s'emploient de manière facétieuse, en guise de plaisanterie. Comme Gotham en Angleterre à la fin du Moyen Age, Schildburg en Allemagne, Chelm dans les blagues yiddish, ou la Béotie de la Grèce Antique. Quoique, à la différence de celles-ci, Kalamazoo et les autres villes américaines que j'ai citées...

Alice, qui l'avait écouté poliment, l'interrompit.

– Tu t'apprêtais à me demander d'inviter les amis de Sophie, si je ne me trompe ? Oui, ils seront les bienvenus, puisqu'ils ne sont que vingt.

Frigate la remercia, mais elle perçut une certaine réticence dans sa voix. Si Sophie avait l'esprit grégaire, il l'avait, lui, non pas anti, mais a-grégaire. Il s'était sans aucun doute réjoui de ce que Sophie et lui eussent désormais de la compagnie, mais il commençait à se sentir un peu envahi et privé de liberté. Il n'avait jamais les coudées suffisamment franches à son goût.

De Marbot et Behn exprimèrent également le souhait d'amener les gens qu'ils venaient de ressusciter. Alice accepta, mais c'est en poussant un gros soupir qu'elle éteignit l'écran. Elle prévoyait au départ recevoir une trentaine de personnes. Elle en était déjà à cent trois...

Burton, au moins, ne posa pas le même genre de problème. Cuillère d'Étoile et lui n'avaient encore ressuscité personne.

– Au fait, dit Alice, il y aura une surprise.

– Pour tout le monde, ou juste pour moi ?

– Oh, pour tout le monde, encore qu'elle t'intéressera plus particulièrement.

– Je te connais, Alice, dit-il avec ce sourire qui lui donnait si souvent un air méphistophélique. Je lis sur ton visage. Tu n'as pas plutôt prononcé cette dernière phrase que tu l'as regrettée. Tu en as eu honte. En quoi consiste-t-elle, ta surprise ? Un nouvel amant ?

– Va au diable ! cracha Alice, en interrompant aussitôt la communication. Elle avait décidément bien changé. Jamais, jamais, fût-ce au paroxysme de la colère, elle n'aurait apostrophé quelqu'un de la sorte sur la Terre. Pas même son époux.

Après avoir fait un instant les cent pas afin de se calmer, elle appela Nur.

– Bonjour, Alice. Quel plaisir que de te voir. Pourrais-tu me rappeler dans un moment ? Je suis en conversation avec Turpin. Il... Non, rien.

– Désolée de vous interrompre. Mais je voulais seulement... D'accord. Je te rappelle dans une demi-heure.

Se mordillant les lèvres, elle débattit avec elle-même si elle devait ou non inviter William Gull et ses Dowistes. N'avait-il pas été le médecin privé de la reine Victoria et baronet ? Allons, il y avait pourtant longtemps qu'elle s'était débarrassée des préjugés de classe auxquels elle avait obéi sur la Terre et, durant pas mal de temps, sur le Monde du Fleuve : elle ne devait tenir aucun compte des hautes relations de cet homme. D'autant plus qu'il s'agissait d'un assassin qui avait mutilé ses victimes. Oui, mais il s'était repenti et exerçait les fonctions de diacre au sein de l'Église dowiste. Elle n'avait pas le droit de se laisser influencer par un passé qu'il avait abjuré, elle qui, sans plus adhérer au christianisme, s'efforçait néanmoins de se conduire chrétiennement. Gull était un brillant causeur quand il ne sombrait pas dans le prosélytisme. Ce qu'il devenait casse-pieds alors ! Mais elle interdirait aux Dowistes de vanter leur religion s'ils assistaient à la fête.

Pour finir, elle appela Gull, qui accueillit son invitation avec un plaisir presque pathétique.

– J'invite aussi Annie Crook, Elizabeth Stride et Marie Kelly, l'informa-t-elle. Cela ne modifie pas votre décision ?

– Non, bien sûr que non. Je n'ai pas à vous dicter le choix de vos hôtes. D'ailleurs, madame Stride et moi nous nous entendons bien maintenant, en dehors de quelques divergences dans le domaine théologique. Mesdames Crook et Kelly me battent froid, ce qui est compréhensible, mais j'espère venir un jour à bout de leur aversion. Je vous promets de ne rien faire qui puisse gâcher votre réception.

Alice invita alors les trois femmes qui s'en déclarèrent enchantées et sollicitèrent la permission d'amener leurs chevaliers servants. Elle ne put qu'acquiescer en souriant, bien que la perspective de recevoir ces hommes lui fût désagréable. Bon, voici qui faisait donc cent cinquante et un, puisque Gull, en sus de sa femme, amènerait trente-deux personnes, Stride et Crook chacune un homme et que Kelly en aurait, comme d'habitude, un à chaque bras.

Quand elle rappela Nur, elle le trouva libre. Il la remercia de son invitation à laquelle Ayesha et lui seraient heureux de se rendre. Il venait d'avoir une conversation des plus sérieuses avec Tom Turpin. L'un et l'autre se tourmentaient au sujet des deux femmes enceintes. La première accoucherait dans quatre mois, la seconde quinze jours plus tard.

– Tom leur a expliqué maintes fois que les bébés seraient dépourvus de *wathan*. Il n'existe aucun moyen d'en fabriquer ici, car les Éthiques n'envisageaient pas qu'on y procrée. J'ai demandé à l'Ordinateur s'il détenait les plans d'un générateur de *wathans* et il a répondu qu'il ne possédait rien de tel dans ses archives. Cela signifie, comme tu t'en souviens sans doute, qu'en l'absence de *wathan* les bébés seront privés de conscience individuelle. Extérieurement, ils se comporteront exactement comme les autres. En réalité, ce ne seront que des machines biologiques ; des machines très perfectionnées, mais des machines quand même.

– Oui, je sais. Mais que pouvons-nous faire ?

– Que ces femmes veuillent porter et élever ce qui équivaudra à des androïdes ne regarderait qu'elles *si* la chose se bornait là. L'ennui, c'est que leur exemple risque d'être contagieux et que cette tour finira par être pleine de gens dont une bonne partie seront sans âme. Qu'adviendra-t-il quand il n'y aura plus assez de place pour tout le monde ? La guerre, la souffrance, la mort. Je n'ai pas besoin de te mettre les points sur les i.

– Oui, mais...

– Turpin les a menacées de les chasser si elles gardaient leurs enfants. Elles s'en fichent. Elles iront tout bonnement habiter un appartement avec leurs hommes. Mais ce petit incident aura de graves conséquences. Quelqu'un... nous... doit intervenir énergiquement pour mettre un terme à cette histoire et éviter qu'elle se reproduise jamais.

– Tu veux dire... tuer les bébés ?

– Aussi désagréable et pénible que soit cette perspective, il n'y a pas d'autre solution. Comme je te l'ai dit, ces bébés ne seront en réalité que des androïdes et on ne devrait pas se sentir plus coupable de les détruire que de détruire l'un de ceux-ci. L'androïde a une apparence totalement humaine et se conduit comme un humain, jusqu'à un certain point. Mais il n'a pas de conscience individuelle ; il lui manque ce qui est l'essence de l'*Homo sapiens*. On ne peut pas permettre aux bébés de grandir ; il faut les éliminer avant qu'ils soient en mesure de comprendre ce qui se passe.

Alice n'ignorait pas que leur mort serait instantanée et indolore. On les placerait à l'intérieur d'un convertisseur qui les atomiserait en une microseconde. L'idée ne l'en horrifia pas moins.

Cette horreur, le bon Nur la partageait certainement. Mais il savait ce qu'il fallait faire et il le ferait. Si Turpin ne réussissait pas à faire exécuter la tâche, il s'en chargerait.

– Si nous avions un générateur de *wathans*, reprit le Maure, j'exigerais... et je crois que tout le monde ou presque me soutiendrait... que ces deux enfants soient l'exception. Nous veillerions à ce qu'ils aient des *wathans*, mais aussi à ce qu'aucun autre bébé ne naisse. Toute femme qui utiliserait l'Ordinateur afin de se rendre fertile serait tuée et son corps conservé dans les archives jusqu'au jour... si ce jour arrive... où l'Ordinateur se mettra de nouveau à ressusciter les morts dans la Vallée. Tout homme qui aurait sciemment engrossé une femme serait lui aussi tué. Cependant...

— Oui ?

— *Par Allah* ! Ça ne sera pas nécessaire. J'aurais déjà dû y penser. Nous pouvons interdire à l'Ordinateur de rendre qui que ce soit fertile à partir de maintenant. Pourquoi cette idée ne m'est-elle pas venue plus tôt ? Le temps...

— Le temps ? (Nur indiqua d'un geste de la main qu'il n'entendait pas terminer cette phrase.) Alors, je ne vois plus aucune raison d'éliminer les bébés. Ils ne susciteront certainement aucune difficulté.

Nur poussa un soupir de soulagement. Il paraissait pourtant encore troublé ; peut-être par la constatation de la lenteur avec laquelle il était parvenu à une solution aussi évidente ? Il hocha la tête.

— Il faut d'abord que je m'assure de quelque chose. Et si quelqu'un avait enjoint à l'Ordinateur d'accéder à la demande de quiconque exigerait de devenir fertile ? Cette consigne serait prioritaire du fait de son antériorité. Les seuls qui pourraient l'annuler seraient Loga ou la femme que j'ai tuée... si je l'ai tuée. Attends. Je vérifie.

Alice aurait pu suivre sa conversation avec l'Ordinateur, mais elle s'en abstint, faute d'avoir reçu la permission. Une minute plus tard, son écran s'illumina de nouveau et le visage de Nur y réapparut. L'expression soucieuse du Maure était éloquente.

— Quelqu'un a fait exactement ce que je redoutais. Il... ou elle... a permis à n'importe qui de recouvrer sa fertilité. L'Ordinateur a refusé de me révéler qui lui avait donné cet ordre.

— Grand Dieu ! (elle réfléchit). Dick m'a parlé de ce Noir, Bill Williams, qui a ressuscité Gull et les autres... Penses-tu que...

— Je ne pense rien. Nous ne saurons sans doute jamais la vérité. Il est possible que la consigne émane de Wanda Goudal ou de Sarah Kelpin, l'une des femmes enceintes. De toute façon...

Nur resta court, lui qui n'avait pas l'habitude de chercher ses mots.

— Il faut prévenir Tom. Il fera sûrement le nécessaire.

— Je le joins immédiatement.

Alice s'assit pour attendre, pensant n'avoir pas de nouvelles avant dix ou quinze minutes. Or l'écran de sa console s'illumina moins de six minutes plus tard. A sa surprise, ce fut le visage de Turpin et non celui de Nur qui s'y projeta, cramoisi sous son teint brun et les traits contractés.

– J'appelle tout le monde !

– Elle devina que tout le monde signifiait les sept compagnons. Mais pourquoi Tom se trouvait-il dans la rotonde où aboutissait la pointe des univers privés, triangulaires comme des parts de gâteau ? Et pourquoi sa femme favorite, Diamond Lil Schindler, ses copains Chauvin, Joplin et autres musiciens étaient-ils avec lui, flanqués de leurs femmes ?

– OK ! Je vous vois tous. Je suis fou de rage ! Fou de rage, vous entendez ?

La voix de Nur s'éleva, tranquille et apaisante.

– Calme-toi, Tom. Dis-nous ce qui se passe.

– Ils m'ont flanqué dehors ! Ils ont neutralisé mes gardes, nous ont empoignés, moi et mes amis, et nous ont fichus à la porte. Ils ont dit que je n'étais plus le roi Tom. Que je ne pourrais jamais revenir. Salut, good bye, adios, pauvre enculé !

– Qui, ils ? s'enquit la voix de Burton. C'était Williams, le meneur ?

– Non. Lui, il a déménagé il y a deux jours dans l'un des univers inoccupés. C'est Jonathan Hawley et Hamilton Biggs qui dirigeaient la bande.

Ces hommes avaient été probablement présentés à Alice, mais leurs noms n'évoquèrent rien pour elle.

– Il fallait s'attendre à un événement de ce genre, reprit Nur. Tu n'y peux pas grand-chose... et même rien, Tom. Et si tu t'installais dans l'un des univers libres – en te montrant cette fois-ci très prudent dans le choix des gens que tu y introduiras ?

– Même ça m'est impossible ! (Turpin leva les bras et les rabattit brutalement, se frappant bruyamment les cuisses.) Même ça ! Williams s'en est approprié un ; les Gitans un autre – je le sais parce que je les en ai vus sortir ! Quant aux autres, je ne peux pas y pénétrer : quelqu'un les a verrouillés avec des mots-codes. Je ne sais pas qui a eu cette idée, mais ça ne m'étonnerait pas que ce soit Hawley et Biggs. Peut-être afin de les garder en réserve pour le jour où leur monde sera surpeuplé, peut-être par pure méchanceté.

– Ça pourrait être pire. Ils auraient pu te tuer.

– Oui, Pangloss, tout est pour le mieux dans le meilleur des mondes possibles !

Turpin pleurait maintenant. Schindler, la grande Noire, le prit dans ses bras. Il sanglota sur son épaule, tandis qu'elle souriait, découvrant ainsi les gemmes scintillantes serties sur ses dents. Sur la Terre, elle avait été l'une des plus importantes tenancières de maisons closes du district de Tenderloin, à Saint Louis, et l'une des maîtresses de Tom.

Alice attendit que Tom se dégage de l'étreinte de Diamond Lil pour proposer :

– Tes amis et toi peuvent venir habiter chez moi, Tom.

Burton, de Marbot, Aphra, Frigate et Nur s'empressèrent de faire des offres similaires.

– Non, répondit Tom en s'essuyant les yeux avec un immense mouchoir violet, ça ne sera pas nécessaire, mais je vous remercie. Nous allons tout simplement prendre des appartements.

Il brandit le poing et rugit :

– Je vous aurai, Hawley, Biggs et autres Judas ! Je vous aurai ! Vous allez me payer ça, bande de fumiers ! Tom Turpin va s'occuper de vous, espèce de minables !

Alice ne vit pas l'écran mural qui avait dû se former sous le nez de Turpin, mais elle entendit le rire tonitruant et les paroles de défi qui le suivirent.

– Va te faire foutre, gros poussah geignard !

Tom hulula de colère, se mit à frapper furieusement le mur. Alice éteignit son écran. Qu'allait-il advenir encore ?

Oui, quoi en vérité ? Car ce ne fut là qu'un des désastres qui précédèrent la fête. Laquelle, devait-elle dire plus tard, sans exagérer le moins du monde, à tous ceux qui pouvaient l'entendre – et il n'en restait plus beaucoup ! – fut la plus catastrophique qu'elle eût jamais donnée.

30.

Le matin du premier avril, Burton et Cuillère d'Étoile prirent le petit déjeuner sur le balcon de leur chambre à coucher. Le ciel était dégagé et une petite brise fraîche soufflait, comme Burton l'avait ordonné. De temps en temps, un éléphant barrissait et un lion rugissait. L'ombre d'un rock, oiseau de trente-six mètres d'envergure que l'Ordinateur avait fabriqué sur les plans de l'Anglais, traversa la table. Cuillère d'Étoile sursauta.

— Il ne nous fera aucun mal ; sa programmation lui interdit de nous attaquer, dit Burton en souriant.

— Ce pourrait être un mauvais présage.

Il ne discuta pas. Li Po et les gens du huitième siècle qu'il avait ressuscités étaient aussi intelligents qu'expérimentés ; ils ne s'étaient cependant pas encore dépouillés de leurs superstitions. Li Po lui-même, qui était sans doute celui doué de la plus grande faculté d'adaptation, attachait parfois de l'importance à des choses dont il aurait dû maintenant rire ou, mieux, ne pas s'apercevoir.

Fallait-il se libérer de ses superstitions pour être autorisé à passer de l'autre côté ? Quel rapport existait-il entre la survivance de croyances absurdes et le progrès sur le plan de la compassion, de l'empathie, du rejet de la haine et des préventions ? Un rapport étroit, si cette survivance suscitait de la crainte, de la cruauté, un comportement irrationnel. Mais pouvait-on être quelqu'un de « bien » si l'on s'imaginait que croiser un chat noir portait malheur ? Non, si cette crainte et les sentiments qui en dérivaient vous poussaient à lapider le chat ou à mal se conduire avec ses amis.

— Toi aussi, tu as peur, observa Cuillère d'Étoile.

— Hein ? (Il la dévisagea sans comprendre.)

— Tu as touché trois fois du bois ; celui de la table.

— Mais non !

— Désolée d'avoir à te contredire, Dick. Tu l'as touché. Je ne te mentirais pas.

— J'ai vraiment fait ça ?

Burton éclata de rire.

— Qu'est-ce que tu trouves de drôle là-dedans ?

Quand il le lui eut expliqué, elle sourit. C'était, songea-t-il, la première fois depuis longtemps que son visage s'animait. Eh bien, s'il devait se rendre ridicule pour l'arracher à sa morosité, il n'y voyait aucun inconvénient !

— Je ne t'ai pas demandé comment tu allais ?

— Bien.

— J'espère que tu récupéreras très vite ta joie de vivre.

— Merci.

Fallait-il lui proposer de faire repérer par l'Ordinateur

toutes les images de violence, et plus particulièrement de viols, qu'elle conservait dans sa mémoire ? Il pouvait les éradiquer comme un chirurgien excisait un appendice infecté. L'opération la priverait, certes, d'une grande partie de ses souvenirs, couvrant jusqu'à de nombreuses années si on totalisait la durée des événements correspondants, mais la débarrasserait aussi de pensées pénibles. Toutefois, la disparition des souvenirs n'entraînerait pas celle des affects qui leur étaient associés et que l'Ordinateur ne pouvait pas supprimer. Cuillère d'Étoile répugnerait peut-être encore à faire l'amour, sans avoir la moindre idée de ce qui provoquerait cette réaction.

En ce domaine, l'esprit devait s'opérer lui-même, alors qu'il se révélait rarement bon chirurgien.

Burton maudit silencieusement Dunaway en souhaitant qu'il existât un enfer où on pût l'envoyer.

Cuillère d'Étoile porta un morceau de truite à sa bouche, le mâcha en contemplant les jardins que dominait le château, le fleuve tropical et le désert qui succédait à la jungle. Ayant avalé, elle déclara :

– Je souhaite que tu te ressuscites une autre femme, Dick. Une femme capable de subvenir à tes besoins ; de rire et d'aimer. Cela ne me chagrinera nullement ; j'en serai même très contente.

– Non. C'est une offre très généreuse, et très chinoise aussi. J'admire les coutumes et la sagesse de ton peuple, mais je ne suis pas chinois.

– C'est une question de bon sens, plus encore que de coutume chinoise. Il n'y a aucune raison pour que je sois – comment as-tu dit déjà l'autre jour ? – le chien... ?

– Le chien du jardinier, qui ne mange pas de choux mais interdit aux autres d'en manger. Un égoïste.

– Le chien du jardinier. Ce n'est pas mon genre. Je t'en prie, Dick, cela me rendrait moins malheureuse.

– Mais ne me rendrait pas heureux.

– Si ça te gêne d'avoir une autre femme ici, loge-la dans un appartement où tu iras la voir. A moins que... je lui cède la place.

Burton rit.

– Les humains ne sont pas des androïdes. Je ne peux pas ressusciter une femme et la retenir prisonnière pour mon seul plaisir. D'abord, il n'est pas sûr que je lui plaise. Ensuite, à supposer que je sois à son goût, elle aura envie de fréquenter d'autres gens. Elle voudra être libre, et non une odalisque en cage.

Cuillère d'Étoile lui saisit la main à travers la table.

– C'est trop injuste.

– Quoi donc ? Ce dont nous venons de parler ?

– Ça, et bien d'autres choses encore. (Elle ouvrit les bras comme pour embrasser l'univers entier.) Moche. Tout est moche.

– Non, pas du tout. Il y a du bon et du mauvais. Tu as eu plus que ta part de mauvais. Mais tu as devant toi beaucoup, beaucoup de temps pour profiter de ta part de bon.

Elle secoua négativement la tête.

– Non. Pas moi.

Burton écarta son assiette, encore à moitié pleine ; un androïde l'emporta aussitôt.

– Je vais rester bavarder avec toi, si tu veux. J'ai du travail, mais il est moins important que toi.

– Moi aussi, j'ai du travail.

Il se leva et, contournant la table en or massif, vint l'embrasser sur la joue. Il était curieux de savoir à quelle tâche elle se livrait à l'aide de l'Ordinateur, mais quand il lui posait la question, elle répondait que c'était sans intérêt et qu'elle préférait l'entendre parler de ses recherches.

Quand ils quittèrent le château à bord de leurs fauteuils volants blindés, il lui parut que la perspective de la fête l'aiguillonnait. Elle évoqua quelques anecdotes amusantes de son enfance et rit même à plusieurs reprises. Être réduite à la solitude ou à l'unique compagnie de son amant ne valait rien pour elle. Cependant, lorsqu'ils se rendaient aux soirées hebdomadaires, elle ne se départissait pas d'une morne indifférence.

Au cours du vol, Burton entra en contact avec elle par radio.

– Tôt ce matin, j'ai essayé d'appeler Turpinville qui a dû sans doute changer de nom. Personne n'a répondu. Les nouveaux dirigeants ne prennent apparemment pas les communications extérieures.

– Pourquoi les as-tu appelés ?

– Pour m'informer. Je voulais savoir si leur chef, quel qu'il soit, a des intentions agressives. Il n'est pas impossible, tu sais, qu'il ou ils au pluriel ne se contentent pas de Turpinville. Ils pourraient avoir des visées sur toute la tour.

– A quoi cela rimerait-il ?

– A quoi rimait de détrôner et d'expulser Turpin ? Je l'ai

appelé, lui aussi, histoire de sonder son humeur. Elle était noire ; ou écarlate, plutôt. Il jure toujours de se venger, mais sans se faire aucune illusion : les autres n'ont qu'à se claquemurer dans leur univers pour échapper à ses coups.

En pénétrant dans la rotonde centrale, Burton fut surpris par la foule qui s'y pressait et le vacarme qui y régnait. Il y avait là Turpin, flanqué de Louis Chauvin, Scott Joplin et ses autres amis musiciens qui habitaient deux jours plus tôt le Petit Saint Louis. On les avait manifestement expulsés eux aussi avec, pour tout bagage, les vêtements qu'ils portaient. Une centaine de Noirs les accompagnaient, au nombre desquels Burton repéra des visages connus. Frigate, Sophie Lefkowitz et leurs hôtes avaient également des ennuis : ils gesticulaient coléreusement en criant des paroles qui se perdaient dans le charivari général ; celui-ci était encore amplifié par les voix claironnantes que déversaient les écrans muraux où défilait le passé de chacune des personnes présentes, et par les questions que posaient Li Po et ses acolytes, sortant au même instant de leur monde.

Burton atterrit, imité par Cuillère d'Étoile, et hurla un « Qu'est-ce qui se passe ? » que seuls ses voisins immédiats entendirent.

Frigate s'était vêtu de manière baroque en vue de la fête : gigantesque nœud papillon rouge, gilet jaune citron aux énormes boutons d'argent, ceinture bleu ciel, pantalons moulants blancs aux coutures écarlates, bottes à la Wellington jaune citron. La couleur de son épiderme s'assortissait presque à celle du nœud papillon.

— En sortant de chez moi, expliqua-t-il, nous sommes tombés sur Netley entouré d'une douzaine d'hommes. Ils étaient armés de lance-rayons et de revolvers et Netley a menacé de nous abattre tous si je ne lui révélais pas le mot-code. J'ai bien été obligé de le lui révéler – qu'aurais-je pu faire d'autre ? Il est entré avec sa bande, il a refermé la porte et... et voilà ! Nous sommes dans l'impossibilité de rentrer ! Je suis exproprié ! Dépouillé de mon magnifique univers !

— Dont nous avons été aussi privés, mes amis et moi, releva Sophie qui était habillée à la Cléopâtre : front ceint de la coiffe frappée de l'uraeus, torse nu exposant deux seins bien galbés (qu'en penserait Alice ?) et longue jupe fendue sur le devant presque jusqu'à l'entrecuisse. Elle tenait même à la main le sceptre sommé de la croix ansée. Ses compagnons portaient des costumes asiatiques et européens appartenant à des périodes très diverses.

– J'aurais dû être plus prudent, gémit Frigate; vérifier qu'aucun danger ne nous attendait à l'extérieur avant de franchir la porte!

– Ce qui est fait est fait, quand le vin est tiré il faut le boire, etc. répliqua Sophie. Veuillez me pardonner ces clichés, mais les grandes épreuves les appellent naturellement. Elles ne sont pas très propices à la création, sur le plan verbal tout au moins.

Tom Turpin s'approcha d'eux, en habit et chapeau haut de forme.

– C'est la semaine des voleurs! énonça-t-il. Faut dire qu'ils se défendent bien!

– Et ça, qu'est-ce que c'est, s'enquit Burton en désignant les Noirs qui sanglotaient, le visage hébété.

– Eux? Ce sont les justes, les ouailles des différentes Églises: Seconde Chance, néo-chrétienne, baptiste du libre arbitre réformée, nichirénite. Biggs et Hawley les ont flanqués dehors deux minutes après que Pete s'est fait faucher son monde.

Sur ces entrefaites, Stride, Crook, Kelly et leurs amants sortirent du puits ascenseur. Burton alla les informer des derniers événements, puis ordonna qu'un écran se forme sur le mur et appela Alice. Les yeux de la jeune femme s'agrandirent quand elle vit et entendit ce qui se passait dans la rotonde. Après l'avoir mise au courant, Burton commenta:

– Je crains que ta réception ne soit fichue!

– Pas du tout! Je ne l'accepterais pour rien au monde! Je présume que Tom et Pete ne vont pas se calmer instantanément, mais je sais qu'ils y parviendront. Quant aux pauvres gens que ces bandits ont chassés, dis-leur donc qu'ils peuvent venir à la fête, s'ils en ont envie. Ça les réconfortera peut-être. Encore que leur sort ne soit pas aussi désespéré que s'ils n'avaient aucun toit sous lequel s'abriter et rien à manger. Transmets-leur tout de même mon invitation. J'attends la réponse.

Burton se rendit auprès du troupeau des exilés, réclama le silence, l'obtint et transmit l'invitation. Tous l'acceptèrent. Ils n'avaient pas de fauteuils volants, mais ils pourraient s'en faire délivrer par le convertisseur placé dans l'antichambre du monde d'Alice.

Frigate et ses amis se firent servir par ledit appareil des boissons alcoolisées qui les aideraient à surmonter le choc durant le trajet. Sophie prit un grand verre de gin, mais suggéra :

– Ce n'est peut-être pas le moment de perdre du temps à nous amuser, Pete. Est-ce que nous ne devrions pas étudier attentivement la liste de ce qu'on peut exiger de l'Ordinateur et établir tous les interdits possibles ? Il nous faut prévenir toutes les manœuvres que ces crapules sont susceptibles de concevoir.

– Très judicieux ! approuva Burton, bien que ces paroles ne lui eussent pas été adressées. Mais Alice serait mécontente que vous n'assistiez pas à sa réception. De plus, je suis persuadé que vos spoliateurs seront si occupés à fêter leur exploit qu'ils ne trameront rien pendant quelque temps.

– Vous avez sans doute raison, mais je crois sage de nous creuser la tête en commun afin d'imaginer tout ce que ces salopards sont capables de faire.

– On a rarement la tête bien claire le lendemain d'une nouba. Je vous appelle, vous et les autres, vers dix heures demain matin pour la grande conférence au sommet.

Nur et sa femme entrèrent dans l'antichambre, s'arrêtèrent, regardèrent autour d'eux, puis se dirigèrent vers Burton à travers la foule. Nur présenta Ayesha bint Yusuf, une mince femme brune encore plus petite que lui. Elle n'était pas jolie mais avait énormément de charme quand elle souriait.

Burton dit à Nur qu'il lui fournirait des explications plus tard, loin de cette cohue bruyante.

Alors qu'il se retournait dans l'intention de prendre place sur son fauteuil, il aperçut Gull qui arrivait escorté d'une douzaine de Dowistes, tous vêtus de longues robes blanches flottantes et l'air éberlué.

Il décolla, franchit en trombe le vaste porche d'entrée, monta jusqu'à soixante mètres d'altitude, survola rapidement la forêt de Tulgey, formée de chênes et de pins majestueux, puis les flots de l'Issus, pour rejoindre la vaste clairière qui bordait le pied de la colline au sommet de laquelle Alice avait érigé sa demeure. Large de trois cents mètres carrés et parfaitement plate, la clairière était plantée d'un gazon vert vif qu'il n'était jamais nécessaire de tondre. Elle était occupée par différents manèges – montagnes russes, grande roue, chevaux de bois, patinoire –, de nombreuses tables chargées de mets et de boissons, des tentes blanches ouvertes, un kiosque à musique sur lequel les androïdes jouaient une valse, des espèces de minuscules villas romaines sans doute destinées à servir de lieux d'aisance, un parcours de croquet, un terrain de badminton, une piste de danse en bois poli, et de nombreux androïdes qui paraissaient, à quelques exceptions près, issus des deux célèbres livres de Lewis Carroll.

Au bord de l'esplanade, un chêne gigantesque abritait une maison au toit recouvert de fourrure et surmonté de cheminées en forme d'oreilles de lapin. Devant elle, une grande table entourée de nombreux sièges était dressée pour le thé ; un Lièvre de Mars de la taille d'un homme, un Chapelier fou, et une fillette y étaient assis. Bien que vêtue comme l'Alice de l'illustration de Tenniel, celle-ci n'en possédait pas la longue chevelure blonde : l'androïde qui l'incarnait représentait la véritable Alice, telle qu'elle était à l'âge de dix ans.

– Alice s'est véritablement mise en frais, murmura Burton en piquant vers le pied de la colline.

La maîtresse des lieux se tenait debout auprès d'un siège qui ressemblait au trône du couronnement de Westminster Hall. Un siège similaire le flanquait, à côté duquel se campait un grand gaillard blond.

– Sa surprise, bougonna Burton. Je le savais !

Il était blessé et s'en voulait de l'être. Il s'était donc menti en se prétendant totalement détaché d'Alice ?

Celle-ci rayonnait de beauté, dans les atours à la mode de 1920 qu'elle affectionnait. Elle aurait dû porter un chapeau, puisqu'il s'agissait d'une matinée, mais l'étiquette terrienne ne s'appliquait plus ici. Le soleil se reflétait sur ses cheveux noirs, coupés et plaqués « à la garçonne ». L'homme, à en juger d'après la taille d'Alice, mesurait environ un mètre quatre-vingt-treize. Il était habillé en chef écossais, avec kilt, tartan, sporran et autres accessoires. En s'approchant, Burton distingua, sur le kilt, le carroyage noir et rouge du clan Rob Roy. L'homme était un descendant de l'illustre hors-la-loi écossais et, par conséquent, l'un de ses parents éloignés. Large d'épaule et puissamment musclé, il avait des traits avenants, bien que très accusés. Il sourit en voyant Burton s'avancer en robe et turban, et ce sourire ouvrit la mémoire de celui-ci comme une épée tranchant une corde fait s'abattre un pont-levis. L'homme était Sir Monteigh Maglenna, baronet et laird écossais. Il l'avait rencontré en 1872, à l'occasion d'une conférence qu'il avait prononcée à Londres devant l'Association nationale britannique de spiritisme, et où il avait soulevé l'émoi de ses auditeurs en affirmant hautement qu'il ne croyait pas aux fantômes et n'aurait su qu'en faire s'ils avaient existé. Le jeune baronet s'était entretenu un instant avec lui au cours de la réception qui avait suivi la conférence. Tous deux avaient voyagé dans l'Ouest américain et pratiquaient l'archéologie en amateurs. Ils avaient passé une demi-heure intéressante ensemble, tandis que les autres attendaient impatiemment la fin de cet aparté pour plaider la cause du spiritisme.

Alice le présenta en souriant – n'entrait-il pas un soupçon de malice dans ce sourire ? – à Burton et Cuillère d'Étoile. Les deux hommes se serrèrent la main et constatèrent en même temps : Nous nous connaissons.

Ils bavardèrent quelques minutes en évoquant l'ancienneté de leurs relations, tandis que la file des invités qui désiraient saluer leur hôtesse ou lui être présentés s'allongeait, puis Burton demanda :

– Dis-moi, Alice, comment se fait-il que vous vous connaissiez ?

– Oh, j'ai rencontré Monty en 1872, alors que j'avais vingt ans et lui trente, à un bal donné par le comte de Perth. Nous avons dansé assez souvent ensemble...

– Tiens donc ! s'exclama Monteith.

– ... et je l'ai revu plusieurs fois par la suite. Il est ensuite parti aux États-Unis où il a failli mourir d'un coup de feu tiré par un hors-la-loi – tout à fait accidentellement – et il n'en est revenu qu'en 1880. Je m'étais alors mariée...

– Je me suis trouvé hors d'état de poursuivre notre correspondance, ajouta Maglenna. J'ai envoyé à Alice une lettre le lui expliquant, mais elle ne l'a jamais reçue, de sorte que...

Sur un signe d'Alice, des androïdes s'emparèrent des fauteuils volants de Burton et Cuillère d'Étoile pour les transporter jusqu'au parking aménagé de l'autre côté de la prairie, sur la bordure de celle-ci. Il aurait été plus rapide et plus efficace qu'ils les pilotent, mais Alice n'avait eu ni le temps, ni l'envie de les programmer à le faire.

Burton écouta Alice exposer, avec force détails, la peine qu'elle avait ressentie en s'imaginant que Maglenna avait cessé de s'intéresser à elle. Au milieu de l'histoire, il décida qu'il en avait suffisamment entendu comme cela, s'excusa et flâna jusqu'à ce que Cuillère d'Étoile le rejoigne.

– Tu étais au courant, pour Maglenna ? s'enquit-elle.

– Non, s'emporta-t-il. Elle n'a même jamais mentionné son nom durant les nombreuses années où nous avons vécu ensemble.

– Quelle chance ils ont eue d'être enfin réunis. Songe que sans toi ils ne se seraient jamais retrouvés !

Cuillère d'Étoile souriait comme si elle était ravie. Se réjouissait-elle du bonheur d'Alice ? Ou, malheureuse comme elle l'était, de la certitude que la bonne fortune de Maglenna ne comblait pas précisément Burton ? Certains êtres sombraient en de tels abysses qu'il leur restait une seule joie : savoir que les autres souffraient eux aussi.

31.

Ils s'offrirent un tour sur les montagnes russes, mais Cuillère d'Étoile supporta mal d'être ainsi ballottée et vomit dans le wagonnet. L'androïde qui gérait le manège envoya deux de ses congénères nettoyer le véhicule quand Burton l'avisa de l'incident.

– Tu as l'air encore plus nerveuse que d'habitude, aujourd'hui.

– C'est à cause de toutes ces créatures bizarres.

Les êtres dont Carroll avait peuplé les aventures d'Alice et auxquelles la véritable Alice avait conféré la vie ne lui étaient, bien entendu, pas familiers. Ils la mettaient mal à l'aise parce qu'elle ne s'était pas accoutumée à eux par l'intermédiaire des livres. Celui qui l'impressionnait le plus était le Jabberwock, exactement conforme au dessin de Tenniel. Il avait le corps écailleux d'un dragon, les ailes de cuir d'un dragon, mais aucun autre dragon du mythe, de la légende ou de la littérature ne possédait ce cou interminable et relativement trop maigre, ce visage étroit de vieillard cruel, ni ces pattes avant aux doigts absurdement effilés. Il était énorme : sa tête culminait à près de quatre mètres quand il se dressait sur ses pattes arrière. Il ne s'aventurait cependant pas sur la prairie, se contentant d'arpenter un secteur délimité par l'ombre d'un chêne gigantesque en fouaillant sans cesse l'air de sa longue queue.

– Il me terrorise, geignit Cuillère d'Étoile.
– Tu sais bien que sa programmation le rend inoffensif.
– Oui. Mais si l'un de ses organes se déréglait? Vois ces dents terrifiantes. Il n'en a que quatre, deux en haut et deux en bas, mais songe à l'action qu'elles produiraient si elles se refermaient sur toi!
– Tu as besoin d'un remontant!

Il la conduisit à une table desservie par un Valet-Poisson, un Valet-Grenouille et un Lapin Blanc. Les deux premiers portaient la livrée du dix-huitième siècle et la perruque poudrée dont Tenniel les avaient affublés. Le Lapin Blanc avait les yeux rouges, un faux col blanc, une cravate, une veste à carreaux et un gilet. Une grosse montre reposait dans la poche du gilet, au bout d'une chaîne en or dont l'autre extrémité était attachée à une boutonnière. Le Lapin tirait de temps en temps la montre de sa poche pour la consulter.
– Excellent! s'esclaffa Burton.
– Je n'aime pas leurs gros yeux globuleux, chuchota Cuillère d'Étoile comme si les valets risquaient de s'en offusquer.
– C'est pour mieux te voir, mon enfant!

Alerté par le passage d'une ombre, il leva la tête. C'était de Marbot qui traversait le ciel sur son fauteuil, à la tête d'une escadre d'au moins trente personnes. Il était sanglé dans un uniforme de hussard, comme certains de ses amis. D'autres étaient déguisés en maréchaux d'empire, bien qu'aucun d'eux n'eût jamais atteint ce grade. La plupart des femmes étaient accoutrées à la mode des années mil huit cent dix.

Quelques minutes plus tard, Aphra arriva, escortée d'une douzaine de personnes. Burton pensa que tous les invités étaient là, mais il se trompait. Peu après que le dernier des membres du groupe de Behn se fut éloigné de l'hôte et de l'hôtesse, une moto s'engagea en vrombissant sur la prairie. Bill Williams la chevauchait avec, collée à son dos, la Noire que Burton avait vue en sa compagnie dans le couloir. Williams était coiffé d'une toque en astrakan noir de facture très russe, mais il avait le visage peint comme un sorcier, le torse nu, à l'exception d'un collier composé de phalanges humaines, et le bas du corps gainé d'un pantalon et de bottes en cuir noir. La Noire damait largement le pion à Sophie: elle ne portait rien d'autre que d'énormes diamants autour du cou, et des peintures complexes, aux teintes vives, sur le tronc et les jambes.

Burton ignorait qu'Alice eût invité Williams. A en juger par son expression, elle le regrettait. Elle ne les accueillit pas moins, lui et sa cavalière, avec le sourire d'une parfaite hôtesse et les présenta à Maglenna, dont les yeux se dilatèrent et les dents se découvrirent jusqu'aux oreilles quand il serra la main de la femme. Burton regretta d'être trop loin pour entendre ce qu'ils disaient.

Frigate, qui traînait par là, lui glissa en désignant les nouveaux venus :

— L'effet est très réussi. Les derniers seront les premiers.

— Très réussi, j'en conviens !

— Sophie ne sait pas si elle doit bien ou mal le prendre.

Le Cavalier Blanc passa à côté d'eux sur sa haridelle blanche. Il avait retiré son heaume, exposant un visage qui ressemblait exactement à celui que lui prêtait Lewis Carroll, hormis la très longue moustache blanche tombante. Un fourreau abritant une énorme épée droite à deux tranchants s'accrochait à sa ceinture et un grand bâton muni à une extrémité d'une poignée en bois, à l'autre d'une boule hérissée de pointes, était enfilé la garde en bas dans une botte suspendue à la selle. Une petite boîte, dont le couvercle pendait, était fixée sens dessus dessous sur le dos de son armure. Dans *De l'autre côté du miroir*, le Cavalier Blanc se vantait de l'avoir inventée lui-même afin de garder les vêtements et les sandwichs. Mais comme il la portait à l'envers pour que la pluie n'y pénètre pas, ce qu'elle contenait était tombé par terre.

Le Cavalier Rouge le suivait, monté sur un étalon rouan. Il avait un aspect inquiétant avec son armure écarlate, son heaume en tête de cheval et son grand bâton armé de pointes.

Un Morse et un Charpentier coiffé de son chapeau en papier et ceint de son tablier de cuir déambulaient en conversant, traînant dans leur sillage une quarantaine d'huîtres juchées sur des pattes d'araignée qui dardaient chacune hors de leur coquille des antennes terminées par des yeux.

— Alice a certainement passé beaucoup de temps à préparer tout ceci, souligna Frigate. Songez au nombre de détails qu'elle a dû fournir à l'Ordinateur.

— Oh, regardez ! s'écria Sophie en tendant le doigt vers un arbre. Le Chat de Chester ! C'est incroyable !

Quand ils se dirigèrent vers l'arbre, le chat, qui était de la taille d'un gros lynx, commença à disparaître. La queue, l'arrière-train, les épaules, le cou et la tête s'évanouirent successivement, jusqu'à ce qu'il ne reste plus qu'un sourire de chat suspendu au-dessus de la branche sur laquelle l'animal était perché. Les Terriens allèrent se poster sous la branche, à la recherche d'un mécanisme quelconque, mais n'en découvrirent aucun.

— Il faudra que je demande à Alice comment ça marche, dit Burton. Mais elle n'en saura probablement rien. L'Ordinateur aura enregistré son ordre et réalisé ce tour de magie scientifique sans qu'il soit besoin d'explication.

Le Griffon et la Tortue-à-Tête-de-Veau les croisèrent, absorbés par leur conversation. Le Griffon, gros comme un lion, avait le corps de cet animal avec une tête et des ailes d'aigle. La Tortue-à-Tête-de-Veau, le corps d'une tortue géante pesant au moins deux cent soixante-quinze kilos, avec une tête et des pattes arrière de vache. Elle se déplaçait lentement. A un moment donné, elle s'arrêta pour se dresser sur son séant en prenant appui sur ses pattes avant, courtes mais douées d'une force prodigieuse. En équilibre instable sur le trépied formé par la pointe de sa carapace et ses jambes de vache dont les sabots s'enfonçaient dans le sol, les joues ruisselantes de larmes, elle chanta d'une superbe voix de contralto :

Belle soupe si riche et si verte
Qui attend dans une soupière chaude !

Mais quand elle en arriva au refrain, qui commençait par « Be—lle sou—pe ! » elle perdit l'équilibre et tomba lourdement sur le dos, sans cesser de chanter, sous l'œil consterné des spectateurs. Six androïdes la retournèrent, après quoi elle se remit à marcher lentement en chantant.

— Je crois que je vais aller m'asseoir un moment, Dick, dit Cuillère d'Étoile. Je suis fatiguée et ces animaux (elle désigna le Griffon du menton) ont l'air si dangereux. Je sais qu'ils ne le sont pas, mais...

— Très bien. Je viendrai voir où tu en es dans un petit moment.

Burton la regarda s'éloigner vers la bordure ouest de la prairie et s'asseoir dans un fauteuil très confortable. Un androïde obèse, chauve et âgé — le père Guillaume, à coup sûr — l'accosta. Il dut lui demander si elle désirait quelque chose, car elle hocha affirmativement la tête en remuant les lèvres.

Reprenant sa flânerie, Burton aperçut la Reine de Cœur ainsi que le paquet de cartes vivantes. De face, les androïdes qui les incarnaient ne différaient en rien des dessins de Tenniel ; de profil, ils étaient par contre beaucoup moins plats, leur tranche mesurant de sept à huit centimètres d'épaisseur. L'Ordinateur se heurtait à certaines limites dans la transformation de l'imaginaire en réalité. Il lui avait bien fallu loger quelque part les muscles, les organes et le sang de ces êtres. Leurs visages étaient peints sur leur face oblongue et leurs bouches par conséquent immuablement figées ; des voix s'en échappaient pourtant.

– Merveilleux ! s'extasia Burton.

Aphra, qui se trouvait par hasard près de lui, commenta :

– N'est-ce pas ? Mais que l'idée est donc enfantine ! Non pas que je le reproche à Alice : nous nous sommes battus si durement pour parvenir ici, nous avons enduré tant de dangers et de tribulations, que nous nous détendons depuis et recouvrons provisoirement nos âmes d'enfants. Nous devons nous amuser, tu ne penses pas ?

– L'heure du jeu est malheureusement passée. Ce qui est arrivé à Turpin et à Frigate peut nous arriver à nous aussi.

Il s'approcha d'une table et se fit servir un verre de scotch par l'une des pièces du jeu d'échecs vivant, une Tour, qui lui donna également un havane de luxe. Le cigare dans une main, le verre dans l'autre, il se dirigea nonchalamment vers le terrain de croquet. Comme dans le livre, celui-ci n'était que trous et bosses ; des cartes-androïdes faisant le pont tenaient lieu d'arceaux, des flamants roses de maillets et des hérissons de boules. Alice n'étant pas cruelle, elle avait certainement veillé à ce que le système nerveux de ces animaux soit conçu de manière qu'ils ne souffrent pas.

Turpin paraissait avoir oublié ses ennuis : il jouait avec entrain au croquet.

Une heure s'écoula. Burton but deux autres scotchs, s'offrit un tour de chevaux de bois, une nouvelle virée sur les montagnes russes, puis contempla un instant l'orchestre. Composé principalement de Valets-Grenouilles et de Valets-Poissons, il était dirigé par Bill le Lézard, un saurien géant qui fumait un cigare et avait une toque plate sur la tête. Leur programmation leur permettait d'interpréter n'importe quoi, du musette au classique en passant par le dixieland. Pour l'heure, il jouait une musique barbare et tonitruante en laquelle l'Anglais crut reconnaître le rock-and-roll dont Frigate lui avait parlé. Il ne tarda pas à comprendre pourquoi la tentation avait effleuré Frigate d'effacer complètement ce genre de musique des archives.

Une horrible Duchesse et une Reine de Cœur le frôlèrent en se dandinant.

— Qu'on leur coupe la tête! Qu'on leur coupe la tête!

— Battez-le jusqu'à ce qu'il éternue!

Burton retourna au terrain de croquet, fit une partie, traînassa en s'arrêtant çà et là pour bavarder avec différentes personnes, puis près de la table où se déroulait le Thé de fous. L'androïde qui tenait le rôle d'Alice enfant était charmante; elle avait les grands yeux noirs embués de rêve de la véritable Alice. On comprenait pourquoi M. Dodgson s'était épris de la fillette.

Quand le Chapelier fou dit: « Et depuis, il n'a plus jamais voulu rien faire de ce que je lui demandais! Il est toujours six heures maintenant! » Burton repartit. S'il était amusant d'assister une fois à toute la scène, on se lassait de la voir se répéter.

Éprouvant le besoin de se dépenser physiquement, il joua au volleyball. La partie fut rude et amusante, et il se délecta de voir la compagne de Bill Williams bondir pour renvoyer vigoureusement le ballon. Ce fut en nage qu'il en émergea et alla s'affaler sur une chaise. Un Tweedledee et un Tweedledum vinrent s'enquérir de ce qu'il désirait. Il commanda un mint julep. Les androïdes jumeaux grotesquement gras rejoignirent une table et entamèrent aussitôt une dispute – programmée, bien entendu – pour savoir lequel des deux le servirait. Tout en suivant d'une oreille distraite leur controverse aussi vive qu'amusante, il admira la chenille bleue qui fumait non loin de là son calumet sur un champignon géant. En un sens, il était dommage que tout ceci fût sur le point de disparaître; d'un autre côté, qu'Alice en eût assez s'expliquait fort bien.

Il observa un moment la piste de danse. L'orchestre jouait un air qu'il ne reconnut pas. Avisant Frigate, il l'interpella:

— Qu'est-ce que c'est que cette musique et les contorsions que s'infligent les danseurs?

— Je ne sais pas le nom du morceau. Il date des années mil neuf cent vingt et me dit quelque chose, mais je n'arrive pas à le situer. La danse s'appelle le black bottom.

— Pourquoi ça?

— Je l'ignore.

Alice et Monteith semblaient apprécier ces mouvements échevelés. Elle avait enfin trouvé un partenaire qui partageait sa passion pour la danse. Burton ne s'était jamais intéressé à la chose. Il n'avait en fait dansé que quelques rares fois dans sa vie, et ceci pour l'édification d'un chef de tribu africain.

Tweedledee et Tweedledum, les deux collégiens jumeaux obèses, passèrent près de lui. Ni l'un ni l'autre ne transportait de boissons sur un plateau. Au moment même où Burton s'exclamait « Hein... ? », la musique s'interrompit. Il se leva pour voir le kiosque. Les musiciens avaient posé leurs instruments et quittaient l'estrade.

– Qu'est-ce qui se passe ? s'étonna Frigate.

Alice regardait d'un air stupéfait les musiciens déserter leur poste.

– De l'imprévu ! répliqua Burton.

De Marbot, le petit Français, trottina jusqu'à lui, l'œil dilaté.

– Quelque chose ne tourne pas rond !

Burton pivota sur lui-même pour embrasser la totalité du paysage. Les androïdes se dirigeaient vers les bois en précipitant l'allure. Tous, à l'exception de la Tortue-à-Tête-de-Veau qui s'était retournée sur le dos et battait vainement des pattes en beuglant. Non, pas tous. Quelques-uns d'entre eux gagnaient la bordure ouest de la prairie, qui jouxtait le pied de la colline, notamment les Cavaliers Rouge et Blanc sur leurs destriers, le Lion, la Licorne et le Griffon. Ils s'arrêtèrent juste avant d'aborder la pente de la colline et firent face à la prairie. Les autres androïdes s'étaient fondus dans l'ombre des chênes majestueux.

Burton jeta un coup d'œil sur la poignée du sabre qui émergeait du fourreau suspendu à la ceinture de Marbot.

– Je crains que tu n'aies à utiliser ton coupe-chou, Marcelin. Combien de... tous tes hussards sont-ils armés ?

– Oui, pourquoi ? Nous avons douze sabres au total.

– Ordonne de les mettre au clair. J'ai l'impression qu'on va nous attaquer. Je suis sûr que quelqu'un a modifié la programmation des androïdes. Ce n'est plus à celle d'Alice qu'ils obéissent.

Un rapide tour d'horizon lui apprit que Cuillère d'Étoile partageait son impression. Elle courait vers les montagnes russes. Il regarda de Marbot.

– C'est toi qui possèdes la plus grande expérience militaire. Prends le commandement !

Se retournant, il cria :

– Tout le monde ici ! Vite ! Au pas de gymnastique !

Certains des invités obtempérèrent ; d'autres demeurèrent figés sur place ; le reste convergea sans se presser vers lui.

Maglenna accourut, tirant Alice par la main.

– Que se passe-t-il, mon cher ?

– Je ne sais pas au juste. (Burton fixa Alice.) En as-tu la moindre idée ?

Elle hocha négativement la tête.

– Non. Est-ce que ce serait un coup du Snark ? Que pouvons-nous faire ?

– C'est à Marcelin d'en décider. Mais il me semble que nous devrions tenter de rejoindre nos fauteuils volants. Monteith et toi vous vous assiérez sur les genoux de quelqu'un. Nous ne forcerons pas ce barrage (il désigna les animaux menaçants qui gardaient la bordure ouest) sans subir de lourdes pertes.

De Marbot, qui s'entretenait rapidement en français avec ses amis, s'interrompit pour observer la lisière sud de la prairie. Des androïdes sortaient de la forêt armés de piques, d'épées, de coutelas, de masses et de fléaux d'armes.

Burton pivota sur lui-même pour scruter les lisières nord et est. Des androïdes émergeaient là aussi des couverts, équipés d'armes similaires. Ceux qui arrivaient de l'est manœuvraient hâtivement de manière à s'interposer entre les invités et leurs fauteuils.

– Trop tard ! commenta-t-il.

De Marbot braillait des ordres en espéranto, afin d'être compris de tout le monde. Il disposa tant bien que mal les Terriens en carré, les hussards sur le flanc est. Burton lui cria :

– Je vais chercher des armes !

– Où ?

– Au kiosque à musique. Il y a là des instruments qui peuvent tenir lieu de massues.

Il se rua vers le kiosque, suivi de quelques hommes. Les androïdes du nord, qui étaient les plus près de cet objectif, n'accélérèrent pas l'allure et demeurèrent silencieux. S'ils avaient couru, ils auraient coupé le chemin à Burton, mais celui-ci réussit à s'emparer d'un saxophone, tandis que ses compagnons saisissaient une guitare, un violoncelle, une flûte ou un cor, bref tout ce qui pouvait servir à assommer un adversaire.

Ils regagnèrent précipitamment le carré où de Marbot les plaça en ordre dispersé. Le Français frémissait d'excitation ;

ses prunelles bleues étincelaient et son visage rond se fendait d'un large sourire. « Ah mes enfants ! lança-t-il à ses hussards, vous allez montrer à ces monstres comment les soldats de Napoléon se battaient ! »

Sa voix fut couverte par un barrissement formidable. Tous les yeux se tournèrent vers le bord sud de la prairie où le Jabberwock se dressait sur son arrière-train, étirant son cou de serpent, sa gueule grande ouverte découvrant ses quatre crocs acérés. Heureusement, il ne chargea pas immédiatement, contrairement aux craintes de Burton, mais retomba à quatre pattes pour avancer lentement en mugissant.

Burton se trouvait sur le flanc ouest du carré. Les Cavaliers et les animaux qui lui faisaient face s'ébranlèrent en même temps que le Jabberwock. Les androïdes marchaient de tous côtés, silencieux, en formation de bataille, sur le groupe des humains.

Il se rendit soudain compte que Cuillère d'Etoile n'était pas avec eux. Elle avait escaladé l'une des parois des montagnes russes pour se percher sur une traverse proche du sommet.

Il n'était plus temps d'aller la chercher. Lui crier de descendre n'aurait abouti qu'à la signaler à l'attention des androïdes. Ceux-ci ne la remarqueraient peut-être pas. Quoi qu'il en fût, elle ne devait compter que sur elle-même. Non : s'il parvenait à mettre la main sur un fauteuil, il pourrait voler à son secours.

32.

— Ils sont trois fois plus nombreux que nous ! clama Burton à la cantonade. Les gros animaux et les Cavaliers accentuent encore leur supériorité. Mais essayez de leur arracher leurs lances et leurs massues. Si l'un d'eux tombe, prenez-lui son arme !

De Marbot répéta la consigne à l'intention de ceux qui ne l'auraient pas entendue. Une des Noires adeptes de l'Eglise de la Seconde Chance glapit :

— Ô Seigneur, qu'attends-tu de nous ? Nous ne pouvons pas

verser le sang, nous qui avons renoncé à la violence pour Te complaire !

— La paix, femme ! lui intima rudement Burton. Ces choses ne sont pas humaines ! Ce sont des machines ! Ce n'est pas un péché de les combattre pour éviter d'être tué !

— Il a raison ! beugla un Noir. Ce n'est pas un péché ! Battez-vous, mes frères et mes sœurs ! Battez-vous l'âme en paix au nom du Seigneur ! Réduisez-les en pièces !

Un groupe de Terriens, des baptistes du libre arbitre réformés semblait-il, entamèrent un cantique. Ils eurent à peine commencé que de Marbot rugit :

— Silence ! Si vous chantez, vous n'entendrez pas mes ordres !

Conduit par le Français, Burton surveillant ses arrières, le carré fit mouvement au pas de course en direction des fauteuils. Les Cavaliers et les animaux n'accélérèrent pas ; leur programmation prévoyait apparemment qu'ils cerneraient les Terriens à une allure déterminée.

Le Jabberwock occupait presque l'extrémité de la ligne des androïdes qui venaient du sud. Ce monstre constituait le plus dangereux des assaillants et il convenait de lui opposer au moins six sabres. Burton jura. Que n'avait-il une épée à la place du saxophone qu'il tenait à la main !

Les femmes au centre, les hommes en rempart autour d'elles, le carré progressa vers les créatures postées devant les fauteuils. Il y en avait au moins deux cents disposées en rangs particulièrement serrés ; celui, quel qu'il fût, qui avait établi le plan de bataille, avait justement présumé que les humains s'efforceraient de récupérer leurs véhicules. Pour gagner la colline et se retrancher à l'intérieur de la maison, il leur aurait fallu affronter les gros animaux et les Cavaliers dont l'aspect était si effrayant qu'ils devaient logiquement charger dans la direction opposée.

Soudain, les gens qui précédaient Burton se mirent à crier. Il sauta en l'air pour mieux voir ce qui les alarmait : les fauteuils décollaient sans personne à leur bord. Il gémit. Des androïdes dissimulés par les lignes de défense envoyaient les sièges ailleurs ; même si les Terriens perçaient ces lignes, ils ne pourraient pas s'échapper par la voie des airs : il ne leur resterait plus qu'à s'enfoncer dans la forêt où l'ennemi les décimerait.

Saisissant aussitôt le danger, de Marbot ordonna à ses troupes de faire halte. Celles-ci continuèrent néanmoins d'avancer en se bousculant, jusqu'à ce que les hussards réussissent à les arrêter. Le Français se précipita immédiatement à l'arrière du carré, qui en devenait le front.

– Nous devons passer entre ces animaux pour rejoindre la colline et la maison, vociféra-t-il. Dick, couvre le flanc gauche avec tes hommes. A toi l'honneur de nous protéger du Jabberwock !

Burton obéit promptement. Les androïdes progressaient toujours lentement et en silence. Ils n'étaient plus maintenant qu'à vingt mètres des Terriens.

De Marbot leva son sabre en hurlant :

– Chargez !

Ses hussards et lui bondirent en avant du gros de la troupe, qui mit plus de temps qu'il n'aurait fallu pour s'élancer. Ces gens étaient indisciplinés, terrorisés ; certains coururent plus vite que les autres, entrant en collision avec ceux qui les précédaient, ce qui provoqua inévitablement des chutes en cascade. Burton eut tout juste le temps d'entr'apercevoir les Français, sortis de la cohue, engager le corps-à-corps avec les Cavaliers Blanc et Rouge, le Lion, la Licorne, un Morse, le Griffon et un Humpty Dumpty avant que la gueule du Jabberwock ne s'ouvre devant lui, rugissante, écumante, découvrant ses quatre crocs éblouissants. Il lança de toutes ses forces le saxophone entre les mâchoires qui se refermèrent automatiquement. Le nez du monstre lui frappa la poitrine ; il tomba à la renverse, ses poumons se vidèrent sous l'effet du choc. Tandis qu'il roulait sur lui-même en essayant de reprendre son souffle, plusieurs femmes s'effondrèrent sur lui.

Recraché, le saxophone atterrit près de sa main droite ; il l'empoigna. L'une des femmes Noires qui se débattaient sur lui poussa des cris stridents ; la gueule du Jabberwock la souleva, ses crocs la transpercèrent. Elle se tut, son corps devint flasque. D'un bref mouvement de tête, le monstre projeta le cadavre au loin, puis dardant son cou de serpent, saisit une autre femme affolée.

Bien que n'ayant pas encore entièrement recouvré son souffle, Burton se débarrassa de la dernière femme qui le recouvrait, roula de nouveau sur lui-même, se releva, passa en courant près de la gigantesque patte avant droite du Jabberwock. Un Tweedledee et un Tweedledum lui barrèrent résolument la route, pointant de longues lances dans sa direction, sans que leurs grosses faces de lune expriment le moindre sentiment. Il se rua sur eux en hurlant, le saxophone haut.

Si leur programmation leur permettait de faire beaucoup de choses, elle comportait ses limites. Elle ne comprenait pas, notamment, la consigne de se tenir hors de portée de la queue fouaillante du Jabberwock, ce qui serait venu naturellement à l'esprit de n'importe quel humain. Résultat : l'énorme appendice écailleux non seulement les renversa, mais leur broya les os ; ils demeurèrent aplatis sur l'herbe, gémissant.

Burton jeta un rapide coup d'œil en arrière et en l'air : occupé à déchiqueter une autre femme, le Jabberwock n'avait pas décelé sa présence. Il se glissa près de son arrière-train et, alors qu'il attendait que la queue reparte vers la gauche, il aperçut la tête et les épaules de Williams qui courait vers l'emplacement naguère réservé aux fauteuils volants ; le Noir zigzaguait désespérément entre les piques et les épées avec lesquelles des androïdes tentaient maladroitement de l'occire. Burton n'eut pas le loisir d'observer la suite : il bondit en avant, se baissa, attrapa la lance que Tweedledee ou Tweedledum avait lâchée, se redressa, virevolta, regagna précipitamment son abri. Brandissant la lance à deux mains, il la plongea jusqu'à mi-corps dans le flanc palpitant du monstre. Un flot de sang jaillit de la blessure, ruissela sur la hampe de l'arme. Le Jabberwock se dressa sur ses pattes arrière en émettant un mugissement assourdissant et laissa tomber la femme qu'il tenait dans sa gueule.

Burton s'enfuit précipitamment. L'extrémité de la queue le manqua d'un doigt. Un sanglier vert dont les défenses jaunes étaient humides de sang le chargea. Il sauta en l'air, retomba sur le dos de l'animal, glissa et atterrit sur l'herbe, les mains tendues pour amortir le choc. L'une des Cartes, un trois de cœur, gisait sur le ventre en agitant vainement ses pattes d'araignée. Se relevant en hâte, Burton ramassa la lance de la figurine et l'enfonça de bas en haut dans le ventre du Chapelier fou dont le sabre venait de l'effleurer. Le Chapelier recula en titubant, les bras ballants, sans avoir le réflexe qu'aurait eu un humain d'agripper la hampe de la lance, mais le visage néanmoins contracté de douleur.

Burton lâcha la lance pour ramasser le sabre. Il se sentait moins nu, moins vulnérable, maintenant qu'il avait en main une arme dont bien peu d'hommes savaient se servir aussi habilement que lui. Un Valet-Grenouille, une Oie géante et une horrible Duchesse l'attaquèrent immédiatement. Le poids du volatile, son bec acéré et la vigueur de ses ailes le rendaient particulièrement redoutable. L'Anglais lui démantibula une aile, sectionna la lance du Valet-Grenouille, décapita l'Oie d'un coup de revers, para la pique de la Duchesse et lui planta sa lame dans le ventre.

La prairie n'était plus maintenant qu'une vaste mêlée où l'on s'affrontait tantôt en combats singuliers, tantôt par petits groupes. La plupart des humains avaient récupéré des armes. Bien que très inférieurs en nombre, ils bénéficiaient d'un avantage : malhabiles au combat, les androïdes étaient en outre incapables d'improvisation. Ils ne savaient que pointer leurs piques droit devant eux ou frapper de taille avec leurs épées, sans esquisser la moindre parade. Les humains qui étaient armés, et il y en avait de plus en plus, surclassaient donc leurs adversaires ; leur infériorité numérique leur interdisait en revanche de protéger leurs flancs aussi efficacement qu'il l'aurait fallu.

Il fallait d'abord neutraliser les gros animaux et les Cavaliers ; on s'occuperait ensuite, s'il y avait une suite, car l'issue du combat était incertaine, de liquider la valetaille.

Profitant de ce que personne ne le menaçait directement pour l'instant, Burton scruta rapidement le champ de bataille afin d'évaluer la manière dont la situation évoluait. Il ne repéra pas Alice, mais Cuillère d'Étoile était toujours juchée sur les montagnes russes. Elle aurait dû descendre prêter main-forte aux combattants, mais la peur l'en avait sans doute empêchée ; on ne pouvait lui en vouloir. La prairie résonnait de cris, d'appels, de plaintes et de rugissements. Le Cavalier Blanc et le Cavalier Rouge, toujours en selle, abattaient méthodiquement leurs bâtons hérissés de pointes sur la tête des humains. Le Cavalier Blanc n'avait pas enfilé son heaume : son visage était aussi placide que s'il parlait de la pluie et du beau temps.

La Licorne était morte, sa corne fichée dans la poitrine d'un hussard dont personne n'avait encore récupéré le sabre. Le Lion se dressa en rugissant, dénuda d'un coup de patte la poitrine d'une femme qu'il envoya valser à plusieurs mètres ; ses flancs et sa crinière dégoulinaient pourtant d'un sang qui ne provenait pas uniquement de ses victimes. Un hussard lui enfonça à deux mains son sabre à la naissance de la crinière et il s'écroula.

Une femme Noire chevauchait un Morse, se retenant d'une main et le frappant à coups répétés de l'autre, armée d'une dague. Le Morse se cabra, bascula en arrière en l'écrasant sous lui : trop grièvement blessé, il ne fut plus capable que de mugir en agitant vainement ses nageoires.

Le Jabberwock avait maintenant trois lances fichées dans le corps, mais il poursuivait ses ravages : ses puissantes mâchoires sectionnèrent un homme en deux alors même que Burton le regardait.

Un Flamant rose fondit sur celui-ci dans un tourbillon d'ailes, les serres en avant. L'Anglais lui trancha la tête, pivota, dévia l'épée d'un Lapin Blanc, passa sous sa garde, saisit sa main gantée de blanc, le déséquilibra et lui sectionna en partie le cou avant qu'il n'eût retrouvé son assiette.

Il se retourna pour repousser l'assaut d'un Tove, créature de la taille d'un chien qui tenait à la fois du blaireau, du lézard et du tire-bouchon. Son nez long de quatre-vingt-dix centimètres l'handicapait car il l'obligeait à se mettre debout pour mordre. Burton le lui coupa, puis affronta trois Cartes vivantes, un deux de cœur, un quatre de carreau et un valet de trèfle, qui se tenaient au coude à coude, lances baissées ; il avait décidé de commencer par celle de gauche et de la liquider avant que les autres n'aient le temps de le cerner, mais il glissa sur une flaque de sang et heurta les pieds en avant la carte du milieu ; celle-ci, qui était le quatre de carreau, tomba et, son corps plat se comportant comme une aile, passa en volant au-dessus de lui. Les deux cartes restantes se retournèrent lentement et maladroitement. Il s'écarta d'elles en accomplissant une roulade, le sabre à bout de bras, se releva et les trucida.

Ce fut alors le Lièvre de Mars qui l'attaqua, serrant dans sa main un fléau d'armes. Cette arme médiévale se composait d'un manche en bois long de soixante centimètres auquel était reliée une chaîne terminée par une boule métallique garnie de pointes. Maniée expertement, elle brisait une armure. Burton dut battre en retraite tout en s'assurant que personne ne s'apprêtait à l'assaillir de côté ou par-derrière, puis, alors que la boule venait de le manquer, fit un pas en avant et coupa la main qui tenait le manche de bois. Le Lièvre de Mars couina, conformément à ce que sa programmation prévoyait en cas de blessure, mais ne s'enfuit pas comme un humain l'aurait probablement fait. Il resta figé sur place jusqu'à ce que l'hémorragie le terrasse. Un autre Morse, le dernier, s'effondra sous l'avalanche de coups dont l'accablaient trois hommes, dont deux tombèrent à leur tour sous ceux du Cavalier Blanc.

Burton ne vit pas la suite car il dut se défendre contre un Charpentier et un Moucheron de la taille d'un poulet. Quand il les eut repoussés, il attaqua par-derrière une Reine Rouge dont il trancha le chef couronné et se retourna juste à temps pour faire face à l'agression du Chat de Chester. La tête de cet animal gros comme un lynx était maculée de sang : il s'était manifestement livré à un terrible carnage. Le Chat s'élança sur lui en miaulant, griffes déployées ; Burton lui assena un coup de sabre entre les deux yeux avant que le choc ne l'envoie bouler à terre. Quand il se releva, il constata que le Chat était définitivement hors de combat.

Quelque chose le frappa par-derrière et il tomba sur ses genoux. Étourdi, la vision trouble, ne sachant plus qui ni où il était, il se trouvait à la merci de son adversaire quand quelqu'un qu'il ne reconnut pas passa en trombe près de lui. Alors qu'il se mettait à quatre pattes en secouant la tête, il entendit un bruit d'armes entrechoquées, puis une main l'aida à se relever. Il reprit lentement ses sens, non sans ressentir une douleur abominable à la nuque. Son sauveteur était Monteith Maglenna ; les vêtements en lambeaux, perdant son sang par une douzaine de blessures, il avait au poing une épée à deux tranchants barbouillée de rouge.

– Vous l'avez échappé belle, commenta-t-il d'une voix rauque.

Burton regarda Bill le Lézard qui gisait sur le sol à côté d'un gourdin et de sa toque plate ensanglantée.

– Merci. Ça va aller.

– Parfait. Il faut maintenant se débarrasser de ce fichu Jabberwock. Venez me donner un coup de main quand vous vous sentirez en état de le faire.

Le grand gaillard blond s'éloigna en brandissant son épée à deux mains comme s'il s'était agi de la claymore ancestrale. Le Jabberwock commençait manifestement à s'affaiblir sous l'effet des hémorragies internes provoquées, notamment, par les piques fichées dans ses flancs. Le sang qui lui coulait des babines ne pouvait pas être uniquement celui de ses victimes. Recroquevillé sur ses quatre pattes, fouillant toujours l'air de sa queue, mais moins vigoureusement qu'auparavant, il lançait sa tête mugissante en direction des hommes et des femmes qui le harcelaient de toute part. Les assaillants se contentaient d'approcher d'un bond, de décocher leur coup et de se retirer précipitamment, sans oser s'approcher de sa gueule toujours menaçante. Leurs arrières étaient protégés par un rideau de combattants qui empêchaient les androïdes de les prendre à revers. Il y avait là au moins une ébauche d'organisation.

Burton fit un tour d'horizon, en s'efforçant de maîtriser son vertige et ses nausées. Le Cavalier Blanc et son destrier étaient morts, mais le Cavalier Rouge, secondé par quelques Cartes, le père Guillaume, des Aiglons, deux Lapins Blancs, des Toves et un Charpentier continuait à défoncer les crânes autour de lui. Sa monture glissa plusieurs fois sur des flaques de sang, se rattrapa, trébucha sur un monceau de corps. Burton gémit à la vue de tant de cadavres humains et du nombre, encore considérable, d'androïdes debout. Certains d'entre eux ne s'employaient qu'à tuer les blessés. Ils devaient avoir reçu l'ordre d'achever tous ceux qu'ils abattaient avant de retourner au combat.

Il aperçut Alice. Les vêtements rougis, elle tenait un glaive. Elle s'était échappée de la mêlée et aurait pu s'enfuir dans sa maison ; l'idée avait dû l'en effleurer, car elle jeta à plusieurs reprises un regard d'envie vers le sommet de la colline. Mais elle fit demi-tour, dégringola la pente en courant et planta son glaive dans le dos d'un Charpentier.

Cuillère d'Étoile descendait de son perchoir. Dans l'intention d'entrer dans la bagarre ou de se mettre à l'abri ? Il n'avait pas le temps de le vérifier.

Repartant, il marcha sur un Dodo qui décapitait les Terriens blessés. Comme sur l'illustration de Tenniel, ses ailes recouvraient de petits bras munis de mains humaines. La courte longueur de ces bras rendait ses coups d'épée inefficaces, l'obligeant à hacher longuement le cou de ses victimes avant de parvenir à le sectionner complètement. Burton lui trancha la tête juste au moment où il s'apprêtait à finir de détacher celle d'un Chinois.

Tiens, où était donc Li Po ? La réponse arriva aussitôt : juché sur une grande table, il tenait trois Cartes en respect à l'aide d'une rapière. Les Cartes l'attaquaient de trois côtés à la fois avec des piques, mais il dansait, sautait pour éviter une pointe, déviait une hampe du pied, repoussait l'ennemi d'un moulinet. Puis Frigate, couvert de sang, arriva à la rescousse en brandissant une arme étrange. Burton ne reconnut de quoi il s'agissait qu'en la voyant se lever et s'abattre sur l'une des Cartes : c'était le narguilé de la chenille ! Frigate réduisit rapidement deux des Cartes en bouillie, tandis que Li Po transperçait l'autre à deux reprises.

Burton se retourna de nouveau pour aller prêter main-forte à ceux qui combattaient le Jabberwock. Maglenna fonçait droit sur le monstre, l'épée haute.

Avec sa vorpaline lame, songea-t-il.

Une douzaine d'hommes et de femmes harcelaient toujours le monstre, couverts sur leur arrière par une douzaine d'autres. Tandis que Maglenna donnait l'assaut, six de ces derniers s'écroulèrent et quelques androïdes se ruèrent immédiatement sur les attaquants après avoir achevé les blessés. Ils tuèrent quatre des assaillants par-derrière, alors que le reste des humains se trouvaient coincés entre l'énorme animal et les autres androïdes. Maglenna n'en eut cure. Prenant appui sur un cadavre, il bondit à l'instant précis où le Jabberwock allongeait le cou pour saisir la tête d'un homme. Malgré la distance, Burton entendit le cri de guerre de l'Écossais et ne douta pas que celui-ci allait réussir à trancher le cou épais de la bête. Malheureusement, le corps qu'il utilisait comme tremplin se déroba légèrement sous son pied, de sorte que la pointe de sa lame ne fit qu'entailler le cou écailleux. Maglenna tomba lourdement sur le ventre, en perdant son épée. Il se releva promptement, cherchant l'arme du regard, mais le Jabberwock ouvrit la gueule et laissa tomber sur lui le cadavre de sa victime. L'Écossais se dégagea, se releva de nouveau. Les mâchoires gigantesques et refermèrent sur son corps et l'arrachèrent, gigotant, du sol. Il y redescendit privé de la tête et des épaules, que le monstre recracha un instant plus tard.

Le cri d'Alice perça le vacarme. Burton l'aurait reconnu entre mille. Se retournant, il la vit paralysée d'horreur, le dos de la main plaquée sur la bouche, les yeux dilatés au point de n'être plus que des trous sombres.

Il vit aussi le Chevalier Rouge qui le chargeait au galop en brandissant son bâton hérissé de pointes. L'armure écarlate et le heaume en tête de cheval lui conféraient un aspect terrifiant. Le martellement des sabots de son destrier évoquait le roulement de tambour qui annonçait l'ouverture de la trappe du gibet.

Burton fit passer le sabre dans sa main gauche, ramassa une lance abandonnée, ramena le bras en arrière, visant non point le Cavalier, mais sa monture. Quand l'être cuirassé fut à dix mètres, il projeta la lance dont la forte pointe acérée s'enfonça dans l'épaule du cheval. Celui-ci culbuta ; le Cavalier fendit l'air et s'écrasa sur le sol dans un fracas de ferraille. Reprenant le sabre dans la main droite, Burton courut jusqu'au cheval qui entreprenait déjà de se relever et lui trancha la jugulaire. On l'avait, lui aussi, programmé de manière qu'il tue. Il avait mordu et rué pendant que son maître jouait de la massue ; il convenait de le neutraliser en priorité.

Le Cavalier Rouge gisait immobile sur le ventre. En dépit de son poids, Burton l'allongea sur le dos, puis détacha le heaume. Il devait s'assurer que la créature était bien morte, et non simplement évanouie. Quand il découvrit le visage dissimulé par le heaume, il sursauta : c'était le sien. Encore une plaisanterie d'Alice !

Se redressant, il contempla les traits du mort : comme il était étrange de voir son propre cadavre ! Son regard se porta sur la portion de prairie qui s'étendait entre lui et le pied de la colline. Elle était jonchée de cadavres, parfois entassés les uns sur les autres. La seule silhouette debout dans cette direction était celle d'Alice, qui retirait son épée du corps d'un Humpty Dumpty. Des larmes diluaient le sang qui lui couvrait le visage.

Il vit alors Cuillère d'Étoile qui dévalait de la colline, un lance-rayons dans chaque main. Elle s'était enfuie, mais uniquement pour aller chercher dans la maison les armes qui assureraient la victoire aux humains, bien qu'elle risquât d'être la seule survivante.

Il regarda dans l'autre direction. Dix androïdes s'y dressaient, sans compter le Jabberwock. Trois humains se battaient encore : Li Po, un Noir et une Blanche, l'une des amies d'Aphra Behn. La femme s'écroula au même instant, criblée de coups d'épée.

Le Jabberwock, qui respirait péniblement, s'avança en traînant la patte vers le groupe des combattants. Quand il fut près d'eux, il fit demi-tour ; sa queue fouetta, renversant trois androïdes et le Noir. Li Po transperça de son épée la Reine Blanche qui lui barrait le chemin et s'élança vers le parc de stationnement où restaient encore trois fauteuils.

Frigate, sorti d'on ne savait où, fonça lui aussi vers les fauteuils. Les androïdes restants dépecèrent le Noir avant de se lancer à la poursuite des deux hommes.

Le Jabberwock promena la tête de gauche à droite, vit Burton, se dirigea pesamment vers lui.

Un bruit de moteur troubla soudain le silence relatif qui régnait maintenant sur la prairie. Il fut suivi par une série d'explosions et Bill Williams, ensanglanté mais souriant à pleines dents, déboucha au volant de sa moto de derrière la petite maison aux cheminées en oreille et au toit recouvert de fourrure de lapin. Que fichait-il là-bas, et comment avait-il réussi à y amener sa moto ? Peut-être l'y avait-il poussée à la main durant la bagarre dans l'intention de se sauver dès que possible ? Peut-être, et plus vraisemblablement, avait-il attendu l'occasion de s'en servir ? A moins qu'après l'avoir cachée, il ne se soit évanoui en raison de ses blessures, pour appliquer son plan original une fois revenu à lui ? Quelle que fût la vérité, et Burton ne devait jamais la connaître, il agissait maintenant comme lui seul pouvait en avoir l'idée.

Alors que le monstre progressait vers Burton sans tourner la tête pour découvrir d'où provenait ce nouveau bruit, Williams accéléra. Slalomant entre les cadavres, roulant parfois sur un bras ou une jambe, il fonça droit sur le flanc du Jabberwock et lui percuta les côtes de plein fouet.

Le choc fut si violent qu'il déplaça latéralement l'énorme bête de quelques centimètres. Williams vola par-dessus son échine et atterrit sur le front. Le Jabberwock leva la tête aussi haut que son cou pouvait la hisser, barrit longuement et expira.

Burton se précipita vers Williams, le coucha sur le dos : il était mort, le visage en capilotade et la nuque brisée.

Bien que vaincus d'avance, les androïdes marchèrent sur Burton conformément à leur programmation. Ils ne parvinrent pas jusqu'à lui : les fauteuils de Frigate et Li Po les renversèrent brutalement et les renvoyèrent à terre chaque fois qu'ils se redressaient jusqu'à ce qu'ils n'eussent plus la force de le faire ; les deux hommes descendirent alors de leurs sièges pour terminer le travail. Entendant quelqu'un pousser un cri étranglé derrière lui, Burton se retourna : c'était Cuillère d'Étoile qui avait glissé et s'était étalée de tout son long ; elle avait lâché les lance-rayons pour amortir la chute avec les mains. Il alla la relever ; elle se jeta en pleurant dans ses bras.

Le silence régnait désormais sur la prairie, brisé uniquement par les sanglots de Cuillère d'Étoile, d'Alice et de Frigate qui, avec Li Po et Burton, étaient les seuls survivants. Non. Il y avait aussi la Chenille bleue qui trônait toujours sur son champignon géant, et la Mouche du cheval à bascule, trop fragile pour qu'on ait pu la programmer à tuer, mais ces bestioles ne comptaient pas.

Burton se sentit plus fatigué, plus vide qu'il ne l'avait jamais été au cours de sa longue existence. Traumatisé, hébété, il avait l'impression d'être dans un monde inconnu voguant à la dérive.

– Qui a bien pu organiser ce massacre horrible ? gémit Alice.

Qui, en effet ?

Au moment même où Burton se posait la question, William Gull geignit et s'extirpa d'un monceau de cadavres.

33.

Bien que couvert de sang, Gull n'avait pas d'autres blessures qu'une grosse bosse derrière la tête.

– J'ai été assommé et quelques tués se sont effondrés sur moi, de sorte que les androïdes ne m'ont pas repéré.

Il se palpa précautionneusement le crâne et grimaça.

– Vous avez eu beaucoup de chance, dit mornement Burton. Je crois que vous êtes la seule personne tombée au sol qui n'ait pas été décapitée.

Pourquoi le sort avait-il voulu que Gull fût épargné, et non Nur, de Marbot ou Aphra Behn ?

Non pas que cela eût grande importance, puisqu'on allait les ressusciter.

A peine cette pensée lui fut-elle venue à l'esprit que Burton comprit son erreur : le responsable de leur mort aurait certainement veillé à ce qu'on ne puisse pas les ressusciter. A quoi aurait-il servi de les tuer, sans cela ? A rien, évidemment.

Il lui faudrait vérifier la chose. Pour l'instant, le plus urgent était de récupérer ; puis d'incinérer les morts et de nettoyer cet atroce désordre.

« Montons à la maison, proposa-t-il. Nous n'avons rien à gagner en restant ici. »

Mais il convenait d'abord d'assurer sa propre sécurité et celle de ses compagnons. Il ramassa les deux lance-rayons.

— Cuillère d'Étoile, y avait-il des androïdes dans la maison quand tu t'es emparée de ces armes ?

— Je n'en ai vu aucun, répondit-elle d'une voix aussi dépourvue d'expression que l'était son visage.

— Nous allons devoir tout faire nous-mêmes. Nous ne pouvons pas nous fier aux androïdes.

Il s'immobilisa. Les lance-rayons semblaient bien légers ! Ouvrant leur crosse, il regarda dans le logement destiné à recevoir les piles et jura : ils étaient vides !

— Vois, Cuillère d'Étoile, ces engins auraient été inutilisables.

— Désolée. J'étais trop bouleversée pour le remarquer. (Elle frissonna). Heureusement que je n'en ai pas eu besoin !

— Oui. Mais celui ou celle qui a retiré ces charges était très malin. Seulement...

Ils escaladèrent péniblement la colline, en ayant à chaque pas l'impression de marcher dans de la glu.

— Seulement quoi ?

— Pourquoi l'organisateur du massacre n'a-t-il pas ordonné aux androïdes de prendre ces lance-rayons dans la maison afin de nous tuer ? Avec ça, ils nous auraient liquidés sans peine et à coup sûr.

Li Po, qui avait écouté, suggéra :

— Il aime peut-être la vue du sang. Ou alors il voulait qu'on souffre, ou qu'on s'imagine avoir une chance de s'en tirer. Résultat...

— Il recommencera, dit Burton.

— ... Il a raté son coup. Nous n'avons qu'à ressusciter nos amis et il... (Le Chinois demeura bouche bée.) Ah ! Et s'il l'avait interdit ?

— Eh oui ! Nous le saurons bientôt.

Frigate les rattrapa. Le voyant lorgner par-dessus son épaule, Burton se retourna pour découvrir ce qui retenait son attention. C'était Gull qui gravissait lentement la colline loin derrière eux.

— Je suis peut-être exagérément méfiant, déclara l'Américain, mais ne trouves-tu pas bizarre qu'il n'ait pas été tué après s'être évanoui ? Je n'ai rien qui étaye mes soupçons, mais après tout cet homme *a été* Jack l'éventreur. Il a peut-être joué serré et donné aux androïdes la consigne de l'épargner ; voire même prévu que l'un d'eux l'assommerait ou le frapperait légèrement sur la tête si le combat tournait à notre avantage.

Dire ça m'écorche la bouche, mais nous ne pouvons plus nous permettre de prendre le moindre risque.

– J'ai pensé la même chose, répondit Burton, mais rien ne prouve qu'il n'ait pas dit la vérité.

Ils achevèrent le parcours en silence. Le ciel était toujours bleu et le soleil approchait de la position qu'il occupait à six heures. Burton songea aux paroles du Chapelier fou : *il est toujours six heures, ici.*

Les oiseaux chantaient de nouveau dans les bois et un écureuil tançait vertement un intrus, qui était probablement l'un des chats d'Alice. Le fracas du combat avait rendu les animaux sauvages muets de terreur, mais maintenant qu'il avait cessé, ils avaient repris leur existence normale. Le vacarme et les cris ne signifiaient plus rien pour eux une fois qu'ils s'étaient tus. Ces créatures innocentes ne vivaient que dans le présent ; elles ne gardaient aucun souvenir du passé.

Il envia leur innocence et leur ignorance du temps.

Les Terriens s'arrêtèrent pour reprendre leur souffle dans le grand jardin fleuri aménagé au sommet de la colline. Burton scruta le ciel en se demandant si les fauteuils volants se pressaient là, quelque part contre sa paroi azurée. Ils le feraient jusqu'à ce que leurs batteries s'épuisent et redescendraient alors se poser doucement parmi les arbres.

Ils pénétrèrent dans l'immense maison vide – du moins l'espéraient-ils – et la fouillèrent pièce par pièce, l'arme à la main, puis assurés que personne, humain ou androïde, ne s'y dissimulait afin de les attaquer par surprise, ils se douchèrent. Après avoir enfilé des vêtements propres, des robes ordinaires, ils se retrouvèrent dans la vaste bibliothèque. Ils ressentaient déjà l'effet des pilules euphorisantes que l'Ordinateur leur avait données, mais n'en étaient pas moins exténués physiquement et moralement. L'alcool ne leur procura aucun réconfort et nul d'entre eux n'éprouvait l'envie de manger.

« Allons, inutile de tergiverser ! » proclama Burton en s'asseyant devant la console de l'Ordinateur. Il posa la question qu'il redoutait tant de poser, et obtint la réponse qu'il craignait tant de recevoir.

Nur, Turpin, Sophie, de Marbot, Aphra et toutes les autres victimes du combat ne pouvaient être ressuscitées : quelqu'un l'avait interdit et l'Ordinateur refusait de dire qui.

– Oh mon Dieu ! gémit Alice. Je n'ai eu Monty que durant six jours et le voici parti à tout jamais !

– A tout jamais, non, corrigea Burton. Nous trouverons le moyen d'annuler l'interdit. Un jour...

– Nous devrions alerter les autres, reprit Alice.

– Les autres ? Ah, tu veux dire les occupants de Turpinville, Netley et ses acolytes, et aussi les Gitans.

– Avertis les Gitans, protesta Frigate, mais pas ceux qui nous ont chassés de chez nous, Tom et moi. Ils ne le méritent pas. Tout ce qu'ils méritent... heu...

– Je comprends tes sentiments, mais ces gens sont nos alliés, d'une certaine façon. Le Snark ou l'auteur du massacre, quel qu'il soit, ne va pas s'attaquer qu'à nous.

– Comment le sais-tu ?

– Je n'en sais rien, mais nous devons les prévenir.

Il appela d'abord Turpinville. L'écran s'alluma, sans que personne ne réponde, et ne révéla qu'un clair-obscur ambré.

Il s'apprêtait à appeler Netley quand Li Po l'arrêta :

– Attends ! Je crois avoir vu quelque chose !

– Quoi donc ?

Burton écarquilla les yeux – comme si *cela* pouvait avoir une utilité quelconque.

– Quelque chose de sombre. Qui se déplaçait.

Les autres se rassemblèrent autour de la console ; écarquillant, eux aussi, les yeux.

– Je ne vois rien.

– Tu n'as pas mon regard d'aigle ! Tiens, là ! Tu ne vois pas ? C'est sombre et ça bouge, très lentement il est vrai. Attends !

Burton devinait maintenant une vague forme obscure. Elle grossit imperceptiblement, en mettant un temps presque intolérable à se rapprocher. Les minutes s'écoulèrent et les contours de la chose se précisèrent.

– C'est un homme ! proféra Alice d'une voix étranglée.

Burton demanda à l'Ordinateur s'il ne pourrait pas accentuer la luminosité de l'image ; le liquide – il s'agissait forcément d'un liquide, puisque l'homme y flottait – s'éclaircit un peu. Au bout de quelques minutes encore, ils distinguèrent le visage d'un Noir, les yeux fixes et la bouche grande ouverte.

– J'ignore ce qui s'est passé au juste, commenta Burton, mais c'est certainement quelque chose d'horrible. L'écran qui servait à recevoir les messages provenant de l'extérieur se trouvait dans la pièce voisine du bureau de Turpin. Elle est manifestement remplie d'eau ou d'un autre liquide.

– C'est impossible, souffla Cuillère d'Étoile.

— Oh que non ! Il n'est pratiquement rien d'impossible pour l'Ordinateur.

— Essaye Netley, conseilla Frigate.

Burton obéit. L'écran, cette fois-ci, laissa apparaître un liquide plus clair. La vue n'y portait pas très loin, mais on apercevait une masse indistincte qui ressemblait à un sofa et, près d'elle, un petit objet noir aux contours trop flous pour qu'on puisse l'identifier ; mais qui flottait. Il s'agissait peut-être d'une bouteille en plastique à moitié vide, maintenue à flot par l'air qu'elle contenait.

— Une autre inondation, incontestablement, conclut Burton.

— Demande à l'Ordinateur s'il sait ce qui est arrivé, suggéra Frigate.

Burton le foudroya du regard.

— Ne dis donc pas de bêtises ! Celui qui a fait ça aura interdit à l'Ordinateur de nous révéler quoi que ce soit.

— Pas forcément. Le Snark se fiche peut-être éperdument, ou au contraire souhaite que l'Ordinateur nous apprenne ce qui est advenu. De toute façon, s'il pensait que nous allions tous mourir, qu'il ne resterait personne pour poser des questions, pourquoi lui aurait-il imposé le secret ?

— Exact. Je te présente mes excuses.

Burton demanda à l'Ordinateur s'il avait enregistré les derniers événements survenus dans les mondes de Turpin et de Frigate. La réponse ayant été affirmative, il lui ordonna de projeter les images prises à partir du moment où le liquide avait commencé d'envahir le monde de Turpin.

Les humains imaginaient que seuls les terminaux placés à l'intérieur des univers privés et reliés à l'Ordinateur par des câbles noyés dans le sol retransmettaient ce qui se déroulait au sein de ces univers. Le Snark, l'inconnu, avait trouvé le moyen de forcer cette barrière audiovisuelle. Il avait transformé en écran des portions de mur soigneusement choisies, grâce à quoi Burton et ses compagnons assistèrent au déluge comme s'ils avaient survolé les lieux. L'eau des sources et des fleuves, des marais et des lacs céda la place, sous leurs yeux, au liquide ambré. Lequel, leur apprit l'Ordinateur sur l'interrogation de Burton, était du bourbon.

— Du bourbon ? s'étonna l'Anglais.

— Oui, du bourbon ! confirma l'Ordinateur.

L'alcool s'était déversé sous une forte pression par tous les orifices normalement destinés à l'approvisionnement en eau. Les sources avaient jailli presque jusqu'au plafond de la salle brobdingnagesque, les cours d'eau, les lacs et les marais avaient craché des torrents de whisky.

– Le meilleur bourbon que j'aie jamais bu... murmura Burton.

Après quelques minutes de panique, les habitants de Turpinville s'étaient précipités vers la sortie à bord de tous les véhicules utilisables. Ils s'étaient d'abord battus, à coups de poing, de couteau et de revolver, pour s'emparer des quelque cent fauteuils volants disponibles, puis des autos, des motos, des chevaux et des carrioles. Ils s'étaient entassés dans le train et juchés sur le toit des voitures. Ceux qui pilotaient des fauteuils avaient atteint rapidement la sortie, mais pour découvrir que la porte en était bloquée. Les autres s'étaient noyés avant d'y parvenir. S'ils avaient conservé leur sang-froid, ils auraient pu se faire livrer par les convertisseurs des fauteuils avec lesquels ils auraient, eux aussi, gagné la sortie – où la vanité de leurs efforts leur serait apparue.

Bien qu'il se fût déversé à un débit considérable, le liquide avait un volume énorme à remplir, et il n'était monté qu'au quart seulement de la hauteur des murs. Les occupants des fauteuils s'étaient réfugiés à proximité du plafond, où les vapeurs d'alcool et le manque d'oxygène avaient eu raison d'eux. Certains survivaient peut-être encore ; pas pour longtemps. Si les flots avaient cessé de grimper, ils n'avaient pas besoin de le faire pour achever leur tâche.

– Quelle façon de mourir ! s'écria Burton. Il contempla les visages blêmes de ses compagnons, puis ajouta : Je suppose que nous pouvons passer maintenant à l'univers de Netley.

Les choses s'y étaient déroulées de la même façon, à ceci près que le liquide était du gin. De la meilleure qualité, bien entendu !

Comme Burton s'y attendait, l'Ordinateur déclara qu'il refuserait de ressusciter les Terriens qui avaient péri dans l'un et l'autre de ces mondes.

Les Gitans parcouraient un couloir conduisant vers le puits aux *wathans* – qu'ils avaient peut-être l'intention de visiter – quand un gros robot monté sur roues leur avait barré le passage et les avait pris sous le feu de ses lance-rayons.

Dix minutes plus tard, d'autres robots avaient nettoyé le sang et transporté les cadavres jusqu'à des convertisseurs qui les avaient incinérés.

– Nous ne sommes donc que six survivants, dit Burton. Sept, en comptant le Snark. Mais...

– Mais quoi ? s'enquit Alice après un long silence.

Il ne répondit pas. Il pensait que le tueur se serait débarrassé bien plus facilement d'eux en inondant le monde d'Alice. Pourquoi les avait-il traités différemment ? Pour le plaisir sinistre de les voir aux prises avec les créatures charmantes de deux livres de contes enfantins soudain métamorphosés en monstres homicides ?

Il semblait plus probable qu'il – ou elle – avait agi ainsi parce qu'il figurait au nombre des invités d'Alice, et qu'il souhaitait voir ses ennemis, des gens qu'il – ou elle – devait haïr profondément, périr dans un bain de sang.

Et que le tueur, en programmant les androïdes, avait fait le nécessaire pour qu'ils l'épargnent.

Burton connaissait trop bien Alice, Peter Frigate, et Li Po pour les soupçonner. Cela ne laissait que deux suspects. William Gull, qui prétendait être devenu extrêmement pieux mais avait autrefois assassiné cinq femmes ; et Cuillère d'Étoile, qui toutefois n'avait aucun motif d'agir ainsi – à sa connaissance du moins.

Gull ne séjournait pas dans la tour depuis assez longtemps pour avoir appris à manipuler l'Ordinateur avec l'habileté et l'ingéniosité nécessaires.

Cuillère d'Étoile avait étudié longuement et intensément l'emploi de l'Ordinateur, mais aurait-elle pu acquérir, en un délai malgré tout relativement court, un savoir que les autres Terriens, qui le manipulaient depuis beaucoup plus longtemps, ne possédaient pas encore ?

L'existence d'un deuxième Snark n'était pas à exclure.

Et dans ce cas, les survivants étaient à sa merci.

Néanmoins, il demeurait possible que l'un des six eût exploré à fond les capacités de l'Ordinateur et appris ce qu'il fallait pour organiser la tuerie.

Mais pourquoi l'aurait-il souhaitée, cette tuerie ?

Se levant, il annonça :

– Il faut visionner les souvenirs que chacun d'entre nous a conservés des six dernières semaines.

Frigate, Alice, Gull et Cuillère d'Étoile protestèrent qu'ils étaient trop épuisés pour se soumettre à cette épreuve dans l'immédiat.

— Renvoyons la chose à demain, quand nous serons reposés, proposa Alice.

— De toute façon, ce sera peine perdue, objecta Cuillère d'Étoile. Tu penses bien que celui qui a fait ça (elle balaya l'espace de la main) se sera fabriqué de faux souvenirs.

— Je le sais. Nous devons quand même tenter le coup.

Ils restèrent une heure assis en rond à échanger mornement de brefs propos entrecoupés de silences pesants. Frigate dit finalement qu'il se croyait en mesure d'absorber un peu de nourriture. Les autres convinrent d'essayer eux aussi, et ils mangèrent plus qu'ils ne s'y attendaient. Ils burent plus aussi, ce qui les anima un peu sans aller jusqu'à les rendre insouciants. Burton aborda alors une question qui le préoccupait depuis qu'ils avaient franchi le seuil de la maison.

— Notre ennemi a condamné l'issue des univers de Turpin et de Netley. Rien ne l'empêche d'en faire autant avec celui-ci. Puisqu'il n'a pas réussi à nous exterminer tous à l'aide des androïdes, il peut tenter de nous appliquer la méthode de la noyade qui s'est avérée si efficace. Il vaudrait sans doute mieux partir d'ici pour aller nous installer dans un appartement.

Ils débattirent assez longtemps du projet, après quoi Alice, sur la suggestion de Burton, ordonna l'ouverture de la porte donnant sur la rotonde centrale. L'écran leur montra qu'elle fonctionnait.

— Mais cela ne signifie pas que le Snark ne peut pas nous enfermer s'il le désire, observa Burton.

— Alors, sortons d'ici ! dit Frigate. L'ennui... comment lui interdirons-nous de bloquer la porte de l'appartement ?

— Je n'en sais rien. Mais au moins il ne pourra pas nous noyer.

Ils se firent fabriquer des fauteuils par le convertisseur et gagnèrent la sortie en survolant, sous les rayons d'une pleine lune artificielle, le monde d'Alice plongé dans l'obscurité. Personne ne fit allusion aux cadavres qui jonchaient la prairie. Ils n'avaient pas eu le temps de s'en occuper ; les corbeaux, les aigles et les faucons les dépouilleraient de leur chair. Quand les Terriens reviendraient, s'ils revenaient un jour, ils n'auraient plus que des ossements à recueillir.

Après avoir bu un dernier verre, ils se retirèrent chacun dans des chambres séparées, à l'exception de Burton et de Cuillère d'Étoile. La Chinoise se glissa aussitôt dans le lit, murmura « Bonne nuit, Dick » et s'endormit immédiatement. Il la rejoignit quelques minutes plus tard et, contrairement à ses craintes, sombra lui aussi d'un seul coup dans le sommeil. Il se réveilla au bout de quatre heures, victime de la vieille insomnie qui l'agrippait comme le Vieillard de la Mer. Cuillère d'Étoile, qui reposait sur le côté en lui tournant le dos, ronflait légèrement. Il se leva, enfila une robe, alla dans la pièce principale boire un café qui dissipa quelque peu sa lassitude. Il s'assit alors devant la console de l'Ordinateur ; cinq heures plus tard, il avait donné à celui-ci toutes les instructions et les consignes prioritaires qui lui étaient venues à l'esprit en vue de protéger les occupants de l'appartement. Il demanderait à ses compagnons d'en compléter la liste, car il y en avait certainement d'autres à y ajouter.

— Il y a beau temps que j'aurais dû faire ça ! morigéna-t-il.

Il décida de ne pas attendre que ses co-équipiers émergent pour le petit déjeuner. Fatigués comme ils l'étaient, ils risquaient de dormir jusqu'à midi. Il entreprit d'explorer les couloirs par l'intermédiaire de l'écran, faute de mieux. Il commença par le hangar situé au sommet de la tour, fouilla le premier étage en partant du haut, puis le deuxième qui ne le retint pas longtemps : un seul coup d'œil lui apprit que la rotonde centrale était déserte et que les animaux étaient les seuls êtres vivants subsistant dans les mini-univers.

Passant au soixantième étage, l'objectif balaya rapidement les couloirs et les pièces adjacentes, parvint à la galerie dont le mur intérieur constituait l'une des parois du puits aux *wathans*. C'était de cet endroit qu'un observateur pouvait apercevoir la surface de la masse des *wathans*.

Burton cria : « Stop ! »

Regarda fixement la courbe transparente que formait la paroi du puits.

Les merveilles lumineuses, multicolores, mouvantes et tourbillonnantes qu'on appelait des *wathans* avaient disparu. Le puits était vide et sombre.

34.

Peter Frigate fut le premier à entrer dans la pièce. Il s'immobilisa, regarda Burton, le lance-rayons posé sur la table, la porte du couloir entr'ouverte.

– Qu'est-ce qui se passe ?

Li Po arriva juste comme Burton ouvrait la bouche pour répondre à Frigate.

– Bois d'abord une goutte de café, Pete.

– Comment ça va, Dick ? s'enquit le Chinois.

– Je suis resté debout presque toute la nuit. A travailler.

Li Po jeta un coup d'œil sur l'arme et la porte, haussa les sourcils mais ne fit aucun commentaire. Après s'être servi du café, Frigate remarqua :

– Tu as une gueule épouvantable. Avec ces cernes autour des yeux... tu as l'air d'un vieux débauché. Qu'est-ce que tu as fichu ?

– Quelle gueule ferais-tu, toi, si tu savais la fin du monde imminente ? Ou si tu savais, plutôt, que le monde a pratiquement cessé d'exister ?

Frigate ingurgita sans broncher une pleine tasse de café bouillant avant de répondre :

– La fin du monde se produit chaque seconde.

Burton ne comprit pas ce qu'il entendait par là et ne se soucia pas d'éclaircir la question. Frigate ne cherchait de toute façon qu'à retarder le moment d'apprendre les mauvaises nouvelles.

Li Po but une gorgée de café et demanda :

– Que veux-tu dire ?

– Il vaut peut-être mieux attendre que tout le monde soit là. Je n'aime pas avoir à répéter les choses.

– Cause toujours ! railla Frigate. Nous t'écoutons.

– L'enclos aux *wathans* est vide.

Li Po et Frigate blêmirent mais ne prononcèrent pas un mot.

– J'ai immédiatement contrôlé les enregistrements corporels. J'ai dû me forcer parce que je ne voulais pas savoir ce qui leur était advenu, alors qu'en réalité je le savais déjà, évidemment. Mais il fallait le faire, alors je l'ai fait.

– Et ils... ils... balbutia Frigate.

– Ils ont été effacés. Tous les trente-cinq milliards six cent quarante-six millions et des poussières. Sans exception. Et aucun *wathan* n'est arrivé depuis que j'ai découvert la chose.

Li Po s'assit.

— J'ai encaissé trop de chocs ces derniers temps.

Au bout d'un long moment, Frigate lâcha :

— Ainsi... quand nous mourrons, ce sera pour la dernière fois.

— Exact !

Après un autre long silence – seule une supercatastrophe pouvait amener Li Po à se taire aussi longtemps –, Frigate versa du cognac dans une tasse à demi pleine de café et avala d'un trait le breuvage fumant. Li Po parut vouloir l'imiter, se leva à moitié, hocha la tête et retomba sur son siège. C'était la première fois que Burton le voyait ne pas saisir une occasion de boire.

Le cognac avait rendu en partie ses couleurs à Frigate. Il en but encore un peu, sec cette fois-ci, et dit :

— Le Snark a bloqué ce processus automatique... en d'autres termes, plus aucun corps ne sera enregistré dorénavant ?

— Non.

— Mais si nous réussissons à survivre jusqu'à ce que les Éthiques du Monde-Jardin débarquent ici, nous pourrons de nouveau être enregistrés. Sinon, nous perdrons à tout jamais nous aussi notre chance d'accéder à l'immortalité.

— Naturellement. Mais quand les Éthiques débarqueront, le délai de grâce dont nous jouissons sera expiré de toute façon. Si nous sommes prêts à passer de l'autre côté, nos enregistrements seront effacés. Et si nous ne le sommes pas, nous serons annihilés. (Il se leva pour se resservir du café, regarda la bouteille de cognac, renonça à y toucher.) J'ai immédiatement posé la question à l'Ordinateur. J'étais bouleversé, ça va de soi et je me suis maudit, et j'ai maudit le destin parce que, pour ne rien vous cacher, à peine arrivé de chez Alice j'avais enjoint à l'Ordinateur de refuser d'effacer tout enregistrement corporel. J'avais donc prévu le coup, mais trop tard. Cet abruti d'Ordinateur ne m'a pas dit alors que mon ordre venait trop tard. Il aurait dû m'en avertir, mais le Snark lui avait intimé de ne divulguer cette information que si on l'en priait expressément.

— Nous avons tous eu tendance à suivre le courant, à agir trop tard, observa tristement Frigate. Parfois... je me demande si le Snark n'a pas fait diffuser par l'Ordinateur une espèce de champ antineural, quelque chose qui nous obscurcirait l'intelligence ?

— Ça m'étonnerait. Nous avons simplement été absorbés par nos jouets... comme des gosses. Cependant (il souleva une serviette, dévoilant une bille jaune de la taille d'une airelle) je n'ai pas chômé pendant que vous dormiez. Ceci est l'une des sphères qui contenaient les enregistrements corporels. L'Ordinateur m'en a confectionné une réplique. Elle est vide, maintenant, mais je désirais en voir une. Et la tenir en main m'a inspiré une idée. Ce n'est qu'une hypothèse, cependant c'est la seule explication raisonnable que j'aie pu trouver à un fait qui m'a intrigué : comment le Snark s'y est-il pris pour s'introduire dans le monde d'Alice, dans celui de Turpin et dans le tien... enfin, celui de Netley... pour y accomplir ce qui ne pouvait absolument pas l'être depuis l'extérieur ?

Alice entra une minute plus tard. Burton dut lui répéter son histoire et attendre qu'elle eût suffisamment repris ses esprits pour continuer.

— D'abord, je ne crois pas que ce soit au Snark que nous ayons eu affaire. Je ne crois pas qu'un Éthique se cache dans la tour. Nur a éliminé leur dernière représentante — sans qu'on puisse bien sûr en être absolument certain. Non, les massacres perpétrés dans les mini-univers l'ont été par l'un de nous. Par l'un des survivants.

Li Po se dressa d'un bond et dit d'une voix frémissante :

— Gull ! Ou Cuillère d'Étoile ! Mais pourquoi ?

Burton opina du chef.

— Gull a pu rechuter, mais il faudrait qu'il soit devenu fou pour faire ça. Et il en va de même pour Cuillère d'Étoile. Or ni l'un ni l'autre n'ont donné le moindre signe de démence. Allons, laissez-moi d'abord finir d'exposer ma théorie.

— Excuse-moi de t'interrompre... le coupa Frigate, mais il faut d'abord considérer que le coupable peut être quelqu'un d'autre que Gull ou Cuillère d'Étoile. Quelqu'un que nous n'avons jamais vu. Après tout, c'est Williams qui a ressuscité Gull et les autres personnes impliquées dans les meurtres de l'Éventreur. Et puis il y a les Gitans, aussi. Nous ignorons qui les a ressuscités, mais je soupçonne Williams de l'avoir fait, juste pour s'amuser ou pour nous embêter. Je me trompe peut-être. Quoi qu'il en soit, et s'il y avait eu parmi ces ressuscités un dangereux malade mental, pour employer un euphémisme, qui serait notre deuxième Snark ?

— J'ai demandé à l'Ordinateur de vérifier s'il n'y avait que nous dans la tour. Il m'a garanti que oui. Je lui ai fait recenser tous les ressuscités et le chiffre qu'il m'a fourni correspond exactement au résultat de mes calculs. Il peut, évidemment, nous raconter ce qu'on lui a dit de nous raconter...

Frigate leva les bras au ciel.

– Rien n'est sûr !

– Rien ne l'a jamais été. Il me semble cependant que nous pouvons éliminer l'intervention d'un ou de plusieurs tiers. (Il saisit la sphère jaune.) Voici maintenant comment, à mon avis, le meurtrier... ou la meurtrière... a procédé. Il s'est fait livrer par un convertisseur un bon nombre d'exemplaires de son propre enregistrement corporel. Personne n'avait interdit la chose avant que je dise à l'Ordinateur de ne pas l'autoriser ; mais je suis intervenu trop tard. Le Snark, Snark II, devrais-je dire, a eu l'occasion de pénétrer dans les univers de Turpin, d'Alice et de Frigate. Dans tous, peut-être, ainsi que dans quelques appartements. Il y a dissimulé des enregistrements dans des convertisseurs qu'on n'utilisait pratiquement jamais, parce que situés dans des endroits peu fréquentés. Il en a aussi dissimulé en d'autres cachettes facilement accessibles et sans doute quelques-uns dans ses vêtements, afin de les avoir toujours sous la main. Il s'est alors suicidé dans un appartement inoccupé pour ressusciter à l'intérieur d'un convertisseur de l'un des mini-univers, conformément aux consignes qu'il avait données à l'ordinateur. Chaque fois, le convertisseur dans lequel il mourait désintégrait son cadavre afin que personne ne puisse le trouver, bien que le risque fût extrêmement minime. Une fois dans le monde d'Alice, Snark II a programmé les androïdes quand Alice et Maglenna ne les voyaient pas, ou avant l'arrivée de Maglenna. Compte tenu de l'obligation où il était d'agir subrepticement, il lui a fallu probablement deux semaines pour terminer ses préparatifs. L'inondation des deux autres mondes a par contre été organisée depuis l'extérieur. Les Éthiques s'imaginaient être totalement invulnérables dans leurs mini-univers. En fait, ils se préoccupaient beaucoup moins que nous de leur sécurité parce qu'ils tenaient la tour pour une forteresse imprenable. Ils savaient que l'un d'eux trahissait, mais ils étaient encore à cent lieues de penser qu'il irait jusqu'à menacer réellement leur propre existence. Or, un individu à l'esprit ingénieux pouvait submerger les mini-univers en ordonnant que les conduites les alimentant en eau coulent jusqu'à ce qu'ils soient pleins ou leurs habitants noyés.

— C'est possible, dit Alice, mais comment le Snark aurait-il condamné les portes des univers ? Et comment aurait-il pu voir ce qui se passait à l'intérieur de ceux-ci quand l'inondation a commencé ? L'Ordinateur n'avait le droit d'ouvrir leurs portes qu'à l'audition des formules-codes prescrites et de transmettre d'images ou de communications que sur l'ordre de leurs habitants. Personne ne pouvait annuler ces consignes.

— Certes, mais les moyens de les tourner ne manquaient pas. Après s'être introduit dans les univers par le truchement des sphères d'enregistrement, il a fabriqué des caméras qu'il a fixées au plafond, vraisemblablement à la faveur de la nuit. L'Ordinateur, vois-tu, avait l'ordre de ne transmettre les ondes que par certains circuits muraux, mais il l'a interprété littéralement. Ses instructions visaient les circuits desservant les convertisseurs, les calculateurs auxiliaires et les appareils de télécommunication ; il n'a pas établi de distinction entre les calculateurs installés et agréés par les Éthiques et ceux installés par la suite, présumant que les adjonctions étaient autorisées.

— Et les portes ?

— Elles s'ouvrent vers l'extérieur : le Snark les a obturées avec une substance autodurcissante suffisamment solide pour bloquer les mécanismes d'ouverture. Et cela, obligatoirement pendant la réception d'Alice. Il... ou elle... s'est suicidé, a ressuscité dans un appartement, gagné la rotonde centrale à bord d'un fauteuil volant et scellé les portes des deux univers, puis ordonné de remplacer par du bourbon et du gin l'eau qu'ils recevaient et déclenché le déluge. Après quoi, il est retourné assister à la réception en suivant le même processus. Là, il a attendu que les androïdes lancent l'attaque programmée, en s'arrangeant pour ne pas figurer au nombre des victimes. Son plan n'a pas totalement réussi, mais cet échec ne l'aura pas découragé : d'autres occasions se présenteront d'achever le travail !

— Le coupable était donc parmi les invités d'Alice, dit Li Po. Alors... Gull ou Cuillère d'Étoile !

— Pas forcément, objecta Frigate. Le Snark pourrait être quelqu'un d'autre, du moment que ce quelqu'un aurait eu l'occasion de pénétrer dans l'un des mini-univers. L'un des ressuscités, quelqu'un que nous connaissons ou devrions connaître. Le champ est large. Après tout, nous n'avons pas recensé les cadavres présents dans les univers de Turpin et de

Netley... l'ex-mien. Nous devrions vérifier s'il n'en manque pas un.

– Commençons par mettre Gull et Cuillère d'Étoile sur la sellette, trancha Burton.

Si l'un d'eux était si diaboliquement intelligent, réfléchit-il, n'aurait-il – ou elle – pas prévu que l'un de ses compagnons serait assez fin limier pour réduire le nombre des suspects à deux ? Dans quel cas, il se saurait sur le point d'être démasqué.

Comme s'il avait lu ses pensées, Li Po s'enquit :

– C'est pour ça, le lance-rayons sur la table ? Tu te prépares à recevoir le Snark ?

– Oui. Si l'un des deux suspects surgit une arme à la main, il ne me prendra pas par surprise.

– Si je ne m'abuse, dit Alice, ils... l'un d'eux... pourrait se suicider et ressusciter ailleurs. Qu'est-ce qui empêche le Snark d'arriver par là ? (Elle désigna la porte entr'ouverte du couloir).

– Ah ! Figure-toi que j'ai imité la façon d'opérer du tueur. De très bonne heure ce matin, j'ai scellé les portes de Gull et de Cuillère d'Étoile.

Burton n'eut pas besoin d'expliquer ce qui allait se passer. Quand il se découvrirait enfermé, le coupable comprendrait vite pourquoi. Sa seule issue de secours serait celle que le Snark avait souvent empruntée : se suicider afin de ressusciter ailleurs.

– Et si le Snark feint d'être innocent et nous prie de le laisser sortir ? demanda Frigate.

– Nous refuserons. Il devra tôt ou tard s'échapper.

Dans le feu de l'action, ils avaient un peu oublié que les *wathans* et les enregistrements avaient disparu. Ils prenaient maintenant la pleine mesure de l'événement et de ses implications : la prochaine fois qu'ils mourraient, ce serait définitivement ; les humains qui vivaient encore dans la Vallée ne ressusciteraient pas, eux non plus, après leur mort ; c'était en vain qu'ils avaient enduré tant de souffrances pour parvenir jusqu'à la tour !

Non, songea Burton, ce n'est pas en vain. Nous avons vécu bien plus longtemps que nous nous y attendions quand nous sommes décédés sur la Terre. On nous a rendu nos corps de vingt ans débordants de santé et nous nous sommes battus, et nous avons aimé avec toute la vigueur de la jeunesse. Nous avons mené une vie active, aventureuse, en nous dépensant sans compter pour atteindre un but. Cela en valait la peine ! Et si nous survivons jusqu'à ce que les Éthiques du Monde-Jardin arrivent, nous... Non. Cette phase du projet sera terminée et il nous faudra mourir pour céder la place aux ressuscités de la phase suivante.

Il se soucierait de cela en son temps ; pour l'instant, la seule chose qui comptait était le Snark.

– L'écran s'allume ! signala Frigate.

Burton se leva et s'approcha de la console placée dans un coin de la pièce. Le visage de Gull apparut sur l'écran ; avisant Burton, il dit :

– Bonjour. Je ne sais pas ce qui se passe, mais ma porte refuse de s'ouvrir.

– Tiens, c'est bizarre. Avez-vous consulté l'Ordinateur ?

– Oui ; il affirme en ignorer la raison.

– Nous allons voir ce qu'on peut faire pour vous. Inutile de vous laisser mourir de faim dans l'intervalle. Prenez votre petit déjeuner pendant que nous enquêtons.

Quand l'écran se fut éteint, Burton activa celui de sa propre chambre à coucher. L'image de celle-ci apparut immédiatement – il avait craint de ne pouvoir l'obtenir – et il constata que le lit était inoccupé. Cuillère d'Étoile était invisible, mais elle se trouvait peut-être dans la salle de bains. Après s'être assuré que l'écran transmettait bien les sons, il l'appela d'une voix forte, à plusieurs reprises, sans recevoir de réponse.

– Elle est partie !

– Où est son cadavre ? s'étonna Frigate.

– Je n'en sais rien. Il faut aller voir sur place.

Ils empruntèrent le couloir qui conduisait à la chambre, tous armés de lance-rayons. Burton et Li Po se servirent des leurs pour débarrasser la porte de l'espèce de laque violette qui la bloquait. En brûlant, celle-ci dégagea une fumée âcre qui les fit tousser, de sorte qu'ils durent ralentir l'opération pour laisser au système de ventilation le temps de l'évacuer. Quand la dernière parcelle de matière eut fondu, Burton prononça la formule-code et la porte s'ouvrit en grand. Il entra le premier, précautionneusement, l'arme prête à tirer. La chambre et la salle de bains étaient désertes.

– Elle doit s'être suicidée en s'introduisant dans le convertisseur de manière qu'il l'incinère, avança Frigate.

– Ce qui rendrait sa disparition encore plus mystérieuse, enchaîna Burton. Je me demande où elle est maintenant.

– Tu n'as pas l'air surpris, Dick, observa Alice.

– Non. Je ne pensais pas que Gull avait eu le temps de se familiariser suffisamment avec l'Ordinateur pour accomplir tout ce que le Snark a accompli.

– Pourquoi, grands dieux, a-t-elle *fait* ça ? s'exclama Frigate. Quels griefs avait-elle contre nous ? Elle devait nous haïr ! Tous ! Mais pourquoi ?

– Je crois, dit Li Po, qu'une grande tristesse se dissimulait sous la gaieté qu'elle affichait. Elle a eu une existence pénible, ou du moins si riche en épisodes pénibles que ceux-ci ont éclipsé tout le reste. Elle avait trop souffert, été trop souvent maltraitée, trop souvent violée, et l'agression de Dunaway a été la goutte d'eau qui fait déborder le vase. Elle s'est convaincue, j'en suis à peu près sûr, que nous serions tous plus heureux morts. Puisqu'*elle* serait plus heureuse ainsi, il en irait de même pour *tout le monde.* Elle m'a souvent confié qu'elle regrettait que nous ayons été ressuscités, qu'il était affreux de ne même plus pouvoir se réfugier dans la mort. Ne t'a-t-elle jamais rien dit de semblable, Dick ?

– Si. Plusieurs fois.

– Cela n'explique pas tout, releva Frigate. Si elle voulait mourir définitivement, il lui suffisait d'effacer son enregistrement.

– Elle a perdu la tête, répondit Burton. Elle s'imagine sans doute rendre service à ses prochains en leur évitant de souffrir autant qu'elle. Je suppose qu'elle cherche aussi à empêcher définitivement de récidiver ceux qui ont été responsables de la souffrance des autres.

Il était consterné ; plus bouleversé par les agissements de la Chinoise qu'il ne l'avait jamais été. Cependant, il ne la haïssait pas. Bien qu'elle eût commis le plus grand péché du monde, le péché irrémédiable et impardonnable, il ne parvenait pas à en vouloir à cette malheureuse insensée. Il éprouvait pour elle de la pitié, et même de l'affliction. Mais il était obligé de la tuer. Personne ne serait en sécurité tant qu'elle vivrait et l'arracher à sa détresse était la plus belle preuve d'affection qu'il pouvait lui donner.

Elle envisageait certainement de mettre fin à ses jours au terme de son entreprise, mais pas avant d'avoir liquidé tous les survivants de la tour. Elle aurait sans doute aimé également exterminer tous les habitants de la Vallée, ce qui, heureusement, n'était pas à sa portée. Elle devrait se contenter de savoir qu'ils finiraient par disparaître.

35.

– C'est absurde !

– Quoi donc ? demanda Alice.

– Nous n'avons pas la moindre idée de ce qui se passe réellement dans l'esprit tordu de cette femme. Ça n'a aucune importance. Ce qui importe, c'est de la neutraliser !

Un cliquetis sonore s'éleva. Burton, qui pourtant s'y attendait, sursauta et s'approcha de la console. Le plan d'un étage de la tour s'étalait sur l'écran ; un minuscule point lumineux orange vif se déplaçait dans l'un des couloirs. L'indication : ÉTAGE 4, COULOIR 10, s'inscrivit dans un coin de l'écran.

Les autres Terriens se pressaient maintenant derrière Burton.

– Alors ? s'enquit Frigate.

– Elle vient de quitter la pièce dans laquelle elle a ressuscité. Elle avait dû la peindre, naturellement, de manière à camoufler le film de son passé, et je suppose que l'Ordinateur ne le projette que quand l'intéressé peut le voir. Moi, j'ai dit à l'Ordinateur de me montrer l'endroit où il le projetait. Cuillère d'Étoile lui a certainement interdit de nous laisser scruter les couloirs qu'elle s'apprêterait à emprunter, mais ce qu'elle est incapable d'empêcher, c'est que la projection de son passé l'accompagne dès qu'elle sort de son antre.

– Elle est intelligente, répliqua Li Po. Elle se rendra vite compte des indications que cela te fournit. Ce qui est possible pour nous l'est aussi pour elle. Elle demandera à l'Ordinateur de lui indiquer l'emplacement de nos projections.

– Certes, mais l'astuce avec l'Ordinateur est que le premier à donner une instruction peut prévenir celles des suivants. Je lui ai défendu de révéler la position de nos propres projections !

— Elle le découvrira quand l'Ordinateur refusera de la lui indiquer. Ça la rendra très méfiante.

— Elle le serait de toute façon. Pete, va dégager la porte de Gull. Mets-le au courant des derniers événements et donne-lui un lance-rayons. Nous avons besoin de toute l'aide possible.

Frigate n'avait manifestement pas envie de s'éloigner ; il obéit cependant sur-le-champ.

— Il est dangereux de rester ici, poursuivit Burton. Cuillère d'Étoile ne peut pas sceller la porte tant que nous la gardons ouverte, mais elle pourrait, par exemple, poster là-dehors un robot qui nous criblerait automatiquement de rayons dès que nous passerions la tête dans le couloir. Nous allons donc lever le camp.

Le point lumineux orange s'était arrêté à l'orée du puits VC-A3-2.

— Ce puits débouche dans notre couloir, commenta Burton. Nous n'avons pas beaucoup de temps.

Abandonnant la console, il pénétra dans le corridor des chambres à coucher. Frigate avait juste terminé de désobstruer la porte de Gull, qui s'était ouverte, et il attendait que la fumée se dissipe. Il lui cria : « Dis à Gull de retenir son souffle et de sortir en vitesse ! »

Les autres allèrent dans leurs chambres respectives prendre leurs armes et les piles de rechange, pendant que Burton demeurait en faction devant l'écran. Quand tous furent de retour dans la grande pièce, il précisa à chacun le rôle qui lui incomberait. Gull était un peu perdu, car Frigate n'avait eu le loisir de lui exposer que très succinctement la situation. Il n'en hocha pas moins affirmativement la tête et s'éloigna en courant dès que Burton lui eut, en quelques mots brefs, donné ses instructions.

Les Terriens quittèrent ensuite l'appartement, dont Burton ordonna à l'Ordinateur de verrouiller la porte. Celle-ci se trouvait à mi-chemin de deux puits-ascenseurs ; au moment où ils la franchirent, Cuillère d'Étoile arrivait au niveau du quatrième étage dans celui de droite. Ils se dirigèrent rapidement vers ce puits, tandis qu'Alice s'arrêtait pour s'introduire dans un appartement situé sur le côté droit du couloir. Elle s'y tapirait dans l'ombre, à proximité de la porte qu'elle laisserait entr'ouverte et depuis laquelle elle couvrirait l'une des orées du puits, distante d'environ cent cinquante mètres.

Les quatre hommes se séparèrent en arrivant à l'intersection du couloir dont le puits occupait le centre et dont les angles s'incurvaient largement pour permettre le passage des gros engins. Le puits comportait quatre entrées. Li Po et Gull tournèrent à droite et s'embusquèrent derrière des portes à demi fermées une trentaine de mètres plus loin. Burton poursuivit son chemin pour se dissimuler à une distance équivalente du puits. Frigate bifurqua à gauche et se cacha derrière une porte éloignée d'une soixantaine de mètres de l'objectif.

Quand Cuillère d'Étoile sortirait du puits, elle serait prise sous le feu croisé de cinq lance-rayons.

La pièce où Burton se tenait n'était éclairée que par la lueur de l'écran surmontant la console de l'Ordinateur. Il surveilla le point lumineux orange, attendant qu'il pénètre dans le puits et grimpe vers le troisième étage.

– Elle ne se presse vraiment pas ! murmura-t-il. Que fichait-elle ? Était-elle en train de réfléchir à tous les traquenards qu'on risquait de lui tendre ou bien manquait-elle soudain de courage ?

Au petit matin, il avait extrait cinquante kilos de plastic du convertisseur. En se servant de son fauteuil volant comme d'un échafaudage mobile et au prix d'un labeur acharné, il avait piégé les entrées des sept puits les plus proches, en collant l'explosif contre les linteaux et les côtés de celles-ci. Il n'en avait pas disposé sur les seuils, car Cuillère d'Étoile l'aurait probablement vu avant de sortir, alors que si elle découvrait le plastic placé sur les côtés, ce ne serait qu'en émergeant du puits, c'est-à-dire trop tard : des détonateurs de proximité déclencheraient l'explosion.

Elle pouvait évidemment emprunter un autre puits, dans quel cas il aurait travaillé pour rien ; encore qu'en passant près de l'un des orifices minés, elle le ferait peut-être sauter quand même.

Il jeta un coup d'œil dans le couloir et sur l'ouverture du puits, ramena son regard sur l'écran. Ah ! le point lumineux orange se déplaçait le long des lignes verticales représentant le puits que ses amis et lui cernaient.

Il s'accroupit près de la porte. Quelques secondes plus tard, la Chinoise apparut, assise au centre d'un véhicule transparent qui s'immobilisa, comme suspendu dans le vide, s'offrant ainsi à un examen détaillé. L'engin ressemblait beaucoup au fauteuil blindé qu'il s'était confectionné, mais était armé d'un plus grand nombre de lance-rayons de gros calibre.

Cuillère d'Étoile lui tournait le dos ; ce ne fut que quand elle bougea la tête qu'il aperçut son visage de profil : ses traits étaient totalement dépourvus d'expression.

Le blindage résisterait quelque temps au tir d'un lance-rayons réglé à pleine intensité ; il ne se percerait que si on pouvait appliquer assez longuement le faisceau au même endroit. Et Cuillère d'Étoile garderait son véhicule en mouvement.

Ce qu'il y avait de décourageant était que, si on l'abattait, elle ressusciterait ailleurs dans la tour. Toute victoire remportée par ses adversaires ne serait qu'un demi-succès pour eux, un revers provisoire pour elle. Il fallait pourtant se battre en espérant réussir à la capturer avant qu'elle ne se suicide ou ne soit tuée ; ou à trouver ses sphères d'enregistrement, ce qui rétablirait l'égalité : sa prochaine mort serait pour elle aussi définitive.

Burton avait prévu qu'elle arriverait à bord d'un véhicule blindé et il espérait que la déflagration serait juste assez puissante pour lui faire perdre connaissance. C'était pourquoi il n'avait disposé que seize cents grammes de plastic autour de chaque ouverture. Il n'était toutefois pas sûr que cette charge ne serait pas trop forte pour le résultat recherché.

« Allons, allons ! s'impatienta-t-il. Qu'est-ce que tu attends ? »

Dès que l'engin s'ébranlerait en direction de la sortie du puits, il s'enfoncerait les doigts dans les oreilles et reculerait à l'abri du mur pour s'écarter du trajet direct des ondes de choc. Ses compagnons l'imiteraient.

Cuillère d'Étoile se décida enfin. Elle avait scruté le couloir qui s'étendait devant elle et constaté que toutes les portes le bordant étaient ouvertes à l'exception d'une seule. Elle reconnaîtrait que la porte fermée était celle de l'appartement de Burton et en déduirait, du moins le souhaitait-il, que les cinq autres humains s'y terraient. Un examen attentif des couloirs perpendiculaires lui avait appris que toutes les portes y étaient aussi ouvertes, comme presque partout dans la tour.

Assuré que la Chinoise se dirigeait vers la sortie, Burton recula de quelques pas, puis perdit connaissance, avant même d'avoir entendu l'explosion.

Quand il revint à lui, encore étourdi, ce fut en proie à une quinte de toux provoquée par la fumée brûlante qui l'environnait. Il s'assit, s'adossa au mur, tenta vainement de se relever. Ses forces l'avaient abandonné et ses esprits s'étaient éparpillés comme des pique-niqueurs surpris par l'irruption d'un ours. Réussissant enfin à se mettre debout, il traversa en titubant la pièce dont l'atmosphère s'éclaircissait sous l'action des aérateurs. L'écran brillait toujours ; le point lumineux orange stationnait dans le couloir perpendiculaire droit, c'est-à-dire, saisit-il péniblement, dans celui que défendaient Li Po et Gull.

Bon, il savait au moins qui il était et où lui-même et ses coéquipiers se trouvaient. Mais que ses gestes étaient donc lents !

« Il faut que tu sortes d'ici pour aller t'occuper d'elle », s'intima-t-il. Ses lèvres remuèrent mais il n'entendit pas plus sa voix qu'il ne s'entendait discuter avec Isabel, son épouse terrestre, dans le film qui défilait sur le mur à proximité de la porte.

Lorsqu'il atteignit celle-ci, il avait recouvré suffisamment de lucidité pour se rendre compte que quelque chose n'avait pas marché normalement. L'explosion avait été beaucoup plus violente qu'elle ne l'aurait dû. S'était-il trompé si lourdement dans ses calculs, ou un imprévu s'était-il produit ? Il jeta un coup d'œil dans le couloir, s'aperçut qu'il avait laissé tomber le lance-rayons, retourna le chercher, revint à la porte. Il ne subsistait plus maintenant qu'un mince voile de fumée, au travers duquel il entrevit les débris du véhicule éparpillés sur le plancher. La sphère était constituée d'une matière fragmentable. L'un de ses morceaux, en traversant l'ouverture du puits la plus proche, avait fait exploser le plastic qui la bordait. Cette deuxième déflagration avait doublé la puissance de l'onde de choc, mais n'expliquait pas, à elle seule, l'intensité qu'elle avait revêtue pour assommer pareillement Burton.

Le véhicule devait contenir une grande quantité d'explosif qui avait détoné soit quand le piège avait fonctionné, soit, par pure coïncidence, juste au moment où la sphère franchissait l'orée du puits.

Ce n'était pas Cuillère d'Étoile qui pilotait l'engin, mais un androïde lui ressemblant comme un sosie qu'elle avait envoyé en éclaireur, ou plutôt en mission suicide.

Burton avait encore la tête douloureuse. Ses pensées s'efforçaient de gravir la pente d'une colline escarpée, au sommet de laquelle elles se regrouperaient pour reformer une force d'intervention puissante. La plupart d'entre elles avaient atteint le point de ralliement, mais sans s'être encore complètement réorganisées. Pourquoi la projection du passé avait-elle accompagné la fausse et non la véritable Cuillère d'Étoile ?

Il lui vint lentement à l'esprit qu'elle devait avoir fait sortir d'abord le sosie de sa cachette, et que cet idiot d'Ordinateur, se laissant abuser par la ressemblance, avait aussitôt projeté le film du passé sous les yeux de celui-ci. La véritable Cuillère d'Étoile s'était alors glissée subrepticement hors de son refuge... en dissimulant probablement ses traits sous un capuchon ou sous un masque... pour gravir un puits non piégé.

La voici qui arrivait, débouchant du couloir où Gull et Li Po étaient postés. Enfermée, comme il fallait s'y attendre, dans une sphère volante blindée identique à celle de l'androïde. Si elle avait jamais été masquée, elle ne l'était plus désormais, et, contrairement à celui de l'androïde, son visage n'était pas dépourvu d'expression : un rictus démoniaque le déformait ; ses lèvres s'agitaient, comme si elle parlait toute seule.

La sphère s'approcha du puits – Burton la voyait à travers les orées de celui-ci –, s'arrêta, et pivota d'un quart de tour sur elle-même pour faire face au couloir, dont elle occupait le centre. Qu'était-il arrivé à Gull et à Li Po ? Étaient-ils encore étourdis par l'explosion ? Avaient-ils follement tenté d'intercepter Cuillère d'Étoile au passage ? Impossible de le savoir : Burton n'aurait pas entendu le moindre cri, assourdi comme il l'était par la déflagration.

La sphère, volant à un mètre cinquante du sol, se dirigea vers la seule porte fermée du couloir, devant laquelle elle s'arrêta. Un tuyau surgit d'une boîte placée sous le siège du pilote, s'insinua à travers un trou aménagé dans la coque de l'engin, cracha un liquide violet. L'esprit de Burton fonctionnait encore au ralenti, car il ne reconnut pas immédiatement la matière déjà utilisée pour obturer les portes. La Chinoise emmurait ses anciens compagnons, qu'elle croyait toujours à l'intérieur de l'appartement. Même si elle avait eu un doute à ce sujet, c'était là une mesure qui s'imposait.

Alice passa la tête par l'entrebâillement de la porte derrière laquelle elle se cachait, puis la retira vivement après un bref coup d'œil dans le couloir. Tout à son travail, Cuillère d'Étoile ne la vit pas.

Une tache brillante scintillait sur le mur proche de la Chinoise. Ce devait être le film de son passé. Dès l'instant où l'androïde s'était désintégré, l'Ordinateur avait rattaché la projection aux basques de sa légitime propriétaire. Maintenant que l'hallali était proche, celle-ci n'éprouvait plus le besoin de donner le change à ses adversaires. Peut-être souhaitait-elle au contraire qu'ils sachent où elle se trouvait, dans l'espoir qu'ils se découvriraient pour l'attaquer.

Li Po entra dans le champ de vision de Burton, un lance-rayons au poing, et battit précipitamment en retraite en apercevant la sphère. Il avait eu de la chance que Cuillère d'Étoile ne le remarque pas, ni lui, ni la projection de son passé qui avait dû apparaître sur le mur opposé.

Cuillère d'Étoile avait un petit poste de télévision à sa gauche. Elle allait l'utiliser pour entrer en communication avec l'Ordinateur, s'assurer si les cinq autres Terriens étaient ou non prisonniers et, sinon, les traquer.

Le liquide violet avait déjà durci sur la porte et les murs avoisinants. Au lieu de repartir, comme Burton s'y attendait, Cuillère d'Étoile recommença l'opération. Elle estimait visiblement que deux précautions valaient mieux qu'une.

Burton disposait d'une minute, de deux au plus, avant qu'elle se mette en chasse. S'approchant promptement d'un convertisseur énergie-matière, il donna des instructions à l'Ordinateur. Il ne craignait pas que Cuillère d'Étoile puisse l'entendre, ni apprendre quoi que ce fût de ses activités ou de l'endroit où il se trouvait présentement, car il avait enjoint depuis longtemps à l'Ordinateur de ne rien lui révéler sur lui-même et ses amis. Elle pouvait explorer visuellement toutes les pièces de la tour, mais pas celle-ci. En refusant de lui en montrer l'intérieur, l'Ordinateur lui fournirait cependant une information indirecte : si Burton n'était pas dans l'une des pièces explorées, alors il devait être dans l'une des autres.

Ouvrant le convertisseur, il en retira un pain de pâte grise – quinze cents grammes d'explosif – qu'il alla déposer sur le seuil de la porte ; deux secondes plus tard, l'appareil lui délivra le détonateur de proximité : une petite boîte d'où saillait une fine tige métallique, qu'il enfonça au centre du pain de plastic.

Après avoir armé le détonateur par commande vocale, il guigna de nouveau dans le couloir et s'exclama : « Grands dieux ! » Cuillère d'Étoile avait repéré, au moyen peut-être d'un détecteur de sons et de chaleur, la chambre où Alice se terrait. Alice avait recouru à la seule parade possible, qui consistait à verrouiller la porte de cette chambre à l'aide d'un mot-code, et maintenant la Chinoise avait entrepris d'obturer celle-ci !

Burton sortit en trombe de son abri, pointa son arme ; un mince faisceau écarlate épais de six millimètres jaillit du bulbe qui en terminait le canon pour aller frapper le flanc de la sphère transparente. Si le rayon avait transpercé le blindage, il aurait atteint Cuillère d'Étoile à la tête, près de l'oreille gauche, mais il ne le fit que rougeoyer au point d'impact, ce dont elle s'aperçut aussitôt. Elle actionna une manette de la main droite. La sphère s'éloigna de la porte, s'immobilisa, puis fonça droit sur Burton.

36.

Burton s'enfuit en rasant le mur, dans l'espoir de pouvoir se dérober derrière la deuxième porte. S'il échappait au tir de Cuillère d'Étoile, si celle-ci passait devant la première porte à l'instant même où l'explosif sautait, si lui-même réussissait à franchir la deuxième porte juste avant... Il aurait aimé regarder derrière lui pour estimer la vitesse de la sphère. N'avait-elle pas accéléré au point d'être au-delà du piège quand l'explosion se produirait ? Mais il ne pouvait pas se permettre de tourner la tête, car cela aurait ralenti sa course et, de toute façon, les dés étaient jetés.

Il empoigna le battant de la porte et se propulsa si brutalement derrière elle qu'il heurta le chambranle de l'épaule : le choc l'ayant fait pivoter sur lui-même, il vit deux rayons écarlates zébrer le couloir. D'autres avaient probablement frappé la porte. Peu importait : il était à l'abri. Une onde de choc le projeta de nouveau au sol, mais avec beaucoup moins de force que la première fois.

Il se releva, formula une rapide prière et, s'agrippant à la tranche de la porte, avança prudemment la tête. Il n'y avait pas beaucoup de fumée, de sorte qu'il vit clairement la sphère : la déflagration l'avait projetée contre le mur en face de l'embrasure piégée. Cuillère d'Étoile était évanouie. L'engin reprit de la vitesse, bien que frottant contre la cloison métallique, et alla s'écraser contre la paroi de la plus proche intersection, où il s'immobilisa.

Li Po et Frigate arrivèrent en courant, le doigt sur la détente de leurs lance-rayons.

– Je lui ai fait péter une mine sous les fesses, leur expliqua

Burton. Mais il faut l'extirper de la sphère avant qu'elle reprenne connaissance.

– Où sont Alice et Gull ? demanda Frigate.

– On n'a pas le temps de s'en occuper. Pete, prépare la seringue. Po, viens avec moi !

Frigate sortit une seringue hypodermique de l'étui qu'il portait attaché à sa ceinture. Tandis que Burton maintenait le faisceau de son lance-rayons sur un point déterminé de la sphère, le Chinois fila se faire délivrer par le plus proche convertisseur une échelle et deux escabeaux qui permettraient de monter à bord du véhicule, toujours suspendu dans l'air. Burton souhaitait prendre Cuillère d'Étoile vivante, mais il espérait que, si elle se réveillait, le trou qu'il était en train de percer dans le blindage de l'engin serait déjà assez grand pour qu'il puisse tirer sur elle.

Li Po revint heureusement très vite avec les échelles. Ils forcèrent le panneau d'accès de la sphère en faisant fondre son système de verrouillage avant que Cuillère d'Étoile revînt à elle. Burton se glissa par l'ouverture, prit la seringue que Frigate lui tendait, l'enfonça dans le bras de la jeune femme, puis, saisissant les commandes de l'engin, ramena celui-ci au sol. Ils transportèrent la Chinoise dans une chambre voisine, l'allongèrent sur un lit, la déshabillèrent, fouillèrent ses vêtements, et enfin la déposèrent dans un convertisseur pour que l'Ordinateur examine son système neural. L'Ordinateur indiqua que son cerveau était trop complexe pour être celui d'un androïde.

– Je crois qu'on la tient ! commenta Burton. A moins que... elle n'ait prévu le coup et enjoint à l'Ordinateur de mentir. Dans quel cas elle serait toujours consciente, quelque part dans ce labyrinthe.

– Je ne pense pas qu'elle l'ait prévu, répliqua Li Po. Elle devait se croire invulnérable dans son engin blindé. A partir d'un certain point, nous sommes bien obligés de nous fier aux vraisemblances.

– Pas d'accord !

Li Po avait sans doute raison ; Burton n'en entendait pas moins fouiller soigneusement toute la tour : il n'aurait pas l'esprit tranquille avant de l'avoir fait.

Laissant Cuillère d'Étoile sous la garde de Frigate, Burton et Li Po allèrent libérer Alice. Celle-ci avait les nerfs solides ; il lui fallut cependant boire un remontant pour se remettre de ses émotions : elle s'était demandé si elle n'était pas condamnée à rester éternellement, ou plutôt pour ce qui lui aurait paru une éternité, enfermée dans cette pièce.

En retournant auprès de Frigate, ils découvrirent le corps de Gull allongé sur le dos dans le couloir. Li Po expliqua qu'il avait été touché par un rayon provenant de la sphère alors que Cuillère d'Étoile pourchassait Burton.

— Il a dû sortir de la pièce où il se cachait juste au moment où je rentrais précipitamment dans la mienne. Je ne sais pas pourquoi il a agi ainsi, mais quelques minutes plus tôt, il m'avait avoué qu'il ne pourrait pas se résoudre à se servir de son arme. Tuer des androïdes ne le dérangeait pas, puisque ce n'étaient pas des êtres humains, tandis que Cuillère d'Étoile...

— S'il m'avait dit ça tout de suite, je l'aurais laissé avec Alice.

— Je pense qu'il s'est aventuré dans le couloir afin de raisonner Cuillère d'Étoile. Il était aussi cinglé qu'elle.

Après en avoir discuté, ils jugèrent qu'il serait trop cruel d'enfermer Cuillère d'Étoile quelque part dans l'espoir de guérir son esprit malade. L'Ordinateur leur apprit que les Éthiques avaient mis au point des méthodes de cryogénisation très supérieures à celles connues sur la Terre. Il était possible de congeler instantanément quelqu'un sans que ses tissus en souffrent. Ils appliquèrent donc ce traitement à leur prisonnière : elle attendrait dans son compartiment réfrigéré l'arrivée des Éthiques du Monde-Jardin.

Après s'être accordé un jour de repos, ils entamèrent leurs recherches, en commençant par l'appartement dont Cuillère d'Étoile était partie pour le combat final. L'Ordinateur refusa de leur en indiquer directement l'emplacement, mais pas de leur montrer à nouveau le cheminement du point orange sur les diagrammes. Ils n'eurent aucun mal à pénétrer dans cet appartement, qui se trouvait au cent trente-sixième étage de la tour (les Éthiques numérotaient les étages en partant du sommet, et non de la base) : Cuillère d'Étoile n'en avait pas fermé la porte, s'imaginant qu'elle seule survivrait au terme de cette expédition.

Ils entrèrent prudemment dans une grande pièce, d'où partaient deux corridors desservant chacun cinq chambres. Neuf d'entre elles étaient verrouillées et refusèrent de s'ouvrir quand Burton en donna l'ordre. Il n'eut cependant qu'à prier l'Ordinateur de lui fournir un écran pour en découvrir l'intérieur – et regretta aussitôt sa curiosité.

Il y avait dans chaque pièce un prisonnier, dont il ne reconnut qu'un seul: Dunaway, le Noir qui avait abusé de Cuillère d'Étoile à Turpinville. Les autres étaient trois Chinois, deux Caucasiens, un Amérindien, deux Noirs et un Néanderthalien. Li Po connaissait l'un des Chinois.

– Il s'appelle Wang Chih Mao. C'était l'un des fonctionnaires subalternes de la cour impériale. Je l'avais rencontré une fois avant que Cuillère d'Étoile ne me parle de lui. C'est l'homme qui l'a violée quand elle avait dix ans.

Quatre des prisonniers déliraient. Deux paraissaient sur le point de sombrer dans la folie, deux autres, dont Dunaway, s'étaient réfugiés dans la catatonie. Le neuvième se cachait sous son lit et refusa de sortir quand Burton l'appela par l'intermédiaire de l'écran. Sur le plafond, le plancher et les murs de leurs geôles défilait en permanence le film de leur viol, vu par les yeux de Cuillère d'Étoile, en couleurs naturelles et en son stéoroscopique diffusé à plein volume. Ils ne pouvaient y échapper que par le sommeil – et s'endormir ne devait pas être facile! – la folie ou la mort. Le suicide leur était pratiquement interdit: ils étaient nus, de sorte qu'ils ne pouvaient pas s'étrangler avec leurs vêtements. Les convertisseurs ne leur servaient que du pain, des légumes et de la viande désossée. Les chambres ne comportaient, pour tout mobilier, qu'un sommier et un matelas; les salles de bains, qu'un W.C. à la turque et un robinet d'eau froide au-dessus d'un petit lavabo, sans savon, ni serviette de toilette, ni papier hygiénique.

Alice frémit.

– Elle s'est vengée. D'une manière horrible!

– Justice poétique, commenta Frigate. Exercée avec le concours de la science.

– Nous ne pouvons rien faire d'autre pour eux que d'enjoindre à l'Ordinateur de débrancher les convertisseurs et de les laisser mourir de faim, dit Burton.

L'Ordinateur répondit qu'il lui fallait pour cela l'autorisation expresse de Cuillère d'Étoile.

N'ayant rien trouvé d'intéressant ni dans la pièce principale, ni dans la chambre à coucher de la Chinoise, ils entreprirent d'explorer les secteurs dont l'Ordinateur refusait de leur montrer des vues. Ils en découvrirent douze, mais, n'ayant pas réussi à pénétrer dans des pièces qu'ils savaient verrouillées ou peintes de manière à aveugler les écrans, renoncèrent au bout de trois semaines à poursuivre leurs investigations. Il restait encore un endroit à fouiller : la vaste salle de pré-résurrection souterraine où Burton s'était réveillé tant d'années plus tôt. Son accès, lui aussi, leur fut interdit, et Burton jugea que Cuillère d'Étoile s'était heurtée à la même interdiction.

Les tâches les plus urgentes étant expédiées, il ne leur resta plus qu'à envisager leur avenir. Ils ne pouvaient pas sortir de la tour, ils ne pouvaient y amener personne. Ils n'étaient plus que trois hommes et une femme réduits à vivre sans autre compagnie.

Les perspectives étaient plus que sombres, songea Burton. Ce qui les attendait équivalait à une Sibérie psychique, à un âge de glace affectif. Ils se connaissaient, certes, intimement depuis longtemps, avaient affronté ensemble d'innombrables épreuves, formaient une équipe bien soudée, qui s'était révélée la meilleure possible pour atteindre leurs objectifs. Ils étaient maintenant à l'abri des heurts et des frictions qui résultent en général de contacts trop étroits, mais ils finiraient quand même par se prendre en grippe. Quatre individus constituaient une communauté trop restreinte. Ils auraient inévitablement envie de cohabiter avec quelqu'un, d'avoir de bons amis, de rencontrer de temps en temps une tête nouvelle.

« L'homme ne vit pas seulement de pain », avait dit un sage. Il aurait pu ajouter qu'il ne vivait pas non plus, pas vraiment, sans avoir d'autres, de nombreuses autres personnes à qui parler.

Quand les Éthiques du Monde-Jardin arriveraient, ils seraient accueillis par quatre ermites complètement braques ; des tordus, des excentriques, déboussolés par la solitude.

Et puis, comment assouviraient-ils leurs besoins sexuels ? Alice ne voudrait jamais prendre les trois hommes comme amants ; ni même un seul d'entre eux : elle était fermement convaincue qu'il fallait s'aimer pour faire l'amour.

Les trois hommes évoquèrent la question un soir, sur le balcon du château de Burton où ils vivaient ce mois-là. Le soleil artificiel s'apprêtait à disparaître derrière le faux horizon et ils prenaient l'apéritif en attendant qu'Alice les rejoigne. Li Po venait d'avouer que, plus le temps passait, et moins l'idée lui répugnait de se fabriquer de belles androïdes spécialement programmées en vue des plaisirs du lit.

– Tu saurais avoir affaire à des êtres dépourvus d'intelligence, objecta Frigate. Tu ne pourrais pas leur parler comme à des femmes véritables. Tu n'ignorerais pas que leur passion serait simulée, mécanique, inconsciente. Tu jouirais, bien sûr ; mais ce n'est pas suffisant.

– Exact. Mais ce serait mieux que rien.

– Crois-tu ? demanda Burton.

Alice arriva juste à cet instant. Les hommes changèrent de sujet ; non par crainte de la choquer, mais parce qu'elle se serait sentie coupable de ne leur être d'aucun secours en ce domaine. Ils s'entretinrent des progrès qu'ils avaient réalisés dans leurs travaux respectifs : Burton se livrait à des recherches sur les dialectes qui avaient formé la langue d'Our, mère des langues sémitiques, Li Po étudiait l'anglais et le français afin de pouvoir lire des poèmes en ces langues, Frigate analysait tous les films qui avaient jamais été tournés (ou du moins conservés par les Éthiques), Alice s'adonnait depuis peu à la peinture à l'huile.

Pendant le dîner, servi par des androïdes, la conversation porta sur le mystère, toujours non résolu, du meurtre de Loga, et sur l'identité de la femme que Nur avait tuée.

Burton écarta son siège de la table, extirpa un cigare de la poche de sa chemise, l'alluma et déclara :

– Je consacrerais une bonne partie de mon temps à tenter d'élucider ces énigmes si je pensais avoir une chance d'y parvenir. Mais je suis convaincu que l'Ordinateur ne voudra pas – ne peut pas – nous permettre d'accomplir le moindre pas vers leur solution. Nous ne saurons la vérité qu'à l'arrivée des Éthiques du Monde-Jardin, et encore !

– Vous n'aurez pas à attendre aussi longtemps.

Alice poussa un cri aigu. Burton s'étrangla, repoussa sa chaise, se leva pour faire face à l'homme qui avait proféré ces paroles.

Loga se tenait, souriant, sur le seuil de la salle à manger.

37.

L'Éthique avait perdu son allure de bouddha obèse. Ses vêtements légers – un kilt bleu ciel, une robe jaune ouverte, brodée de dragons bleus, et des sandales bleues – laissaient apparaître un corps massif, puissamment musclé, sans une once de poids superflu.

Il n'était pas armé.

Levant la main, il dit :

– Allons, calmez-vous. Je vais tout vous expliquer. Mais d'abord, veuillez m'excuser de vous avoir pareillement effrayés.

Burton s'était suffisamment remis du choc pour railler :

– Tu as toujours aimé les effets théâtraux.

– C'est vrai.

– Comment es-tu entré ? demanda Li Po.

– Je vous dirai chaque chose en son temps. Sachez cependant que forcer la formule code n'a été pour moi qu'un jeu d'enfant : ne suis-je pas le maître de la tour ?

Il s'approcha de la desserte placée près de la porte et se servit un cognac. Alice se rassit, s'étreignant la poitrine d'une main. Les hommes échangèrent de rapides coups d'œil signifiant, comme une longue habitude le leur avait appris : au moindre geste suspect, on lui saute tous dessus à la fois.

Loga, cependant, paraissait très à l'aise, dans le style « salut les potes, content de vous revoir ». Mais cela ne voulait rien dire de la part d'un comédien aussi averti. D'un autre côté, réfléchit Burton, pourquoi nous voudrait-il du mal ?

– Est-ce que je me trompe, s'enquit-il, en avançant que ta liquéfaction... ta mort... n'était qu'une illusion engendrée par l'Ordinateur, et que tu n'as pas cessé de nous épier depuis ta disparition ?

Loga se retourna vers eux, se campant sur ses jambes noueuses comme un vieux loup de mer sur la passerelle de son voilier, et sourit.

– Non. Je sais que c'est l'une des éventualités que tu as envisagées.

– Tu nous as donc espionnés !

– Oui. Partout où vous alliez, à l'exception des pièces que vous avez recouvertes de peinture. L'idée était astucieuse, mais je n'ai jamais douté de votre intelligence et de votre imagination. C'est d'ailleurs l'une des raisons qui m'ont incité à vous choisir pour être mes agents. Vous n'avez pas réussi, cependant, à vous soustraire aussi complètement à ma surveillance que vous l'imaginiez. Je me branchais sur les ordinateurs auxiliaires que vous utilisiez.

Il but une gorgée de cognac en les observant par-dessus le rebord du verre.

– Quel plaisir que d'avoir quelqu'un à qui parler. D'autant plus que vous n'êtes pas n'importe qui ! Je me sens très proche de vous. Je présume, évidemment, que vous m'en voulez plutôt, en ce moment. Je ne saurais vous le reprocher et je suis persuadé que vous me pardonnerez quand vous aurez entendu ma version des faits.

– Ça m'étonnerait ! répliqua sèchement Alice, les lèvres pincées et l'œil étréci. Je ne sais pas à quelle sorte de jeu tu t'es livré, mais tu as provoqué le perte de – elle s'interrompit, comme si une idée nouvelle lui était subitement venue à l'esprit, et ses joues s'empourprèrent encore un peu plus.

– Je répète que je suis désolé de vous avoir infligé un tel tourment moral. Mais enfin, vous n'êtes pas morts, et même si vous aviez péri, vous auriez survécu de toute façon, si je puis m'exprimer ainsi.

» Je devais absolument m'assurer que vous seriez capables d'utiliser la tour sans vous laisser corrompre par les immenses pouvoirs dont vous jouiriez. J'étais convaincu que vous sortiriez vainqueurs de l'épreuve, mais le croire, et le souhaiter, n'était pas suffisant : il fallait vous permettre de les exercer *réellement*, ces pouvoirs. Ce n'est pas à ses paroles, mais à ses actes, qu'on peut juger vraiment quelqu'un.

» Vous avez commis quelques fautes. Vous auriez dû ressusciter vos compagnons disparus au cours de l'expédition qui vous a conduits jusqu'ici. Je suis certain que vous n'auriez pas tardé à le faire si les événements vous en avaient laissé le loisir. Cela m'a pourtant contrarié, car je désirais les soumettre à l'épreuve, eux aussi.

– La plupart d'entre eux auraient agi comme nous, dit Burton.

– Je sais, mais je voulais voir ce qu'ils avaient réellement dans le ventre.

– Ils l'ont montré au cours du voyage. Comme nous.

– Jusqu'à un certain point. La manière dont ils se seraient

comportés dans la tour aurait constitué le critère ultime. Turpin, par exemple, a manqué de discernement dans le choix des gens qu'il a ressuscités. Toi aussi, Li Po. Tu as fait une erreur monumentale en ressuscitant Cuillère d'Étoile.

Li Po soupira :

— Comment aurais-je pu me douter...

— As-tu retenu la leçon ?

— J'apprends encore plus vite que je me vexe. Si c'était à refaire, je veillerais à ce que l'Ordinateur ne confère à ceux que nous amènerions ici aucun pouvoir dont ils pourraient se servir contre moi.

— Parfait. Mais veillerais-tu aussi à n'acquérir aucun pouvoir dont tu pourrais, toi, te servir contre les autres ? Cela n'est pas moins dangereux pour toi, car les autres risquent de te le subtiliser, quelles que soient les précautions que tu prennes.

— Il faut bien qu'il y ait un patron. Quelqu'un qui détienne tous les pouvoirs et dont on soit sûr qu'il les emploiera à bon escient.

— Reste à savoir si nous avons mérité qu'on nous accorde une telle confiance ? intervint Burton.

— Et si vous ressuscitiez quelqu'un que vous jugiez à tort digne de confiance ? Quelqu'un qui s'emparerait de vos pouvoirs et les utiliserait à des fins que vous réprouveriez ? rétorqua Loga.

L'Éthique trempa de nouveau les lèvres dans son verre et se mit à arpenter la pièce tout en parlant.

— Vous considérez que ma disparition était un acte criminel parce qu'elle a provoqué l'anéantissement des enregistrements corporels et, partant, privé d'immortalité la quasi-totalité des lazares. Vous vous trompez, et je suis déçu que vous m'ayez cru capable de laisser s'accomplir quelque chose d'aussi horrible. En réalité...

— Tu as commandé à l'Ordinateur de se dédoubler, si ce n'était déjà fait, l'interrompit Burton. Et c'est le double qui détient maintenant les enregistrements. Ou alors, il n'y a toujours eu qu'un seul Ordinateur, mais il nous a raconté des histoires.

Loga s'immobilisa pour fixer Burton d'un œil médusé, puis éclata de rire.

— Quand as-tu songé à ça ?

— Il y a une minute.

— J'ai en effet fabriqué un Ordinateur de rechange avant de disparaître.

— Nous aurions donc pu nous dispenser de déployer tant d'efforts pour empêcher l'Ordinateur de mourir quand nous sommes arrivés dans la tour ? C'est pour des prunes que Goering s'est sacrifié ?

— Non, l'Ordinateur a bien failli mourir et cela m'a causé une telle peur que j'en ai aussitôt confectionné une réplique. J'ai substitué la réplique à l'original dès l'instant où j'ai décidé de vous autoriser à faire joujou avec celui-ci

— Il me semble qu'installer un Ordinateur de secours dès le départ du projet aurait été une précaution élémentaire, s'étonna Frigate.

— Il nous paraissait impossible que l'Ordinateur tombe en panne ; pas de manière dangereuse, en tout cas. Nous pensions qu'il était invulnérable.

— Ouais. On a prétendu aussi que le *Titanic* était insubmersible !

— Et qui était la Mongole que Nur a tuée ? s'enquit Alice.

— Ah, elle ! Elle faisait partie de la mise en scène destinée à vous égarer. Il fallait bien que quelqu'un fût responsable de ma mort, et je me suis arrangé pour que vous la soupçonniez. Vous chercheriez alors à vous renseigner sur elle, sans aboutir à rien.

— C'était une androïde ? demanda Frigate.

— Évidemment !

— Certains d'entre nous ont trouvé que Nur l'avait tuée un peu trop facilement.

Burton exhala une bouffée de fumée, en affectant un calme qu'il était loin de ressentir.

— Je te remercie de tes explications ; mais pas de l'angoisse où tu nous as plongés, ni du bain de sang que tu as indirectement provoqué. Je reconnais que nous avions besoin d'une bonne leçon et je ne doute pas que tes intentions aient été bonnes. Cependant, comme tu l'as dit toi-même, ce sont les actes qui comptent. Quoi qu'il en soit, j'ai une question à te poser, la plus importante de toutes, peut-être. (Il marqua une pause.) Restons-nous dans la tour, ou devons-nous regagner la Vallée ?

Loga se fendit d'un large sourire.

— Que préférez-vous ?

— Personnellement, rester ici.

Les autres Terriens exprimèrent la même préférence.

– Et pourquoi ? voulut savoir Loga.

– Pour deux raisons, répondit Burton. Premièrement, je me plais mieux ici, en dépit des troubles que tu as suscités ; je peux y effectuer des études, acquérir des connaissances en échange desquelles j'aurais donné mon âme sur la Terre – si j'avais cru avoir une âme et si on m'avait proposé de l'échanger. J'apprécie aussi le luxe dont j'y jouis : de ce côté-là, c'est presque le Paradis. Deuxièmement, je crois avoir mérité d'y demeurer. Me renvoyer dans la Vallée ne pourrait que me frustrer et, bien loin de m'aider à progresser sur le plan éthique, risquerait au contraire de me faire régresser.

Interrogés à leur tour sur ce qui les incitait à vouloir rester dans la tour, les compagnons de Burton firent des réponses très similaires.

– Bon. Avant d'en venir à ce que vous brûlez si ardemment de savoir, je vais vous révéler quelque chose d'autre. Burton, quand tu as déclaré être plus près de passer de l'autre côté que tu ne le serais jamais, tu as proféré sans le savoir une vérité. Entrait-il plus qu'il n'y paraissait dans cette allégation ? As-tu deviné, soupçonnes-tu que... ?

Il sourit sans achever sa phrase, but encore un peu de cognac, attendant visiblement que Burton s'explique. Or celui-ci n'avait pas la moindre idée de ce qu'il était censé avoir deviné ou soupçonné.

– Continue donc ! lança-t-il.

– D'accord. Je vous ai dit, et l'Église de la Seconde Chance a enseigné, que quand vous auriez atteint une certaine perfection morale, fondée sur l'amour et la compréhension du prochain, quand vous vous seriez affranchis dans une certaine mesure de vos névroses et de vos psychoses, vous seriez prêts à passer de l'autre côté. Qu'à votre mort, vous ne ressusciteriez plus sur le Monde du Fleuve et que votre *wathan* disparaîtrait, sans que nos instruments ne puissent plus ni le déceler, ni le capturer. Qu'on en ignorait au juste la raison, mais que la seule explication vraisemblable était que le *wathan*, ou l'âme si vous préférez, allait se fondre en Dieu. Mais...

Il absorba de nouveau un peu de cognac, les scrutant tour à tour pour deviner ce qu'allait être leur réaction et s'en réjouissant d'avance.

– Mais la triste vérité – peut-être n'est-elle pas si triste que ça, finalement – est qu'aucun *wathan* ne disparaît, ne passe de l'autre côté, tant que le corps auquel il est associé continue de ressusciter.

Burton fut moins surpris qu'il l'aurait dû. C'était là une possibilité qu'il avait envisagée, il y avait bien longtemps, pour la rejeter. Alice accusa le coup ; à en juger par son expression, elle ne pourrait plus jamais croire personne. Li Po sourit en se tiraillant les moustaches. Frigate demeura impassible.

« L'Ordinateur nous a par conséquent trompés en prétendant que Bouddha et Jésus-Christ, notamment, étaient passés de l'autre côté, réfléchit Burton. Pourquoi ? Parce que Loga le lui avait ordonné afin de nous maintenir dans l'erreur. » Il soupira.

— Alors, quelle est la vérité ? Parce que tu vas nous dire la vérité cette fois-ci, n'est-ce pas ? Pardonne-moi d'être sceptique : tu nous as menti si souvent !

La voix d'Alice s'éleva, tremblante :

— Au sujet des *wathans*... tu nous as affirmé qu'ils étaient artificiels. Que si les représentants d'une race très ancienne ne les avaient pas fabriqués, nous serions tous dépourvus de conscience individuelle. Était-ce vrai ? Absolument vrai ?

— Il n'existe qu'une vérité absolue, pontifia Loga : « Ce Qui Est, Est. » Mais oui, il est exact que ces anciens ont fabriqué les *wathans* et que nous, leurs héritiers, avons veillé à ce que tout humain conçu sur la Terre reçoive le sien. Il est faux, par contre, que les *wathans* rejoignent Dieu ou soient absorbés en Lui. Cela adviendra peut-être un jour. Je n'en sais rien ; personne n'en sait rien.

» La vérité, c'est que vous pouvez être immortels, relativement du moins. Vous ne durerez pas plus longtemps que l'univers, et probablement beaucoup moins longtemps que lui. Mais vous pouvez vivre un, deux, trois millions d'années, voire plus encore. Tant que vous trouverez des planètes à noyau chaud du type terrestre et disposerez d'un équipement de résurrection.

» Il n'est malheureusement pas possible de permettre à n'importe qui d'accéder à l'immortalité. Trop de gens transformeraient en enfer l'immortalité de leurs semblables et tenteraient de les asservir en accaparant les équipements de résurrection. Tout le monde, sans exception, bénéficie néanmoins d'une centaine d'années après sa mort terrestre pour démontrer qu'il est capable de vivre en paix avec lui-même et les autres, dans la limite tolérable des imperfections humaines. Ceux qui en auront fourni la preuve deviendront immortels à l'expiration des deux projets.

– Si je comprends bien, dit lentement Burton, les normes, les objectifs moraux qu'il faut atteindre, sont moins élevés qu'on nous l'a fait croire ?

– Ils sont élevés, mais à la portée de quarante pour cent des ressuscités.

– Et les soixante pour cent restant ? s'inquiéta Alice.

– Leurs enregistrements corporels seront détruits.

– Cela me paraît extrêmement sévère.

– Ça l'est. Mais c'est indispensable.

– Et ensuite ? demanda Frigate d'une voix angoissée.

– Les survivants seront ramenés sur la Terre, sous la forme d'enregistrements corporels à l'intérieur des petites sphères jaunes que vous connaissez.

– Sur la Terre ? s'exclama Burton. Bien que personne ne le lui eût jamais dit, il était persuadé que la Terre avait été détruite.

– Oui. La guerre atomique, avec la radioactivité engendrée par les bombes à hydrogène et à neutrons, avait tué pratiquement toute vie sur la Terre. Les Éthiques du Monde-Jardin ont décontaminé la planète – cela leur a pris cent soixante ans – et ils en ont reconstitué la flore et la faune. La Terre sera prête à vous accueillir, vous qui ne serez pas du genre à la piller ou à l'asphyxier lentement en la polluant. Et...

– Nous n'aurons sans doute pas le droit d'avoir des enfants ? le coupa Alice.

– Pas sur la Terre. Elle serait trop petite pour ça, bien qu'amplement assez grande pour que vous y ayez, comme vous dites, je crois, les coudées franches. Mais il y a dans l'univers des millions de planètes où n'existe aucune forme de vie consciente, et vous pourrez aller vous y établir si vous désirez procréer.

« La Terre », dit rêveusement Burton, la poitrine étreinte d'une nostalgie si puissante qu'elle en devenait physiquement douloureuse. La Terre ! Ce ne serait plus celle sur laquelle il avait vécu, mais sa topographie serait la même. Et quant au reste, s'il ne ressemblait plus à ce qu'il était à l'époque de son décès, ce ne serait pas un mal, il fallait bien le reconnaître !

– Quel choc ! geignit Alice. J'ai commencé par être une anglicane convaincue ; en arrivant ici, j'ai perdu la foi, et je suis devenue agnostique ; il y a peu, j'ai envisagé sérieusement d'adhérer à l'Église de la Seconde Chance ; et maintenant...

– Loga, intervint brusquement Burton, puisque tu te décides enfin à dire la vérité, va jusqu'au bout. Pour quelle raison as-tu trahi tes congénères et bouleversé leurs plans ? Est-ce bien, comme tu nous l'as affirmé, parce que tu ne pouvais pas supporter l'idée que tes proches, tes parents bien-aimés, risquaient de ne pas passer de l'autre côté ? – au sens où tu viens de nous l'expliquer, et non dans le précédent. As-tu déclenché cette lutte sanglante, éliminé les autres Éthiques, dans le seul dessein d'octroyer un peu plus de temps à tes père, mère, frères, sœurs et autres cousins ?

– Je te jure sur tout ce qu'il y a, il y a eu, et il pourrait y avoir de sacré que c'est la vérité !

– Dans ce cas, je ne comprends pas comment toi, qui as été élevé sur le Monde-Jardin, tu as réussi à passer le test. Si les normes fixées par les Éthiques ne sont pas totalement dépourvues de valeur, de signification, comment n'as-tu pas été recalé ? Comment as-tu pu te métamorphoser en criminel ? Un criminel non dépourvu de conscience, mais un criminel tout de même ? A moins que... ayant le niveau moral requis, tu n'aies soudainement perdu l'esprit ? Et si tu as perdu l'esprit, qu'est-ce qui empêchera d'autres personnes sorties victorieuses de l'épreuve de le perdre, elles aussi ?

38.

Loga blêmit, se retourna, posa son verre sur une table, se retourna de nouveau. Il souriait, mais ses yeux allaient et venaient comme s'il cherchait quelqu'un derrière ses interlocuteurs.

– Je n'ai pas perdu l'esprit !

– Songe à tout ce que tu as provoqué pour sauver quoi ? Une dizaine de personnes !

– Je n'ai pas perdu l'esprit ! Ce que j'ai fait, c'est par amour.

– L'amour aussi a ses déraisons. (Burton se carra confortablement dans son fauteuil, tira sur son cigare, sourit.) Mais pour l'instant, peu importe que tu sois fou ou non. Tu ne nous as toujours pas répondu : devons-nous retourner dans la Vallée ou pouvons-nous rester ici ?

— Je pensais vous autoriser à rester ; je jugeais que vous aviez atteint le stade où il était possible de vous faire confiance et de vivre tous ensemble dans une parfaite harmonie, avec ceux que vous amèneriez ici. J'ai moi-même l'intention d'y amener les membres de ma famille afin de leur apprendre comment ils doivent se comporter pour devenir immortels. Quelques-uns d'entre eux...

— Tu crains donc que certains d'entre eux n'y parviennent pas ?

Frigate se pencha par-dessus la table et, fixant Loga droit dans les yeux, demanda :

— Tu nous avais dit qu'on passait automatiquement de l'autre côté quand on y était prêt, sans que cela dépende d'aucun jugement humain. Et maintenant... Alors, qui juge ?

Burton regretta cette intervention, bien qu'il se fût lui aussi posé la question. Mais la plus importante était celle qu'il venait de formuler ; les autres pouvaient attendre.

— Ce sera l'Ordinateur. A l'expiration du délai, il mêlera aux aliments destinés aux habitants de la Vallée une substance soporifique qui les tuera, après quoi il examinera leurs *wathans*. Comme vous le savez, le *wathan* révèle, par ses coloris et leur importance relative, le niveau éthique de son possesseur. Ceux qui répondront aux critères fixés seront réunis sur la Terre aux corps correspondants. Les autres seront libérés et iront je ne sais où.

— Et c'est une machine qui décidera ? insista Burton.

— Elle est infaillible.

— Dans la mesure où on ne la traficote pas.

— Qui la traficoterait ?

— Toi, par exemple ; ça ne serait pas la première fois !

Loga lui jeta un regard noir.

— Je ne serai plus là.

— Où seras-tu ?

— Sur une planète inhabitée que j'aurais gagnée à bord d'un des vaisseaux du hangar.

— Tu aurais pu le faire quand tu voulais depuis que tu t'es débarrassé de tes congénères et de leurs agents, observa Frigate. Pourquoi ne t'es-tu pas contenté de récupérer tes parents et de les emmener avec toi ?

Loga le dévisagea comme s'il venait de proférer une absurdité.

– C'était impossible.

– Et pourquoi ? le pressa Burton. Ça me paraît la solution logique !

– Ils n'auraient pas été prêts. Ils n'auraient pas passé le test. L'Ordinateur les aurait rejetés. Ils auraient été condamnés.

– Ça ne tient pas debout, rétorqua Frigate. Tu serais installé tranquillement avec eux sur une planète où personne n'aurait été vous chercher avant un millier d'années, à supposer qu'on vous retrouve jamais.

Loga se renfrogna, épongea la sueur qui lui perlait au front.

– Tu ne comprends pas. Ils n'auraient pas eu le droit de vivre alors, puisqu'ils ne seraient pas passés de l'autre côté. Je ne pouvais pas les prendre avec moi tant qu'ils n'avaient pas atteint le niveau voulu pour que l'immortalité leur soit supportable.

Les Terriens échangèrent des regards sous-entendant : il est complètement cinglé !

Burton soupira, se pencha, glissa la main sous le rebord de la table et saisit discrètement le lance-rayons qu'il y avait déposé le jour où il avait emménagé dans son château. Il poussa la mollette latérale sur la position « étourdissement », exhiba prestement l'arme, pressa sur la languette mobile qui tenait lieu de gâchette. Un mince faisceau rose pâle alla frapper la poitrine de Loga, qui tomba à la renverse.

– Je n'avais pas le choix, dit-il. C'est un psychotique incurable et il nous aurait renvoyés dans la Vallée. Dieu sait ce qu'il aurait fait après ça !

A sa demande, Frigate courut chercher dans un convertisseur une seringue hypodermique contenant la dose voulue de *somnium.* Il surveilla Loga pendant ce temps, prêt à le renvoyer dans les limbes s'il remuait un cil. L'Éthique était doué d'une résistance colossale ; une décharge qui aurait assommé la plupart des hommes ne l'avait peut-être qu'à moitié étourdi.

Burton arpenta quelques minutes la pièce en réfléchissant au problème que posait Loga. Il fallait le garder en vie. S'il mourait, il ressusciterait probablement aussitôt dans une retraite secrète ; comme ses ordres primaient tous les autres pour l'Ordinateur, liquider les quatre Terriens lui serait alors très facile. Si on le cryogénisait, son *wathan* réagirait de la même façon que s'il était mort, et on se trouverait ramené au cas précédent. Si on le retenait prisonnier, mais non endormi, il se suiciderait, quelles que soient les précautions prises pour l'en empêcher. Même si l'on extirpait chirurgicalement de son cerveau la minuscule sphère noire qui pouvait, sur un ordre mental, libérer un poison mortel dans son organisme, rien ne l'empêcherait d'avaler sa langue pour s'étouffer. Or Burton ne se sentait pas capable de lui couper la langue, aussi désespérée que fût la situation.

Alors, le garder drogué ? Il était douteux qu'on puisse le maintenir indéfiniment vivant dans un tel état. Quant à demander à l'Ordinateur de projeter le film de sa mémoire afin de repérer les endroits où il avait dissimulé ses enregistrements corporels, ce serait peine perdue : Loga le lui avait certainement interdit.

Burton s'immobilisa, le sourire aux lèvres. Il tenait la solution !

Il travailla deux jours à parfaire son plan. Il lui fallait être très prudent : s'il commettait la moindre erreur, Loga risquait de l'emporter malgré tout.

Il commanda à l'Ordinateur de confectionner un androïde ayant exactement l'aspect extérieur et la voix de l'Éthique, mais aussi la même structure interne, à l'exception du cerveau, qui serait beaucoup plus simple. Si la réplique avait été cent pour cent fidèle, l'androïde se serait confondu presque complètement avec Loga et comporté comme lui. La seule différence, de taille il était vrai, aurait été l'absence chez l'androïde de conscience individuelle.

Burton programma verbalement le sosie à l'utilisation de la langue des Éthiques, puis lui fit transmettre ses ordres à l'Ordinateur. Celui-ci compara les signes distinctifs de l'androïde à ceux de Loga qu'il détenait en mémoire : timbre vocal, champ électrique épidermique, morphologie du visage et du corps, couleur de la peau, des cheveux et des yeux, forme de l'oreille, composition chimique des effluves de transpiration, empreintes digitales, palmaires et plantaires.

Bien que tout fût conforme, il refusa, hélas, d'obéir en l'absence de la formule code appropriée.

– C'est vexant, expliqua Burton à ses amis. Il ne nous manque qu'une phrase, qu'un mot peut-être, et nous sommes aussi impuissants que s'il nous en manquait un million !

Personne ne répondit. Les mines étaient longues et Li Po lui-même demeura silencieux.

Au bout de deux minutes, Alice, qui se mordait les lèvres en plissant le front, dit :

– Je sais que vous ne croyez pas à l'intuition féminine. Moi non plus, au sens où on l'entend habituellement. Je crois qu'il s'agit en réalité d'une forme de logique qui ne suit pas les règles de la logique classique, aristotélicienne ou symbolique, et n'est nullement réservée aux femmes. Oh, mais de quoi est-ce que je parle ?

– En effet, de quoi parles-tu ? railla Burton.

– Mon idée est si ridicule, si échevelée... vous allez vous moquer de moi.

– Au point où nous en sommes, toute suggestion est la bienvenue. Je te promets de ne pas rire, déclara Burton.

– Personne ne rira, renchérit Frigate. Et d'ailleurs, qu'est-ce que ça changerait, si nous riions ?

– C'est simplement qu'il s'agit d'un truc sans rime ni raison. Encore que... il y entre un soupçon de raison. Loga est tellement retors, et il aime tant à se livrer à de petits jeux, enfantins parfois... enfin voilà.

– Voilà quoi ? demanda Burton.

– C'est totalement improbable. Pas une chance sur un milliard. Mais... je ne sais pas. On ne risque rien à tenter le coup. Ça ne prendrait pas beaucoup de temps.

– Mais quoi, à la fin ?

– Eh bien, te souviens-tu de ce qu'il a crié juste avant de se liquéfier ? D'avoir l'air de se liquéfier, plutôt ?

– *I tsab u* ? Qui êtes-vous ? en langue éthique.

– Oui. Est-ce que Loga n'aurait pas trouvé follement drôle de tenter le diable, de nous fournir la solution, le véritable mot de passe, en se disant que nous ne saisirions pas la perche, que nous ne soupçonnerions jamais l'importance de l'indication qu'il nous donnait ? Nous nous figurerions qu'il s'adressait à son assassin, assassin dont nous savons aujourd'hui qu'il n'existait pas. En même temps...

– Il aurait fallu qu'il soit fou pour jouer avec nous de cette façon !

– Alors ?

– C'est absurde, mais ça ne prendrait qu'une minute, dit Frigate. Et qu'avons-nous à perdre ? De plus, Alice est très psychologue, mine de rien.

— Merci. Je ne l'étais guère en arrivant sur le Monde du Fleuve, mais j'ai dû apprendre à déchiffrer le caractère des gens pour survivre.

Ils se rendirent dans la chambre où l'androïde dormait. Burton le réveilla sans brusquerie, lui donna une tasse de café, puis lui expliqua soigneusement, en choisissant bien ses mots, ce qu'il devait faire. L'androïde alla se planter de nouveau devant l'écran mural et articula : *I tsab u* ?

Des symboles éthiques s'affichèrent sur l'écran.

— Cela veut dire « prêt » commenta Burton.

L'androïde enjoignit à l'Ordinateur d'obéir désormais prioritairement à Burton, auquel il remettait ses pouvoirs.

L'Ordinateur rejeta la consigne.

— Qu'est-ce qui se passe encore ? grommela Frigate.

Burton appela l'androïde et l'entraîna dans le couloir. Cette dernière précaution n'était peut-être pas nécessaire, mais il ne voulait prendre aucun risque. Après avoir indiqué à l'androïde ce qu'il devait dire exactement, il le regarda depuis le pas de la porte retransmettre ses instructions à l'Ordinateur.

Qui, cette fois-ci, les accepta !

Les Terriens s'étreignirent en poussant des cris de joie ; Li Po esquissa un pas de danse.

L'androïde avait ordonné de ressusciter toutes les personnes revenues dans les archives, à l'exception de quelques-unes dont il avait donné le nom et le matricule. Le processus de résurrection allait donc reprendre et se poursuivre jusqu'au terme du projet.

Il avait aussi déclaré vouloir annuler toutes les mesures de sécurité qu'il (c'est-à-dire Loga) avait prises et l'Ordinateur, ayant immédiatement obtempéré, fournit des diagrammes montrant les endroits où Loga avait dissimulé ses enregistrements corporels.

— Parfait ! se réjouit Burton. S'il nous faut passer par l'intermédiaire de l'androïde pour obtenir ce que nous voulons de l'Ordinateur, qu'il en soit ainsi : je m'y résigne volontiers !

Une heure plus tard, ils étaient en possession des trente-neuf enregistrements que Loga avait dissimulés un peu partout dans la tour.

»Je serais convaincu que Loga ne peut plus désormais se faire ressusciter à notre insu s'il n'était pas si ficelle. Mais il a peut-être caché d'autres enregistrements ailleurs sans en aviser l'Ordinateur.

– Dans ce cas, l'Ordinateur ne pourrait pas le ressusciter puisqu'il ne serait pas relié à l'enregistrement, répliqua Frigate.

– Certes, mais si Loga a placé l'enregistrement dans un convertisseur branché uniquement sur le circuit d'alimentation, un ordinateur auxiliaire pourrait procéder à la résurrection.

– Alors, demandons à l'Ordinateur de nous signaler toute dépense d'énergie anormale. C'est possible, maintenant que les ordres de Loga le lui interdisant ont été annulés.

– Il subsiste un risque, mais nous ne pouvons pas rester les bras croisés sous prétexte que Loga a une toute petite chance de nous échapper.

Les quatre Terriens convinrent que plus rien ne les empêcherait de se mettre à repeupler la tour, une fois qu'ils auraient nettoyé les trois mini-univers dévastés. Et ils se rallièrent unanimement à la suggestion de Burton, qui préconisait d'apprendre la vérité aux habitants de la Vallée – de leur présenter, en fait, un exposé complet des événements depuis l'origine.

» Les Éthiques avaient jugé préférable de divulguer des demi-vérités par le truchement de l'Église de la Seconde Chance parce qu'ils croyaient à la puissance de l'instinct religieux. Je pense, moi, qu'il faut dévoiler toute la vérité, qu'elle soit agréable ou non. Nous ressusciterons un certain nombre de gens que nous ramènerons dans la Vallée à bord d'un aéronef après les avoir gardés quelque temps avec nous dans la tour. Nous leur remettrons des photographies, des films, des appareils de projection à pile, bref ce qu'il faut pour convaincre les sceptiques. Les berges du Fleuve sont si peuplées et la Vallée si longue que la vérité se propagera très lentement, mais elle finira par atteindre tout le monde. Quant à ceux qui refuseront de la croire, car il y en aura forcément, ma foi, tans pis pour eux !

Après avoir cryogénisé Loga, les quatre humains procédèrent à des résurrections. Li Po rappela à la vie ses anciens amis ; Alice, Monteith Maglenna, ses sœurs Edith et Rodha, ainsi que plusieurs autres hommes et femmes ; Frigate, vingt et une personnes dont, naturellement, Sophie Lefkowitcz ; Burton, Loghu, la blonde Tokharienne de l'Antiquité, Cyrano de Bergerac, Joe Miller, le titanthrope, Kazz, l'homme de Néanderthal, Tom Turpin, Jean Marcelin baron de Marbot et bon nombre des autres héros que Loga avait recrutés pour sa guerre contre les Éthiques.

Six mois s'écoulèrent.

Burton convia à dîner en son château tous les habitants de la tour, qui étaient maintenant plus de deux cents. Quand les tables eurent été desservies, il ordonna à un androïde de frapper sur l'énorme gong en bronze placé derrière sa chaise, se leva, brandit son verre empli de vin et déclara :

– Citoyens de la tour, je vous propose un toast. A nous !

Après que tous les assistants eurent vidé leur verre, il enchaîna :

– Et maintenant, je porte un autre toast. A tous ceux qui jouissent aujourd'hui d'une double citoyenneté : celle de la Terre et celle du Monde du Fleuve ! Nous vivons dans la félicité et je forme le vœu qu'il en soit ainsi jusqu'à l'arrivée des Éthiques du Monde-Jardin – et au-delà. Cependant, quand cet instant viendra, que cela nous plaise ou non, nous serons soit renvoyés sur une Terre régénérée, soit voués à disparaître. J'espère, et je crois, que nous tous ici mériterons de retourner vivre sur notre planète natale. Il nous faudra l'abandonner pour une plus jeune quand elle se refroidira, mais cela ne se produira pas avant des millions d'années, et qui sait ce qui peut se produire durant un laps de temps si inconcevablement long ?

Il s'interrompit pour boire une gorgée de vin, promena son regard sur l'assistance.

– Si j'ai bien compris, nous puiserons dans le noyau terrestre la chaleur nécessaire à l'alimentation de nos convertisseurs énergie-matière. Mais nous n'en aurons besoin que pour ressusciter nos morts et les décès sont rares avec les mœurs que nous pratiquerons. Nous ne nous servirons ni de graals, ni de convertisseurs pour fabriquer notre nourriture : nous la tirerons du sol. Si tout se déroule conformément aux plans des Éhiques, la paix et l'harmonie régneront sur la Terre. Il me surprendrait pourtant que le lion y dorme avec l'agneau ; pas s'il est affamé : le lion n'a jamais trouvé et ne trouvera jamais l'herbe nourrissante !

» En outre, même ceux qui seront passés de l'autre côté demeureront imparfaits ; nul être humain n'est parfait ou ne peut espérer le devenir, à de rares exceptions près dont l'exemple risque d'être insupportable aux autres.

(Bon nombre de ses auditeurs le dévisageaient comme s'ils se demandaient quelle surprise il leur réservait.)

– Certains d'entre vous, je n'en doute pas, envisagent avec plaisir la perspective de vivre sur la Terre. Ils savent que leur soif d'aventure intellectuelle trouvera toujours à s'y étancher, car les possibilités d'étude et de création artistique n'y seront pas moindres que dans la tour. Ils se réjouissent à l'idée d'y bénéficier d'une existence sûre, bien ordonnée et sereine.

Burton marqua une pause, son visage s'assombrit.

— Il existe toutefois une autre voie que celle-ci. J'ai inspecté les vaisseaux spatiaux parqués dans le hangar, et je me suis rendu compte que leur pilotage n'exigeait pas de compétences exceptionnelles. Ils sont certes complexes quant à leur conception, mais un enfant de douze ans intelligent pourrait, après quelques recherches, s'installer dans l'un d'eux et se faire emmener n'importe où — dans les limites du carburant disponible, bien entendu.

(Frigate lui sourit et marqua son approbation en joignant le pouce et l'index de manière à former un 0).

— Alors, et si nous renoncions à retourner sur cette Terre presque utopique, soit que, le désirant ardemment, nous ne soyons pas sûrs d'obtenir ce privilège, soit que nous préférions un autre mode de vie ?

» Rien ne peut nous empêcher de prendre l'un des vaisseaux du hangar — voire tous, si cela nous chante —, de choisir l'une des planètes vierges repérées dans son système de navigation et de nous y rendre.

» Et qu'y ferait, me demanderez-vous, notre groupe hétérogène de quasi-immortels, pratiquant tant de langues et appartenant à tant de races, de nations et d'époques différentes ? Nous ne connaîtrions pas l'existence opulente et facile que nous menons ici, ni celle, encore très aisée, qui nous est promise sur la Terre. Bien qu'ayant emporté avec nous tout le savoir scientifique et technique contenu dans les archives des Éthiques, nous ne pourrions guère l'exploiter avant plusieurs siècles. Il nous faudrait longtemps avant de réunir assez de bras pour être en mesure d'accomplir le travail, sale et pénible, qu'exigerait l'extraction de la matière brute nécessaire.

» Ces planètes ont été, comme la Terre, équipées de générateurs et de capteurs de *wathans*. Nous pourrons avoir des enfants, puisqu'ils naîtront dotés de *wathans*, et par conséquent doués de conscience individuelle et de libre arbitre. Mais... (il laissa de nouveau son regard errer sur l'assistance)... si l'un de nous ou l'un de nos enfants meurt, ce sera pour longtemps. Pour toujours, peut-être. Si les Éthiques nous retrouvent, ils jugeront sur-le-champ ceux d'entre nous qui auront quitté la tour à bord du ou des vaisseaux. Peut-être serons-nous déjà décédés et nous permettront-ils de vivre à nouveau ; peut-être pas. Quoi qu'il en soit, si nous périssons prématurément, ça sera pour un sacré bout de temps, attendu que les Éthiques risquent bien de ne pas débarquer sur notre planète avant des milliers et des milliers d'années ; et que si nos descendants construisent auparavant des dispositifs de résurrection, rien ne prouve qu'ils voudront nous rappeler à la vie. Il est impossible de prévoir ce que sera la situation politique, religieuse et économique à cette époque ; nos descendants jugeront peut-être préférable de ne pas nous ressusciter.

» Ce n'est pas, de loin, le pire qui puisse advenir. Au début, après que nous aurons édifié nos maisons de nos mains, labouré, semé et récolté, engendré une première génération, nous formerons une société assez harmonieuse. Mais à mesure que les siècles, puis les millénaires s'écouleront, notre langue commune, l'espéranto, se transformera en dialectes, puis en langues de familles aussi différentes que le français et l'albanais. En dépit des croisements, certains groupes raciaux conserveront leurs caractéristiques, et notre beau monde sera peuplé de races différentes.

» Des races différentes, des langues différentes : ce sera exactement comme sur notre bonne vieille Terre ! Mais ce sera aussi la variété !

» En outre, quel que soit l'amour avec lequel nous élèverons nos enfants, nous aurons à long terme, voire à très court terme, le même type d'individus que sur cette vieille Terre.

» Mesdames et Messieurs, après avoir travaillé longuement et durement, affronté de nombreuses épreuves, survécu à de nombreux dangers et, peut-être, réussi à établir une société juste et équitable, nous la verrons inévitablement dégénérer. Comme sur la Terre, il y aura des forts et des faibles, des riches et des pauvres, des loups et des moutons, des braves et des lâches, des génies et des imbéciles, des expansifs et des introvertis, des bons et des méchants, des âmes sensibles et des cœurs de pierre, des tendres et des brutes, des bourreaux et des victimes, des gens sains d'esprit et des fous.

» Comme sur la Terre, il y aura de la haine mais aussi de l'amour, du chagrin mais aussi de la joie, des défaites mais aussi des triomphes, de la misère mais aussi du bonheur, du désespoir mais aussi de l'espoir.

Il jeta un bref regard en direction de ses auditeurs, dont les visages lui parurent n'en faire qu'un. Ils devinaient la teneur, sinon la forme exacte, de ce qui allait suivre.

– Mais... nous jouirons de l'immense diversité, des richesses et du foisonnement qu'une existence trop bien protégée ne saurait offrir.

» Et nous connaîtrons l'aventure.

» Nous renoncerons à l'Eden qui nous est promis sur la Terre, mais nous emporterons avec nous un morceau de Paradis, ainsi que, j'en suis sûr, plus qu'une bonne portion d'Enfer. Est-ce que le ciel existe, dans le vide ? Comment peut-on savoir qu'on est au Paradis, s'il n'y a pas d'Enfer ?

» Alors je vous pose la question, mes amis, et à vous aussi qui, peut-être, ne m'aimez guère, que choisissez-vous ? La nouvelle Terre ou l'inconnu ?

Un silence absolu s'abattit sur la salle, que Frigate finit par rompre :

– N'est-ce là qu'un beau discours ? *Toi*, Dick, où vas-tu ?

– Tu le sais bien !

Burton tendit la main en direction des étoiles.

– Qui vient avec moi ?

Postface

Bien qu'un écrivain aime naturellement à croire que la moindre de ses lignes restera éternellement gravée dans le cœur de ses lecteurs, il se pourrait que le souvenir des événements relatés dans les trois tomes précédents du Monde du fleuve se soit dilué dans la mémoire de certains d'entre eux. Voici donc un bref résumé des aventures que mes héros ont vécues avant d'être les dieux du Fleuve.

Richard Francis Burton, le fameux (ou infâme) explorateur, linguiste, écrivain, poète, épéiste et anthropologue britannique meurt en 1890, à l'âge de soixante-neuf ans. A sa grande surprise, il se réveille après la mort dans une salle immense où des milliards de corps flottent, suspendus dans l'air. Tous ceux qu'il aperçoit sont humains, à l'exception d'un seul, proche de lui. Ce corps est celui d'un humanoïde, mais certainement pas d'un Homo sapiens. *Avant que Burton réussisse à s'évader, il est replongé dans l'inconscience par deux hommes montés sur une espèce de vaisseau aérien.*

Quand Burton se réveille de nouveau, il gît, entièrement nu, sur la rive d'un grand fleuve qui coule au centre d'une vallée étroite, cernée par deux hautes barrières de montagnes infranchissables. Il a recouvré le corps qu'il avait à vingt-cinq ans, débarrassé des cicatrices qui le marquaient. Il est perdu dans la masse des quelque trente-cinq milliards de Terriens qui ont été ressuscités sous un ciel inconnu, au bord de ce fleuve qui court sur seize millions de kilomètres.

La résurrection, comme la suite le démontrera, n'est pas l'effet d'une intervention surnaturelle. Elle a été accomplie à l'aide d'équipements scientifiques inventés par des êtres, les Éthiques, dont on ignore tout durant la première partie du Fleuve de l'éternité. *Les Éthiques ont installé des enregistreurs sur la Terre bien longtemps avant que l'homme ne se différencie du singe (c'est du moins ce que Burton et d'autres*

Terriens entendent dire au cours de l'histoire). Ces appareils ont enregistré tout ce que chaque humain a vécu depuis sa conception jusqu'à sa mort. Et, comme il apparaît dans le troisième tome de la série, Le labyrinthe magique, *ce sont aussi les Éthiques qui ont doté les humains d'une âme (ou* wathan *dans leur langage), laquelle est une entité purement artificielle, fabriquée par eux.*

Au début, les habitants du Monde du Fleuve croient que tous les Terriens ayant vécu depuis environ deux millions d'années avant jusqu'à l'an 2008 après le début de l'ère chrétienne y ont été ressuscités. Ils s'aperçoivent bientôt que tel n'est pas le cas pour les enfants morts sur la Terre avant l'âge de cinq ans, les attardés mentaux et les psychopathes profonds. Burton apprend d'un Éthique renégat que ces trois catégories de personnes ont été rappelées à la vie sur une autre planète, baptisée le Monde-Jardin, puis que seuls les Terriens ayant vécu de 99 000 avant à 1983 après Jésus-Christ se trouvent présentement sur le Monde du Fleuve. Les humains morts après 1983 seront ressuscités plus tard, à l'expiration de la première phase du projet mis en œuvre par les Éthiques.

Les Éthiques sont les héritiers de plusieurs civilisations disparues, dont certaines n'étaient pas humaines, qui ont entrepris d'enregistrer et de ressusciter les espèces conscientes de très nombreux mondes, les sauvant ainsi d'une mort définitive.

Déguisés en Terriens, certains d'entre eux ont répandu sur tout le Monde du Fleuve une notion religieuse dite « passage de l'autre côté ». Les habitants de la Vallée doivent atteindre un niveau éthique (ou de vertu morale) très élevé pour mériter de passer de l'autre côté. Quand la première phase du projet se terminera, ceux qui n'y seront pas parvenus mourront pour toujours. Le wathan *des autres ira se fondre dans la « tête de Dieu ».*

Cette notion est reprise et divulguée par plusieurs sectes religieuses, notamment par l'Église de la Seconde Chance dont les missionnaires enseignent aussi à leurs disciples l'usage de l'espéranto. Des gens originaires de tant d'époques et de régions différentes ont en effet absolument besoin de disposer d'une langue commune pour se comprendre.

Burton et quelques autres Terriens reçoivent, dans le premier volume, la visite d'un Éthique qui refuse de révéler son identité et qu'ils appellent X ou le Mystérieux Inconnu. X (dont on apprend dans Le labyrinthe magique *qu'il s'agit de*

Loga, membre du Conseil des Douze) s'efforce de contrecarrer le plan de ses congénères. Il invoque divers prétextes pour justifier ses agissements, mais révèle le véritable motif de sa trahison dans Le labyrinthe magique. *Il s'assure le concours d'un certain nombre de ressuscités, hommes et femmes particulièrement valeureux, dont Burton, Sam Clémens, Cyrano de Bergerac et un gigantesque titanthrope surnommé Joe Miller.*

Ces héros découvrent que le Fleuve sort d'une petite mer située au pôle Nord de la planète, gagne en sinuant le pôle Sud, puis traverse l'autre hémisphère pour regagner la mer boréale. Une tour immense, dont les fondations reposent sur le fond rocheux de cette mer et le faîte se perd dans les nuages, abrite le quartier général des Éthiques, les circuits et l'énorme cerveau protéinique de l'Ordinateur, un puits central contenant les wathans *des morts et les archives où sont renfermés leurs enregistrements corporels. Dès qu'un mort revient à la vie, son* wathan *se rattache au corps ressuscité. Le* wathan *contient tous les souvenirs du défunt, leur double plus exactement, et constitue la source de la conscience individuelle. Sans lui, l'être serait réduit à ses éléments physiques et incapable de conserver son identité.*

Le premier volume de la série, Le Fleuve de l'éternité, *se divise en deux parties, intitulées respectivement* Le Monde du Fleuve *et* Le Bateau fabuleux. *Dans* Le Monde du Fleuve, *je décris surtout l'organisation générale de cet univers et les efforts que Burton déploie pour échapper aux Éthiques. En s'emparant de lui, ceux-ci espèrent apprendre quel est le traître qui l'a réveillé dans la salle de pré-résurrection. Il se suicide 777 fois pour éviter d'être pris, mais finit par tomber entre leurs mains. Les membres du Conseil des Douze l'interrogent dans la tour et fouillent sa mémoire dans l'espoir de voir, par ses yeux, les traits du renégat, qui siège parmi eux. Mais le traître a secrètement tripatouillé les circuits de l'Ordinateur qui leur fournit des informations erronées et leur fait croire aussi qu'il efface tout souvenir de l'interrogatoire dans l'esprit de Burton, alors que le Terrien rejoint en réalité la Vallée avec une mémoire intacte.*

Dans la deuxième partie, Le Bateau fabuleux, *l'écrivain américain Samuel Clemens rêve de construire un grand navire à aubes à bord duquel il remontera le Fleuve jusqu'à sa source, d'où il espère atteindre à pied la tour cernée par les flots de la mer boréale. Il reste longtemps sans pouvoir réaliser son rêve, parce que la planète ne contient pratiquement pas de fer ni d'autres métaux pondéreux. X s'arrange pour faire tomber dans la Vallée une grosse météorite de ferronickel dont Clemens extrait les matériaux dont il a besoin, mais son associé, le roi Jean d'Angleterre, frère de Richard Cœur de Lion, lui vole le bateau dès qu'il est terminé. Sam jure d'en construire un autre, de rattraper et de châtier Jean.*

Dans le deuxième volume, Le Noir Dessein, *Clemens réussit non sans mal à construire ce deuxième bâtiment et à le soustraire aux tentatives de vol dont il est, lui aussi, l'objet. Après son départ, les gens qu'il a laissés derrière lui fabriquent un dirigeable avec lequel ils arrivent jusqu'à la tour. Un seul d'entre eux réussit à y pénétrer, et n'en ressort pas. Sur le chemin du retour, les aérostiers découvrent que X se dissimule parmi eux, mais l'Ethique parvient à prendre la fuite et le dirigeable est détruit par une bombe qu'il y a cachée.*

Dans le troisième tome, Le Labyrinthe magique, *les deux navires puissamment armés s'affrontent et s'envoient mutuellement par le fond. Seuls Burton et quelques recrues de X échappent à la mort. Ils remontent le Fleuve aussi loin qu'ils le peuvent à bord d'une petite enbarcation, puis escaladent les montagnes escarpées qui entourent la mer polaire. Burton est convaincu que X fait partie de la troupe ; il le démasque en effet alors qu'ils viennent d'entrer dans la tour par une issue secrète que le traître y a aménagée.*

Le mécanisme de la tour exige un minimum d'entretien, que la trop longue absence des Ethiques et de leurs agents (tués par X) n'a pas permis d'assurer. Le cerveau en protéine de l'Ordinateur est sur le point de périr d'inanition, la valve qui l'alimente en eau de mer s'étant bloquée. S'il meurt avant qu'on ait pu la réparer, tous les enregistrements corporels seront détruits et l'ensemble du projet irrémédiablement compromis.

Hermann Goering, ex-nazi et Reishsmarschall du Troisième Reich, tente, au sacrifice de sa vie, de changer la vanne défaillante. Il échoue. L'Ordinateur semble perdu, et avec lui tout espoir d'immortalité pour les tente-cinq milliards de Terriens.

Mais Alice Liddell Hargreaves réussit, par une manœuvre astucieuse, à détourner l'Ordinateur de son obéissance suicidaire à certains interdits et sauve le projet.

Les habitants de la Vallée vont pouvoir bénéficier du délai supplémentaire dont, selon Loga, l'Éthique renégat, ils ont besoin afin d'atteindre tous le niveau requis pour passer de l'autre côté. Le projet reprend son cours normal, à cette modification près. Loga ne ressuscitera cependant pas les autres Éthiques et leurs agents, parce qu'ils s'opposeraient à ladite modification.

Le présent volume, Les Dieux du Fleuve *commence quelques semaines après la fin du précédent,* Le Labyrinthe magique.

TABLE DES MATIÈRES

AINSI MEURT TOUTE CHAIR

LES DIEUX DU FLEUVE

Cet ouvrage a été composé par CID Éditions
et imprimé par la S.E.P.C. à Saint-Amand-Montrond (Cher)
pour le compte des éditions Laffont

Achevé d'imprimer le 12 octobre 1984

N° d'édition : K934. — N° d'impression : 1783.
Dépôt légal : octobre 1984.
Imprimé en France.